刘氏六世医方（第二版）

（上）

刘彦普 著

中医古籍出版社
Publishing House of Ancient Chinese Medical Books

图书在版编目（CIP）数据

刘氏六世医方 / 刘彦普著 . -- 2 版 . -- 北京：中医古籍出版社，2025.9

ISBN 978-7-5152-2617-0

Ⅰ . ①刘…　Ⅱ . ①刘…　Ⅲ . ①验方－汇编－中国
Ⅳ . ① R289.5

中国版本图书馆 CIP 数据核字（2022）第 230205 号

刘氏六世医方（第二版）
刘彦普　著

责任编辑　张　磊
文字编辑　庄文元
特约编辑　王中原
封面设计　LUCKY
出版发行　中医古籍出版社
社　　址　北京市东城区东直门内南小街 16 号（100700）
电　　话　010-64089446（总编室）　010-64002949（发行部）
网　　址　www.zhongyiguji.com.cn
印　　刷　三河市华东印刷有限公司
开　　本　710mm×1000mm　1/16
印　　张　37　　彩插 0.75
字　　数　660 千字
版　　次　2025 年 9 月第 2 版　2025 年 9 月第 1 次印刷
书　　号　ISBN 978-7-5152-2617-0
定　　价　178.00 元

刘彦普

刘彦普年轻时期

2002年刘彦普参加第二届中国名医大会留影

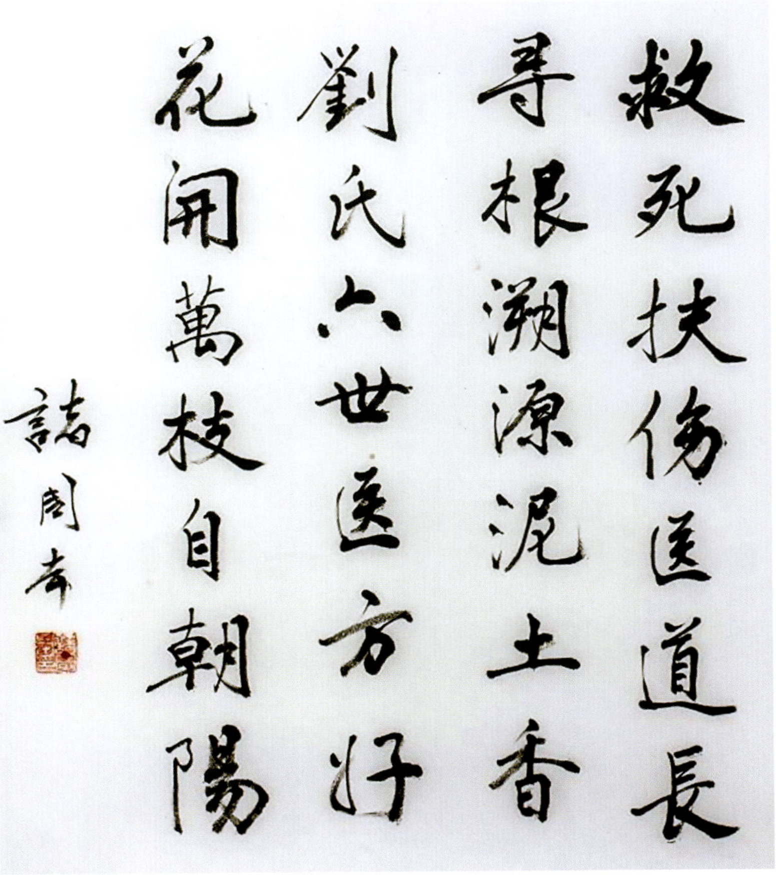

贺《刘氏六世医方》再版

诸国本

救死扶伤医道长，
寻根溯源泥土香。
刘氏六世医方好，
花开万枝自朝阳。

诸国本　国家中医药管理局原副局长

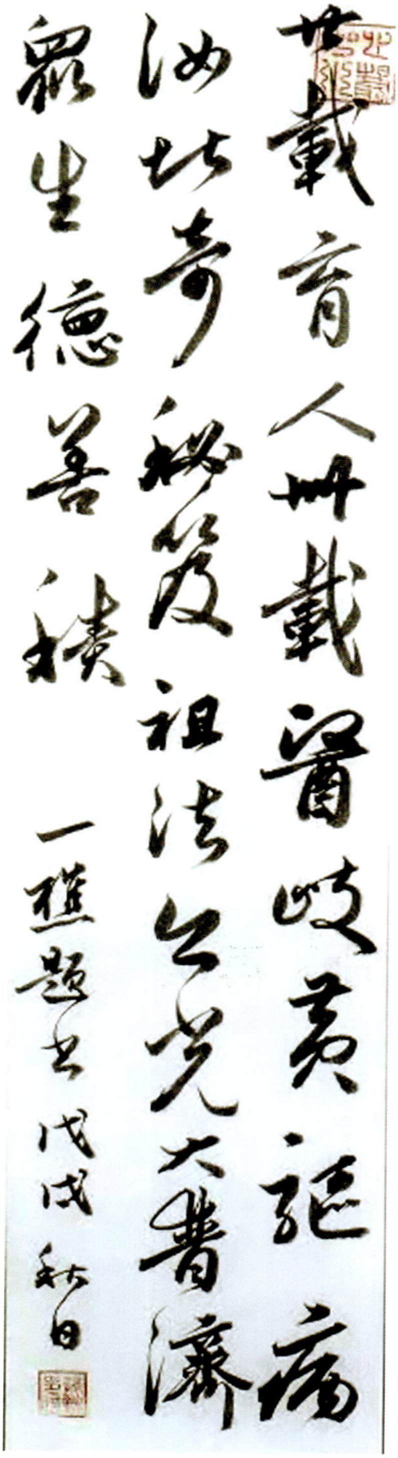

贺《刘氏六世医方》再版

孙 轶

廿载育人卅载医，

岐黄祛病汝堪奇。

秘笈祖法今光大，

普济众生德善积。

孙轶　辽宁省人大常委会原副主任

贺《刘氏六世医方》再版

孙 轶

六世医方字字金，

源于泥土成于心。

苍生得渡鱼翔水，

桃李争妍天下钦。

孙轶　辽宁省人大常委会原副主任

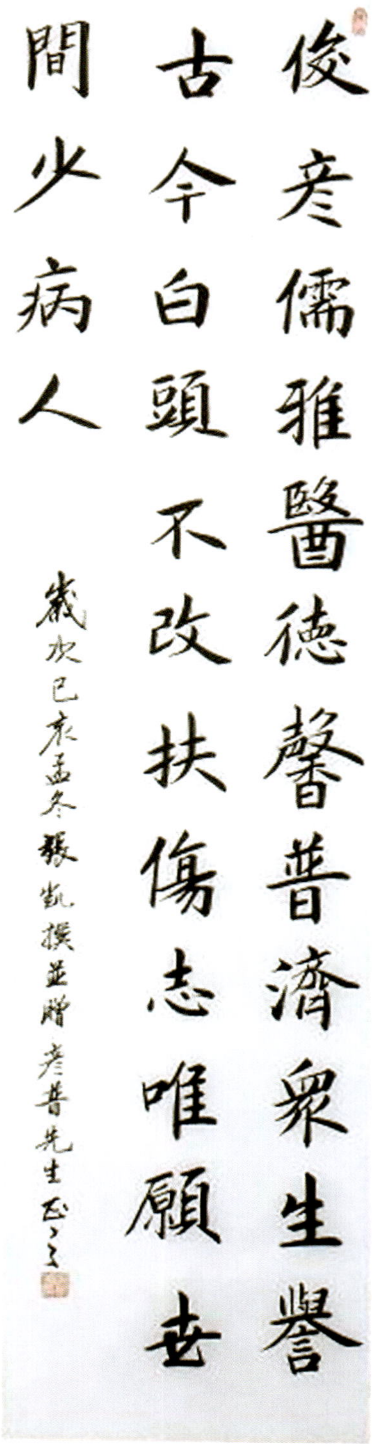

贺《刘氏六世医方》再版

张　凯

俊彦儒雅医德馨，

普济众生誉古今。

白头不改扶伤志，

唯愿世间少病人。

张凯　友人

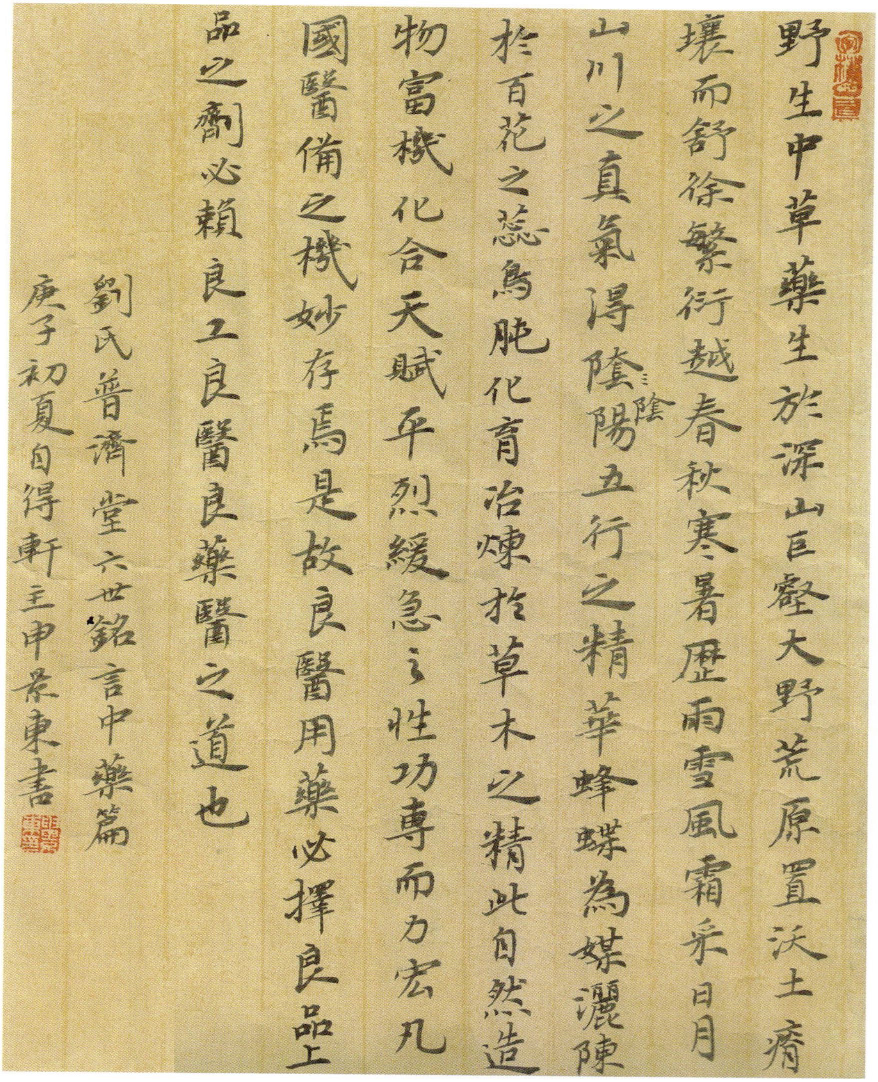
野生中草藥生於深山巨壑大野荒原置沃土瘠壤而舒徐繁衍越春秋寒暑歷雨雪風霜采日月山川之真氣得陰陽五行之精華蜂蝶為媒灑陳於百花之蕊鳥肶化育冶煉於草木之精此自然造物富機化合天賦平烈緩急之性功專而力宏凡國醫備之機妙存焉是故良醫用藥必擇良品上品之劑必賴良工良醫良藥醫之道也

劉氏普濟堂六世銘言中藥篇

庚子初夏自得軒主申景東書

刘氏普济堂六世铭言

野生中草药生于深山巨壑、大野荒原，置沃土瘠壤而舒徐繁衍，越春秋寒暑，历雨雪风霜，采日月山川之真气，得阴阳五行之精华。蜂蝶为媒，洒陈于百花之蕊；鸟肶化育，冶炼于草木之精。此自然造物，富机化合，天赋平烈缓急之性，功专而力宏。凡国医备之，机妙存焉。是故，良医用药，必择良品；上品之剂，必赖良工。良医良药，医之道也。

庚子初夏朝阳书法家协会自得轩主　申景东书

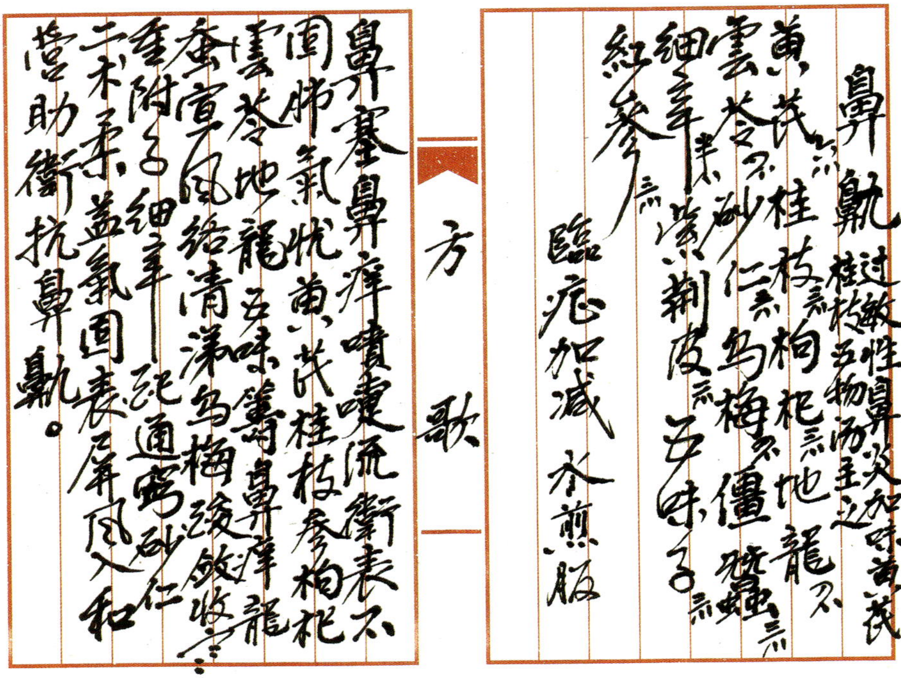

鼻鼽

过敏性鼻炎，加味黄芪桂枝五味汤主之

黄芪六钱　桂枝二钱　枸杞三钱　地龙四钱　云苓四钱　砂仁三钱　乌梅四钱　僵蚕三钱　细辛半钱　紫荆皮二钱　五味子三钱　红参三钱

临症加减，水煎服。

方歌

鼻塞鼻痒喷嚏流，卫表不固肺气忧。
黄芪桂枝参枸杞，云苓地龙五味筹。
鼻痒龙蚕宣风络，清涕乌梅酸敛收。
寒重附子细辛配，通窍砂仁二术柔。
益气固表屏风入，和营助卫抗鼻鼽。

普济堂中医师　刘彦普

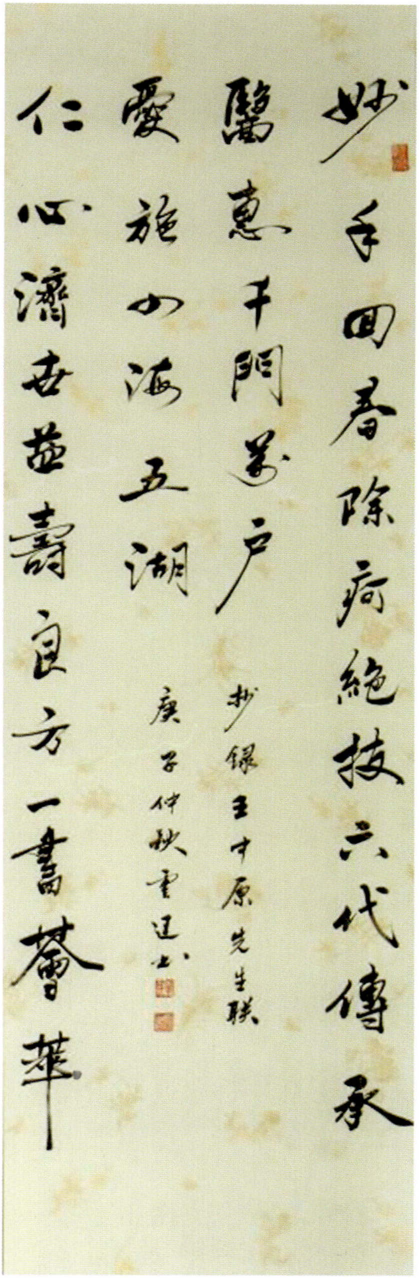

贺《刘氏六世医方》再版

王中原

妙手回春，除痔绝技，六代传承，
医惠千门万户；
仁心济世，益寿良方，一书荟萃，
爱施四海五湖。

王中原：《咬文嚼字》特约审校
单云庭：北票市书法协会会员

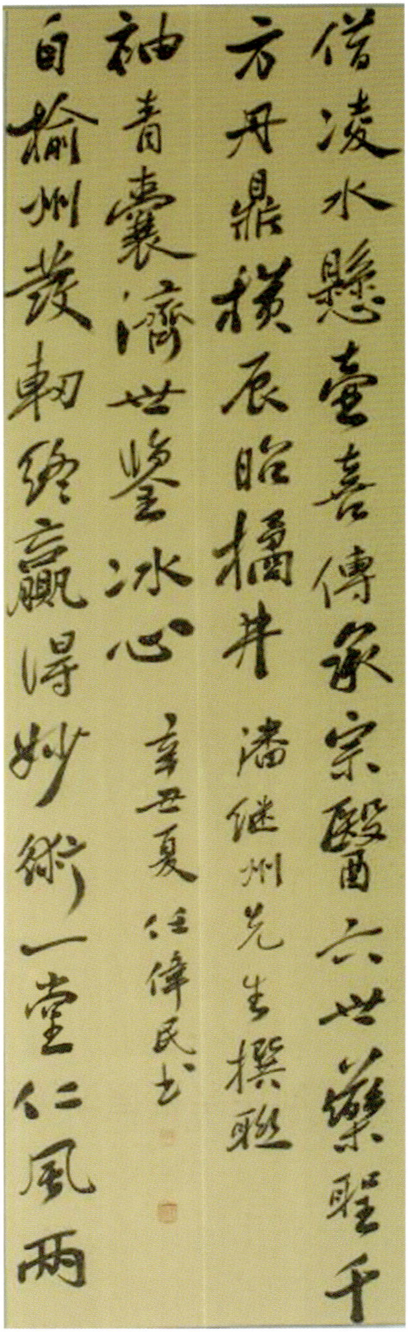

贺《刘氏六世医方》再版

潘继洲

借凌水悬壶，喜传承宗医六世，
药圣千方，丹鼎横辰昭橘井；

自榆州发轫，终赢得妙术一堂，
仁风两袖，青囊济世鉴冰心。

潘继洲：中国楹联学会会员
中华对联文化研究院研究员
任伟民：中国书法家协会会员
朝阳市机关事业社会保险管理中心原主任

序　一

刘彦普《刘氏六世医方》的出版，好比有人在野地里挖到一个金光闪闪的宝盒，盒子里藏着辽西朝阳凤凰山下大凌河边刘氏家族六代医人的医学经验和祖传秘方。中医古籍出版社著名编辑伊广谦教授用相当大的精力责编此书。当他把清样送给我看的时候，万分感慨地说："确有经验，确有疗效。有真知灼见，有独到之处！"这应该是对本书最好的评价。

刘彦普少年时代虽然贫困，但倔强有志，敢于自立。他禀赋天成，又非常勤奋刻苦。尤其是自学中医，背诵《汤头歌诀》《医学三字经》《药性赋》《脉诀》等"四小经典"，自幼受家学影响颇深。早年行医道上，每有得心应手的机会，积累了不少临床经验。但我们这个时代，是倡导现代科学、建设现代工业、以现代科学为科学、以非现代科学为不科学的时代。就中医的命运来说，先是以"医学革命"的大旗"废止旧医"，后来以参照西医考试的办法淘汰中医，后来以"唯一道路"的口号改造中医，后来以立法立例的措施几乎把民间医、民族医及草根一族完全排除在执业医师之外，无法取得行医资格，刘彦普就是一个典型的例子。他本来是一个农村中医，在家乡行医，颇有医名。全国首届医师资格考试，首先获得了助理医师资格。在之后的执业医师资格考试中，因突然意外受伤，导致一目失明，久经医治，耽误了考试，转年再去报考，当地卫生部门以"一技之长"人员三年不参加考试取消其再考资格为由，将其拒于医疗执业资格门外。适逢中央"43"号文件颁布，保护了乡村老中医，他们只要持"一技之长"证书，参加全国"中医、民族医医疗资格实践技能"考试合格，就可获执业医师资格，可刘彦普又因报考助理医师时，省厅统一收回"一技之长"证书，当地市医政科以没有"一技之长"原件为由，不予签字，再次取消其执业医师考试资格。在万般无奈之际，他找到了时任辽宁省卫生厅中医处的丛处长和温副处长，终于在省卫生厅中医处的档案里查到了"一技之长"存档。奈因市医政科未对其参考资格签字确认，省厅中医处便以助理医师资格证书为依据，准予其参加考试。当地市卫生部门某负责人的阻挠也随之消于无形。一件复杂的事情本身就那么简单。刘彦普老骥伏枥，宝刀未老，在夕阳中意气风发。他的医道得到了更好发挥，继续为家乡人民的健康造福。

我们的祖国是一个历史悠久、地域辽阔、人口众多的多民族国家，以文化底蕴的深厚性、文化内涵的多样性、文化表现的丰富性，为人类文明做出了巨大贡献。中国广大农村，天覆地载，山高水长，历来乃藏龙卧虎之地。各民族人民对生命、对健康、对疾病、对草医草药的认知和实践，形成了多种多样的医药文化，中医学仅仅是其中的当然代表。时至今日，乡村医生、民族医生、民间医生、医疗方面的一技之长者，仍然是重要的卫生资源，是中国传统医学创新发展的源头活水，是一支不可忽视的力量。但历史的论证是一回事，现实的生活是另一回事。在现代化大潮中，这支力量已经衰败，或弃之如同敝屣，或终于后继无人，说明我们可爱的革命家、科学家们数典忘祖，“魂断蓝桥”，至少是缺乏政治度量和学术度量，更谈不上用全人类的知识武装自己的头脑了。《刘氏六世医方》一书的出版，是一项抢救性成果，是对人类的贡献。如果作者不奋斗，编者不尽心，这本书也就没了。呜呼！赓续之艰，难以言表；庆幸之感，油然而生；珍惜之情，勉其晚景；敬学之心，共飨其文。是为序。

诸国本

2013 年 12 月 26 日于北京

序　二

《刘氏六世医方》一书，收载辽宁刘彦普先生家自清康熙年间以来，凡六代积累的医学经验。由于历时久远，资料保存不易，其先前五世文献遗存不多，所传百余名方，吉光片羽，弥足珍贵。因此，书中所载，主要是刘彦普先生继承先世学术，学以致用，复能另辟蹊径，发扬光大的成绩。

由于诸国本老局长的推荐，我得以获读《刘氏六世医方》书稿，反复披阅，不禁感慨系之。刘氏为医学世家，流传有序，累积六世，二三百年来，造福乡梓，沾溉一方，可钦可敬。刘彦普先生克绍箕裘，继承家学，卓然自立。近年整理家传效方，旁搜远绍，终获其成。刘先生自述，“行医数十载，搜岐黄之秘，探《金匮》之源，集家传方学之大成，提民间验方、偏方之精华，专于秘方的传承与化用，长于名方之扩展与量裁，苦费春秋，编成《刘氏六世医方》”，字字真情，洵非虚语。通览全书，见其言必有据，方必附案，不禁联想到宋代方书《苏沈良方》（苏轼、沈括）和《类证普济本事方》（许叔微），皆是医方、验案并重，以案证方，务求可信，岂非一脉相承。不过是方案更详，且参以现代医学的检查，可资佐证。也由此了解到刘先生的家学渊源、成长经过、心路历程，愈增钦佩。在此略述读后感想，概括有三。

其一，近年来，随着中医在世界上影响力的与日俱增，每有海外学者来华，希望一睹中医治病的风采，结果发现如今国内一些医院的中医，尤其是中青年医生，往往是依靠西医诊断思路用药，甚至是大量使用西药。真正运用中医思路和方法治病的中医，不说是凤毛麟角，也是寥寥无几。这不能不说是中医传承的危机，令人关注和忧虑。

刘彦普先生数十年来以发扬中医为己任，在临床上一以贯之，坚持运用传统中医的思路和方法治病，或古方今用，或另创新方，治疗疑难大病，并取得卓越疗效，充分彰显了本色中医的治病本领，展示了中医疗效的魅力，宣示了中医学的强大生命力。当然，这是源于他对中医的挚爱和坚信，是他钻研中医典籍，勤于实践和思考的结果。“礼失而求诸野”，这是最好的写照。这样的中医，对于传承中医是愈多愈好。这份执着和自信，正是中医的希望所在。当今一些中医，由于种种原因，妄自菲薄，相信他们会从刘先生的经历和医疗实践中得到启发。

其二，刘彦普先生数十年来，孜孜矻矻，殚精竭虑，知难而进，攻坚克难，研创新方，对许多疑难病的治疗取得突破性的进展。如治疗心脑血管疾病，创制普济早搏胶囊，医治心动悸、脉结代；普济心痹丸，治疗心肌缺血、心绞痛；冠脉活血丸，活血通络止痛，散瘀血之内停，救危症于须臾，主治心脉瘀阻、心前区疼痛；普济再造丸，滋养而生血，行导而活血，调畅而行血，主治风痰瘀血痹阻脉络之中风后遗症；创制长寿地仙丹，补五脏、填精髓、乌须发、抗衰老，促衰老细胞向年轻化逆转，促造血功能。

刘彦普先生巧思妙想，创制红伤药纸，治疗开放性软组织损伤，可收立即止血、立即止痛、不感染、不留瘢痕之奇效；别出心裁，古方新用，以加味黄芪桂枝五物汤治疗顽症过敏性鼻炎（鼻鼽），别开生面；阳痿、早泄的治疗向乏良方，古今医籍，千方易得，而一效难求，他苦心创制玉华白丹，治疗少年手淫引起的早泄、老年前列腺增生引起的阳痿，效果卓异，广受欢迎。他恪守中医家法，又能吸收现代医学知识，“发皇古义，熔铸新知”，用中医药治疗西医诊断的疾病，取得佳效。如用冠脉活血汤，治疗冠心病心绞痛；救脑丹，治疗神经性头痛；排卵汤促排卵，治疗妇女不孕；蠲痹汤加虫类药，治疗腰椎间盘突出；对肺纤维化的成功治疗，获得了北京协和医院朱元珏教授的肯定；等等。

刘彦普先生创制的新方如此之多，真是“如行山阴道上，令人应接不暇”。古往今来，多少医家，如匆匆过客，很多是人云亦云，有几人能留下几张确有疗效的良方。出自元代医家王隐君（字均章）《泰定养生主论》的礞石滚痰丸，清代医家王清任的血府逐瘀汤等几首活血化瘀方，近代医家张锡纯《医学衷中参西录》的镇肝熄风汤，胡光慈《中医内科杂病证治新义》的天麻钩藤饮，都足以让创制者百世流芳，名垂不朽，为后人感念。更为可贵的是，刘先生把自己耗尽心血研创的诸多秘方，无保留地公之于世，其博大胸怀，令人赞叹。其对中医事业的忠诚，可谓披肝沥胆，鞠躬尽瘁。

其三，回溯中国医学史上的名医，有一个现象值得注意，就是真正的名医不是出自太医院，多数也不是出自京城。金元四大家刘完素、李东垣、张子和都是活动在河南、河北的基层，朱丹溪则是在浙江义乌的乡下行医。清代，叶天士在苏州、吴鞠通在淮安得享大名。当代名医蒲辅周先生曾长期在四川的县城梓潼行医，朱良春先生则一直在南通行医。他们以卓越的疗效赢得人们的信任和热爱。

“英雄不问出处”，刘彦普先生生活和行医在辽宁朝阳市。朝阳，古称龙城，是我国红山文化的发祥地，历史上曾是十六国时期北燕的都城。山川形胜，钟灵毓秀，人才辈出，积淀了丰厚的文化底蕴。毋庸讳言，近代以来，辽宁的经济、文化中心集聚在沈阳、大连一线，朝阳偏居辽宁西北一隅，发展相对滞后。但这也给医家带来一个机会，就是由于交通不便，患者往往是就地求医，从而为医家提供了实践锻炼和大展身手的机遇。地区一级的医院和医生，接触的疾病多种多样，见多识广，是毋庸置疑的事实。相对大城市大医院的分科过细，医生只对某系统某病擅长，基层医生具备实实在在的相对优势。这就是刘先生治验丰富，内、外、妇、儿、皮肤诸科兼擅的原因。古代名医，很多是精通各科的多面手。比若扁鹊，“过邯郸，闻贵妇人，即为带下医；过洛阳，闻周人爱老人，即为耳目痹医；来入咸阳，闻秦人爱小儿，即为小儿医”。刘先生不在大城市大医院供职，堪称“弱势”。但他植根于故乡的泥土，以疗效立足，“有效即有理”，故能闻名遐迩，赢得人们的信赖和赞誉。岳美中先生说过：“中医的生命在于疗效。”在刘先生身上又一次得到了体现。

“宝剑锋从磨砺出，梅花香自苦寒来。”刘先生的从医之路并不平坦，他历尽坎坷，终于走出了自己的路。我知道，他还会有更多的成果联翩问世。南宋方勺《泊宅编·青溪寇轨》有云：“古之贤人，不在朝廷，必在医卜之中。”我以为，刘彦普先生就是隐于医中的当世“贤人”。

是为序。

伊广谦　于中国中医科学院

2014年10月30日

自　序

“人而无食乎，可赈而饱之也。人无衣乎，可解而温之也。至于一脉内溃，五莞生衅……非妙诊良剂，可以起废保命，则虽有金玉牣其室，骨肉环其前……又何补哉？”（南朝·宋·王衮《博济方·序》）由是，果能觅得济世良方，救人于危难之中，世人之所期也。

刘氏家传《普济百集方》，良方秘制，效若桴鼓，洵为可贵。

若普济早搏胶囊，专治心动悸、脉结代；普济心痹丸，适医心肌缺血、心绞痛；五骨金丹对骨损伤、骨折、骨质疏松症有奇效；红伤药纸，治疗开放性软组织损伤，止血、止痛、不留疤痕。

若胆肾真一之精不足，视一为二，补肝散可为良药；风、痰、气、火相逼，阴阳反复，视物颠倒症，羚羊角散可使真元复明。

若羚麝丸治少阳头痛，肝阳上亢眩晕症；救脑丹治神经性头痛，血管性头痛，风阳上扰伴脑鸣；排卵汤，促排卵，专医妇人不孕；活精丹，活弱精，专医男子精不成；生发丸，生脱发，祛斑秃，充血虚，免发中断；乌发丸，乌须发，治少白，补血弱，荣发焦枯；普济中风后遗丸，治疗中风偏瘫、肢体活动不便；普济桑枝丸治疗中风不语、口眼㖞斜、神不清。

若除痤疮，有枇杷饮；祛面斑，用美容净；甲字提毒药捻直通骨髓窦道；紫色疽疮膏专医附骨流痈。

若求永年，有长寿地仙丹，调和营卫，祛除百病，有补心强肾回天功，恢复元春。

还有一次散，可治癫狂；一包灵，可医寒胃痛；等等。

《普济百集方》，凝结着刘氏几代人的心血和智慧。集经方之精，汇名方之萃，历承千秋，明效大验，堪称传统医学之瑰宝。

今著《刘氏六世医方》，搜岐黄之秘，探《金匮》之源，集家传方学之大成，提民间验方、偏方之经典，专于秘方的传承与化用，长于名方之扩展与量裁，入篇之著，皆为精品。

黄芪桂枝五物汤，补气行血，温阳行痹，擅医血痹身麻，独方也。经刘氏几代人的临床变通，用治鼻鼽顽疾（过敏性鼻炎），收入《刘氏六世医方》，此仲景经方之奇用也。

二陈汤，燥湿化痰，理气和中，加减通治风、热、寒、食、气、皮诸痰。被称为千古除痰圣方。刘氏配以安神定志之品，治疗心下停有痰饮之心悸，易名普济定志丹，收入《刘氏六世医方》，此局方之良用也。

桃红四物汤合四逆散，专治瘀血内停、瘀滞寒凝、瘀阻经络，加减通治血府、髓窍、膈下、少腹、筋骨之瘀。刘氏遵其化瘀理念，自拟冠脉活血汤，治疗心脉瘀阻之冠心病、心绞痛，收入“名方录”中，此王清任逐瘀名方之神用也。

蠲痹汤，祛风除湿，益气合营，治疗风痹身痛。刘氏加进虫类药，搜剔邪留，攻坚疏络，用治风湿、类风湿、腰椎间盘脱出症，收入《刘氏六世医方》，此国医大师朱良春验方之妙用也。

“桑槐桃李透爬茄汤”，内外兼用，用治风寒湿痹之左瘫右痪。刘氏临床加进破血逐瘀、搜剔络邪之药，易名普济桑枝丸，治疗中风后遗症，收入《刘氏六世医方》，此刘氏家传偏方之巧用也。

《中国中医药报》设立专栏，搭建平台，邀四海中医名家献方立说。我从中汲取营养，苦心挖掘民族医药学不传之秘，择其精要编入《刘氏六世医方》之中，此现代名家名方之广用也。

刘氏医方，组方严谨，配伍精良。更有刘氏家传制剂的精密修合与严明法度，其科研价值接近《药典》之标准。四项科研项目荣获国家发明专利，在继承与发展传统医学方面取得一定突破。

然而，人之体气有强弱，质性有阴阳，情志有苦乐，年龄有长幼，天时有寒暖，受病有浅深。遣方用药不可拘泥，临床实践告诉我们，绝对的秘方是没有的。一个成熟方剂的形成，必经多少代临床医学的百炼千锤。

2001年申报新药批号时，余因某种缘故，将“普济心血丹”中的桂枝舍弃，用治心动悸、脉结代，结果出现“下痢”之状。同年秋，我持疑在北京三芝堂就教于国医大师路志正老先生。路老说：“心血丹乃瑞竹堂之名方也，岂可随意增删！”“方中桂枝为使药，‘升清阳之陷脱，降浊阴之冲逆’，舍之，则群药无以导引，因而，升降无权，‘下痢’现焉！”谨遵路老“调升降”“燮阴阳”“持中央”“运四旁”“顾润燥”“纳化常”的学术思想，遂将桂枝重纳方中，果然“下痢”之虞去矣！

刘氏医术，世代为人所推崇，非独方也，亦赖秘制之功焉。

吾先人云：“凡药制造，贵在适当，不及则难求效，太过则气反失。”并指出：“酒制升提，姜制发散，盐制入肾，童便除劣，米泔去燥和中，乳制滋润回荣，麦麸抑酷护膈，蜜制甘缓益元阳。”

“长寿丹”，采集枸杞之花、叶、果、枝，置深山野谷中，以受风霜雨雪润泽，纳天地之灵气也；“红伤药纸”中之除痕散，在黄瓜中制作，取其生物之活性也；“金枪不倒”，取驴、马、狗肾，用滑石烫之法制作，萃取技术也；“桑枝中风丸”，采春桑枝，熬制成膏，提取技术也。

药物的制作工艺，在临床中起着举足轻重的作用，中药制剂学谓：“芫花本利水，非醋不能通；绿豆本解毒，带壳不见功；草果消胀效，连皮反胀胸；黑丑生利水；远志苗毒逢；蒲黄生通血，熟补血运通；草乌解风痹，生用使人蒙；川芎炒去油，不炒痹痛攻；炮制当依法，方能专化功。”

诸多药物制作工艺中，唯炼丹技术最难掌握。“红升丹”“白降丹”为汞剂药，治疗骨髓炎、骨结核，内下窦道中使死骨排出，疡科不可缺少之腐蚀药也。临床内服之丹药为低温制作之“伏药”，用以治疗冠心病、心肌缺血、心绞痛，取其药物烧制之奇效也。

刘氏家学，精研医术，尤重医德。先人云：凡为医者，当以德通天下，以术亲众民。

德者，善之本也。诚如孙思邈所言：“凡大医治病，必当安神定志，无欲无求，先发大慈恻隐之心，誓愿普救含灵之苦。”无论贵贱贫富、老幼美丑、亲仇智愚，悉皆一视同仁。堂堂正正，不卑不亢。临其室，不因华丽娱目而顾盼；登其堂，不因箫管悦耳而分心；救时疫，不因暴利诱人而神迷。摒弃当下医药行业的以假乱真，以普济为天职。

术者，德之用也。凡为大医，必当医术精湛，通览轩岐医圣经典，识别阴阳，辨证求因。《素问·阴阳应象大论》云：“阴阳者，天地之道也，万物之纲纪，变化之父母，生杀之本始，神明之府也。”是故，善诊者别阴阳，善医者明加减。孙思邈《大医精诚》指出：“夫经方之难精，由来尚矣”“今病有内同而外异，亦有内异而外同，故五脏六腑之盈虚，血脉荣卫之通塞，固非耳目之所察，必先诊候以审之……”

刘氏普济堂始建于清康熙年间，迄今已历六代。余自幼酷爱医学，得祖传“丹”“方”真谛，为光耀祖传医药门楣，曾就读于北京光明中医学院，并在辽西朝阳开办中医诊所，致力于从理论与实践两个方面探索医药方学的发展。其间，余师从著名医学家吕炳奎、诸国本、李德新先生。在名家指导下，倾注毕生精力，挖掘、整理刘氏家学，编写刘氏医方。余已八十有四，刘氏医方的再版，若能给社会带来些许裨益，吾愿足矣！

由于水平有限，疏漏之处在所难免，恳请方家批评指正。

甲辰　刘彦普

友 序

普济堂坐落于辽西三燕故都，东临大凌河风景区，西靠华夏五千年红山文化圣地……

普济堂始于清初，沿袭于今，传承之路，跌宕起伏。鼎盛于康熙年间，衰落于第五代，新中国初期一度中断。其第六代传人刘氏彦普君，惜幼时家贫，读书甚少。凭天才，靠勤奋，博览群书，志存高远，自学成才。曾于油灯下，通览中医“四大经典”，成诵不忘；亦曾于执教、文化工作之余，函授于北京光明中医学院，攻读中医药基础理论，熟知千种中药性能，运用自如。全省一技之长统考，荣登榜首；全国医师资格考试，名列前茅。取得执业资格，改行从医。自此，老店复活，艰难起步，再次崛起。初起如履薄冰，曾因老字号与新行规不符而受限，亦曾因半路行医遭质疑而受阻。需疏渠道，排障碍，取信义，正其名，探医理，用奇术，以求立足，打开局面焉。

普济堂诊所自一九九四年始建以来，遵菩萨圣教，立远志，壮熊胆，怀莲子心，以德行医，普施仁爱；用华佗奇方，出佛手，使仙茅，呈陆路通，凭术救人，济解困危。

刘氏彦普潜研祖传秘籍，推陈出新，灵活变通；精研传统制剂，多获发明专利。主攻心脑病专科，科研项目几经临床验证；主打科研招牌，发明成果三番实验成功。若“普济心痹丸”专治冠心病、心肌缺血，“普济桑枝丸”治疗中风后遗症、肢体活动不灵，“普济早搏胶囊”专治心动悸、脉结代，“普济心痹膏”治疗胸闷、气短、心绞痛，“抗痨金丹”治疗一切痨症，“五骨金丹”治疗骨伤、骨折、骨质疏松……

凡来普济堂就诊者，既有达官显贵、富豪名流，又有黎民百姓、工农商学兵；既有都市名城之好友，又有边塞山村之远客。悉皆以礼相待，一视同仁。对高贵者恭敬而不阿，对卑微者体贴而不欺，对拮据者常慨然相助，对远路求诊者常于车站接送……病重者，沉疴得愈；受益者，奔走传歌；熟知者，热诚推荐；慕名者，远路登程。小诊所，车来人往，杂然而有序；造访者，络绎不绝，井然而有条。患者之多，范围之广，为本市同行之最。

普济堂历经风雨十几载，跻身名堂行列。文化普济堂，诚信普济堂，德为善之本也，众民敬仰之；刘氏彦普君饱经沧桑数度秋，跻身名医队伍，术为德之用矣，百姓信赖之。

今日之普济堂，修木成列，绿柳成荫。遥接凤山之神韵，近依古塔之灵气。继承发展，厚德载物，伴着时代的强音，为后世书录着刘氏医方之璀璨华章！

辛卯年八月　龙城　赵辅政

前言

刘氏祖传“方”与“法”，六世相袭，久传不衰。方曰《普济百集方》，法曰《刘氏三合法》；方有“内、外、伤”方，法有“服、熥、贴”法。炮制循古，修合循今，法度严谨，注重穴位用药。历经沧桑，可称传统医学之瑰宝。

一、“方”论

《普济百集方》为清代先祖刘氏家传六代之秘，其用药实有其精妙处。诸如治疗心悸的“普济心血丹”，巧用猪心血；治疗胸痹的“普济心痹丸”，妙用葛根花；治疗中风的“普济再造丸”，重用春桑枝；治疗痹症的“蘑菇丸”，倍用山榛蘑；治疗伤科的“普济红伤药”，选用丝瓜叶；治疗骨病的“五骨金丹”，善用生菜籽。

然而，随着时光的流逝，时代的迁移，《普济百集方》传至今，无疑也面临着巨大的考验——取舍与完善。社会在发展，科技在进步，《普济百集方》之精华处当汲取之，其糟粕处当剔除之。赋予其新的科学内涵，才有生机，才有灵魂。所谓继承发展，无非运巧良工，决胜负于千里之外。

《普济百集方》中的“普济心血丹”，健脾益气，安神益智，与“归脾汤”有异曲同工之妙。然而，用新鲜猪心血配制，似在药效学方面缺乏科学依据，故将其删除。又如加大炙甘草剂量，以“通经络，利血气”(《神农本草经》)，使宗气健旺；减少红花剂量，意在“红花入心经，量轻可解散心经邪火，令血调和”(《药品化义》)。并将备用的煅紫石英纳入方中，“温营血而润养，通奇脉，镇冲气”(《本草便读》)；“镇静安神”“补心气之不足”(《别录》)。再加进桂枝，“升清阳之陷脱，降浊阴之冲逆”“去寒湿，更定惊悸”(《长沙药解》)。新组成的方剂，以益气之品为君药，以养血之品为臣药，以安神镇静治其标，以益气养血为治本。临床观察，全方贯心肺而司呼吸，补心脾以调心律，治疗“心动悸、脉结代”疗效显著，故将“普济心血丹”更名为“普济早搏胶囊”。

《普济百集方》中之“普济再造丸”，豁痰通气，化瘀疏络。用于治疗中风痰厥，语言謇涩，手足麻木，半身不遂，举止错乱等，可见一斑。然而，综观全方，不外滋阴潜阳、熄风开窍，溶透之功实显薄弱。于是，加进大量桑枝以窜走，轻用柳絮以宣发，配以“伏药”以抗凝，使该方在原有的基础上，加大了透达之力，故而适用于中风初期与后遗症的治疗，易名为“普济中风丸”。

原方还有许多繁杂之处，如橘枝、竹枝、槐枝、桃枝、梨枝、杏枝、爬山虎等，不仅取材困难，其药用价值又不甚大，故一并删去。

《普济百集方》伤科门类中之“红伤药纸”，用树胶脂作为黏合药物的基质。由于取材困难，祖上常使用榆树脂。新中国成立后改用水胶生熟并用。到了现代，水胶作为树脂已经落后，按照《药典》要求，用橡胶和松香作为基质，配制的“红伤药纸”，治疗开放性软组织损伤，立即止血，立即止痛，不感染，不留疤痕，疗效百分之百。

方中去除疤痕之“除痕散”，在黄瓜里培制，不符合《药典》规定，也一并删去。

《普济百集方》中之“普济心痹膏”，应首推为方中之精粹、应用之良品。此膏配伍独特，工艺考究，远在清朝、民国年间，于江南塞北，遐迩闻名。其功能活血散瘀，通痹止痛，不仅多用于冠心病之心绞痛，还可应用于风湿骨痛、跌仆伤痛等症。

因其专于穴位贴敷，故见效快，深受百姓青睐。然则，方中之犀角、虎骨为禁用药，故易为豹骨。另则，章丹火上收膏，地下十五日去火毒，似觉工艺琐繁，故用现代技术将其改为软膏，贴敷方便，填补了全国“内科病外治”的空白。

《普济百集方》中延年益寿、乌须黑发、补肾、强心、健脑的“长寿地仙丹”，其中有一种药，“春采叶，夏摘花，秋收果，冬挖根”，送往“鸡不叫，狗不咬”的山野峰巅，置于土地上，使“受日月精华七七四十九天”，意即“纳天地之灵气”。此种说法，似有神秘色彩或封建迷信之嫌。究其实质，无非提倡选料精良。众所周知，中草药生长在深山幽谷、大野河畔，风霜雨雪给予它们润泽，太阳太阴给予它们生命，大自然给予它们精灵之气。不必刻意采摘，故意选地，使其“受日月之精”“天地之灵”。取材于大自然的野生药材，无污染，无侵蚀，无公害，而存精华，有灵气。临床坚持以品质优良之野生药材入药，并选择药材生长地域，可收事半功倍之效验。“鸡不叫，狗不咬”之说删除之。

此外，在高粱地里炼制的接骨药“五骨金丹”，用十八反药配制治疗肿瘤和乳腺增生的“反瘤膏”，用斑蝥素配制的快速壮阳并治疗前列腺增生的“秘传金枪药”，治疗冠心病、心肌缺血、心绞痛的“普济心痹丸”，以及“牙痛一次散”“胃痛一包灵”，治精神失常的“一粒丹”，经过大量增删取舍后，临床验证，皆被世人称为不可多得。

二、“法”论

“医之精秘，重在理法。理能成规矩，法能成方圆。”“病在表宜发散，此为法。妄散则心阴受伤，令肾阳飞跃，此法中有理。表药以气胜，武火骤煎；补药以味胜，文火慢熬，此亦法中有理。用头煎不用二煎，治疗表证，取其轻飏而走上；用二煎不用头煎，治疗里证，弃其躁气取其淡，此为法度”（济南卫校王允升《良工运巧》）。吴鞠通说：“治外感如将，兵贵神速；治内伤如相，坐镇从容；治上焦如羽，非轻不举；治中焦如衡，非平不安；治下焦如权，非重不沉。”此理中有法，法中有理也。

刘氏祖传炼制“丹药”合中草药，采用“服、熥、贴”三合治疗法，堪称一绝。先人云“熥贴之药，切近皮肤，彻于肉理，透达经脉，溶于渗液”，与内服药相合，“调升降、理阴阳、安五脏、挫五郁之气而滋化源，取其内外一贯之妙也”。此为“外治之理”，即“内治之理”。内外贯通，亦称法中有理。

刘氏祖传内下“甲字提毒药捻”，外贴“刘氏疽疮膏”，内服“平补托里散”，治疗附骨疽；内下“乙字提毒药捻”，外贴“刘氏毒镖膏”，内服“抗痨金丹”，治疗骨痨；“经络散”外熥，“通痹膏”外贴，“痹症丸”内服，治疗风湿痹痛等。方圆百里，家喻户晓。然而，三合法治疗外科疾病较为直接，治疗内科疾病，其内在深邃之处，博大精深，难以掌握。因之，临床中，每每识重症而束手，遇沉疴而止步。于是，一方面研读“四大经典”，深究中医学之精髓；另一方面学习今人之经验，试图用现代医学科学理论去认识祖传的东西。经过几十年的临床实践，积累了大量素材，使刘氏三合法在治疗内科疾病中逐渐走向成熟。

口服“普济心痹丸”，膻中穴贴“普济心痹膏”，背俞穴敷“普济经络散”，治疗冠心病之心绞痛；口服“普济早搏胶囊”，心俞穴外熥“普济经络散”，心前区外贴“普济心痹膏”，治疗心动悸、脉结代；口服“普济中风丸”，涌泉穴灸后导入“普济经络散”，大椎穴针刺后贴敷“普济通痹膏”，治疗中风之中经络，临床应用得心应手。为了适用于低薪阶层，又创立了“灸、熥、贴”三合法治疗冠心病新的诊疗技术。“普济心痹膏”穴位外贴以开痹，“普济经络散”穴位外熥以宣窍，艾条穴位外灸以通阳。三法合一，内外融会贯通，活血化瘀，行气止痛，串走十二经，可迅速调整心律，短时间内缓解心绞痛。众所周知，手少阴经起心中，足阳明经通心中，足少阴经络心中，三合法循经用药，对冠心病的治疗，效果颇佳。

三、结论

刘氏祖传“方”与“法”，集传统医学之精粹，留给后人以思考及其实用价值。然而，秘“方”虽秘，却不可一味生搬硬套；妙“法”虽妙，却应洞察青红皂白。徐灵胎说：“气体有强弱，质性有阴阳，生长有南北，性情有刚柔，筋骨有坚脆，肢体有劳逸，年力有老少，奉养有膏粱藜藿之殊，心境有忧劳和乐之别，更加天时有寒暖之不同，受病有深浅之各异……故医者必细审其人之种种不同，而后轻重缓急。”这就明白告诉医者：四时有别，地域有别，遣方用药岂可拘泥；病程有长短，体质有弱强，施用何法，不可不察。孙思邈说：“读方三年，便谓天下无病可治；及治病三年，乃知天下无方可用。”这就更加一针见血地指出：基础坚实，才能居高临下；实践密切，才可左右逢源。引申开来：没有理论作指导，祖传“方”“法”，有如无本之木；脱离临床实践，祖传“方”“法”犹如空中楼阁。只有深刻领悟医圣之论，广博医源，精勤不倦，善识阴阳变化之顺逆，善别五行生克之盈亏，审时度势，灵活多变，方可使刘氏祖传“方”与“法”，在广阔的杏林医海中闪烁夺目的光芒。

庚寅二月　刘彦普

再版说明

甲午仲秋，《刘氏六世医方》由中医古籍出版社出版发行。是书发行后，全国各地反响强烈。

北京中医药大学部分学生来信，索购《刘氏六世医方》。

深圳一女士用“普济救脑丹”治好了困扰自身十多年的神经性头痛，呼吁再版。

新疆一女士用“抗纤救肺膏方”治好了肺结节，强烈要求为朋友购买《刘氏六世医方》。

为了满足广大读者和专业人士的需求，于庚子仲秋修订完成《刘氏六世医方》一书，并增补“医案·医话”章节。其中有多次筛选，决定保留的世传治疗男性阳痿早泄的“神力仙丹”，治疗女子性交无高潮的“暖肾助火汤”，治疗溃疡性结肠炎的“白马红藤汤”，治疗嘌呤代谢异常的“白虎痛风汤”，治疗三叉神经痛的“黑白散”等，弥足珍贵。

内容提要

《刘氏六世医方》（第 2 版）分五卷。

卷一曰“医验录”，记录作者本人临床使用祖传医方的体悟。从心悸、胸痹、中风、痹症、养生等门类，领悟、剖析先祖用药之精微，探索古方新用、临证发挥之奥秘。卷二曰“名方录”，整理刘氏家传珍贵名方百余，其中涉及内、外、妇、五官等科诸多疑难杂症，世所罕见。卷三曰“附方录”，将先祖康熙、乾隆、道光年间手抄真迹名方数百，连同作者刘彦普先生纵横医海、搜取之八方方萃，一并附录。

另有医案、医话，例证兼备。

卷四“医案”篇，读百家经典，用家传妙方。《黄帝内经》《景岳全书》《证治汇补》《医学衷中参西录》……以典附案，字字珠玑。且披露了永世留存、不予外泄的六世之秘，诸如世传治疗男子阳痿、早泄的“神力仙丹”，治疗女子性交无高潮的“暖肾助火汤”等等，悉皆和盘托出。

卷五“医话”篇，循医家铭录，守善德学养。石成金之良医良药论，萧龙友之医范十条，诸国本“为草根中医呐喊，为民族医药发声”的民族医药情怀，国医大师路志正“药之个性”与“和群妙用”的严谨风范，以及刘氏家传一君二臣三味方之奇制，都是《刘氏六世医方》的鲜明特点。

该书内容丰富，资料珍贵，据证检方，即方用药，疗疴除疾，便之极矣。

贺《刘氏六世医方》再版

古色古香普济堂

三燕名士潘继洲先生，心里眼中笔下，唯联而已。一日，春和景明，漫步于凌河之西，胜利桥东，一副楹联赫然入目，联曰：

遵菩萨圣教，立远志，壮熊胆，怀莲子芯，以德行医，普施仁爱；

用华佗奇方，出佛手，使仙茅，呈陆路通，凭术救人，济解困危。

门楣高悬一匾，大书三字曰：普济堂。

潘先生驻足观看，沉吟良久，不觉击掌有声。随之步上两级石阶，轻挑珠帘，进入堂中。

堂主刘老先生抬眼一看，见来者英气勃勃，殊非俗辈。起身相迎曰："敢问先生贵姓？"

潘曰："回老先生，在下潘继洲。"

刘老先生曰："您就是著名楹联家潘先生吗？让我找得好苦，孰料今日好风送来。"

潘曰："岂敢岂敢！写过联，得过奖，浪得虚名而已。嗜联如命，倒是实情。"

老先生曰："早就仰慕您的才华，诚心渴望拜您为师，请收下我这个年迈的学生。"

随后，两人就这副楹联进行了深入的探讨。一方是抽丝剥茧，一方是洗耳恭听。

仲夏的一天，刘老先生设宴招待潘先生等文朋诗友，鄙人经潘先生引见，叨陪末座。

饭后到普济堂小坐，只见堂中书法以"大医精诚"为点睛之笔。东侧是老先生创作的《中药四季歌》，由孟庆冰等四位书家书写。谨录于下。

春来芍药满常山，更有樱花及牡丹。远志去寻君子使，当归何必问泽兰？

端午葳蕤半夏天，菖蒲制酒健千年。天仙娇女红娘子，笑与槟榔共采莲。

秋菊花开遍地黄，一场雨露一茴香。木通去取国公酒，醉到天南星里光。

隆冬知母定防风，白芷糊窗照夜明。待到雪消阳起时，车前闲倚白头翁。

组诗绝非堆砌药名的顺口溜，而是平仄合律、意境优美的近体诗。

潘先生最近撰写了赞美刘大夫的楹联，联曰：

凌水悬壶，负六世青囊，回春自有岐黄术；

裂山传道，凝千方碧血，济世长怀仁爱心。

潘先生注曰：刘大夫系辽宁凌源人，裂山指凌源名山裂山梁。

最近，刘大夫将大作《刘氏六世医方》（中医古籍出版社 2014 年 11 月第 1 版第 1 次印刷）赠送给我，我拟两联赠刘先生，联文如下：

深情似海，倾六代秘方传世界；

大爱如山，掬千壶灵药拯黎民。

勇破家规传国粹，

恪遵祖训济苍生。

我乃医学门外汉，却对此书爱不释手。所以然者何？因为刘大夫笔力非凡，将汤头歌诀类的实用文字也写得行云流水、文采斑斓。比如治顽痹的骨熥散的组方是：伸筋草、透骨草、红花、当归、防己、附子、防风、荆芥、千年健、仙灵脾、路路通、秦艽、桔梗、羌活、独活、桑枝。刘大夫拟的歌诀是：

骨痹还需用骨熥，伸筋透骨当归红。

防己附子千年健，荆芥灵仙陆路通。

二活二枝秦艽配，加水煎熬入防风。

风湿类风兼骨刺，凝胶瘀痰浴蒸熥。

十六味药一一提到，兼及用法和功效。音韵和谐，朗朗上口。我仔细对照一下，二枝应指桑枝和桔梗。

治肝硬化的软肝煎的方歌更妙：

连连金术三，三文青陈甘。干芦槟榔附，附清甲乙肝。

肝气郁结证，症减化肝坚。坚结门脉压，压缩软肝纤。

顶真法作方歌，绝无仅有！方药部分写三仙各 15g，三棱 5g。我不知三仙之所指，刘大夫说是山楂、神曲、麦芽。不知道我是否记对。

该书引用徐灵胎的话，有一句是“奉养有音粱藜藿之殊”。我推测“音粱”

可能是“膏粱”之笔误。试探着问刘大夫，老人家击掌叫好，大加赞赏。刘大夫将呕心沥血之作赠我，我所能回报的就是在文字层面上来个望闻问切。

刘大夫年近八旬，宝刀不老，上午诊病，患者络绎；下午著述，成果辉煌。时常千里奔波，或往诊，或赴会，或研讨，或报告。独来独往，无专车，无助手，风雨依然。

忙碌之余，闻听我说上海教育出版社有皇皇巨著12卷本《古文字诂林》，约我带去一观。浏览之后，打开手机，准备下单。还想订阅《咬文嚼字》，并网购其历年合订本。

普济堂，不仅是一个诊所，更是文化殿堂。普济堂主，不仅是救死扶伤的天使，更是照亮一方且辉耀后世的火炬。

笔力所限，不能写出刘老先生之万一。

王中原

2018年11月13日

普济堂记

刘氏中医诊所普济堂，位于山东平度古岘镇刘家集木村南蓬莱脚下，乃先祖刘仁于康熙年间所创。普者，遍也，无遗漏也；济者，渡也，助也。大丈夫立于天地间，不为良相，愿为良医，盖医乃活人之术也。堂名“普济”，大有深意存焉。

第一位堂主刘仁，于1708年建普济卫生馆，遍搜民间验方，有手抄本《刘氏家藏方》传世。

第二位堂主刘熹，苦读诗书，乐善好施。曾为少林寺炼药工，深得少林炉制之秘，晚年在普济卫生馆主持丸散膏丹的制备修治，深受百姓爱戴。

第三位堂主刘宾，举止儒雅，治学严谨。他吸收了金元时期医学家成无己制方用药精髓，参时人之所需，加深了对方药的理解和运用。其将祖传的秘方编为《普济百集方》，虽未付梓，却代代传承。自此，检方用药风行于世。“官府守之以为法，医者传之以为业，病者恃之以立命，世人习之以成俗。”

第四位堂主刘让，生逢乱世荒年，弟兄四人迁至辽西凌源佛爷洞，于万分艰难中重振普济堂，专于丸散膏丹制备工艺的升华，建冰沟药园，方圆百亩，植药千种。“春采叶，夏采花，秋摘果，冬掘根”，修治长寿地仙丹，为医既重祛病之方，也重养生之术，堂业兴旺二十余年。

吾父刘呈，天资聪颖，无师自通，本应继任第五位堂主，不意间志向转移，专攻数术，以堪舆为业，名闻千里，誉满京师。然业已改而家风永恒，于瘟疫暴发、尸横遍野之际，挺身而出，以大号铸铁锅熬制避瘟汤，解民于倒悬，救民于水火，家乡威风岭一带无一人染疫。普济堂之声誉不因吾父改业而减，反而因此飙升也。

余自幼酷爱医学，得祖传丹、方之真谛。然因千里迁徙之变故，吾父改业之影响，祖方秘术之传承，十不余三。每思及此，寝食难安，振兴堂业，舍我其谁也？

欲振兴堂业，弘扬普济堂精神，首先要立志做个良医。清代名医石成金说："世人不患无良药，只患无良医，有良药而无良医，参附不能疗疾；无良药而有良医，葱姜亦可极疴。"何谓良医？当如孙思邈所言，必当"无欲无求，先发大慈恻隐之心，誓愿普救含灵之苦"。

早在凌源老家，靠几帘祖传秘方和一尊不知传了多少年的老丹炉，用采自大自然的花叶枝果配制丸散膏丹，济世救人，许多乡亲带着希望奔向我家，无数患者解除了病患折磨。时光已进入20世纪90年代，我却尚无行医许可。为使行医合法化，我于1991年10月21日参加全省"一技之长"考试，获得治疗骨髓炎"一技之长"证书。1992年5月18日，在朝阳市双塔区开办中医诊所。1999年，《中华人民共和国执业医师法》颁布，又考取了执业医师资格证。自此，我正式踏进了国医殿堂。

堂匾高悬，患者络绎，金钱涌来，初心不忘。恪遵祖训，普济世人。不分贫贱富贵、老幼妍媸，一视同仁，极尽医者之天职。2003年，"非典"肆虐期间，决不发"国难财"，坚持半价收银，诚信待客，声名远播。平素接诊，有患者携千元而来，诊其不需服药者，开出"日行万步"之运动处方，患者分文不花，"完币归赵"者何止一例。

立志做一个良医，就要具备高尚的医德和高超的医术。为此，我确定了自己的主攻方向和科研课题。刘氏家传"炮制循古，修合考究，法度严谨"的中药制备工艺，世所稀有。如绵羊油炒淫羊藿、罐蒸补骨脂等，一可去除杂质，一可提高药效。我坚持走一条医学科研发展之路，与国家药理检验基地挂钩，从实验室到临床，从药效分析到质量标准测定，严格以《药典》制备工艺标准为基础，试图使自家手工艺制作更新为科研提取制剂，以大大提高疗效。

同仁堂有同仁丹，达仁堂有达仁丹，皆为镇馆之宝也。普济堂早有效果非凡的"观音普济丹"，我以此丹为基础，凭自己的毅力挑战顽疾，把心血管疾病作为主打之靶，同朝阳市第二医院中医科合作，又到辽宁中医药大学、中国中医科学院、中国医科大学附属盛京医院，遍访名医大家，将"观音普济丹"升华为"普济早搏胶囊"。此药专治心动悸、脉结代，获朝阳市科技进步三等奖。

接着，我又在《普济百集方》中深入挖掘，历经七八个寒暑，研制成功了专治心肌缺血、心绞痛的"普济心痹丸"，治疗夜间憋醒危重症的"二陈定志丹"，治疗脑血管疾病的“中风后遗丸”，治疗阳痿、早泄的“神力仙丹”，治疗开放性软组织损伤的“红伤药纸”等系列制剂，获六项国家发明专利。

研发制剂，矢志不渝。攻坚克难，呕心沥血，终有所成，足慰吾心。用之者沉疴渐愈，闻之者登门造访。医患推崇，驰誉四方。

曹丕曰：“盖文章，经国之大业，不朽之盛事。”人生有限而功业千秋。欲留千秋之功业，莫过于著书立说。十几年来，余穷毕生之精力，将刘氏六世家传与自己的经验成果编著成书，名曰《刘氏六世医方》。甲午仲秋，由中医古籍出版社出版发行。国家中医药管理局原副局长诸国本先生说：“时至今日，乡村医生、民族医生、民间医生、医疗方面的一技之长者，仍然是重要的卫生资源，是中国传统医学创新发展的源头活水，是一支不可忽视的力量……《刘氏六世医方》的出版，是一项抢救性的成果。”

岁在戊戌，《医案·医话》收笔，全书例证兼备，弥补了前书未录之刘氏医学精华，为传统医学做出了切实的贡献。此书特点有三：一曰“以典附案”，一曰“以诀对绝”，一曰增补了世所稀传的“一君二臣三味方”。恰逢庚子《刘氏六世医方》再版，两书相融，案话合璧，实乃刘氏家学的集成总结。读者一书在手，尽可细细参酌，尽显传承之乐也。

本人功底虽浅而追求不止，曾函授于岭南，深造于京华，采药于名山，讨丹术于古刹，问道于国医，讲学于中医药大学，谙熟“四大经典”等近百部医书。近观几版《中医内科学》教材，同时将肺痿章节删除，这是重大失误。要言之，“肺痿”的肺燥津伤，不能用“痿病”的肺热津伤来解释。余对此深入研究，反复探讨，深以为憾，写出《肺痿论》，立意深刻，辨理清新，功在不朽。

普济堂历史悠久，堂风雅正，堂主恪遵普济堂“以勤求精，以精求效，以效求信，以信养术，以术救人”之理念，悬壶济世，造福百姓。初心不改，四海同钦。普者，遍也，无遗漏也；济者，渡也，助也。普济堂愿竭尽全力将患者渡向健康幸福的彼岸。

目 录

卷一 医验录

卷二 名方录

卷三　附方录

卷四　医案

卷五　医话

卷一

医验录

第一章　内　科

一、心悸

心悸，是指病人自觉心中悸动，惊惕不安。每因情绪波动或过度劳累而加重，常与眩晕、健忘、失眠、耳鸣同时并见。

心悸的形成，多与心虚胆怯、心血不足、阴虚火旺、心阳不振、水饮凌心、心血瘀阻有关。

《景岳全书·怔忡惊恐》云："怔忡之病，心胸筑筑振动，惶惶惕惕，无时得宁是也……此证惟阴虚劳损之人乃有之，盖阴虚于下，则宗气无根，而气不归源，所以在上则浮撼于胸臆，在下则振动于脐旁。虚微者动亦微，虚甚者动亦甚。"

老年心悸，则多由心血不足也。《证治汇补·惊悸怔忡》曰："人之所主者心，心之所养者血，心血一虚，神气失守，神去则舍空，舍空则郁而停痰，痰居心位，此惊悸之所以肇端也。"

对其治疗，前人早有经典方对号入座。心虚胆怯，用安神定志丸，以定志养心、镇惊安神；心血不足，用人参归脾汤，以补血养心、益气安神；阴虚火旺，用天王补心丹，以滋阴清火、养心安神；心阳不振，用桂枝龙牡汤，以温补心阳、定悸安神；水饮凌心，用苓桂术甘汤，以化气行水、振奋心阳；心血瘀阻，用桃红煎，以活血化瘀、理气通络。

刘氏治疗心悸，除沿用古方、经方外，另辟蹊径。心动悸、脉结代者，用普济心血丹，以生心血、敛心气、安心神；心阴不足者，重用普济三甲丸，以养心阴、定惊悸；心力衰弱之患，则用刘氏强心丸，补肾润肺强心；心动过速，用普济转率汤，调整心律；心虚胆怯，用普济定心汤，定魄安魂，举心气之不足，益心气之耗伤。

（一）普济早搏胶囊

众所周知，期前收缩（早搏）是心血管系统临床常见病、多发病，严重危害人类健康，影响着人们的工作和生活。有专家指出：**“无论有无冠心病，凡有室性早搏者，心源性死亡或猝死的可能性就高。”**因此，积极治疗本病，对保障人们的身心健康有着十分重要的意义。

普济早搏胶囊是根据刘氏家传《普济百集方》之普济心血丹加减化裁而组成的新方剂，已申请国家发明专利。2001 年，国医大师路志正老先生的弟子李芳洁为此方注释方解，辽宁省中医研究院做了质量标准测定。此后，此方广泛用于临床，疗效满意。

【方药】

炙甘草 10g，琥珀 10g，甘松 15g，苦参 30g，红花 3g，煅紫石英 10g，红参 25g，黄芪 30g，生地黄 20g，泽泻 10g，桂枝 6g。

【功能与主治】

益气养血，镇惊安神，生心血，安心神，敛心气。用于治疗室性期前收缩、房性期前收缩、心动过速等。

【制法】

通过水提与醇提两种方法提取有效成分，装入 1 号胶囊。

【用法与用量】

一日三次，一次两粒。

【方解】

心律失常属中医心动悸、脉结代范畴。“结脉，往来缓，时止复来。”“代脉，动而中止，不能自还，因而复动。”本证因寒邪，因痰湿，因情志所伤，因气血瘀滞，因血少气虚，淫心阻脉，心伤脉结而致病。然而，“阳气虚不能宣通脉气，血虚不能养心”，却是“结代脉”的基本病因。故本方以安神镇惊治其标，益气养血治其本。

方中红参、黄芪、甘草为君药，补气以养血。其中，红参甘温入脾肺，大补肺中元气，以助心行血，“健脾……补肺……开心益智，添精神，定惊悸”（《本草备要》）；黄芪“温能升阳，……用以佐人参，使补中益气”（《药品化义》）；甘草炙用甘温，入肺、脾、心经，健脾和中，“通经脉，利血气”（《神农本草经》），与参、芪配伍可健旺宗气，贯心脉而司呼吸，使心气充沛，心血充盈。三药组成黄芪汤，为本方君药。

生地黄、苦参共为臣药。其中生地黄味甘、苦，性寒，入心、肾经，滋阴养血；苦参苦寒，入心、肺、肾经，有养血清热坚阴之效。君臣配伍，以益气之品为君药，以养血之品为臣药，共收益气和血之功。

紫石英甘，温，入心、肝经，镇静安神，“补心气不足，定惊悸，安魂魄”（《名医别录》）；琥珀甘，平，入心、肝、小肠经，镇惊安神，散瘀止血，“从辛温药则行血破血，从淡渗药则利窍行水，从金石药则镇心安神”（《本草经疏》）；甘松辛、甘，温，入脾、胃经，理气止痛，醒脾健胃。此三品既有镇惊安神之功，又兼调气和血之效，共为佐药，以助君臣共奏益气养血、安神镇静之功。

泽泻甘、淡、微咸，入肾，不仅“养五脏，益气力，起阴气，补虚损”（《本草备要》），更泻膀胱之邪热，避专一于补的偏胜之患，寓一阖一辟之意；红花辛温，入心、肝经，方用小量养血活血，意欲补中有通之意。二药为使，画龙点睛，使本方成为益气养血、镇惊安神、通补兼施、寒热并用之复脉良方。

【普济早搏胶囊方歌】

结代脉用琥珀松，桂参红花紫石英。
参芪地泻重炙草，健旺宗气早搏停。

【病例】

刘某某，10年前与17名工友施工打涵洞，突想吸烟，跳出涵洞卷完烟，刚要点火，猛然一声巨响，浓烟四起，涵洞塌方，虽然只他一人幸免于难，但突如其来的变故，工友们血肉模糊的惨状，刺激了他。自此，他心慌意乱，昼夜难眠，心脏跳跳停停，整日惶惶恐恐，无力劳作。去了许多地方求医问药，可病情依旧。

2002年亲友引他来普济堂诊治，诊见善惊易恐，坐卧不宁，心慌神乱，不能自主，脉弦数，动而中止。此为气血逆乱之象，急投普济定志之品，以镇惊定志、安神养血。数剂而效，继而配制普济早搏胶囊合普济定志汤剂，一日三次服用，一月而愈。

（二）早搏汤临证十二辨

众所周知，心脏早搏之患，诱因多多，临床表现又各有不同，刘氏积多年治疗心悸之经验，注意使用早搏汤之临床加减变化，深得“心动悸”临床三昧。

1. 心血不足，脉细弱，倦怠无力，伴心动悸、脉结代

治法：益气安神，养心复脉。

方药：早搏汤加减。

紫石英20g，甘松30g，苦参15g，琥珀冲服10g，红花3g，黄芪50g，炙甘草30g，茯神15g，炙酸枣仁30g，生地黄25g，红参15g，白术15g。

2. 心虚胆怯，善惊易恐，少寐多梦，伴心动悸、脉结代

治法：养心安神，定志复脉。

方药：早搏汤加减。

紫石英20g，甘松30g，苦参15g，琥珀冲服10g，红花3g，朱砂3g，茯神15g，磁石先煎15g，龙齿先煎15g，炙酸枣仁30g，远志15g，石菖蒲15g。

痰热内扰者，温胆汤加早搏汤。

3. 阴虚火旺，心烦少寐，头眩腰酸，舌红脉数，伴心悸动

治法：养心安神，滋阴复脉。

方药：阴虚火旺者，天王补心丹加早搏汤；烦热重者，朱砂安神丸加早搏汤；阴虚相火妄动者，知柏地黄汤加早搏汤。

生地黄25g，玄参20g，麦冬15g，天冬15g，五味子15g，茯苓20g，远志15g，炙酸枣仁30g，柏仁10g，甘松30g，苦参15g，石菖蒲15g。

4. 心阳不振，胸闷气短，舌淡，脉细数，伴心动悸、脉结代

治法：滋补心阳，定悸复脉。

方药：早搏汤加减。

桂枝6g，龙骨30g，牡蛎30g，甘松30g，黄芪50g，苦参15g，紫石英20g，红参10g，附子6g，炙甘草30g

5. 水饮凌心，心悸痞满，恶心吐涎，下肢浮肿，舌白，脉弦滑，伴心动悸，或脉结代

治法：化气行水，通阳复脉。

方药：甘松30g，茯苓20g，桂枝10g，白术15g，炙甘草5g，半夏10g，陈

皮 15g，紫石英 15g，苦参 15g，车前子包 20g。

6. 心脉瘀阻，心痛胸闷，唇甲青紫，心悸不安，脉缓涩而中止

治法：理气化瘀，通络复脉。

方药：桃仁 15g，红花 30g，丹参 30g，赤芍 15g，延胡索 15g，香附 30g，青皮 15g，生地黄 15g，当归 15g，桂枝 10g，紫石英 20g，苦参 I5g，甘松 30g，龙骨 30g，麦冬 30g，炙甘草 30g。

7. 痰浊壅塞，痛引肩背，气短喘促，脉滑，伴心动悸、脉结代

治法：通阳豁痰，散结复脉。

方药：瓜蒌 30g，薤白 15g，半夏 10g，陈皮 15g，甘松 30g，紫石英 20g，苦参 15g，当归 10g，赤芍 10g，炙甘草 30g。

8. 阴寒凝滞，胸痛气短，不能平卧，四肢逆冷，伴心动悸、脉结代

治法：散寒行气，温经复脉。

方药：瓜蒌 30g，薤白 15g，枳实 10g，桂枝 6g，檀香 10g，丹参 30g，蒲黄 10g，五灵脂 15g，羌活 10g，防风 10g，紫石英 20g，甘松 30g，苦参 15g，白芍 30g，炙甘草 30g

9. 肺心病心动悸伴心衰

治法：泻肺利水，救衰复脉。

方药：太子参 30g，葶苈子 30g，桑白皮 15g，北沙参 20g，炙地龙 20g，贝母 10g，杏仁 10g，厚朴 15g，防己 10g，车前子包 20g，牛膝 15g，丹参 20g，紫石英 20g，苦参 15g，炙甘草 30g

10. 风心病心动悸

治法：益气活血，助阳复脉。

方药：炙黄芪 50g，浮小麦 30g，毛冬青 30g，丹参 30g，益母草 30g，当归 15g，川芎 15g，桃仁 15g，桂枝 10g，蒲黄 10g，五灵脂 15g，甘松 30g，锁阳 15g，紫石英 20g，红花 3g，炙甘草 30g。

11. 高心病心悸、脉结代

治法：熄风蠲痹，清宫复脉。

方药：明天麻 15g，钩藤后下 15g，石决明 15g，牛膝 30g，白芍 30g，木瓜 15g，萆薢 15g，续断 20g，僵蚕 5g，威灵仙 15g，车前子包 50g，甘松 30g，苦参 15g，紫石英 20g，菊花 40g，决明子 30g，蝉蜕 15g，泽泻 15g

12. 冠心病心动悸、脉结代

治法：化痰复脉，活血宽胸。

方药：血竭研吞10g，冰片研吞1g，三七研吞10g，降香10g，檀香10g，赤芍15g，延胡索15g，蒲黄10g，五灵脂15g，水蛭6g，荜茇15g，生地黄20g，红花3g，郁金15g，甘松30g，紫石英30g，苦参30g，炙甘草30g。

【病例】

一中年女子自开酒店，生意红火。每日起早睡晚，不畏艰辛。一日，夜十一点半下班回家，刚把钥匙插进门锁，忽觉身后一人手持利刃死死地逼近咽喉，说："不许喊，出声整死你！"边说边往楼下拖。女子吓得魂飞天外，被迫跟随其人，直至小区花园。其间，曾有三次行人路过，女子几次拼命用双脚猛力踢打地面，但却无一人出手相救，都选择了匆匆离去。正此时，蓦地从斜刺里蹿出一条黑犬，猛地向此人身上扑去，咬得他哭号着向北奔去，黑犬穷追不舍，一直追出二里之遥，鲜血溅满一路。

少刻，女子自昏迷中醒来，见黑犬坐在身旁，喘着粗气，凝视着她。她哭了，觉得当今社会人不如狗。于是，设法引领黑犬回家，可黑犬执意不从，慢慢地，低着头，向河边走去，去得很远，很远……

自此，女子茶不思，饭不想，渐渐地心悸失眠，夜不能寐。无奈，去某医院检查，诊为"频发室早三联律，合并阵发性室上性心动过速"。中医诊为心动悸、脉结代，属心虚胆怯、善惊易恐、少寐多梦范畴。笔者以益气安神、养心复脉为治疗大法，用早搏汤加减（紫石英20g，甘松30g，苦参30g，琥珀15g，红花3g，炙甘草30g，麦冬20g，生地黄30g，阿胶15g，桂枝6g，麻子仁15g，五味子10g，石菖蒲15g，远志15g，青龙齿先煎15g，牡蛎先煎30g，茯神15g），7剂而愈。

（三）普济定志丹

普济定志丹系刘氏秘笈，引自张锡纯之静心汤，是治疗心动悸的有效方剂。

心悸，心虚胆怯，善惊易恐，坐卧不安，少寐多梦，脉动数而虚弦，以普济定志丹加减治疗。

【方药】

龙眼肉50g，炙酸枣仁25g，山茱萸25g，生地黄20g，炒柏子仁20g，生龙骨20g，生牡蛎20g，生乳香5g，生没药5g，陈皮15g，半夏10g，茯神15g，炙甘草15g，当归15g，石菖蒲15g，远志15g，木香5g，葶苈子20g，附子8g。

【方解】

方中龙眼肉补心血，炙酸枣仁、炒柏仁补心气，龙骨入肝以安魂，牡蛎入肺以定魄。魂魄者，心神之左辅右弼也。且龙骨、牡蛎二药与山茱萸并用，大能收敛心气之耗散，并三焦之气化亦可因之团聚。心以行血为用，心体常有舒缩之力，心房常有启闭之机，若用药一于补敛，实恐于舒缩启闭之运动有碍，故又少加乳、没之属，通气血以调和之。又以二陈燥湿和中，人参养心益智，茯神、茯苓、远志安神定志，石菖蒲开窍，朱砂镇心，木香醒脾，葶苈子强心，附子助阳。全方益智安神，定怯镇恐，主治心气不足之心动悸、夜卧不宁等症。

【普济定志丹方歌】

圆肉山萸柏枣仁，龙骨牡蛎乳没寻。
生地远志石菖蒲，普济定志加二陈。
还有当归玄参味，清痰养心睡安稳。

【病例】

余五十一岁时，八月的一天夜里，突发呼吸困难，不自主地跳到床下，拼命高跳，气却回不来，因而出现鸡鸣声。一两分钟过去，方才缓解。少刻，口吐大量黏痰，尚带有浅红色液沫。如是逐年加重，去医院诊察，未果。经参查《实用内科学》，似有左心衰之嫌，然则心脏结构正常，功能未有异变，临床又不予支持。疑惑中，口服西地兰液，症状减轻。

随着年龄增高，发病渐频，每于熟睡之时，惊悸憋醒，高喊一声，跳下床，再喊几声才回过气来，尚有几秒钟无意识之症。口服西地兰液无效。

2004年8月，去北京阜外医院诊查，心电图、超声波、血检等一切正常，只有偶发室早、房早。

然而，病情愈发严重，每夜病发两次到三次之多，经阜外医院心律失常专家张奎俊教授分析，疑似心脏骤停，有猝死之虞，服用“欣康”“消心痛”，无效。

张锡纯《医学衷中参西录》指出：“有其惊悸恒发于夜间，每当交睫于甫睡之时，其心中即惊悸而醒，此多因心下停有痰饮。心脏属火，痰饮属水，火畏水迫，故作惊悸也。选清痰之药与养心之药并用。方用二陈汤加当归、石菖蒲、远志、胆南星、朱砂。”服药多剂不愈，经多方研究，才知养心之剂不妥。

今按祖传普济定志汤加二陈之属（龙眼肉 50g，炙酸枣仁 30g，山茱萸 30g，生龙骨 25g，生牡蛎 30g，茯神 15g，石菖蒲 15g，远志 15g，生乳香 6g，生没药 6g，陈皮 15g，半夏 10g，炙甘草 15g，当归 15g，木香 5g，葶苈子 20g，附子 8g），数剂而愈。连服一月，病情稳定。后“三伏”“三九”两季服此汤剂，十年未发。

（四）千金炙甘草汤

千金炙甘草汤（《千金方》）应用广泛，古代用于治疗肺痿、虚劳、骨蒸劳热、酒色过度等，今人治疗冠心病、病态窦房结综合征、心肌炎、萎缩性胃炎等亦有奇效。

【方药】

炙甘草 30g，生姜 10g，桂枝 10g，人参 6g，生地黄 50g，阿胶 10g，麦冬 10g，大枣 12 枚，麻子仁 10g。

【方解】

方中炙甘草具有“通经脉，利血气”的功效，为方中主药；辅以生地黄、阿胶养心血，麦冬滋心阴，麦冬与生地黄配伍补血之不足。人参、大枣益心气、补心血；麻仁调血脉，与阿胶相伍，又增滋阴生血之力；佐以桂枝、生姜，性味辛温而温心阳，通经脉；加白酒同煎，更增强通阳复脉之效。重用姜、枣，调和阴阳，使气血流通，脉始复常。崔应珉说：“该方的组方规律可分为阴、阳、气、血四组。其阴药为生地黄、阿胶、麻仁；阳药为桂枝、生姜；气药为人参、大枣；血药为地黄、阿胶。全方配合，养心阴，通心阳，益心气，补心血。”王绵之说：“此方温阳而不燥，补气而不壅，滋阴补血而不腻，阴阳相配，气血相合，强心复脉，是气血阴阳俱补的方剂。”

清代喻嘉言谓此方为“治邪少虚多，脉结代之圣方”，亦即炙甘草汤的治疗原则必须是虚损证候。崔应珉遵其要旨，对风心病、冠心病、肺心病、高心病等所致心律失常、期前收缩、房颤，提出治疗要点，即以虚为主，气虚血弱，心神失养。心动悸、脉结代之患为此方治疗范围。

医圣张仲景对炙甘草的用量偏大，以此来确立主药位置。临床实践证明，大剂量胜过小剂量的效果。汪机对炙甘草汤的用量是这样的：炙甘草 60g，生姜 45g，党参 30g，生地黄 60g，桂枝、阿胶各 30g，麦冬 45g，麻子仁 30g，大枣

30枚。

岳美中指出："此方以胶、麦、麻、地、草、枣补益营血，以参、枣、桂、酒补益胃气，使阳行阴中，脉得以复。唯用阴药则大其量，而阳药用量反不及其半。阴药非重量，则仓卒间无能生血补血，但阴本主静，无力自动，必须借阳药主动者以推之激促之，才能上入于心，催动血行，使结代之脉去，动悸之证止。"因此，他主张生地黄重用至48g，加水酒浓煎。汁多气少，就可濡润血脉，滑利而不滞。

【方歌】

结代千金炙甘草，麦冬桂枝共阿胶。
红参生地火麻仁，再加生姜与大枣。
炙草倍量健宗气，地黄阿胶阴血调。
阳药推动血运行，动悸症止结脉消。

【病例1】

李某，男，68岁。2012年2月6日初诊。阵发性心慌气短1年余，加重10余天。半年前因劳累而出现较严重的心慌气短，在某医院诊为心律失常、房颤、快速心室率反应，经治后好转。此后，常因疲劳过度、感冒、心慌不安加重，伴气短、乏力，畏冷，时出虚汗，舌质暗、苔白腻，脉沉细数。心电图示：心肌呈缺血型改变（前壁），房颤，快速心室率反应。四诊合参，辨证为太阳、太阴、少阴合病，阴阳两虚，营卫不和，治宜通阳复脉、滋阴养血、调和营卫。

方用炙甘草汤化裁：炙甘草40g，生地黄45g，党参、桂枝、生姜各30g，炮附子（先煎1小时）、麦冬、阿胶（烊化）、五味子各15g，山茱萸60g，红枣12枚（掰开），黄酒100mL。5剂，日1剂，水煎分2次服。加减服药10剂，诸症悉除。

【病例2】

刘某，女，37岁，2010年10月12日初诊。阵发性心慌胸闷伴头晕乏力半年余，加重1周。素体虚弱，半年前感冒后出现严重心慌，胸闷，伴头晕乏力，在某医院诊为病毒性心肌炎。治疗出院后，体质更虚，感冒及疲劳皆可诱发心慌胸闷，伴头晕乏力。刻下诊见：面色无华，精神委顿，心慌不能自主，并伴胸闷，头晕，乏力，腰部酸凉，动辄自汗不止，无口苦，口渴不欲饮，纳差，眠差，二便可，舌质淡、苔薄白腻，脉细弱结。心电图示：频发房性期前收缩，部分导联 ST 轻度压低。四诊合参，辨证为太阴、少阴合病，气血阴阳俱虚，治宜益气通阳、滋阴养血、宁心定悸。

方用炙甘草汤加减化裁：炙甘草、黄芪各 40g，生地黄 50g，茯神、炒枣仁各 30g，炮附子（先煎 1 小时）、桂枝、白芍、党参、生姜各 20g，阿胶（烊化）、麦冬、五味子各 15g，红枣 12 枚（掰开），黄酒 100mL。5 剂，日 1 剂，水煎分 2 次服。服药 20 剂，诸症消失。

（五）刘氏炙甘草汤

刘氏炙甘草汤养心阴，通心阳，补心血，益心气，通阳复脉，滋阴养心，对临床“缓而中止”与“动而中止”之结代脉症的治疗，可获良效。

众所周知，结代脉的出现实为“阳气虚不能宣通脉气”“血虚不能养心而成”。然则，今人的“结代”脉却多有非虚而致者。酒店林立，歌舞厅盛行，徘徊于小旅馆，往来于洗浴宫，酒后狂欲，欲后当风，肝热致心动悸、脉结代者随处可见。千金炙甘草汤中加进苦参，清热燥湿，具有非特异性“奎尼丁”样效应，可抗心律失常；加入万年青，强心利尿，清热解毒，纠正心力衰竭。尚有因饮酒多伤脾胃，影响其升清降浊之功能，亦可致心动悸、脉结代。千金炙甘草汤中再加甘松，开郁醒脾，行气止痛，使新的心律失常得以改善。《本草汇言》称：“甘松醒脾畅胃之药也”“其气芳香，入脾胃药中，大有扶脾顺气，开胃消食之功。”以此，解除苦参苦寒之虞，并能抑制药物诱发的心律失常，可谓加减之妙也。

【方药】

炙甘草、生地黄、红参、麦冬、阿胶、火麻仁、桂枝、生姜、大枣、苦参、万年青、甘松、五味子、炙酸枣仁。

【病例】

王某某，男，42 岁。频发室性期前收缩 1 年余。近日因醉酒入房，加重半月，投千金炙甘草汤，效果不显。遂加进苦参、万年青、甘松、五味子、炙酸枣仁，九剂痊愈。

【方歌】

结代脉需四两甘，枣枚三十桂姜三。
半升麻麦一斤地，二两参胶酒水涵。

再加苦甘万五味，虚中夹实结代痊。

（六）心肌炎后遗症——健心汤

心肌炎是病毒侵犯心脏引起的炎症改变。祖国医学认为本病是外感六淫邪气侵犯心脏，耗伤气阴，或以气阴两虚之体，复感六淫外邪而发病。余临床使用健心汤甚效。

健心汤（《普济百集方》）：生地黄50g，麦冬50g，桂枝40g，炙甘草20g，党参50g，苦参40g，甘松30g，丹参40g，紫石英50g，板蓝根50g，常山50g，琥珀50g，檀香30g，黄芩30g。

阴虚火旺去桂枝，加玄参；胸闷、胸痛加失笑散；睡眠欠佳加莲子心、淮小麦；痰湿加茯苓、半夏；气虚加黄芪；阳虚加附子。

【方歌】

健心汤治心肌炎，生地麦冬桂常山。
三参二甘石英配，琥珀檀香芩板蓝。

【病例】

李某某，男，46岁，辽宁葫芦岛人。2009年因胸闷、心悸而发现频发期前收缩，且劳累后周身酸痛、乏力，心电图检查提示室性期前收缩三联律，诊为病毒性心肌炎后遗症。

2010年12月前来求诊，诊见：胸闷，气短，心慌，期前收缩三联律，头晕，乏力，大便溏泻，胃肠不适，舌苔白腻，脉结代。诊断：病毒性心肌炎后遗症。投健心汤养心阴、补心气。

方药：生地黄30g，麦冬20g，炙甘草10g，党参30g，苦参30g，甘松30g，丹参30g，紫石英20g，板蓝根10g，常山10g，琥珀10g，檀香10g，蒲黄15g，五灵脂15g，浮小麦30g。临床加减三次易方而愈。

【心悸结语】

悸，心动也，"心中憺憺大动"，"心怵惕"也。

心悸之论，始自《伤寒论》《金匮要略》，如心动悸、心下悸、惊悸。其实者为痰饮、水湿、惊扰或误治正伤；其虚者为营卫不足，气血亏虚。

刘河间谓心悸为水衰火旺，成无己谓心悸为气虚、痰饮也。《伤寒明理论》云："悸者，心忪是也，筑筑惕惕然心动；怔忡者，忪忪不能自安者是矣。"

《丹溪心法》以为惊悸“发病之本为心虚，其标在惊为痰，心悸为饮”。

张景岳、叶天士对惊悸的理解认识已臻完善，认为病因为内伤七情，水湿痰饮，清阳失旷；心阳虚馁，痰湿乘侮，水饮凌心。

李中梓、王肯堂认为瘀血内停，而致心惊怔忡，短气喘息，胸闷不舒，心痛时作，或形寒肢冷，舌质黯有斑点，治宜活血化瘀。

刘氏总结前人经验，以为心悸之发生各有特点。凡心虚胆怯所致者，多与精神因素有关，故常有善惊易恐、少寐多梦等症，治以镇惊安神为主，稍佐补益之品；凡心血不足而成者，多有面色少华、倦怠、舌淡等心血亏虚之象，治宜益气养血为主，亦可略佐安神定志之品；凡阴虚火旺而致心悸者，则必有心烦舌燥、舌红无苔、脉象细数等阴虚热盛之象，治应滋阴养心为主；凡由心阳不足所致者，常见面色白而少气、形寒肢冷等兼症，治宜补心气、温通心阳为主；凡由水饮凌心所致者，常兼眩晕、胸脘痞满等症，治宜温阳利水；凡由心血瘀阻所致者，则常兼有心痛、脉涩，治宜化瘀通络为主。

【心悸附方】

安神定志丸（《医学心悟》）：茯苓、茯神、远志、人参、石菖蒲、龙齿。镇心定志，养心安神。

归脾汤（《济生方》）：党参、黄芪、白术、茯神、炙酸枣仁、龙眼肉、木香、炙甘草、当归、远志、生姜、大枣。补血养心，益气安神。

天王补心丸（《摄生秘剖》）：人参、玄参、丹参、茯苓、五味子、远志、桂枝、当归、天冬、麦冬、柏子仁、酸枣仁、生地黄、朱砂。滋阴清火，养心安神。

桂枝甘草龙骨牡蛎汤（《伤寒论》）：桂枝、炙甘草、龙骨、牡蛎。温补心阳，安神定悸。

苓桂术甘汤（《金匮要略》）：茯苓、桂枝、白术、甘草。振奋心阳，化气行水。

普济早搏胶囊（自拟方）：炙甘草、琥珀、甘松、苦参、红花、煅紫石英、人参、黄芪、生地黄、泽泻。益气养血，镇惊定神。

普济定志丹（《刘氏家藏方》）：龙眼肉、炙酸枣仁、山茱萸、生地黄、炒柏子仁、生龙骨、生牡蛎、陈皮、半夏、茯神、炙甘草、当归、石菖蒲、远志、木香、附子、葶苈子、乳香、没药。益气安神，定惊镇恐。

炙甘草汤（《千金方》）：炙甘草、生地黄、生姜、麦冬、党参、桂枝、阿胶、麻子仁、大枣。通阳复脉，滋阴养心。

二、胸痹

胸痹是指胸部闷痛，胸痛彻背，短气，甚则喘息不得卧为主症的一种疾病。

胸痹的病因与寒邪内侵、饮食不当、情志失调、年迈体虚等有关。其病位在心，但与脾肾相关。其病机总属本虚标实。《医门法律》称："胸痹心痛，总因阳虚，阴得乘之。"《类证治裁·胸痹》说："胸痹，胸中阳微不运，久则阴乘阳位，而为痹结也。"

有必要指出，年迈体虚之人，肾阳渐衰，则不能鼓舞五脏之阳，可致心气不足或心阳不振；肾阴亏虚，则不能滋养五脏之阴，可引起心阴内耗；心阴亏虚，心阳不振，又可使气血运行失畅。凡此均可在本虚基础上形成标实，导致气滞、血瘀，而使胸阳失运，心脉阻滞，发生胸痹。

对胸痹症的治疗，今人总结古人之经验，提出心脉瘀阻用血府逐瘀汤，活血化瘀，通络止痛；痰浊壅塞，用瓜蒌薤白半夏汤，通阳泄浊，豁痰开结；阴寒凝滞，用瓜蒌薤白白酒汤，辛温通阳，开痹散寒；心肾阴虚，用左归饮加减，滋阴益肾，养心安神；气阴两虚，用生脉饮合人参养荣汤，益气养阴，活血通络；阳气虚衰，用参附汤合右归饮，益气温阳，活血通络。

刘氏对胸痹症用祖传普济心痹丸和普济心痹膏联合应用，治疗法则接近于现代医学，因而临床效果出神入化。

（一）普济心痹丸

普济心痹丸是由普济心血丹（《刘氏秘藏》）化裁而来，是治疗心血不足、胸痹疼痛的有效方剂。

冠心病亦称缺血性心脏病，是威胁人类健康与生命的杀手之一，主要指冠状动脉粥样硬化引起器质性狭窄，造成心肌缺血而引起的心脏病。其发病形式主要表现为心绞痛、心肌梗死、心衰、心律失常等，危害很大。在我国，每年大约有160 万人死于冠心病，每 20 秒就有 1 人因心血管疾病而死亡。

胡大一教授指出，我国在中风发病率居高不下的同时，心肌梗死的发病率迅速上升，中风与心肌梗死的发病率之比由20世纪80年代的8∶1降为20世纪90年代末的4∶1，目前则可能降至3∶1或2∶1，与西方发达国家的1∶1逐渐接近。这说明，继二十世纪六七十年代因中风高发率引起的心脑血管疾病高潮后，我国将面临心脑血管疾病的第二次发病高峰。对其治疗，现代医学主张用血管扩张剂，以减轻心脏负荷，改善肺淤血，从而降低心肌耗氧量，增加心排血量。然而，硝酸甘油类药物用量大时可使血压急剧下降，起效虽快，但消失得也快，副作用也大，故其稳定性不如中药。多年来，我们将普济心血丹广泛应用于临床，针对冠心病之特点，加减化裁组成普济心痹丸，用于治疗冠心病之心肌缺血、心绞痛等，取得了较为理想的疗效。

【方药】

苏合香油、冰片、沉香、桂枝、赤芍、荜茇、丹参、车前子、黄精、五灵脂、降香。

【方解】

本方主要用于治疗寒邪或痰饮，气郁气滞，或瘀血内停导致的胸痹疼痛之症。心痹丸以苏合香油为君。苏合香辛温，入肺、肝经，“聚诸香之气而成，能透诸窍藏”（《本经逢原》），辟秽，开郁，豁痰，且“能通十二经络、三百六十五窍”（《绛雪园古方选注》）。以其为君，通窍醒神，而收通痹止痛之功。

沉香、桂枝、荜茇为臣药。沉香味辛、苦，性温，入肾、脾、胃经。温中暖肾，且“纯阳而升，体重而沉，味辛走散，气雄横行，故有通天彻地之功”（《药品化义》）。《本草通玄》谓沉香“温而不燥，行而不泄，扶脾而运行不倦，达肾而导火归元，有降气之功，无破气之害”，故“专于化气，诸气郁结不伸者宜之”（《本经逢原》）。桂枝辛温，助阳通脉，“升清阳之陷脱，降浊阴之冲逆，舒经脉之急挛，利关节之壅阻，入肝胆而散遏抑，通经络而开痹涩”（《长沙药解》）；荜茇味辛，性热，归胃、大肠经，温中散寒，开郁止痛。以开窍之药为君，以通阳之药为臣，君臣相辅，以加强辟秽、开窍、豁痰、通痹之力，故使胸阳得展，痹涩得通，瘀滞得散。

赤芍味苦，微寒，归肝经，“善行血中之滞”（《本草逢原》）。《本草求真》言芍药“白则有敛阴益营之力，赤则有散血行血之意；白则能于土中泻木，赤则能于血中行滞”。且赤芍“入洞然汤，治暴赤眼；入犀角汤，清吐衄血；入神仙活命饮，以消毒气；入顺气汤，泻大肠闭结”（《药品化义》）。今赤芍入开窍通经活血之心痹丸中，其治疗胸痹疼痛之力可见一斑。五灵脂味苦、甘，性温，入肝、脾经，散血和血，治心腹血气诸痛。《本草经疏》曰“血滞经脉，气不得行，攻刺疼痛等症，在所必用”。丹参味苦，微寒，归心、肝经，活血通经，清心除烦，祛瘀止痛，“专入血分，其功在于活血补血，内之达脏腑而化瘀滞，……外之利关节而通脉络”（《本草正义》）；降香辛温，入肝、脾经，理气血，行瘀定痛，治心胃气痛，为血中之气药。四药合用，活血散瘀，通痹止痛，辅佐君臣之药，以增强行血除痹之力。另车前子甘寒，入肾、膀胱经，《本草经集注》曰“主虚劳”，《名医别录》曰能“养肺强阴益精”；黄精甘平，入脾、肺、肾经，补中益气，润心肺，补虚填精，平补气血而润，与车前子同补五脏，以防主辅药香燥太过，耗散正气，亦为佐。冰片味辛、苦，性凉，入心、脾、肺经。通诸窍，散郁火，“主心腹邪气”（《新修本草》）。《本草衍义》谓冰片“大通利关膈热塞，其清香为百药之先，……独行则势弱，佐使则有功”，是为方中使药，以其窜走，使药力直达病所；以其辛凉，制全方使辛温不致太过。

综观全方，豁痰开窍，温通行气，活血散瘀，且具润补五脏、扶正强心之力，是治疗寒痰郁结，气血瘀滞，心脉痹阻不通，心胸剧痛之胸痹急症之方剂。

【方歌】

普济心痹三香冰，桂枝赤芍共黄精。
荜茇丹参车前子，胸痹疼痛加五灵。

【病例】

崔某某，女，76岁。胸闷、气短、乏力1年余。夜不能平卧，睡时需垫起三个枕头，且行步艰难。服用普济心痹丸后，逐渐好转。治疗两个疗程，夜卧即可撤去一个枕头，三个月即能平卧，半年过后，上下楼行动如常。众皆呼之奇迹。

刘氏使用此方已近六代，医治胸痹症患者千万，到了我这代，向国家申请了发明专利，批准为制字号，广泛应用于临床，疗效卓著。

（二）普济心痹膏

普济心痹膏（《刘氏秘藏》），远在清康熙年间便以其独特的内外治法相结合，于江南塞北，名传遐迩。

【方药】

麝香 10g，藏红花 50g，血竭 50g，虎骨 25g，犀角 50g，乳香 45g，没药 45g，三七 50g，沉香 45g，檀香 50g，珍珠 50g，方海 50g，荜茇 50g，柴胡 40g，胆南星 35g，龙骨 60g，白芷 50g，防风 40g，秦艽 90g，土鳖虫 80g，川芎 50g，土大黄 70g，降香 50g，赤芍 40g，玳瑁 30g，水杨酸甲脂 40g，颠茄流浸膏 35g，薄荷脑 25g。

【制法】

以上 27 味除水杨酸甲酯、颠茄流浸膏、薄荷脑、珍珠、麝香外，将藏红花、血竭、乳香、没药、沉香、胆南星、三七、虎骨制成粗粉，用 90% 酒精制成相对密度为 1.05 的流浸膏，其余檀香等 13 味，合并煎液，滤过，滤液浓缩至相对密度为 1.25 ～ 1.30（80℃）的清膏，与上述流浸膏合并，待冷却后加入薄荷脑、水杨酸甲酯、麝香，混匀，另加 8.5 ～ 9.0 倍重的由橡胶、松香等制成的基质，制成涂料，涂膏，切段，盖衬，打孔，切成小块，即得。

【功能与主治】

活血散瘀，通痹止痛。用于冠心病之心绞痛，风湿骨痛，跌打伤痛等。

【用法与用量】

穴位贴敷，疼痛时贴敷，24 小时更换一次。

【方解】

本方以麝香、藏红花、土鳖虫为君药，开窍、辟秽，通络散瘀。《本草纲目》言“麝香走窜，能通诸窍，主水利，开经络之壅遏，透肌骨，解诸毒”，“若诸气，诸风，诸血，诸痛，惊痫，癥瘕诸病，经络壅塞，孔窍不利者，安得不用为引导以开之通之耶”。藏红花祛瘀止痛，入心经。《药品化义》言“红花善通利血脉，能泻能补”。方中少用，取其量轻能解散心经邪火，令血调和，此滋养而生血也。土鳖虫，乃中厥阴药。“血者，身中之真阴也，灌溉百骸，周流经络者也。血若瘀滞，则经络不通，阴阳之用互乖，而寒热洗洗生焉”。今用土鳖虫之咸，入血软坚，与开窍、化瘀的麝香、红花相伍共为君药，和血脉而通营卫，除寒热而调经脉，以达开痹、通络之功。

方中以檀香、沉香、乳香、降香、血竭、三七、荜茇为臣药。檀香补气和胃，沉香降气温中，乳香调气活血，降香理气破滞，荜茇散瘀，三七止血，没药消肿，血竭活血破瘀。取其诸香温通补气解郁、活血化瘀，助君药开痹启闭之力。

此方之妙，又在于佐防、芷、柴胡以发散风寒热；佐胆南星化痰祛风以止痉；佐秦艽清阳明之湿热，止风寒之痹痛；佐玳瑁“镇心神，解一切热毒”。尤以川芎为使药，使诸药行而不滞。《本草汇言》：“川芎上行头目，下调经水，中开郁结，血中气药……”“以其为使，使气走窜而无阴凝黏滞之态。”全方共收活血化瘀、行气止痛、开痹散结之效。主治风寒湿邪之痹痛，跌打损伤之肿痛，瘀血内停之冠心病。

【普济心痹膏方歌】

心痹膏用章丹收，血竭冰麝冷时揉。
檀降沉乳红花入，玳瑁荜茇土虫留。
唯有川芎为使药，只加三七犀虎丢。
倘涂软膏易基质，杨酸颠茄薄荷谋。

【病例】

王某某，男，69岁。1990年因急性心肌梗死入院，愈后自觉胸闷气短，心中惕惕，怏怏不能终日，六年未敢出院。1996年来普济堂求诊，见其语音低微，面色无华，心律不齐，痛苦呻吟。心电图、心脏彩超示心肌缺血，左室射血功能明显减退。脉微欲绝，汗水淋漓，知其阳气虚衰，胸阳不运，气机痹阻，血行瘀滞，遂投参附汤合普济心痹丸，益气温阳，活血通络，并于膻中穴、心俞穴贴敷普济心痹膏以开痹散结。一疗程病情大减，两疗程即出院回家。

（三）胸痹心痛

胸痹心痛，指因心脉挛急或闭塞引起膻中部位及左胸膺部疼痛为主症的一类病症。轻者仅感胸闷如室，呼吸欠畅；重者突然疼痛如刺、如灼、如胶，面色苍白，大汗淋漓，四肢不温，谓之心痛。

心痛的发生与心、肝、脾、肾诸脏的盛衰密切相关。脾的运化，靠肝的疏泄、条达以助之；心脉的通畅，赖肾精的濡养、温煦以敛之。脾困湿阻心脉，肝郁心失所助，肾虚脾失温煦。久之，生化之源不足，可使阴阳气血虚损，于是痰浊、血瘀、气滞、寒凝。可为真心痛之标实之所由。

真心痛，现代医学称之为冠心病心绞痛。主要是冠状动脉硬化，胆固醇脂质类沉积在血管管壁，形成斑块，造成管腔狭窄，冠状动脉血不能顺利营养心肌，从而出现的疼痛。此间，一旦冠状动脉内斑块破裂，导致血小板聚集、释放，诱发血栓形成，从而使冠状动脉发生完全性阻塞，出现剧烈疼痛或意识障碍，称为心梗，当属中医学之真心痛。

刘氏对于真心痛的治疗，采用刘氏三合法联合用药，即：口服冠脉活血汤，宣窍开痹；心前区贴敷心痹膏散瘀行气；针刺刘氏奇门三穴通络止痛。

冠脉活血汤（自拟方）：当归、赤芍、川芎、桃仁、红花、柴胡、枳壳、降香、郁金、延胡索、川楝子、丹参、砂仁、檀香、五灵脂、生蒲黄、桔梗、瓜蒌、薤白、生地黄、甘草。

【方解】

本方源于王清任血府逐瘀汤，为治疗瘀血内停、气机郁滞所致胸痛、胸闷之方。系由桃仁四物汤合四逆散加桔梗等而成。

方中当归、川芎、赤芍、桃仁、红花活血化瘀；牛膝祛瘀血，通血脉，并引瘀血下行，共为方中重要组成部分。气能行血，血的循行有赖于肺气的输布、肝气的疏泄。故配柴胡疏肝解郁，桔梗开宣肺气，载药上行，合枳壳，则一升一降，宽胸行气，使气行则血行。生地黄凉血清热，合当归又能养血润燥，使瘀去新生。甘草调和诸药。

降香、郁金、延胡索增强活血理气止痛之功。另用丹参润冠脉而止痛，檀香温中理气而止痛，砂仁疏散郁闷而止痛。更为重要的是，方中增添了失笑散。失笑散活血祛瘀，散结止痛，主治瘀血停滞证。五灵脂性味甘温，生用则长于活血止痛，对血瘀疼痛奏绩独胜；蒲黄性味甘平，有活血止血作用，与五灵脂相须为用，则活血散结、祛瘀止痛之功增强，且擅治心腹之痛。

全方活血化瘀，通络止痛，散瘀血之内停，救危证于须臾。

【冠脉活血汤方歌】

冠脉逐瘀治心疼，当归赤芍与桃红。
柴胡枳壳调升降，血中舒气赖川芎。
郁金元胡丹砂配，檀香降香蒲黄灵。
活血理气开心络，瘀血内停闭结通。

【病例】

李某某，女，64岁。经常出现心前区疼痛，曾多次以冠心病心绞痛住院治疗。2006年8月，突发左膺部位剧烈疼痛，口服硝酸甘油效果不明显，来普济堂就诊。诊见疼痛呈阵发性、连续性绞痛，发病时大汗淋漓，唇甲青紫，脉微欲绝，喘息不得卧。心电图检查：ST 段改变；冠脉造影诊断：冠脉上端狭窄 70%。

急投心痹膏贴敷膻中，心俞穴导入经络散，口服大剂量普济心痹丸（当归、赤芍、川芎、桃仁、红花、柴胡、降香、郁金、延胡索、川楝子、丹参、砂仁、檀香、五灵脂、蒲黄、枳壳、麝香），3 日后症状减轻，20 日痊愈。

【胸痹结语】

胸痹，始载于《金匮要略》，指胸膺满闷不舒，疼痛时作。

心痛，《内经》论述颇多。《素问·藏气法时论》："心痛者，胸中痛，胁支满，胁下痛，膺背肩胛间痛，两臂内痛。"

《金匮要略》以"胸痹心痛短气病脉证并治"为篇名，认为"阴乘阳位，痰浊内阻胸膺，以致胸阳不通或胸阳不振，为其主要病机，温补阳气为其治疗大法"。张仲景所创瓜蒌薤白白酒汤、瓜蒌薤白半夏汤、枳实薤白桂枝汤，至今仍广泛应用于临床。

金元时期危亦林所创苏合香丸治卒暴心痛，明代王肯堂《证治准绳》用大剂红花、桃仁、降香及失笑散治疗心痛；陈修园用丹参饮；王清任用血府通瘀汤，皆胸痹心痛治疗之独家之妙。

张伯臾指出，胸痹的辨证当分清标本虚实，实证宜活血化瘀、辛温通阳、泄浊豁痰为法，以治标为主；虚证宜以补养扶正为主，或滋阴益肾，或益气养阳，或温阳补气。然而，临床所见，虚实夹杂，故常按虚实的主次缓急而兼顾同治，每能收到良好的效果。

刘氏治疗心悸胸痹，以刘氏三合法而闻名。

冠心病之心痹胸痛，口服普济心痹丸，心前区贴心痹膏，艾灸刘氏奇门三穴；

风心病之心痹胸痛，口服刘氏风心丸，心前区贴心痹膏，心俞穴热敷经络散；

肺心病之心痹胸痛，口服普济强心丹，心前区贴心痹膏，针灸奇门三穴；

高心病之心痹胸痛，口服刘氏溶降丸，双足八枝汤外浴，心前区贴心痹膏；

心动悸、脉结代，口服普济心血丹，穴位外贴心痹膏，穴位热敷经络散，艾灸心经、心包经，足三里、内关穴。

此外，为了方便低薪层下岗职工或农民，创立了"灸、熥、贴"三合法治疗冠心病的诊疗技术。普济心痹膏穴位外贴以开痹，经络散穴位外熥以宣窍，艾条穴位外灸以通阳，三法合一，内外贯通，活血化瘀，行气止痛，串走十二经，不用口服药，即可迅速调整心律，短时间内缓解心绞痛。

（四）“服、熥、贴”三合法治疗冠心病

1. 研究目标与设计方案

冠心病是常见病、多发病，表现为胸闷、气短、心悸、劳累性呼吸困难，甚则心绞痛等。“服、熥、贴”三合法可以迅速通经活络、止痛，短时间内缓解症状，调整心律。

“服、熥、贴”三合法是刘氏祖传秘法，主要依据“外治之理即内治之理”的道理组合而成。熥贴之药“切近皮肤，彻于肉理，透达经脉，溶于渗液”，与内服药相合，“调升降，理阴阳，安五脏，挫五郁之气而资化源，取其内外一贯之妙”。“服、熥、贴”三合法把活血化瘀、通络止痛、行气通阳的药物提炼为膏，敷于心经、心包经、任脉之穴位，通过穴位渗透药力，使冠状动脉微循环得以激活，进而使全身血液循环畅通，从而达到康复之目的。

“服、熥、贴”三合法治疗冠心病，以“心痛定”作为临床对照。

服法：主要口服普济心痹丸结合临床加减心痹汤。

熥法：取经络散以爬山虎、紫草、鹿含草、柳枝等 27 味药，煎煮药垫 40 分钟，取出后选取膻中、足三里、心俞穴行穴位导入。

贴法：取心痹膏，以血竭、沉香、水牛角、豹骨、麝香等 32 味中药，火上下丹法收膏，地下 15 日去火毒，选取膻中、心俞穴外贴 2 周。

本课题采用组间比较设计，随机分组，每组 50 例，进行临床对照研究。患者治疗组为 A 组，对照组为 B 组，按入组顺序，单号进入 A 组，采用三合法治疗；双号进入 B 组，采用心痛定治疗。入选病例均由专业医师负责，进行前后心电图对照检查。治疗期间停用其他药物，忌刺激性食物，力戒烟酒，安定情绪，起居定时。一个疗程后，根据疗效判定标准判定疗效，患者确定进入研究序列后即收入院治疗，入院确有困难者进行门诊治疗。一个疗程后复查，不复查者视为退出试验，缺额随机抽取补充，以保证样本例数为 100 例。

2. 研究基础、可行性论证

本课题研究结果《老年心悸治验》，发表于《中医杂志》1997 年 9 月增刊。该研究主张老年心脏病的治疗大法应以“生心血为主”。

《服、熥、贴三合法治疗心脑血管疾病》，收入《中国临床医学研究》一书。阐明熥、贴之药，贴近皮肤，透达经脉，与内服药相合，可达内外一贯之妙。

经过文献的比较分析，国内未检索到本课题采用的以“服、熥、贴”三合法治疗冠心病的临床文献报道。

本课题特色：疗程短、见效快、费用低廉、简便易行，适合诊所、家庭使用。

创新点：以外治内。根据中医的经络理论：手少阴经起于心中，足阳明经通心，足少阴经络心。用祖传心痹膏穴位外贴以开痹；经络散穴位外熥以宣窍；普济心痹丸内服以通阳生血。三法合一，内外贯通，串走十二经，活血化瘀，行气止痛，使微循环得以改善，从而达到生心血、通心阳、敛心气之目的，用于治疗冠心病、心绞痛等，疗效显著。

以现代离子导入技术，把中药汤剂进行穴位导入，大大提高了中药汤剂在人体内的吸收，使药物直达病所，提高疗效。

冠心病是中老年人常见病、多发病。随着人们生活水平的提高，冠心病的发病率越来越高，并且直接危害着人类的生命与健康及生活质量，被视为人类生命的头号杀手。我所使用的祖传三合法，具有疗程短、疗效高、使用安全、方便之特点。现在治疗冠心病的药物多以扩血管、降血脂、改善血循环的药物为主。这些药物使用 1 ～ 2 个月，临床效果并不理想，且费用较高。而外科冠状动脉介入手术价格昂贵，不适合寻常百姓。本法在临床应用 20 余年，深受患者欢迎。一经投入医疗市场，必将使更多的患者受益，产生巨大的社会效益和经济效益。

【胸痹附方】

血府逐瘀汤（《医林改错》）：当归、生地黄、桃仁、红花、枳壳、赤芍、甘草、桂枝、川芎、牛膝、柴胡。

【功效】活血化瘀，通络止痛。

瓜蒌薤白半夏汤（《金匮要略》）：瓜蒌、薤白、白酒、半夏。

【功效】通阳泄浊，豁痰开结。

瓜蒌薤白白酒汤（《金匮要略》）：瓜蒌、薤白、白酒。

【功效】通阳泄浊

左归饮（《景岳全书》）：熟地黄、山药、山茱萸、枸杞、茯苓、炙甘草。

【功效】滋阴益胃，养心安神。

生脉散（《备急千金要方》）：人参、麦冬、五味子。

【功效】益气养阴，活血通络。

右归饮（《景岳全书》）：熟地黄、山茱萸、枸杞、山药、杜仲、甘草、附子。

【功效】益气温阳，活血通脉。

归脾汤（《济生方》）：党参、黄芪、白术、炙酸枣仁、茯神、龙眼肉、木香、炙甘草、当归、远志、生姜、大枣。

【功效】补血养心，益气安神。

刘氏祖传方

普济心血丹（《普济百集方》）：黄芪、归尾、桃仁、红花、地龙、川芎、红参、麦冬、五味子、龙眼肉、茯神、炙酸枣仁、远志、石菖蒲、玄参、生地黄、炒柏子仁、赤芍。猪心血泛丸，金箔为衣。

【功效】生心血，养心阴，安心神，敛心气。

【方歌】普济心血赤桃红，黄芪归尾地二龙。
红玄双参五味子，柏子茯神枣麦冬。
更加菖蒲并远志，补血养心伍芎穹。

普济心痹丸（《普济百集方》）：冰片、檀香、降香、沉香、木香、苏合香、荜茇、红花、五灵脂、桂枝、砂仁、郁金、丹参。

【功效】豁痰开窍，温通行气，活血散瘀。

【方歌】檀降沉木苏五香，荜茇红脂桂砂帮。
丹参郁金加冰片，血不荣心胸痹良。

普济心痹膏（《普济百集方》）：犀角、虎骨、章丹、血竭、沉香、冰片、麝香、红花、桃仁、蒲黄、三七。

【功效】活血通窍，散瘀开痹。

【方歌】心痹膏用章丹收，血竭冰麝冷时揉。
桃仁红花蒲黄入，只加三七犀骨丢。

刘氏风心丸（《刘氏秘笈》）：桂枝、炙甘草、王不留行、蒲黄、五灵脂、郁金、当归、桃仁、红花、丹参、三棱、莪术、香附、石菖蒲、远志。

【功效】活血祛风，温中理气。

【方歌】刘氏风心桂草行，蒲黄郁金归桃红。

丹郁香附石菖蒲，远志莪术脂三棱。

经络散（《刘氏家藏方》）：乌梅、乌药、乌梢蛇、川乌、紫草、透骨草、鹿衔草、伸筋草、柳枝、爬山虎。

【功效】疏风，通络，止痛。

【方歌】经络散中用四乌，柳枝四草爬山虎。

颈肩腰腿风寒痹，洗熥蒸熏痹痛除。

八枝汤（《刘氏秘笈》）：柳枝、桑枝、桃枝、杏枝、槐枝、爬山虎、忍冬藤、艾叶、透骨草。

【功效】通经，疏络，荣筋。

【方歌】八枝汤治风寒痹，疏络通经湿气祛。

透骨荣筋艾和血，外风内淫皆可愈。

转率丸（《刘氏秘笈》）：红花、苦参、炙甘草、红参、丹参、炙酸枣仁、琥珀、车前子。

【功效】安神定志。

【方歌】转率炙草与三参，琥珀车前炙酸枣仁。

红花量轻散心火，心律失常自调匀。

普济三甲丸（《普济百集方》）：牡蛎、鳖甲、龟板、丹参、麦冬、桑寄生、何首乌、百合、墨旱莲、炙酸枣仁、檀香、沉香、玄参、女贞子、黄芪。

【功效】养阴益气，行气开痹。

【方歌】三甲丸用玄丹参，麦冬寄生百合沉。

牡蛎龟甲黄首并，枣檀贞旱益心阴。

刘氏强心丸（《刘氏秘笈》）：益母草、鸡血藤、赤芍、丹参、川芎、桂枝、桃仁、红花、白术、党参、黄芪、肉桂、葶苈子、附子、麦冬、五加皮。

【功效】温阳益气，活血强心。

【方歌】刘氏强心参芪芎，赤芍丹参鸡桃红。

附子二桂五术麦，葶苈利尿心血充。

三、中风

中风是以猝然昏仆，不省人事，伴口眼㖞斜、语言不利等为主症的一种疾病。其以起病急骤、症见多端、变化迅速、善行数变为特点，故名中风。

中风的发生，主要在于平素气血亏虚，心肝肾三脏阴阳失调，加之忧思恼怒，饮酒房劳，或外邪内侵，以致气血运行受阻，肌肤筋脉失养，阴亏于下，肝阳暴张，阳化风动，血随气逆，挟痰挟火，横窜经隧，蒙蔽清窍，形成上实下虚、阴阳互不维系的危急证候。

中风发生之病机虽然复杂，但归纳起来不外乎虚（阴虚、气虚）、火（肝火、心火）、风（肝风、外风）、痰（风痰、湿痰）、气（气逆）、血（血瘀）六端。其中以肝肾阴虚为根本。此六端在一定条件下相互影响、相互作用而突然发病。有外邪侵袭而引发者为外风，又称真中风或直中；无外邪侵扰而发病者，称为内风，又称类中风或类中。

中风的治疗分中经络与中脏腑两大类。

1. 中经络。脉络空虚，风邪入中，肌肤不仁，手足麻木，口眼㖞斜，语言不利，用大秦艽汤祛风，养血，通络；肝肾阴虚，风阳上亢，头晕目眩，少寐多梦，语言謇涩，手足呆滞，用镇肝熄风汤，滋阴潜阳，熄风通络。

2. 中脏腑。阳闭用羚羊角汤，清肝熄风，育阴潜阳；阴闭用苏合香丸，豁痰熄风，辛温开窍；脱症用参附汤益气，回阳，救阳固脱。

中风后遗症的治疗，古人多采用补阳还五汤，补气活血，通经活络，若语言謇涩之患，用神仙醒语丹，宣窍通络，祛风除痰。

刘氏对中风的治疗，以普济桑枝丸和普济再造丸联合施治而著称。

（一）普济桑枝丸

普济桑枝丸（《普济百集方》），是刘氏祖传治疗中风之有效方剂。

【方药】

蕲蛇、沉香、胆南星、天竺黄、郁金、钩藤、地龙、白蒺藜、明天麻、杜仲、三七、冰片、血竭、赤芍、玳瑁、木香、石菖蒲、牛膝、石决明、水蛭、牛黄、麝香、檀香、羚羊角、桑枝、毛冬青、黄芪、柳枝、伏药、犀角、虎骨、枯矾、硫黄、金箔、紫石英、全蝎、蜈蚣、白附子、黄连、小燕。

【制法】

（1）冰片、麝香、牛黄、犀角、虎骨研细备用；（2）将蕲蛇、胆南星、天竺黄、地龙、天麻、三七、血竭、羚羊角、水蛭制成粗粉，用 90% 乙醇制成相对密度为 1.05 的流浸膏；（3）将郁金、钩藤、白蒺藜、杜仲、檀香、沉香、赤芍、木香、石菖蒲、石决明、桑枝、毛冬青、柳枝十三味药，加水煎煮三次，第一、二次各 3 小时，第三次 2 小时，合并煎液，滤过，滤液浓缩至相对密度为 1.25（80℃）的清膏，与上述流浸膏合并，与黄芪、牛膝一起重新粉碎烘干，待冷却，加入冰片、麝香、牛黄、伏药，混匀为丸，包装。

【方解】

中风乃本虚标实、上盛下虚之病。其实质为脏腑阴阳失调，气血逆乱，直冲犯脑，形成脑脉痹阻或血溢脑脉之外而出现的功能偏废等症。治疗当以平肝熄风、清热化痰、通络活血、醒脑开窍为法。

普济桑枝丸中，牛黄味苦性凉，善清心、肝火热，豁痰开窍，熄风定惊；犀角咸寒，善入营血，尤能凉血安神解毒；麝香芳香气窜，通达十二经，善通全身诸窍，为开窍之圣药。三药合用，共为君药，重在醒脑、豁痰、开窍。

蕲蛇甘咸，性窜走，内通脏腑，外达肌肤，搜风通络，定痛止惊，“主中风口眼㖞斜，半身不遂……”（《开宝本草》）；水蛭破血逐瘀，散结消癥；地龙熄风，长于通行经络；天竺黄豁痰利窍。四药共为臣药，助君药透骨搜风，截风定搐，溶解血栓。

普济桑枝丸最绝之处在于使用“伏药”。伏药是炼丹术制备工艺的一种，其性通透，与其他药相合，有解除血液浓、黏、聚的作用。

桑枝丸重用桑枝以窜走，轻用柳枝以宣发，配以冰片、麝香为使药。全方豁痰通气，化瘀抗凝，疏络通栓，用于治疗中风痰厥、语言不利、手足麻木、半身不遂、神志错乱等症。

【普济桑枝丸方歌】

普济桑枝三黄羚，蕲蛇水蛭犀地龙。
沉香郁金冰蒺藜，竭玳杜仲双钩藤。
天麻三七石菖蒲，柳絮决明毛冬青。

更有伏药相配伍，中风脑痹效最灵。

【病例】

张某某，男，54岁。酒后入睡，待醒肢体不用，口眼㖞斜，语言不利。CT提示：左侧基底节区多发性脑梗死。重用普济桑枝丸，并配神仙醒语丹，大椎穴热敷经络散，一个月后肢体肌力恢复正常，继续用药，一切症状消失。

（二）普济再造丸

再造丸（《刘氏秘藏》），系刘氏治疗中风后遗之秘不外传之方。

纵观中医治疗中风，不外滋阴潜阳、熄风通络、豁痰开窍，却忽略了串走通达之力可加强血栓溶解通透之功。普济再造丸，从溶解通透的角度，为中风后遗症的治疗开辟了广阔的发展空间。

【方药】

川芎、三棱、莪术、水蛭、䗪虫、五灵脂、郁金、藏红花、当归、茺蔚子、赤芍、麝香、地龙、黄芪。

【方解】

方中川芎活血补气，祛风止痛。《本草汇言》云："芎䓖，上行头目，下调经水，中开郁结，血中气药""其味辛、性阳，气善走窜，而无阴凝黏滞之态。"三棱破血行气，"从血药则活血，从气药则活气。老癖癥瘕，积聚结块，未有不由血瘀、气结、食停所致，苦能泄而辛能散，甘能和而入脾，血属阴而有形，此所以能活一切凝结停滞有形之坚积也"（《本草经疏》）。水蛭破血逐瘀，散结消坚。现代医学研究发现水蛭有抗凝血、抗血栓作用。三药为君，透达经脉，搜剔络邪，共收行气逐瘀抗凝血之功。

当归、五灵脂、郁金、茺蔚子共为臣药。当归，"头止血而上行，身养血而中守，梢破血而下流，全活血而不走"（《本草纲目》）。《景岳全书·本草正》："当归，其味甘而重，故能补血，其气轻而辛，故尤能行血，补中有动，行中有补，诚血中之气药，亦血中之圣药也。"五灵脂通利血脉；郁金解郁破瘀；茺蔚子补中益气，通血脉，填精髓。四药共助君药补气、补血而溶瘀滞。

红花祛瘀生新，"善通利血脉，能泻能补。同苏木逐血瘀，合肉桂通经闭，佐归芎治遍身胸腹气血刺痛"（《药品化义》）。今红花入再造丸中，于川芎、三棱、水蛭、当归、五灵脂、茺蔚子君臣药中与麝香同为使药，以滋养血而生血也，行导而活血也，疏脉络，助血海，大补血虚，调畅而行血也，对风痰瘀血、痹阻脉络的中风后遗症，可出奇制胜。

【普济再造丸方歌】

再造丸中重芎䓖，三棱莪术蛭䗪虫。
灵脂郁金芪芍药，归红茺蔚与地龙。
内加麝香通经络，中风后遗透栓溶。

【病例】

朱某，男，61岁。1993年患脑梗死，多方医治无效，语言謇涩，口眼㖞斜，手足浮肿，面色萎黄，继而手足麻木，活动偏废。2006年，求余诊治，脉见细涩无力，舌体不正，舌淡而紫，知其气虚血滞，脉络瘀阻，气不能行，血不能荣，而致肢体偏废，半身不遂，肢软无力。投普济再造丸，疏脉络，助血海，化瘀痰，开痹阻，半年后，肢体活动灵活。又续服半年，已能正常行走。

（三）朱氏加减振颓丸

朱氏加减振颓丸，出自《国医大师朱良春》一书。朱老指出，“中风后遗症的辨治，应从气血阴阳着眼，临床所见中风后遗症气虚血瘀固多，但阴虚血燥者亦不少。补阳还五汤只能适用气虚血瘀之症，不可统治其余”。朱师喜用张锡纯之颓废丸加减，治疗肢体痿废，痰浊壅塞经络，血脉闭阻的偏枯症，自成一派。

【方药】

红参、炒白术、当归、杜仲、仙灵脾、巴戟肉、淡苁蓉、制乳香各100g，制马钱子、制附子、炮山甲各50g，上鹿茸、蜈蚣、乌梅肉各25g，炼蜜为丸，一味黄芪汤送服。

【方解】

方中马钱子合蜈蚣、炮山甲、制乳香，对痰瘀壅塞而形成的血栓，有消散化解的强力作用，亦有逐恶血、溶血栓、健脾胃、提脏器、通死肌之著效。马钱子虽峻猛有毒，但炮制得法，掌握有效剂量，每起沉疴。方中用仙灵脾益火生土，燮理阴阳，补肾壮阳，祛风醒脾除湿；以参、芪、术补脾胃，以当归、制乳香等流通气血，治腰腿肢体疼痛，乃有独取阳明之意。选红参、鹿茸，一以大补元神，一以峻补元阳。参、茸并用，不但益阳，而且益阴。盖红参生用气凉，熟用气温，味甘补阳，微苦补阴；鹿茸温煦鼓荡，阴阳交融，气血俱充，大填髓汁，更补髓气，健脑益肾，起废疗瘫，当有佳效。附子、杜仲、巴戟肉、淡苁蓉温肾回阳，补肾填精，收摄耗散；乌梅敛肝舒脾，补肝气实脾胃。全方调和气血，升清降浊，通补兼施，温阳益肾，双向调治，堪称良方秘药。

【朱氏加减振颓丸方歌】

振颓丸中用蜈蚣，红参焦术归杜仲。
仙灵巴戟制乳香，马钱附子上鹿茸。
妙在甲珠乌梅肉，芪引尤重淡苁蓉。

（四）朱氏双降汤

朱良春从气虚和痰瘀着眼，以双降汤调气血之虚、去痰瘀之实，祛瘀降压，降脂降黏，效果出奇。

【方药】

水蛭5g，地龙10g，黄芪30g，丹参30g，当归10g，赤芍10g，川芎10g，泽泻18g，生山楂30g，豨莶草30g，甘草6g。

【方解】

方中水蛭、地龙破血逐瘀为主，合丹参、当归、赤芍、川芎活血通脉为君；生山楂、泽泻、豨莶草降脂泄浊、祛瘀降压为臣。重用黄芪补气降压，取其双向调节之妙，补气则血行畅达，补气则可免除破瘀伤正之弊。邓铁涛说："黄芪轻用则升压，重用则降压。"此为降压与升陷之理，乃"双向作用"。全方改善微循环，增加血流量，改变血液黏稠度，防止心脑血栓梗阻。

【朱氏双降汤方歌】

朱氏双降蛭地龙，黄芪丹参归芍芎。
泽泻山楂豨莶草，再加甘草脂压平。

【体会】

此型高血压患者往往伴高黏血、高血脂。盖气血虚则血运无力，血流不畅久而成瘀；气虚则运化无力，膏粱厚味变生痰浊，乃至气血痰瘀互为因果。张锡纯指出"肝气不升则先天之气不能由肝上达，胃气不降则后天之饮食不能由胃下输"，故痰浊内生。如心绞痛、脑血管意外、肾动脉硬化等，这些疾病的发生均和气虚夹痰瘀密切相关。余遵朱师之理，常在临床中运用双降汤治疗高血压，取得了较好的效果。

（五）朱氏加减熄风汤

高血压有因“肝肾阴虚，肝阳上亢，或肝风内动，气血逆乱并走于上之上实下虚”而为者。因之，与单纯降压不可同日而语。张锡纯治以镇肝、熄风、育阴、潜阳，创立镇肝熄风汤，治疗此疾，颇具建树。朱良春以乌梅易白芍，重用以敛肝、敛风，成为镇肝熄风猛将药，足见其卓识远见，临床作用之非凡。

【方药】

牛膝 30g，生龙骨 10g，生牡蛎 10g，龟板 10g，乌梅 10g，代赭石 30g，玄参 10g，天冬 10g，甘草 10g，天麻 10g。

【方解】

方中重用牛膝以引血下行，此为治标之主药。而复究病之本原，用生龙骨、生牡蛎、龟板、乌梅镇肝熄风，代赭石降胃气、降冲逆，玄参、天冬清肺气，肺中清肃之气下行，自能镇肝之木。

张锡纯力主酸敛以救欲脱之候，元气之虚，阴阳之和，乃为历代名医皆喜仲景芍药甘草汤作为敛肝圣药之故。清代名医刘鸿恩长期临床实践，终于发现乌梅敛肝之奇效。朱师兼收并蓄，博采各家，深究张锡纯用药之特色，发现乌梅敛肝远胜白芍，且与龙牡同用更胜一筹。《本草经疏》云：“乌梅味酸，能敛浮热，能吸气归元。”《本草求真》云：“乌梅酸涩而温，似有类木瓜，但此药入肺则收，入肠则涩，入筋与骨则软，入虫则伏，入于死肌、恶肉、恶痔则除，刺入肉中则拔，故于久泄、久痢、气逆烦满、反胃、骨蒸，无不因其收敛之性，而使下脱上逆皆治。”肝病宜敛不宜收，宜补不宜伐。正合《内经》治肝之旨。刘鸿恩指出：“肝无实证，五脏皆无实证”“敛肝之功，擅之乌梅。”乌梅性温，温能通行，酸能入肝而敛虚热，气温而主补，味酸而主敛，故精气益则五脏自安。朱氏乌梅镇肝熄风汤治疗阴虚阳亢之高血压，有独创之功。

【朱氏加减熄风汤方歌】

镇肝熄风芍天冬，玄参龟板赭石从。
龙牡麦芽膝甘草，肝阳上亢奏奇功。
朱氏易芍乌梅肉，重以敛肝熄中风。

（六）手指麻——桑枝膏

手指麻，多为内脏气血失和之表现，因为人体三阴三阳经皆交会于手足，故其多为“中风”先兆。指麻先由无名指麻起，其次为中指，再其次传及其他三指（先是食指麻，开始只在第一节），逐渐放射至臂部。

桑枝膏（《刘氏家藏方》）：何首乌、枸杞子、当归、黑芝麻、菊花炭、炒柏子仁、白蒺藜、桑枝膏、生地黄、豨莶草、甘草。

【桑枝膏方歌】

指麻气血多失和，桑枝膏膏起沉疴。
首乌枸杞归生地，芝麻菊花能辅佐。
柏仁蒺藜豨莶草，膏方熬制莫蹉跎。

【病例】

赵某某，突发手指麻木，入朝阳市中心医院，头部CT诊为腔隙性脑梗死。

指麻，实属正气不足，气血虚弱，脉络空虚，卫外不固，风邪得以乘虚入络，痹阻气血所致。

治以大秦艽汤加减（秦艽、羌活、防风、白芷、细辛、生地黄、当归、川芎、赤芍、白术、茯苓、白附子、全蝎、陈皮、半夏、胆南星、桑枝膏、豨莶草，重用黄芪），八剂而愈。

【中风结语】

中风，病机较为复杂，常涉及心、肝、肾、脾以及经络、血脉，其病因以内伤积损为主，即脏腑失调，阴阳偏胜。真中，是脉络空虚，风邪入中经络引起；类中，是阳化风动，气血上逆，挟痰挟火，流窜经络，蒙蔽清窍而成。

本病多见于年迈之人，阴气自半，气血渐衰。《灵枢·刺节真邪》云：“虚邪偏客于身半，其入深者，内居营卫，营卫稍衰，则真气去，邪气独留，发为偏枯。”一旦发病，大多难以治疗。卒中昏迷，预后不佳；后遗诸症，亦往往难以短期恢复。因此，在未发之前，中风先兆，加强防治，治于未病之时，才是上策。《证治汇补·中风》篇说：“平人手指麻木，不时晕眩，乃中风先兆，须预防之，宜慎起居，节饮食，远房帏，调情志。”今人则注重锻炼与养生，“每餐只食八分饱，一日行走一万步”，此为防止中风发生之妙策也。

【中风附方】

1. 大秦艽汤（《素问病机气宜保命集》）：秦艽、当归、甘草、羌活、防风、白芷、熟地黄、茯苓、石膏、川芎、白芍、独活、黄芩、生地黄、白术、细辛。

【功用】祛风，养血，通络。

2. 镇肝熄风汤（《医学衷中参西录》）：怀山药、生龙骨、生白芍、天冬、麦芽、代赭石、牡蛎、玄参、甘草、川楝子、茵陈蒿、龟板。

【功用】滋阴潜阳，熄风通络。

3. 羚羊角汤（《医醇賸义》）：羚羊角、龟板、生地黄、柴胡、牡丹皮、白芍、薄荷、蝉蜕、菊花、夏枯草、石决明。

【功用】清肝熄风，辛凉开窍。

4. 苏合香丸（《太平惠民和剂局方》）：白术、青木香、犀角、香附、朱砂、诃子、檀香、沉香、安息香、麝香、丁香、荜茇、苏合香油、熏陆香、冰片。

【功用】豁痰追风，辛温开窍。

5. 参附汤（《妇人良方大全》）、生脉散（《备急千金要方》）：人参、附子、麦冬、五味子、姜、枣。

【功用】益气回阳，救阴固脱。

6. 补阳还五汤（《医林改错》）：当归尾、川芎、黄芪、桃仁、地龙、赤芍、红花。

【功用】补气活血，通经活络。

7. 神仙醒语丹（《刘氏秘笈》）：白附子、石菖蒲、远志、天麻、全蝎、羌活、胆南星、木香、甘草、丹参、红花、鸡血藤、天竺黄。

【功用】祛风除痰，宣窍通络。

8. 降压洗脚汤（《朱良春医集》）：桑叶 30g，桑枝 30g，茺蔚子 30g，明矾 60g，米泔水 1500g，车前子 60g（水煎 30 分钟，与上药合并泡脚）。

【功用】渗湿，利水，平肝，降压。

四、头痛

“头为诸阳之会”，脏腑清阳之气上于头，手足三阳经脉会于头，主一身之阳的督脉亦达巅顶。内外因中以风邪和火气最易引起头部病证。所谓火性炎上，巅顶之上惟风可到始然。另一方面，内脏虚弱，清气不升，或风冷侵袭，或阳气郁滞，同样能出现虚与寒之证。另则，脑为髓海，有余不足，都能影响全身。故临床之头痛，应分辨内、外、寒、热、虚、实，并结合脏腑、经络进行施治。

头痛有外感与内伤之分。外感有风寒、风湿、风热之别，内伤有肝阳、肾虚、血虚、痰浊、瘀血之不同。因而，其临床表现各异，用药也各有立法。

纵观古今医家，遇风寒用川芎茶调散，以疏风寒；遇风热用芎芷石膏汤，清热疏风；遇风湿用羌活胜湿汤，祛风胜湿。平肝潜阳，用天麻钩藤饮；养阴补肾，用大补元煎；安神养血，用加味四物汤；化痰降逆，用半夏天麻白术汤；久病入络，瘀血内停，则用通窍活血汤；头痛如雷鸣，为湿热挟痰上冲，用清震汤加味；偏头暴痛，系肝经风火，用菊花汤；等等。

刘氏祖传则别开一面，偏于肝阳上扰，清热安神，重用普济羚麝丸；闭阻经络，血不荣脑，用普济救脑丹；风火犯络，颈源经阻，用葛根菊花汤。

（一）普济救脑丹

普济救脑丹（《普济百集方》），为刘氏祖传六世方。

【方药】

辛夷、川芎、细辛、当归、蔓荆子、全蝎、石决明、蜈蚣、水蛭、夜交藤、半夏。

【功能与主治】

疏风，豁痰，通经，活血，止痛。治疗神经性头痛、血管性头痛。

【方解】

方中以川芎、当归行血中之气，清血中之风，化瘀养血，倍量为君药；以蔓荆子、石决明平肝、熄风、潜阳为臣药；以全蝎、蜈蚣、水蛭化瘀通络而镇静为佐药；以细辛、辛夷疏散风寒、通窍止痛为使药，用于治疗神经性头痛、血管性头痛，可收意外之功。

【普济救脑丹方歌】

细辛辛夷归川芎，蔓荆全蝎夜交藤。
蜈蚣水蛭姜半夏，疏风通络救脑灵。

（二）普济羚麝丸

普济羚麝丸（《普济百集方》），刘氏祖传六世方。

【方药】

羚羊角丝、麝香、天麻、钩藤、菊花、石决明、牛膝、代赭石、青龙齿、牡蛎、栀子、黄芩、夜交藤。

【功能与主治】

镇肝熄风，育阴潜阳，滋养肝肾。用于治疗肝阳上亢之眩晕，以及少阳头痛等。

【方解】

普济羚麝丸，以天麻、钩藤、石决明平肝潜阳，黄芩、栀子清肝火，牛膝补肝肾，代赭石降逆，菊花清头明目，龙牡加强重镇潜阳之功，夜交藤养心安神，更有羚羊角丝清肝，麝香通窍活血，用于治疗肝阳上亢之眩晕、肝火上扰之头痛和神经性头痛等。

【普济羚麝丸方歌】

羚麝天麻石决明，牛膝赭石夜交藤。
龙牡栀芩菊花入，镇肝熄风眩痛停。

【病例】

徐某，朝阳市城市信用社职工。头痛剧烈，发作时抱头翻滚，每作必大痛4日，小痛3日，7天后渐缓。不超7天，头痛又发。如此循环往复，痛苦难言。去北京301医院检查，诊为眼血管痉挛。2003年6月来我处求诊，时右侧头眼部跳痛，伴恶心呕吐，头眩乏力。诊为风痰阻络型血管性头痛，投救脑丹合羚麝丸效果明显，两月而愈。

（三）普济菊花汤

普济菊花汤（《普济百集方》），刘氏六世家藏方。

【方药】

菊花、天麻、川芎、白芷、生石膏、藁本、蔓荆子、钩藤、全蝎、地龙、半夏、白术。

【方解】

本方系治疗风邪上扰头痛之有效良方。方中以菊花、天麻为君药。菊花独摄纳下降，平肝火，熄内风，抑木气之横逆。《本草纲目》云："菊花昔人谓其能除风热，益肝补阴。盖不知其尤能益金水二脏也。补水所以制火，益金所以平木，木平则风熄，火降所以除热。用治诸风头目，其旨深微。"以其疏风平肝，妙在轻清缓始，芳香而无燥烈。更有天麻专入足厥阴肝经，功擅熄风，为治风之神药。以川芎、白芷为臣药。川芎辛香走窜，上达头目，长于祛风止痛，为诸经头痛之要药，尤善治少阳、厥阴两经头痛。白芷气温力厚，通窍行表，为足阳明经祛风散湿之主药，故能治阳明一切头面诸疾，如头目昏痛、眉棱骨痛、牙龈肿痛等。

全方以疏风散邪治其标，以平肝熄风治其本，并佐钩藤、地龙、全蝎助君臣之药，以增强平肝、熄风之力。另，方中以藁本为使药。《本草汇言》："藁本升阳而发散风湿，上通颠顶，下达肠胃，其气辛香雄烈，能清上焦之邪，辟雾露之气，以其为使，使诸药之力直达病所，共收疏风、散邪、通络、止痛之功。"

【普济菊花汤方歌】

菊花汤用天麻芎，白芷石膏与蔓荆。
藁本全蝎术半夏，再加钩藤与地龙。
疏风散邪通经络，风邪上扰此方宗。

【病例】

杨某，女，54岁，2002年3月初诊。主诉头痛17年余，反复发作，百药无效，遇寒加重，痛连颈背，常有呕吐痰涎并发。投羚麝丸、救脑丹不效。患者头痛10多年，湿痰内升，清空失养，仅用这两个普济方，难解寒邪，遂投普济菊花汤，加入川乌，温经散寒，除湿化痰，三剂病除。

（四）葛根菊花汤

今时之头痛，尚有颈椎退行性变所引发的。颈部与肩部组织器质性或功能性病变导致的头痛综合征，称为颈源性头痛。笔者对此类头痛做过6年之久的研究。然而，山东中医药大学丁元庆教授《颈源性头痛分证论治》的提出，却令我茅塞顿开，深受启发。葛根菊花汤就是由此而产生的。

葛根菊花汤（自拟方）：葛根、桂枝、白芍、炙甘草、天麻、当归、川芎、羌活、白芷、石膏、菊花、蔓荆子、全蝎、地龙、半夏、川乌。

【方解】

葛根入阳明经，为“解散阳明温病热邪之药也”(《本草经疏》)，因其味辛性凉，辛能外散肌热，凉能内清热邪，太阳之邪入里化热，郁于阳明肌腠者，每多用之。

羌活为太阳经药，解表散寒，祛风止痛，是为太阳之恶寒、无汗、头痛等表证而设；白芷善走阳明，常用治眉棱骨痛、额骨痛，又善通鼻窍。

葛根配石膏，一解阳明之表的邪热，一清阳明之里之热邪。白芍敛阴和营，防止疏散太过而伤阴。

葛根与菊花汤相合，疏风散邪，平肝熄风，解肌祛热，善走阳明，用以治疗颈源性头痛更胜一筹。

【葛根菊花汤方歌】

葛根菊花天麻芎，炙草归芍与地龙。
桂枝羌活石膏芷，半夏乌虫共蔓荆。
巧施反剂捣顽症，颈源头痛有奇功。

【病例】

李某，男。近两年来，头胀不舒，心烦易怒，血压升高，疑似腔隙性脑梗死。投羚麝丸、救脑丹两疗程无效，滴注天麻素、神经节苷脂，效果仍不明显。X光片提示颈椎退行性变引起颈动脉供血不足。属脉络失和，气虚络痹，投葛根菊花汤（葛根、桂枝、白芍、炙甘草、天麻、当归、川芎、羌活、白芷、石膏、菊花、蔓荆子、全蝎、地龙、半夏、川乌）一疗程而愈。

刘氏治疗头痛之精华处，还在于善使相反、相畏之药，屡建奇功。相反、相畏之药，力峻而猛，可除顽疾于旋踵，刘氏先祖遵医圣张仲景之说，使用毒药明确，适应证候，分别体质差异，审明药物反应，注意护摄胃气……常于危病中奏奇效。

（五）偏正追风散

偏正追风散（《普济百集方》）：主治头风。头风顽疾，即百治不效，抱病终生之头痛。史书记载，曹操即因此疾而亡。

头风为“伏邪”。外淫六邪袭人，留而不去，渐渐深入于脏，湿痰死血，深伏不出，遂成痼疾。治之之法，当理清“邪之来路”，扶正气，开表闭，引伏邪外透而病愈。

【方药】

红参、五灵脂、制何首乌、炒白蒺藜、制川乌、天麻、生石膏、川芎、白芷、甘草各 12g，细辛、荆芥、防风、羌活、辛夷、苍耳子、苍术、全蝎、蜈蚣、僵蚕、地龙、天南星、制白附子、明雄黄（另研兑入）、乳香、没药各 6g。

【方解】

本方是治疗头风痼疾的有效方剂。方中以人参、天麻、定风丹（制何首乌、炒白蒺藜为对药）补元气，生津液，补肝肾，益精血，扶正托邪于外；制川乌大辛大热，通行十二经表里内外，破沉寒痼冷，驱逐伏邪外透；芎、芷、荆、防、羌活、辛夷、苍耳子、苍术芳香透窍，辛散开表，疏风燥湿，开门逐盗；天麻、天南星、白附子化痰定风；石膏甘寒清热，兼制辛热燥烈诸品；雄黄、苍术解毒辟疫；乳香、没药化瘀定痛；诸虫深入血分，搜剔伏匿之邪；白芷一味，号称植物麝香，芳香浓烈，善通诸窍，与川芎之专理头痛者相配，可引诸药上达头部，直入脑窍，破其巢穴。诸药相合，对风、寒、湿、痰、火、瘀多种伏邪，皆有透发之效。但凡痼疾，必是寒热胶结，湿痰死血深伏血络，正可泛应曲当。本方有通行十二经表里内外之功，故对暴感外淫六邪或外风引动内风，全身各部一切突发性、神经性的眩晕、麻木、剧烈痛症，可迅即奏效。然本方性味燥烈，偏于攻邪，对热病及脏腑内伤所致头痛则非所宜。

【偏正追风散方歌】

追风散医痼疾风，红参首乌灵脂同。
天麻川乌白蒺藜，石膏白芷草川芎。
细辛荆芥羌乳没，防风辛夷天南星。
苍耳苍术僵蚕配，雄黄附子蝎蜈蚣。
搜剔伏邪通脑窍，透发之力引地龙。

曾有一同行医者，医头痛，不辨虚实久暂，不问外感与内伤，凡遇巅顶痛，一律以吴茱萸汤主之，此大谬也。岂不知《伤寒论》“干呕，吐涎沫”之吴茱萸汤证，很明显是足厥阴肝胃虚寒，浊阴上逆者，而如李祥农先生所论，“风寒循足太阳经上犯巅顶，营卫郁滞”，“唯风药可达”，难道也是吴茱萸汤证吗？又如素体阴虚，相火偏旺，烦劳扰动相火，循经上于巅顶，理应气阴双补，育阴潜阳，引相火归元，岂可千篇一律，以吴茱萸汤而代之？《景岳全书·头痛》云："凡诊头痛者，当先审久暂，次辨表里。盖暂痛者，必因邪气，久痛者，必兼元气。以暂病言之，则有表邪者，此风寒外袭于经也，治宜疏散，最忌清降；有里邪者，此三阳之火炽于内也，治宜清降，最忌升散，此治邪之法也。其有久病者，则或发或愈，或以表虚者，微感则发……所以暂病者，当重邪气，久病者，当重元气，此因其大纲也。然亦有暂病而虚者，久病而实者，又当因脉因证而详辨之，不可执也。"

《济生方·头痛论治》云："夫头者，上配于天，诸阳脉之所聚。凡头痛者，血气俱虚，风寒暑湿之邪，伤于阳经，伏留不去者，名曰厥头痛。盖厥者逆也，逆壅而冲于头也。痛引脑巅，甚而手足冷者，名曰真头痛，非药之能愈。又有风热痰厥，气虚肾厥，新沐之后，露卧当风，皆令人头痛。治法当推其所由而调之，无不切中者矣。"

《丹溪心法·头痛》："头痛多主于痰，痛甚者火多，有可吐者，可下者。""头痛须用川芎，如不愈，各加引经药。太阳川芎，阳明白芷，少阳柴胡，太阴苍术，少阴细辛，厥阴吴茱萸。如肥人头痛，是湿痰，宜半夏、苍术。如瘦人是热，宜酒制黄芩、防风。如感冒头痛，宜防风、羌活、藁本、白芷。如气虚头痛，宜黄芪、酒洗生地黄、南星、秘藏安神汤。如风热在上头痛，宜天麻、蔓荆子、台芎、酒制黄芩……顶颠痛，宜藁本、防风、柴胡。东垣云：顶颠痛须用藁本，去川芎。"

《冷庐医话·头痛》："头痛属太阳者，自脑后上至巅顶，其病连项；属阳明者，上连目珠，痛在额前；属少阳者，上至两角，痛在头角。以太阳经行身之后，阳明经行身之前，少阳经行身之侧。厥阴之脉，会于巅顶，故头痛在巅顶；太阴少阴二经，虽不上头，然痰与气逆壅于膈，头上气不得畅而亦痛。"

《临证指南医案·头痛》邹时乘按："头为诸阳之会，与厥阴肝脉会于巅，诸阴寒邪不能上逆，为阳气窒塞，浊邪得以上据，厥阴风火乃能逆上作痛。故头痛一证，皆由清阳不升，火风乘虚上入所致……如阳虚浊邪阻塞，气血瘀痹而为头痛者，用虫蚁搜逐血络，宣通阳气为主。如火风变动，与暑风邪气上郁而为头痛者，用鲜荷叶、苦丁茶、蔓荆子、山栀等，辛散轻清为主。如阴虚阳越而为头痛者，用仲景复脉汤、甘麦大枣法，加胶、芍、牡蛎，镇摄益虚，和阴熄风为主。如厥阳风木上触，兼内风而为头痛者，用首乌、柏仁、穞豆、甘菊、生芍、杞子辈熄肝风滋肾液为主。”

【头痛附方】

1. 川芎茶调散（《太平惠民和剂局方》）：薄荷、防风、香附、羌活、白芷、甘草、川芎、荆芥。

2. 芎芷石膏汤（《医宗金鉴》）：川芎、白芷、石膏、菊花、藁本、羌活。

3. 羌活胜湿汤（《内外伤辨惑论》）：羌活、独活、藁本、防风、炙甘草、川芎、蔓荆子。

4. 天麻钩藤饮（《杂病证治新义》）：天麻、钩藤、杜仲、生石决明、川牛膝、桑寄生、山栀、黄芩、益母草、朱茯神、夜交藤。

5. 大补元煎（《景岳全书》）：人参、炒山药、熟地黄、杜仲、枸杞子、当归、山茱萸、炙甘草。

6. 加味四物汤（《金匮翼》）：生地黄、当归、白芍、川芎、蔓荆子、黄芩、菊花、炙甘草。

7. 半夏白术天麻汤（《医学心悟》）：半夏、白术、天麻、陈皮、茯苓、甘草、生姜、大枣。

8. 通窍活血汤（《医林改错》）：桃仁、红花、赤芍、川芎、老葱、鲜姜、红枣、麝香。

9. 清震汤（《素问病机气宜保命集》）：升麻、苍术、荷叶。

10. 普济菊花汤（《普济百集方》）：菊花、天麻、川芎、白芷、生石膏、藁本、蔓荆子、钩藤、全蝎、地龙、半夏、制川乌。

五、养生

养生是研究对衰老的认识和抗衰老的方法，探索长寿的规律，以延长寿命，确保老年人的健康与活力。

人类可不可以延寿？这是世人始终关注的话题。据美国学者海弗利克的研究，人体细胞在体外培养条件下约经历 50 次分裂后便停止了正常分裂。从这个界限来推算，人类的寿命也该是 120 年左右。西德著名学者 H.Franke 于 1971 年提出：“如果一个人既未患过疾病，又未遭到外源性因素的不良作用，则单纯性高龄老衰要到120岁才出现生理性死亡。”

祖国医学也认为，人的寿命在母腹中即已注定。张景岳说：“夫人生器质既禀于有生之初，则具一定之数，似不可以人力强者。第禀得其全，而养能合道，必将更寿；禀失其全而养复违和，能无更夭。”其明确提出了养生的道理。

上古之时，得享高寿者不乏其人。据《中国医学人名志》记载，秦朝的崔文子活了300岁，后汉的葛越活了280岁。许多高寿的事实表明，人类的健康长寿是可能的。或问：“上古之人，春秋皆度百岁而动作不衰；今时之人，年半百而衰者，何也？”《内经》曰：“上古之人，法于阴阳，和于术数，饮食有节，起居有常，不妄作劳，故能形与神俱，而尽终其天年，度百岁乃去。今时之人不然也，以酒为浆，以妄为常，醉以入房，以欲竭其精，以耗散其真，不知持满，不时御神，逆于生乐，起居无节，故半百而衰也。”以此论今，有过之而无不及。纵观世人，往来于酒旅馆，徘徊于歌舞厅，沉迷于麻（将）馆网吧，岁到中年，偷欢纵欲，力不从心，以性药鼓荡之，如此往复循环，未及半百，精神乃去，有什么高寿可谈？

为拯救苍生，笔者摘录古人之警示句，以求得共鸣，并以延寿秘方授之，以求众庶在正确的健康理念指导下，健康长寿，共同携手，救人于水火之中。

（一）精神内守，真气从之

精神内守，是养生的正道。避风寒，节劳逸，戒色欲，正思虑，薄滋味，寡言语等，是切实可行的养生法，也是《内经》所主张的。《内经》对人的生长发育过程有精妙的观察与概括，对衰老的机理有深刻的认识，并明确提出“治未病”的意义。其对预防病变、保健延年有两条主张：一是调摄精神与形体，提高防病、防老机能；二是适应外界环境，避免外邪侵袭。然而，其中最精华之处，在于精神内守，“其在荡而不收者，宜节嗜欲以养精；在滞而不化者，宜节烦恼以养神；在激而不平者，宜节愤怒以养肝；在躁而不静者，宜节辛勤以养力；在琐屑而不坦夷者，宜节思虑以养心；在慈悲而不解脱者，宜节悲哀以养肺”。

精神内守的实质就是存精。管子认为精是气的物质基础，是人生命的源泉，故主张存精以养生。“精也者，气之精者也”，“精存自生，其外安荣，内脏以为泉原”（《管子·内业篇》）。管子还提出了存精的具体方法：“爱欲静之，遇乱正之，勿引勿摧，福将自归”，即节欲存精是也。反之，沉迷于女色，色欲无度，喜怒无常，其气耗竭，精神散乱，岂有长寿之理?

（二）脾胃强健，延缓衰老

脾胃为仓廪之官、水谷之海、后天之本、气血生化之源。人体生长发育、维持生命的一切物质，都靠脾胃供给；脾胃虚衰，功能异常，供给减少，生长发育、生命活动就会受到影响。

现代医学认为蛋白质是生命的物质基础，“人类生命的衰老和死亡，就是蛋白质的减少或消失”。众所周知，人类的蛋白质虽由人体自身合成，但其原料来源全靠胃肠道的功能，即胃的“受纳”与脾的“运化”。对此，不少国外学者曾指出:“蛋白质的变化是变老的原因之一。”放射性同位素研究表明，胶原蛋白在成熟动物体内很少或没有变化，但随着年龄的增长，可出现渗透肿胀、酸性溶解度降低，以及对胶原酶的消化作用产生较大的抵抗力等变化。因此，减少能量消耗、降低体温是延缓胶原蛋白衰老的两个途径。这就说明吃得少可以延长寿命。如果胃的功能亢进，吃得过多，产生的能量过多，可促成蛋白质的上述变化，从而加速衰老；相反，如脾胃虚弱，吃得过少，也会导致蛋白质的变化而致衰老。所以，健强脾胃是抗衰老、延长寿命的重要环节。

然而，健强脾胃之功能，历代养生专家论述广泛，妙法千篇。笔者以为，“走步”与“叩齿”应是健脾强胃、健旺宗气之极妙之法。对此，明代著名医学家冷谦应是学习典范。

冷谦，字启敬，明代武林人，精通医学，颇晓养生导引之术。他遵照《黄帝内经》中“人以天地之气生，四时之法成”的理论，结合人体脏腑生理功能特点，对春、夏、秋、冬四季（12 个月）的调摄和生活起居养生做了探讨和研究，并结合自身练精易形的实践，对呼吸吐纳、导引之术进行了讨论和论述，写成了《修龄要指》。该书内容简明扼要，对调摄养生、预防疾病、保护人体健康有着重要的指导意义。书中总结了一些养生功法。

1.“水潮除后患”：津液频生在舌端，寻常救咽下丹田。于中畅美无凝滞，百日功灵可驻颜。此段意为：晨早起，闭目端坐，平心息虑，意到一处，舌舔上腭，闭口调息，津液自生满口，5 ～ 6 次以意送至丹田，意守片刻下咽，咽时要汩汩有声，如咽硬物，长久练之，可袪五脏之邪火，可以防治毒疮、痈疽、心火、胃火旺盛等，使身体血液流畅，百病不生。

2. “起火得长安”：阳火须知自下生，阴符上降落黄庭。周流不息精神固，此是真人大炼形。此段意为：意守涌泉穴，女右后左，男左后右，到产生气感，意想真火，由腿后侧上升到尾闾，沿脊柱上行至百会，再向下行至胸腹，一直到丹田，可左右分别练习，能使百脉流通，五脏无滞，温肾助阳，心神安宁，下肢强健，可防治脾胃虚寒、肾阴虚弱、头晕目眩、体弱多病等。

3. “梦失封金匮”：精滑神疲欲火攻，梦中遗失致伤生。搓摩有诀君须记，绝欲除贪最上乘。此段意为：晚上睡前全身放松入静，意念专一，用左右手分别搓揉肚脐 16 次，再用两手分搓两胁 16 次，最后吸足一口气，闭口用力下咽，要汩汩有声，意送丹田，可治梦遗滑精、神经衰弱、失眠多梦等。

4. “形衰守玉关”：却老扶衰别有方，不须身外觅阴阳。玉关谨守常渊默，气足神全寿更康。此段意为：无论行、坐、卧，意守专一，时时刻刻意守丹田，冲透三关，久练能补气生精，增强体质，预防衰老，能防治心悸胸痛、食管炎、胃炎、胃肠功能紊乱等。

5. “鼓呵消积聚”：气滞脾虚食不消，胸中鼓闷最难调。徐徐呵鼓潜通泰，疾退身安莫久劳。此段意为：意念入静，调息片刻，缓缓吸气，意想吸入的清气在胸腹之间转动，在闷胀的地方连续转动，直至气满为止，再缓缓呵出，反复八九次，可治食积、脾胃胀满、气伤、急慢性肝炎、急慢性胃炎等疾病。

冷谦的养生导引之术，以强健中州脾胃为养生大法。“每餐只食八分饱，一日行走一万步”，这是今人对强健脾胃的认识。我与许多年龄相近的左邻右舍，每日行走 15 千米，已 20 余年，速度是每 10 分钟 1 千米。如此循环往复，脾胃健康，大小便正常，精神矍铄，并且一步一叩齿。今人认为，叩齿巩固了牙根和牙周组织，刺激了牙的神经、血管和牙髓组织，从而使唾液分泌增多，有助于食物的消化和吸收，起到了强健脾胃的作用。

（三）固肾护精，益寿延年

《素问·上古天真论》指出，人体的生长、发育、衰老与肾气的关系极为密切。人体衰老的速度、寿命的长短，在很大程度上取决于肾气的强弱。肾气旺盛则不易衰老，衰老的速度也慢，寿命也就长；反之，肾气衰，衰老就提前发生，衰老的速度也快，寿命也就短。张景岳认为，阴虚即精虚，精虚则气无所附，生化之机息矣。肾藏精之所，叫作命门，精藏于此，是为阴中之水；气化于此，是为阴中之火。命门居两肾之间而兼具水火，为性命之本。并指出“命门之火，谓之元气；命门之水，谓之元精。五液充则形体赖以强壮，五气活则营卫赖以和调，此命门之水火，即十二脏之化源。故心赖之，则君主以明；肺赖之，则治节以行；脾胃赖之，济仓廪之富；肝胆赖之，资谋虑之本；膀胱赖之，则三焦气化；大小肠赖之，则传导自分；此虽云肾脏之技巧，而实皆真阴之用”。据此，张氏认为五脏为人身之本，肾为五脏之本，命门为肾之本，阴精为命门之本。张景岳虽然强调阴精在生命活动中的作用，但更重视元阳。他认为“天一生水”，水亦由天一之阳而生。故水之所以生物，惟赖有此阳气；水之所以能化气，亦赖有此阳气。张氏据《素问·生气通天论》“凡阴阳之要，阳密乃固”“阳气者若天与日，失其所则折寿而不彰”，断定“天之大宝，只此一丸红日；人之大宝，只此一息真阳”；“凡阳气不充，则生意不广……凡万物之生由乎阳，万物之死亦由乎阳。非阳能死物也，阳来则生，阳去则死矣”。张氏既重视真阴，又强调元阳，是从阴阳的辩证关系上讲的。他认为阴精是阳气的根本。阳化气，阴成形，如无阴精之形，便不足以载阳气。所以物之生，生于阳；物之成，成于阴。这种阴，就是寄于肾和命门的元阴、真精。他据阴阳互根的辩证关系，提出“阳非有余，真阴不足”是引起疾病、促成衰老的重要原因。

《灵枢》云：“若房劳过度则伤肾。”房劳即性生活过多。过度的性生活往往会引发疾病，甚至导致死亡。所以历代医家无不强调节欲、戒色欲，无不指出房劳过度对人体健康的危害。古人说：“淫声美色，破骨之斧锯也。”今之年轻人昼则以醇酒淋其骨髓，夜则以房事输其血气，耳听淫声，目视邪气……岂有长寿？老年纵欲者，多致病患缠身，速其夭亡，鲜有高寿者。所以赵献可著《寡欲论》，要求老年人“远房帏，绝嗜欲”。因为房劳伤肾，而肾在维持生命活动以及抗老延年中起着决定性的作用，故房劳过度伤肾耗精，未有不影响寿命者。正如张景岳所说：“欲不可纵，纵则精竭；精不可竭，竭则真散。盖精能生气，气能生神。营卫一身，莫大乎此。故善养生者，必宝其精。精盈则气盛，气盛则神全，神全则身健，身健则病少。神气坚强，老而益壮，皆本乎精也……无摇汝精，乃可以长生。”龚廷贤也说：“欲而强，元精去，元神离，元气散，戒之！”即使是青壮年，亦须参照先哲“春一、夏三、秋二、冬无”之训，切戒房劳。

抗早衰，青壮年时期除须节欲外，还应懂得入房禁忌：“饱食入房，气血受伤；大醉入房，气竭肝伤；愤怒行房，精虚气亢；恐惧入房，阴阳偏伤；月事未绝入房，身痿面黄；忍小便入房，面失血色”。

国外学者 Pearse 曾对性交后的脑垂体前叶进行过细胞学检查，发现其嗜碱性细胞与嗜酸性细胞的染色性均有所改变，显示垂体前叶的功能减退。一般认为，嗜酸性细胞分泌生长激素，嗜碱性细胞分泌肾上腺皮质激素、促甲状腺素，而这些激素对生命活动起着重要的调节作用，所以房劳过度是会严重影响人体健康和寿命。

（四）药物辅助，老当益壮

养生主要靠自身的锻炼和摄养，药物仅起辅助作用，然关键时却也必不可少。王充《论衡·自纪篇》说：“养气自守，适食则酒，闭目塞聪，爱精自保，适辅服药引导，庶冀性命可延，斯须不老。”

1. 长寿药方

（1）长寿地仙丹

延寿地仙丹（《刘氏家藏方》），系刘氏独家养生丹，延年益寿，真有返老还童之妙。

刘家世代用枸杞之花、枝、根、叶，加银杏之叶、枝、果，修合秘制成丹，拟名普济延寿地仙丹，滋补肝肾，益精养血，保健养生，世代相传。

【方药】

乌嘉龙牙（枸杞叶、花、子、根）、天琐龙牙（苍术）、锦绣龙牙（桑椹子）、百花龙牙（蜂蜜）、天精草、长生草、地骨皮、银杏叶、银杏枝、银杏果。

枸杞，性平，味甘甜，入肝肾二经，“补真气，壮丹田，悦颜色，充肌肤，活血润泽，延年耐老”（《圣济总录》），可用于肝肾阴虚所致头昏目眩、腰膝酸软、遗精、咳嗽、视力减退等，有延年益寿的效果。

科学研究表明，枸杞含蛋白质、脂肪、糖、微量元素、胡萝卜素、核黄素，以及钙、磷、铁等多种矿物质和 18 种氨基酸，具有增强免疫力、抗肿瘤、降血脂、降血糖、抑制脂肪在肝细胞内沉积和促进肝细胞新生等功能，且能降低血中胆固醇，防止动脉粥样硬化的形成，促进衰老细胞向年轻化方向逆转，并可促进造血功能。

银杏“补气养心，益肾滋阴”（《本草再新》）。现代医学证实，银杏叶中的银杏内酯酚，有抑制组胺释放的作用，可使心输出量减少，冠脉流量增加；银杏外种皮水溶性成分，能清除人体自由基，抑制脾脏组织的老年色素形成，并使已形成的色素颗粒变得分散，故而有抗衰老的作用。

全方补五脏，填精益髓，乌须黑发。

【延寿地仙丹方歌】

枸杞枝叶子琐龙，叶为天精花长生。
银杏枝叶添锦绣，百花仙子长寿灵。
修合醇水两提度，延年益寿济苍生。

【案例】

笔者岳母76岁时患脑中风，服此丹，寿高98岁，平素红光满面，精神矍铄，能料理家务，做饭、喂猪、垒墙，众皆呼之为“老寿星”。

舅丈王云，服用此丹，扶犁杖、铲地、收割，农家活无所不能。

笔者服用此丹，现年八十余岁，每晨行走三十里，无一点疲倦之意。

（2）老奴丸

紫梢花五钱，灯草炭五钱，蛇床子五钱，车前子五钱，肉苁蓉五钱，菟丝子五钱，马兰花五钱，巴戟天五钱，淫羊藿五钱，荜澄茄五钱，大茴香五钱，金樱子五钱，补骨脂五钱，木香五钱，母丁香五钱，韭菜子五钱，制川乌五钱，远志五钱，干姜五钱，沉香五钱，泽泻五钱，核桃仁一两，柏子仁一两，桑螵蛸一两，枸杞子一两，山萸肉一两，茯苓一两，蜘蛛十五个，熟地黄四两。

用法：共研细末，炼蜜为丸。每服一钱或一钱半，空心用白开水送服。

功用：培植元阳，壮实五脏，填精补髓，长血脉，补两肾，强筋壮骨。百岁者轻身不老，虚枯者返本还元。此药大兴阳道，专治中年阳痿，老年无嗣。服药后仍节房欲，久则骨髓充满，生子必男，亦不甚伤身矣。

（3）回春乌龙丸

乌龙骨一具，即黑犬骨也。自脑骨至尾椎骨一条全用，洗净，用黄酒浸一宿，再用硇砂五钱研末，同奶酥油搽骨上，火炙黄色为度，称骨二十四两足。犬须一周年者为胜。如犬走去阳者不用，若一犬不足，用二犬骨，称足分两为妙。

胡桃肉五钱（炒），巴戟天一两（酒浸），石莲子一两（去壳），远志肉一两，甘草（水浸），石斛二两，桑寄生二两，肉苁蓉三两（酒洗），枣仁一两（炒），大茴香一两（酒炒），石菖蒲一两，补骨脂一两（酒炒），芡实一两（炒），朱砂五钱（水飞），磁石二两（火煅，醋淬），海浮石二两（火煅，醋淬），石燕子三对（煅，姜醋淬），莲须一两，鹿茸一对（酥炙），胡芦巴一两。

用法：共为末，用黄连打糊为丸桐子大。每服三钱，空心淡盐汤下。

功用：此海外奇方。常服，体健身轻，耳聪目明，乌须黑发，齿落更生，阳事强壮，丹田如火，除病健体，乃生子之圣药也。

（4）五老还童丸

山药四两，牛膝四两，远志四两，山茱萸四两，茯苓四两，五味子四两，巴戟天四两，肉苁蓉四两，楮实子四两，杜仲四两，小茴香三两，枸杞子三两，石菖蒲三两，熟地黄五两。

用法：共研细末，炼蜜为丸。每服三十丸，空心用温黄酒送下。

功用：补心生血，滋肾壮阳，能坚筋骨，悦颜色，乌须发，明目，固齿，返老还童，延年益寿。

（5）神仙巨胜子丸

生地黄二两，熟地黄二两，何首乌二两，巨胜子二两，菟丝子一两，枸杞子一两，五味子一两，炙酸枣仁一两，补骨脂一两，柏子仁一两，覆盆子一两，芡实一两，木香一两，莲须一两，巴戟天一两，肉苁蓉一两，牛膝一两，天冬一两，肉桂一两，茯苓一两，党参一两，楮实子一两，韭菜子一两，天雄一两，莲肉一两，川断一两，山药一两。

用法：共研细末，炼蜜为丸。每服一钱五分，空心用白开水送服。

功用：两肾不足，诸虚百损，腰痛耳鸣，腿酸脚软，肾冷胞寒，阴囊冷汗，阳事不举，夜梦滑精，一切损伤元气之症，并皆治之。常服填精补髓，固齿乌须，聪明耳目，益寿延年；久久服之，百病消除，老人还少，令人多嗣。忌食烧酒、萝卜、诸般血物。

（6）滋补大力丸

熟地八两，当归二两，枸杞子二两，牛膝二两，杜仲二两，蒺藜一斤，鱼鳔二两，鹿筋二两，牛板筋二两，土鳖虫二两，甜瓜子二两，茯苓二两，地龙二两，自然铜二两，菟丝子二两，白术二两，乳香一两，没药一两，桂心五钱，炙甘草五钱，马钱子二两。

用法：共研细末，炼蜜为丸。每服一丸，空心用白开水送下，或服两丸亦可。服药后忌房事百日。

功用：健脾胃，生心血，养肺气，助肝血，补肾髓，治五脏虚衰，诸虚百损。久久服之，脾胃健壮，多进饮食，肌肉渐生。脾土为万物之本，心血足，一身滋润，邪火自降，阴与阳济，百病不生；肺气壮，周身丰满，毛窍皆润，气力自添；肝血盛，遍身筋壮，劳苦不倦，身体自轻，膂力添增；肾髓足，一身骨坚，耳目聪明，齿强须黑，容颜不改，力壮无穷，终身不生疾患。

（7）神效龟龄益寿膏

菟丝子（酒蒸）、牛膝（酒洗）、木鳖子、熟地黄、肉苁蓉、川断（酒洗）、蛇床子（酒洗）、鹿茸、大附子、童便（炙酥，酒洗）、生地黄（酒洗）、虎腿骨（醋炙）、肉桂、紫梢花、杏仁（去皮尖）、谷精草（酒洗）。

上十五味，各三钱或各一两，用油二斤四两，将药入油熬枯，滤去渣，熬至滴水成珠，下：

松香四两，黄丹八两，硫黄三钱，雄黄三钱，龙骨三钱，蛤蚧一对，乳香三钱，没药三钱，赤石脂三钱，沉香三钱，米壳一钱，麝香三钱，木香三钱，真阳起石三钱，蟾酥三钱。

用法：共为细末。诸药下完，不住手搅，入瓷罐内，下井中浸三日或五日，去火毒后方可用。此膏妇人贴脐上，男贴左右肾命门二穴各一张，丹田穴一张，用汗巾缚住，勿令走动，六十日一换。如跌打损伤、诸疮贴之亦效。务必修治时，须择日斋戒，勿令妇人鸡犬见之。衰老之人每张用六七钱或八钱。

功用：此膏异授秘传，能固玉池，真精不泄，灵龟不死，通二十四道血脉，锁三十六道骨节，气血流畅，精髓充满，保固下元，全形固本，如海水之常盈，通三关，壮五脏，下元虚冷，诸虚百损，五劳七伤，阳痿不举，久无子嗣，下淋白浊，小肠疝气，遗精盗汗，手足顽麻，半身不遂，腰腿疼痛，强阳健力。并治脾胃虚弱。

原方后有诗一首，赞此方：

类归衰弱最难全，好把仙膏仔细看。少可延年真元固，老能黑发返童颜。金龟出入功能久，接补残躯越少年。虽然不同天地位，却向人间作地仙。

（8）益寿比天膏

牛膝一两，杜仲一两，虎骨一两（制），木鳖子一两，肉豆蔻一两，菟丝子一两，紫梢花一两，续断一两，穿山甲一两，远志一两，天麻一两，鹿茸一两，苁蓉一两，生地黄一两，熟地黄一两，肉桂一两，川楝子一两，山萸肉一两，巴戟一两，补骨脂一两，海蛆五钱，甘草二两，桑枝七寸，槐枝七寸，香油六斤。

用法：浸一夜，慢火炸至黑色。每净油一斤，入黄丹六两五钱，用柳棍不住手搅。再下黄丹、雄黄、龙骨、赤石脂各二钱，母丁香、沉香、木香、乳香、没药、阳起石、麝香各四钱，黄蜡五钱。

每用两张，贴两腰眼上，或贴脐上一张亦可。每贴一次，半月一换，其功不能尽述。

功用：最能填精补髓，保固肾精不泄，善助元阳，润滑肌肤，壮筋骨，理腰膝。下元虚冷，五劳七伤，半身不遂，或下部痿软，脚膝酸麻，阳事不举，夜梦遗精，男子贴之，行步康健；女人贴之，能除赤白带下、砂淋血崩，能通二十四道血脉，坚固身体，返老还童。

（9）彭祖延年柏子仁丸

柏子仁五合，蛇床子、菟丝子、覆盆子各半升，石斛、巴戟天各二两半，杜仲（炙）、天冬（去心）、远志（去心）各三两，天雄（炮）一两（去皮），续断、肉桂各一两半，菖蒲、泽泻、薯蓣、人参、干地黄、山茱萸各二两，五味子五两，钟乳（成炼者）三两，肉苁蓉六两。

上二十二味，捣筛，炼蜜和丸，如桐子大。先食服二十丸，稍加至三十丸。先斋五日，乃服药。服后二十日，齿垢稍去，白如银；四十二日，面悦泽；六十日，瞳子黑白分明，尿无遗沥；八十日，四肢偏润，白发更黑，腰背不痛；一百五十日，意气如少年。药尽一剂，药力周至，乃入房内。忌猪鱼生冷酢滑。

（10）英武大力丸

黄鹰爪 50g（酒制），当归 25g，川芎 15g，熟地黄 25g，山茱萸 15g，山药 15g，茯苓 25g，泽泻 15g，牡丹皮 15g，附子 25g，肉桂 25g，补骨脂 15g，巴戟天 15g，川续断 15g，木瓜 15g，牛膝 15g，肉苁蓉 15g，炙黄芪 100g，川楝子 25g，桂枝 15g，五味子 15g，焦三仙各 25g，香附 15g，菟丝子 50g，枸杞子 25g，杜仲 20g，乌药 15g，槟榔 25g，自然铜 15g，地龙 15g，乳香 15g，没药 15g，红参 25g，土鳖虫 20g，川贝母 25g，紫豆蔻 20g，炙马钱子 75g。

健脾强肾，填精益髓，壮骨坚筋。学武之人，必服之药。(《刘氏秘笈》)

（11）衰老——抗老方

抗老方(《刘氏家传手本》)：黄芪、枸杞子、桑椹子、茯神、芡实、党参、黄精、何首乌、黑豆、五味子、玉竹、紫河车、葡萄籽、白术、大生地、麦冬、菟丝子、大熟地、莲子、山萸肉、炙甘草、怀山药、柏子仁、龙眼肉、丹参、乌梅、五加皮、黑芝麻、珍珠母、鸡内金。

【抗老方方歌】

抗老仙方六子柔，莲柏丝味桑椹枸。
二黄精与芪，二黑芝麻豆。
二参党丹配，二地生与熟。
二紫河车葡，二乌梅何首。
二肉山龙伍，二术白玉留。
珍珠茯神芡实麦，内金五加山药酬。
脾肾精血旺，天年百岁谋。

2. 长寿药膳

在我国历史上，长寿老人不乏其人，最为引人注目的是彭祖，寿高八百余岁。据史料记载，彭祖高寿之因，是其精于膳食养生术，创立了以五味调和五脏之论："酸入肝，苦入心，甘入脾，辛入肺，咸入肾"。并告诫世人，每日进食五味过多或不及都会影响五脏，从而被后世尊为"中华养生始祖"。

膳食，"药借食力，食助药威"。著名医药学家孙思邈认为，"夫为医者，当须洞晓病源，知其所犯，以食治之；食疗不愈，然后命药"，"食能排邪而安脏腑，悦神爽志，以资血气"，而"药性刚烈，犹如御兵"，"若能以食平疴，释情遣疾者，可谓良工。长年饵老之奇法，极养生之术也"。孙思邈提倡食治养生，将理论付诸实践，寿高至101岁。

药膳不同于一般方剂，它药性温和，又兼美味，是延年益寿、养生防病的最佳选择。

（1）朱氏长寿粥

长寿粥（国医大师朱良春方）：黄芪50g，绿豆50g，薏苡仁50g，扁豆50g，莲子50g，大枣30g，枸杞10g。

【制法】黄芪放到砂锅里，加适量水泡20分钟，然后煮15分钟，把水滗出来；再加一碗水，煮开之后也滗出来；最后把这些水合在一起，以之煮粥。

绿豆、薏苡仁、扁豆、莲子、大枣洗净，倒入砂锅，再倒入黄芪水，盖上盖，大火煮开之后换小火煮40分钟，把洗干净的枸杞倒进去，再煮10分钟即成。

【用法】煮出来的粥是一个人 5 天的量，可一次由 5 个人分食，也可每天吃一碗，分 5 天食用。如果人数不定，煮粥食材可按比例增减。

【方解】中医认为，心主神明，主血脉，心的功能正常，则气血运行正常，精力充沛。莲子味苦入心经，与绿豆相合可清心解毒；肝藏血，主筋，肝经气血充足，筋得其养，枸杞入肝，令体健筋强；脾主运化，升清，是后天之本，红枣、薏苡仁、扁豆入脾经，健脾益气，承担着消化吸收的功能；肺主气，司呼吸，通调水道，助心行血，薏苡仁补肺清热化痰，使肺气旺盛，承载着人体氧气的供应与输布；肾藏精，主骨生髓，莲子、薏苡仁、枸杞入肾经，使肾精充足，则脑髓得养；加上大补元气的黄芪，共收清心、健脾、补肺、升清、益髓之功。长久服之，可延年益寿，尽享天年。

【朱氏长寿粥方歌】

朱氏秘传长寿粥，黄芪薏米扁绿豆。
莲子大枣同枸杞，如法秘制百岁留。

（2）吕氏补肾乌发药膳

补肾乌发药膳（《吕炳奎长寿药膳方》）

原料：三黄母鸡 1000 克，何首乌 50 克，生姜片、料酒、精盐、麻油少许。

制作：三黄母鸡以常法宰杀，去皮，净膛去肠杂；何首乌研碎，装入纱布袋中，填入鸡腹。鸡入砂锅，加清水至淹没鸡体，文火煨至肉熟，取出首乌袋，再加入料酒、精盐、生姜、麻油等调料，文火再炖半小时即成。

功效：大补肾气。适用于男子阳痿、早衰、白发早生，妇女子宫脱垂等。

3. 长寿膏方

膏方是经特殊加工制成的比较稠厚的膏状内服中药制剂，具有药物浓度高、体积小、药物稳定、服用时无须煎煮、口感好、便于携带等特点，是中医治疗学的一个重要组成部分。

中医膏方历史悠久，是祖国医学的宝贵遗产之一，在卫生保健、疾病预防方面起到了很大的作用。

膏方起源于汉代，在《黄帝内经》中就有关于膏剂的记载。东汉张仲景《金匮要略》记载的大乌头膏、猪膏发煎则是内服膏方的最早记载。唐宋时期膏方逐渐发展，明清时期膏方更趋完善和成熟，表现为膏方的命名正规、制作规范，数量大大增加，临床运用也更加广泛，如流传至今的《摄生总要》中的“龟鹿二仙膏”、《寿世保元》中的“茯苓膏”，以及张景岳的“两仪膏”等。

清代膏方不仅在民间流传，宫廷中亦广泛使用，如《慈禧光绪医方选议》有内服膏方近30首。晚清时膏方组成渐趋复杂，如《张聿青医案》中有“膏方”一卷，所载膏方用药已达二三十味，甚至更多，收膏时常选加阿胶、鹿角胶等，并强调辨证而施，对后世医家影响较大。

近现代膏方在上海、江浙及广东等地广泛使用，越来越多的群众因服用膏方而受益。

现代都市人群在激烈的社会竞争中出现“亚健康”状态，可以通过冬令进补、服用膏方来增强体质，提高生活质量，达到延年益寿的目的。

久病者全身机能减退，胃肠消化功能减弱，此时服用膏方，既能补充能量，又能兼顾所患疾病，使机体尽快康复。如慢性消化系统疾病患者、慢性心血管疾病患者，以及肿瘤患者放疗、化疗后，可以在进补的同时兼顾治疗所患慢性疾病。

孕妇产后，气虚血弱；人到老年，精气日衰。此时服用适宜的膏方，补充人体气血之不足，对于维持人体阴阳平衡、增强脏腑气血功能，具有重要的意义。

（1）长寿养生膏

长寿养生膏（《膏方宝典》）：山参10g（另煎），龙骨350g（另煎），鲜铁皮石斛300g（另煎），牡蛎350g（先煎），黄芪200g，茯苓350g，山药250g，熟地黄250g，山萸肉100g，制何首乌200g，黄精200g，白芍120g，当归100g，玉竹150g，枸杞子150g，麦冬120g，五味子60g，桑椹120g，炒杜仲150g，巴戟天150g，川牛膝150g，菟丝子120g，莲肉100g，丹参150g，枳壳100g，柏子仁100g，淮小麦250g，山楂200g，玫瑰花60g，陈皮60g，炙甘草60g，砂仁30g，龙眼肉100g，核桃肉200g，冰糖250g，三七粉30g（收膏），破壁灵芝孢子粉60g（收膏），河车粉100g（收膏），鹿角胶200g，阿胶200g。

【制法】上药除山参、龙骨、牡蛎、三七、灵芝孢子粉、河车粉、鹿胶、阿胶、冰糖外，余药用冷水浸泡2小时，入锅加水煎煮3次，每次1小时，榨渣取汁，合并滤汁，加热浓缩成清膏。再将鹿胶、阿胶研成细末，烊化调入清膏中，最后调入山参、铁皮石斛、龙骨、牡蛎、三七、河车膏、灵芝孢子膏。搅匀，再煮片刻即成。每服30克（约一匙）。

【方解】长寿养生膏中，能够延年益寿之药应首推灵芝与石斛。研究表明，灵芝含有多糖、三萜类、肽类、核苷类、甾醇类、生物碱等多种有效成分，具有镇静安神、提高机体抗病抗癌能力、抑制肿瘤细胞生长和扩散转移、抗放射线与抗化疗药物损伤等作用；并能改善血液循环，提高心脑的供血、供氧能力和细胞组织生理的功能；调节血脂，降血糖，保护肝脏，抗氧化和清除自由基，以及抗衰老。它对神经衰弱、肝炎、高血压、冠心病、糖尿病、慢性支气管炎等疾病有一定疗效。灵芝属于天然菌类植物，无毒且适合长期服用，以“扶正固本”的渐进方式，提升人体免疫功能，增强抗病能力，延年益寿。

灵芝在生长的过程中，当灵芝子实体进入成熟期的时候，在它那美丽的芝盖上面，会释放出一些咖啡色的粉末。这些如烟似雾的东西，就是灵芝孢子粉。灵芝孢子粉的医疗保健功能令世人瞩目，主要是由于其荟萃了灵芝的精华，富含蛋白质及多种氨基酸。灵芝孢子粉的药理作用比灵芝子实体更强、更全面，在抑制肿瘤、增强免疫力方面远超灵芝子实体，可用于治疗慢性肝炎，消除化学药物对肝脏的损害，抗衰老，防止组织纤维化，治疗糖尿病，防治癌症，改善睡眠，美容养颜。

石斛是古今医家和养生家推崇的补品。成书于两千多年前的《神农本草经》把它列为上品，认为它是滋补佳品，“主伤中，除痹下气，补五脏虚劳羸瘦，强阴，久服厚肠胃”。现代科学药理研究发现，铁皮石斛含有多种功效成分，特别是含有祛病健身的物质基础——生物活性成分生物碱（石斛碱），有解热止痛作用，可降低心率、血压，减慢呼吸，具有强壮作用。此外，它还含有调节免疫功能的多糖物质，且含量丰富。

长寿养生膏，巧妙地使用灵芝孢子粉与铁皮石斛，配以大剂补肾填精、健脾强心的药物，以提高机体的免疫功能，是益寿延年的上品。

【长寿养生膏方歌】

灵芝长寿可回春，天然精华孢子粉。
铁皮枫斗神仙草，强身固本提精神。
龙牡首乌膝杜仲，归芍茯麦柏砂仁。
玉竹炙草浮小麦，陈壳巴戟玫瑰寻。
三黄三山同五子，三胶三肉共三粉。

如法收膏调口味，胜似神仙下凡尘。

（2）健脑膏

健脑膏（《中医膏滋方临床应用荟萃》）：熟地黄、制何首乌、山药、牛骨髓、炙甘草各500g，桑椹、茯神、枸杞子、鹿角胶、菟丝子各300g，山茱萸、炙远志各200g，黑芝麻粉、核桃仁粉各150g，紫河车250g。

上药除黑芝麻粉、核桃仁粉、鹿角胶、牛骨髓外，余药用冷水浸泡2小时，入锅加水煎煮3次，每次1小时，榨渣取汁，合并滤汁，去沉淀物，加热浓缩成清膏。牛骨髓洗净后入锅煮成稀糊状，调入清膏中，和匀。鹿角胶研成粗末，用适量黄酒浸泡，隔水炖烊，冲入清膏中，和匀。加入炒制过的白糖300克，和匀。最后调入黑芝麻粉、核桃仁粉，搅匀，再煮片刻即成。每服20～30克（约1汤匙），每日2次。

功能：补肾填精，安神益志，主治神经衰弱。

（3）安眠膏

安眠膏（《中医膏滋方临床应用荟萃》）：党参、白术、酸枣仁、炙远志、柏子仁、红枣、龙眼肉、百合各250g，东阿阿胶、淮小麦、茯神各300g，夜交藤、丹参各500g，合欢花、木灵芝各200克，炙甘草50g。

将阿胶敲碎，酸枣仁去小壳，研成细末，备用。余药用冷水浸泡2小时，入锅加水煎煮3次，每次40分钟，榨渣取汁，合并滤液，去沉淀物，加热浓缩成清膏。加入阿胶碎块，烊化后，加白糖300克收膏。最后调入酸枣仁粉，不停搅拌，加热5～10分钟即成。每服20～30克（约1汤匙），每日2次。

功能：养心安神，主治失眠健忘。

（4）蜜炼川贝枇杷膏

蜜炼川贝枇杷膏（清代叶天士方）：川贝母、枇杷叶、南沙参、茯苓、化橘红、桔梗、法半夏、五味子、瓜蒌子、款冬花、远志、苦杏仁、生姜、甘草、杏仁水、薄荷脑，辅料为蜂蜜、麦芽糖、糖浆。

功能：润肺化痰，止咳平喘，护喉利咽，生津补气，调心降火。本品适用于伤风咳嗽、痰稠、痰多气喘、五劳七伤、咽喉干痒及声音嘶哑。

六、哮喘

哮与喘常合为一症论述，名为哮喘，中医分哮证、喘证论治。

哮证是一种发作性的痰鸣气喘疾患。发作时喉中哮鸣有声，呼吸气促困难，甚则喘息不能平卧。

哮症的发病机理为“伏痰”遇感引触，痰随气升，气因痰阻，相互搏结，壅塞气道，肺管狭窄，通畅不利，肺气宣降失常，引动停积之痰，而致痰鸣如吼，气息喘促。《证治汇补》云：“哮即痰喘之久而常发者，因内有壅塞之气，外有非时之感，膈有胶固之痰，三者相合，闭拒气道，搏击有声，发为哮病。”

哮证的治疗有发作期与缓解期之不同。

发作期，寒哮用射干麻黄汤，温肺散寒，化痰平喘；热哮用“定喘汤”，清热宣肺，化痰定喘。缓解期从肺、脾、肾三脏着手。肺虚用“玉屏风散”补肺固卫，脾虚用六君子汤健脾化痰，肾虚用金匮肾气丸或七味都气丸补肾摄纳。

喘证是以呼吸困难，甚则张口抬肩，鼻翼扇动，不能平卧为特征，严重者可致喘脱。喘证涉及多种急慢性疾病，不仅是肺系疾病的主要证候，且可因其他脏腑病变影响于肺所致。

喘证的病因虽多，然不外外感与内伤两端。其发病主要责之于肺和肾。因为肺为气之主，司呼吸，外合皮毛，内为五脏华盖，若外邪侵袭，或他脏气上犯，皆可使肺气宣降失常，肺气胀满，呼吸不利而致喘促。如肺虚气失所主，亦可少气不足以息而致喘。肾为气之根，与肺同司气之出纳，故肾元不固，摄纳失常，则气不归元，阴阳不能相接，亦可气逆于肺而致喘。

喘证的治疗分虚实两大类。

实喘，风寒袭肺用麻黄汤加减，宣肺散寒；表寒里热用麻杏石甘汤加味，宣肺泄热；痰热郁肺用桑白皮汤加减，清泄痰热；痰浊阻肺用二陈汤合三子养亲汤加减，以化痰降气；肺气郁闭用五磨饮子加减，以开郁降气平喘。

虚喘，肺虚用生脉散合补肺汤加减，补肺益气养阴；肾虚用金匮肾气丸合参蛤散加减，补肾纳气。

《医宗必读·喘》曰：“治实者攻之即效，无所难也。治虚者补之未必即效，须悠久成功，其间转折进退，非良易也。故辨证不可不急，而辨喘症为尤急也。”

哮与喘常可兼见。哮多由外感而发，喘多由内伤所致。哮者必兼喘症，喘者不一定有哮。

刘氏对喘证有专方医治，历经几代人的研究，制成一种新方剂，百发百中，无不见效。

（一）强心定喘胶囊

强心定喘胶囊，系刘氏六代内传之强心定喘药。

【方药】

羚羊角、蛤蚧、炙麻黄、白芥子、杏仁、地龙、蝉蜕、僵蚕、乌梅、五味子、熟地黄、葶苈子、米壳（罂粟壳）、灵芝、冬虫夏草、红参、川贝母。

【方解】

羚羊角，平肝熄风，清热解毒。《本草纲目》谓：“入厥阴肝经……目暗障翳，而羚羊角能平之。肝主风，在合为筋，其发病也，小儿惊痫，妇人子痫，大人中风搐搦，及经脉挛急，历节掣痛，而羚角能舒之。魂者，肝之神也，发病则惊骇不宁，狂越僻谬，魇寐卒死，而羚角能安之。血者，肝之藏也，发病则瘀滞下注，疝痛毒痢，疮肿瘰疬，产后血气，而羚角能散之。相火寄于肝胆，在气为怒，病则烦懑气逆，噎塞不通，寒热及伤寒伏热，而羚角能降之。”“五脏六腑皆令人咳”，咳喘之症，源自心肝肺肾者居多，以羚羊角一味，可安五脏，调六腑之咳，以其为君，妙不可言。

蛤蚧，味咸，性平，补肺益肾，助阳益精，纳气定喘。《本草经疏》认为蛤蚧属阴，能补水之上源，则肺肾皆得所养，而劳热咳嗽自除。现代医学认为蛤蚧具有双向刺激作用，既有雄性激素样作用，又有雌性激素样作用，因而能温中益肾，固精助阳。

蛤蚧更重要之药理作用，在于其具有增强免疫功能的作用，所含酶类能增强网状内皮系统的活性，具有非特异性免疫增强及抗衰老作用。因而，蛤蚧的提取物治疗老年性慢性喘息性支气管炎以及顽固性哮喘，确有独特效果。

麻黄性温。功在发汗利水，尤善止咳平喘，适用于一切哮喘。《幼幼集成》：“哮喘为顽痰闭塞，非麻黄不足以开肺窍。”现代药理研究证明，麻黄所含的麻黄碱及伪麻黄碱能松弛支气管平滑肌，解除支气管痉挛，其提取物及挥发油能镇咳、祛痰、抑制过敏介质的释放。

白芥子味辛，性温。“盖辛能入肺，温能散表，痰在胁下皮里膜外，得此辛温以为搜剔，则内外宣通，而无阻隔窠囊留滞之患矣。”（《本草求真》）现代药理研究发现，白芥子所含白芥子苷、白芥子酶对金黄色葡萄球菌、白色葡萄球菌、绿脓杆菌、乙型溶血性链球菌、白喉杆菌等有抑制作用，故有较强的抗菌消炎作用。

杏仁味苦，性温，“主咳逆上气雷鸣”，“疏利开通，破壅降逆，善于开痹而止咳，消肿而润燥，调理气分之郁，无以易此”（《长沙药解》)。《本草求真》云：“杏仁……既有发散风寒之能，复有下气除喘之力。缘辛则散邪，苦则下气，润则通秘，温则宣滞行痰……故凡肺经感受风寒，而见喘嗽咳逆……无不可以调治。”现代药理研究证明，杏仁所含苦杏仁苷在体内慢慢分解，逐渐产生微量氢氰酸，服用少量杏仁，能轻度抑制呼吸中枢，而达镇咳平喘之效。另外，其尚有舒张支气管平滑肌、缓解支气管痉挛的作用，故临床可用于治疗各类哮喘。

【强心定喘胶囊方歌】

强心定喘用羚羊，川贝蛤蚧炙麻黄。
米壳灵芝冬虫草，杏仁地龙蜕蚕僵。
乌参五味白芥子，再加熟地抗敏良。
淬取提纯煨蜜炙，止咳平喘第一方。

（二）宣清化降汤

宣清化降汤（马有度经验方），为治疗表寒里热（寒包火）型咳喘之有效方剂。

【方药】

炙麻黄、苏叶、防风、黄芩、鱼腥草、连翘、桔梗、法半夏、杏仁、紫菀、罂粟壳、甘草。

【方解】

外感咳嗽“寒包火”证，常见于急、慢性支气管炎发作期。《医学心悟》云：“其人素有郁热，而风寒束之。热在内而寒在外，谚云‘寒包火’也。”其本由外感风寒所致，但表寒未尽而肺热已起，也可形成“寒包火”咳，由于内热较重，又感外寒，其症多壮热咳嗽，口干渴饮，阵阵恶寒，一身作痛。

对于寒包火的治疗，应以“散表寒，清肺热”为主。对此，马有度首先着重于一个“宣”字，以麻黄为首，取其辛温发散风寒、宣肺止咳平喘，辅以苏叶、防风，散寒宣肺之力更强，三药合用，共散表寒，使寒邪不再束肺，肺气得宣，不致上逆，则咳喘自缓。

方中又突出一个“清”字，以黄芩为主，清泄肺部火热；辅以鱼腥草、连翘，清肺解毒之力更强。肺热得清，肺气得舒，咳喘自减。

方中还突出一个“化”字，桔梗宣肺祛痰，半夏燥湿化痰，合而增强排痰之力，并能化解痰与火热相结，防止痰热阻肺，以利肺气宣畅。

方中又体现了一个“降”字，杏仁、紫菀和少量罂粟壳肃肺降逆止咳，兼以治标。以甘草调和诸药，缓急利咽止咳，共奏散寒宣肺、清热化痰、止咳平喘之功效。

【宣清化降汤方歌】

寒包火证首要宣，麻黄辛温止咳喘。
辅以防风与苏叶，加强宣肺散表寒。
寒包火证还需清，黄芩泄热法最灵。
再加连翘鱼腥草，清热解毒咳喘宁。
寒包火证注重化，桔梗祛痰肺气纳。
痰与火热相集结，燥湿排痰加法夏。
寒包火症体现降，杏仁紫菀可肃畅。
少量米壳合甘草，标本缓急宗气旺。

（三）气管炎方

气管炎方，系20世纪50年代流传于世的一个验方，杨作楳的《临证录》中有此方之记载，治疗气管炎很有效。

【方药】

青皮10g，陈皮10g，桑白皮30g，当归10g，炒白芍10g，北五味子5g，川贝10g，茯苓20g，杏仁10g，半夏10g。

【方解】

本方以二陈汤为基础，加入桑白皮、杏仁、川贝母、五味子止咳平喘，当归、白芍养阴活血，青皮疏肝理气、消食化积，有利于肺气的肃降与痰浊的运化。全方具有祛痰止咳、肃肺平喘之功效，适用于早期肺气肿与哮喘之患。

【服法】

第一天晚上煎服第一剂头煎药液（药渣存留），第二天早上煎服第二剂头煎药液（药渣存留），第二天中午煎服第三剂头煎药液（药渣存留），第二天晚上，将所留三剂药渣同煎取液，一次顿服。服药期间禁止吸烟、饮酒、食辛辣物，并禁止同房。一周服用九剂药（休息一天）为一疗程。

【气管炎方方歌】

当归白芍北五味，青皮陈皮桑白皮。
川贝茯苓共杏仁，半夏冰糖服之宜。

【咳喘附方】

1. 射干麻黄汤（《金匮要略》）：射干、麻黄、细辛、紫菀、款冬花、半夏、五味子、生姜、大枣。温肺散寒，化痰平喘。

2. 定喘汤（《摄生众妙方》）：银杏、麻黄、桑白皮、款冬花、半夏、杏仁、苏子、黄芩、甘草。清热宣肺，化痰定喘。

3. 玉屏风散（《世医得效方》）：黄芪、白术、防风。补肺固卫。

4. 六君子汤（《医学正传》）：人参、炙甘草、茯苓、白术、陈皮、制半夏。健脾化痰。

5. 金匮肾气丸（《金匮要略》）：桂枝、附子、熟地黄、山药、山茱萸、茯苓、泽泻、牡丹皮。补肾摄纳。

6. 麻黄汤（《伤寒论》）：麻黄、白芍、桂枝、甘草。宣肺散寒。

7. 桑白皮汤（《景岳全书》）：桑白皮、半夏、苏子、杏仁、贝母、黄连、黄芩、栀子。清泻痰热。

8. 二陈汤（《太平惠民和剂局方》）：茯苓、炙甘草、半夏、陈皮。化痰降气。

9. 五磨饮子（《医方集解》）：乌药、沉香、槟榔、枳实、木香。开郁降气平喘。

10. 生脉散（《备急千金要方》）：人参、麦冬、五味子。补肺益气养阴。

11. 补肺汤（《永类钤方》）：人参、黄芪、熟地黄、五味子、紫菀、桑白皮。补肺利气。

七、痹症

《诸病源候论·风痹候》曰："痹者，风、寒、湿三气杂至……"痹症是由风、寒、湿、热等外邪侵袭人体，闭阻经络，气血运行不畅所导致的以肌肉、筋骨、关节发生酸痛、麻木、重着、屈伸不利，甚至关节肿大灼热等为主要临床表现的病症。"其风气胜者为行痹，寒气胜者为痛痹，湿气胜者为着痹也"（《素问·痹论》）。

痹症的发生，主要是身体虚弱，正气不足，腠理不密，卫外不固，感受风、寒、湿、热之邪所致。因此，在治疗上历代医家都主张分清主次。

《医学心悟》指出："治行痹者，散风为主，而以除寒祛湿佐之，参以补血之剂；治痛痹者，散寒为主，而以疏风除湿佐之，参以补火之剂；治着痹者，除湿为主，而以祛风散寒佐之，参以补脾之剂。"

于是，防风汤、乌附麻辛汤、苡仁汤、白虎桂枝汤等经典方剂，在临床中广泛应用。然而，笔者却重视使用祖传"寒痹丸""蘑菇丸""风痹金丹""尪痹丸""骨痹丸"等。

（一）普济寒痹丸

普济寒痹丸（《普济百集方》）是刘氏祖传治疗痹症之有效方剂。

井下作业，阴寒湿重，寒凝聚之；地处寒冷，气候变化，寒凉乘之；隆冬劳作，寒热无度，风寒袭之；居处潮湿，涉水冒雨，湿气淫之；腠理不密，卫外不固，外邪侵之。由是，风寒湿外邪侵袭人体，闭阻经络，气血运行不畅，发为颈肩腰腿痛者处处可见。

对于寒凝气血、风寒阻络而致肢体疼痛之痹症，服用寒痹丸以温经活络，可迅速止痛。对于寒邪滞阳、风寒直中而致心痹疼痛之胸痹，服用寒痹丸以回阳，可缓解疼痛。

【方药】

生麻黄、制马钱子、桂枝、羌活、独活、防风、乳香、没药、追地风、木瓜、川续断、杜仲、牛膝、自然铜、甘草。

【方解】

风寒湿三气杂至，合而为痹。在风寒湿痹中，寒痹更为常见。寒痹以寒邪为主，留着筋脉，痹阻关节，尤以疼痛为著，又称痛痹，其治疗当以温经散寒、通络止痛为法。刘氏寒痹丸以生麻黄辛温，散风寒，通腠理，调血脉，以愈顽痹，药重力宏，直达病所；制马钱子开通经络，透达关节，消肿散结止痛，共为君药。又以桂枝、羌活、独活、防风辅麻黄温经散寒、除湿祛邪，乳香、没药活血散瘀、消肿止痛，助马钱子通痹止痛，共为臣药。追地风、木瓜通络祛风，除湿解痉；川续断、杜仲、牛膝补肝肾，强筋骨；自然铜散瘀止痛，共为佐药。甘草能制马钱子之毒，并调和诸药以为使药。全方配伍，共奏温经散寒、通络止痛之功，用于寒痹则经络温通，寒邪驱散，瘀血随化，疼痛即止。普济寒痹丸配伍严谨得当，是治疗寒痹的有效制剂。

【功能与主治】

温经通阳，祛风活络，散寒止痛。可用于治疗风湿性关节炎、类风湿性关节炎。

【普济寒痹丸方歌】

寒痹马钱生麻黄，桂枝防风独活羌。
牛膝杜仲川瓜草，地风然铜乳没香。

【病例】

张某，男，47岁，挖煤工人。井下作业，寒冷潮湿，致阴寒凝滞，经络痹阻。1989年始发腰腿疼痛，逐年加重，百医无效。至1993年，已不能下床行走。经人介绍，来普济堂就诊。见其舌苔白，脉沉细，下肢冰冷，属大寒痛痹，投乌头汤，效果不显，遂改用普济寒痹丸口服，散瘀止痛，一疗程而愈。

（二）风痹一粒丹

风痹一粒丹，原名大圣一粒丹，载于《传信适用方》（南宋吴彦夔所著）。

此丹治一切风，阴阳偏废，僵仆昏塞，口眼歪斜，半身不遂，语言謇涩，四肢麻痹，举止错乱，脚膝疼痛，步履艰难等。

【方药】

黑附子50g（炮去脐皮），制川乌50g，白附子50g，五灵脂50g，炒僵蚕50g，炒白蒺藜50g，共为细末。

枯矾 50g，朱砂 25g（研），没药 25g，乳香 25g（研），全蝎 25g，麝香 5g（研）。

上药和得所，以井花水磨细墨半两，滴水和丸，阴干，金箔为衣。每服一丸，生姜去皮捣汁，将药磨化，以酒服之，以被盖卧，汗出为效。此药常服可补益五脏，固密真元，流通关节，祛逐风邪，壮筋续骨，大有神效。

方中附子“回阳气，散阴寒，逐冷痰，通关节之猛药也”。《本草汇言》称附子“以其禀雄壮之资，而有斩关夺将之势，能引人参辈并行于十二经，以追复其失散之元阳”，又能引麻黄、防风、杏仁辈发表开腠理，以驱散其在表之风寒；引当归、白芍、川乌辈入血分补血养血，以滋养其亏损之真阴。本方以其为君，取其性热善走，外则达皮毛而除表寒，里则达下元而温痼冷，配伍白附子、五灵脂、僵蚕，共收回阳、强心、化痰、祛风之功。更有川乌“温燥下行，开通关腠，疏利迅速，驱逐寒湿之力甚捷”（《长沙药解》），以其引经，疗风痹半身不遂，可见一斑。临床验证，无不应手而愈。

【风痹一粒丹方歌】

风痹金丹四白黑，乳没全蝎助神威。
唯有麝香透经脉，真元密固风邪摧。

【病例】

朱某某，女，36岁。冬月产后3天，因逃避计划生育，居无定所，感受风寒之邪。室内门窗关闭犹可，倘开门见风，自觉寒气自颌下或两臂端骤然而至，于是四肢逆冷，似进冰窖，双下肢瘫软，不能行走，发为截瘫。

该患者产后正气不足，腠理不密，感受风邪，引发寒厥，加之惊恐失志，而致风痹寒瘀。治疗以风疾洗剂：①急则治其标，蒸熥寒邪；②以蘑菇丸祛风散瘀，益气填精，独取阳明；③以风痹一粒金丹，祛逐风邪，补益五脏。当日见效，一月而愈。

（三）加减风痹金丹

加减风痹金丹（自拟方），为刘氏扩展使用“风痹一粒丹”之化裁方。风痹一粒丹，当属治痹病之奇效良方。然而，其性过于辛燥，对寒热错杂之症、虚实相间之状，治疗尚不能游刃有余。笔者经过几十年的临床实践，加减化裁，组成了一个温经通阳、活血化瘀、标本兼治的新方剂，拟名为加减风痹金丹。以之治疗中风后遗症、创伤后截瘫、胸痹心痛，疗效颇佳。

【方药】

黑附子、白附子、熟地黄、龟板、牛膝、虎骨、鹿衔草、穿山甲、黄柏、知母、沉香、乌药、五灵脂、血竭、京墨、木鳖子、麝香、桑枝。

上药为细末，水泛为丸。

加减法：1. 脉沉涩，舌青紫，加丹参、地龙；2. 脉沉细，舌淡白，加明天麻、川乌、没药；3. 脉滑数，舌红苔黄，加苍术、萆薢，附子量减少；4. 病久肝肾阴虚，舌红少苔，加麦冬、生地黄、石斛；5. 偏于脾肾阳虚，加鹿角胶、补骨脂、陈皮、乌药；6. 时发痉挛，加全蝎、蜈蚣、伸筋草、蚕砂，附子减量。

【方解】

方中附子、鹿衔草、虎骨走督脉，补肝肾之阳，强筋壮骨；龟板、熟地黄、牛膝走任脉，益肝肾之阴，填精补髓；血竭、木鳖子、五灵脂活血化瘀，消肿止痛；麝香、京墨平肝镇静，开窍解痉；沉香、乌药温肾纳气；黄柏、知母滋阴起痿；桑枝通百节，利九窍；穿山甲窜走十二经。全方活血化瘀，温经通阳，填精髓，壮筋骨，养肝益肾，润筋脉，扶正气，健脾固本，从而推动周身经气运行，使阳气输布于诸阳之道。

【病例】

1. 刘某某，女，35 岁，1989 年 5 月 1 日初诊。

1986 年 8 月，患者胸椎结核病灶清除术后，双下肢运动感觉完全消失，每欲翻身或大小便需家人抬起，痛苦难当。查脊柱偏右凸畸形，肢体冰冷，麻木不仁，二便不利，脉沉细。诊为经络阻隔型高位截瘫。病因系脊髓损伤，经络瘀滞。治宜温经通阳，化瘀疏络。方用“桑枝丸”加减：附子 30 克，熟地黄 30 克，当归 15 克，白芍 15 克，鹿衔草 50 克，补骨脂 15 克，鹿角胶 15 克，龟板 15 克，血竭 15 克，虎骨 15 克，牛膝 15 克，没药 15 克，川乌 15 克，穿山甲 15 克，桑枝 100 克。共为细末，炼蜜为丸，朱砂为衣，每日 3 次，每次 18 克，15 枚大枣为引。骶骨热敷经络散，每日 30 分钟。

用药 1 日，患者双下肢疼痛难忍，昼夜呼号，7 日后痛减，即能翻身。

6 月 1 日二诊：患者能下床，做些轻微家务。弯曲之脊柱直了起来，下肢仍麻木，站立困难，脉沉细。方中鹿衔草、补骨脂、穿山甲、牛膝加至 30 克，以温补肾阳，强筋壮骨。

7 月 2 日三诊：患者痊愈。随访 10 年，未复发。

2. 李某某，男，32岁，农民，1990年10月初诊。

患者酒后骑自行车摔倒，第3腰椎压缩性骨折，致下肢瘫痪，并伴大小便失禁近3年，现双下肢麻木不仁，痿软不用，时发痉挛。体温38.5℃，臀部脓性褥疮，尿为浓茶色。诊为创伤性截瘫合并尿路感染。治宜清热渗湿，先去其邪。处方：苍术20克，黄柏15克，萆薢15克，防己15克，通草15克，瞿麦15克，薏苡仁30克，茯苓20克，经络散15克。水煎服，1日1剂。

10月20日二诊：褥疮消失，体温37.8℃，尿清。考虑邪已去半，配制桑枝丸，每日4次，每次9克口服。处方：熟地黄30克，当归20克，黄芪30克，龟板20克，虎骨15克，黄柏15克，知母15克，鹿衔草30克，五灵脂15克，穿山甲15克，麝香1克，伸筋草15克，全蝎15克，蜈蚣6条，白附子15克，黑附子5克，桑枝150克。骶骨热敷经络散，每日30分钟。

12月15日三诊：患者能坐起、站立。

【按】

（1）创伤后截瘫当以活血化瘀、温经通络为先

经络是人体气血运行、传输信息的通路，必须依赖经气的运行来完成其生理功能。创伤性脊髓损伤阻隔了中枢神经与周围神经之间的“信息传递”，导致受累部位以下运动或感觉消失。加减桑枝丸贯督脉、通任脉，内外兼用，振奋周身之阳气，鼓荡经气运行，阻隔之络得以疏通。是故，督任二脉“内在循环途径”畅通无阻，周天而行，其痿无存。

（2）活血通络必以填精益髓、强筋壮骨为主

肾精是生成骨髓、营养骨骼的基本物质。今脊髓损伤，督脉气血阻滞，经络阻隔，势必损及于肾。因此，在活血化瘀、疏通经络的同时，应把补肾填髓放在首位。“肾生精，精生髓，髓养骨……”这就明确指出了“肾不生则髓不满，髓固则气血皆从”的道理。加减桑枝丸以强筋骨、填精髓的鹿衔草、龟板、熟地、牛膝、虎骨、黄柏为全方主体，意在肾精充盈，其痿自去。

（3）“治痿独取阳明”

截瘫之发生与肝肾有关。肝伤则筋骨拘挛，肾伤则精髓不足，肺胃虚则难以濡养筋脉。精血劳伤，脉络失养，耗损肝肾之阴，阴气久耗而累及阳气。肾阳虚衰，不能温养脾阳，则脾肾阳虚。脾胃为后天之本、气血生化之源，因此治疗创伤后截瘫，在注意调整脏腑阴阳平衡的同时，尤重培补后天以养先天。先天生后

天，后天养先天，则脾旺肾充。如是气血充盛，精足髓满，其痿自愈。所谓“治痿独取阳明”，就是这个道理。

【加减风痹金丹方歌】

虎骨桑鳖鹿甲龟，熟地牛膝附白黑。
黄柏知母乌沉麝，血竭灵脂木墨配。
创伤截瘫中风后，温通督脉阳气回。

（四）顽痹汤

顽痹汤（《刘氏家藏方》）养血舒筋，化瘀通经，搜剔络邪，壮骨强筋，是治疗顽痹的有效方剂。

顽痹，顾名思义，属难医之痹症，与类风湿性关节炎类似。其病因病机为“以风、寒、湿、热之邪外袭，气、血、痰、瘀内阻，导致经络闭阻，凝涩不通，气血壅滞，痰瘀胶结，深入经隧骨骱，如油入面，难以化解，绝非一般祛风、散瘀、燥湿、清热、通络、止痛之品所能奏效”，“必须采用透骨搜络，荡涤化痰之品，始可搜剔深入经隧骨骱之痰瘀，以蠲肿痛”（朱良春《从痹病三个主症谈用药经验》）。

【方药】

当归、熟地黄、全蝎、蜈蚣、龟板胶、蜂房、蕲蛇、甲珠、没药、皂角刺、乳香、赤芍、生麻黄、鸡血藤、白芥子、鹿角胶、雷公藤、制天南星、宽筋藤。

【方解】

方中雷公藤、鸡血藤、白芥子祛风除湿，舒筋通络，利气散结，为君药。其中雷公藤主治“风湿顽痹，关节肿胀难消，功能受限，甚至关节变形”。白芥子“辛能入肺，温能散表，痰在胁下、皮里膜外，得此辛温以为搜剔，则内外宣通，而无阻隔窠囊留滞之患矣”（《本草求真》）。

类风湿关节炎为结缔组织疾病，是能引起肢体严重畸形的慢性全身性自身免疫性疾病，其最基本的病变发生在滑膜，其病理特点亦在皮里膜外，故顽痹汤以雷公藤为君药，治疗顽痹；全蝎、皂角刺、蜈蚣、蕲蛇等为臣药，搜风刮骨，剔透病灶，助君药以通痹；当归、熟地黄、鹿角胶、鸡血藤为佐药，使透剔之药而不伤正。众所周知，类风湿属顽痹，反复发作，缠绵不愈，久痛而虚，久痛而瘀，久痛入络，久痛及肾。况且此病之发生，常与气血虚损、正气不足有关。

免疫力低下之人，才会患此病。倘透剔之药过猛，正气暗伤，恐医此顽疾更加棘手，故用大剂熟地黄“安五脏，和血脉，养心神，宁魂魄，滋真阴，封骨髓”（《药品化义》）。

《景岳全书》云：“阴虚而神散者，非熟地之守不足以聚之；阴虚而火升者，非熟地之重不足以降之；阴虚而躁动者，非熟地之静不足以镇之；阴虚而刚急者，非熟地之甘不足以缓之；阴虚而水邪泛滥者，舍熟地何以自制；阴虚而真气散失者，舍熟地何以归源；阴虚而精血俱损，脂膏浅薄者，舍熟地何以厚肠胃。……熟地兼散剂方能发汗……熟地兼温剂始能回阳。”顽痹以熟地黄配祛风散寒、疏通经络、剔透筋骨之品，可收通痹止痛之功，更有甲珠为使药，“宣通脏腑，贯彻经络，透达关窍”（《医学衷中参西录》），使药力直达病所，治疗顽疾痹症，不失为攻补兼施之有效良方。

【顽痹汤方歌】

顽痹汤中用五虫，蕲蛇甲珠蜈蝎蜂。
乳没皂芎归熟地，二仙麻黄与三藤。
新加天南白芥子，窜透顽痹法最灵。

【病例】

刘某，男，16 岁。筋骨关节疼痛、肿胀，屈伸不利，缠缠绵绵，7 年不愈。现手关节变形，髋关节僵直。曾去北京、沈阳等多家医院，诊为类风湿关节炎，久治不愈。2006 年 10 月来我处就诊，投顽痹汤、顽痹丸，4 个月而愈。

刘某某，女，48 岁。周身关节肿胀、变形，疼痛难忍，多方医治无效。2013 年 4 月来所就诊，以大剂顽痹汤搜剔邪络，荡涤痰瘀；加大独活用量，透达关窍；增加黄芪、雷公藤剂量，扶其正气，增强免疫功能；并以虫类药搜风刮骨，剔透病灶。一个月即改善症状，后继续服用顽痹汤，控制病情发展。

（五）何氏榛蘑丸

何氏榛蘑丸，治疗痹症独具特色。

【方药】

羌活、牛膝、秦艽、香附、甘草、当归、地龙、川芎、黄芪、黄柏、苍术、五灵脂、桃仁、红花、没药、榛蘑、木耳。

【功能与主治】

活血行气，逐瘀通络，通痹止痛。用于治疗瘀血痹及各种风湿腰腿痛，或周身疼痛，经久不愈之症。

【方解】

此方系王清任“身痛逐瘀汤”加榛蘑、木耳而成。全方以桃仁、红花共为君药，活血逐瘀，畅通一身气血；五灵脂、没药、当归、川芎、牛膝、地龙、香附共为臣辅，活血行气，化瘀通络，温经止痛；以秦艽、羌活为佐使，祛风、散寒、除湿，通利关节，以止疼痛，除骨节间素有之邪气，从而加强活血逐瘀、通行经络之力。今又加榛蘑祛风活络、强筋壮骨，木耳解筋骨痉挛。全方配伍，以逐瘀通络为主，祛风除湿为辅，益气活血，瘀、风、寒、湿四因同治，对久病入络、气血凝滞所致关节疼痛、变形、屈伸不利等症，具有较强的治疗效果。

【何氏榛蘑丸方歌】

何氏榛蘑膝地龙，羌艽香附草归芎。
黄芪苍柏量加减，要紧五灵桃没红。
再加木耳调挛缩，痛痹瘀血服之灵。

【病例】

徐某某，女，35岁。冬月经水未尽，于室外行房事，感受风寒之邪，渐而关节疼痛，经水由少至闭，每遇房事，则周身酸痛不止，十几天方能缓解，如是循环往复，痛苦不堪。查其脉涩，舌边有瘀点，苔白。用祛风除湿药无效。思此患实为风寒外袭，瘀血内阻所致，投大剂何氏榛蘑丸而愈。

（六）刘氏骨痹丸

骨痹丸（《刘氏家藏方》），为专治风湿骨痛之经验方。

【方药】

白芍、木瓜、当归、威灵仙、甘草、五加皮、羌活、防风、川续断、牛膝、枸杞子、鹿角胶。

【方解】

本方虽没有窜透筋骨、祛风剔邪、补益气血的名贵奇药，然其平淡中却见神奇。方中以白芍为君药，“敛阴益营……土中泻木”（《本草求真》）。以木瓜舒筋化湿，牛膝、五加皮、川断补益肝肾，强筋壮骨，为臣药。威灵仙宣通十二经络而止痛为使药。方中羌活“气清属阳，善行气分，舒而不敛，升而不沉，雄而善散”(《雷公炮制药性解》)。《本草汇言》称羌活“条达肢体，通畅血脉，攻彻邪气，发散风寒风湿……上行于头，下行于足，遍达肢体，以清气分之邪”。更有防风“散风寒湿痹……主诸风周身不遂，骨节酸痛，四肢挛急，痿痹痫痉”(《本草经疏》)。全方补益肾精为主，兼以祛风除邪气，强筋壮骨，用于风寒湿乘虚袭入，客于经络引起的骨质增生、腰椎间盘突出、颈椎病等。

【刘氏骨痹丸方歌】

骨痹之疾重白芍，木瓜灵仙五加胶。

当归川断枸杞草，羌防牛膝骨增消。

【病例】

付某某，男，64岁。因腰腿疼痛，不能行走，多方治疗无效。2009年9月来所就诊。见其疼痛难忍，痛苦病容。CT检查示：骨质增生，腰椎间盘突出，椎管狭窄，小关节退行性变。已完全丧失劳动能力。医院建议手术治疗，延误时间将发为截瘫。因其家庭骤变，长子离异后患癌症去世，经济条件无力承担手术费用，只好求余保守治疗。

施用刘氏三合法，腰部热敷硬吊散，温经散寒，通络止痛；外贴刘氏骨痹膏，祛风养骨，彻邪畅脉；口服刘氏骨痹丸，补益肝肾，强筋壮骨。一月见效，半年而愈。

（七）普济肩臂丸

肩臂疼痛属“痹病”范畴。由于营卫不足，腠理不密，风寒湿三气杂至，经络受阻，气血不宣而致。其病位在手三阳经，临床常见疼痛自肩部向肘部下移，或抬举受限，或不能屈伸，缠绵不愈。

古人常用防风汤、舒筋散、羌活散，以和血散风、通经活络为治。刘氏则多采用普济肩臂丸(《普济百集方》)。

【方药】

制川乌、制草乌、升麻、桂枝、桔梗、生姜。

方中制川乌、制草乌同能祛风散寒止痛，以其为君，取“其性疏利迅速”(《长沙药解》)，“寻蹊达径而直抵病所”(《药性论》)。然此二药“温燥下行”(《长沙药解》)，故用升麻上提药力，用桂枝横行手臂，治疗肩臂疼痛，每能收到良好效果。然而，笔者在临床中却觉此方似有不足之处。升麻只能“升举阳气”（《中药学》），即“引阳明清气上行”（《本草纲目》），而不能载药上浮。故加进桔梗，“开提肺气，可为诸药舟楫，载之上浮”（《本草求真》）。以桂枝横行，则肩臂痛可安。并重加生姜 50g，发散风寒而止痛。

生姜，“祛风除湿，散结利窍，又善止经络不通之疼痛，为治疗痹痛和瘀痛的良药”（《中药学》），加入普济肩臂丸中，可收意外之功。医圣张仲景曾于《伤寒杂病论》中，重用生姜四两至五两。

另有报道，丹麦生物化学家莫滕·韦德纳于 1999 年 6 月 15 日在纽约宣布，他“花费 400 万美元，经过长达 7 年的研究，并通过丹麦、新加坡、美国近千名病人的临床试验，发现生姜中的姜辣素成分对治疗风湿性关节炎有独特功效”。

另，肩为手足三阳经交会之所，亦为肺之分野。肩部发病，多因外邪直接侵害或肺脏受邪而影响经络所致。《灵枢》指出：“肺心有邪，其气留于两肘；肝有邪，其气流于两腋；脾有邪，其气流于两髀；肾有邪，其气留于两腘。”以此可知，肩臂之病与内脏有一定的关联。

【普济肩臂丸方歌】

普济肩臂用二乌，升桔举阳载药浮。
更有桂枝行手臂，肩臂疼痛立可除。
大剂生姜内外用，外搓内服疗效殊。

【病例】

孙某，38 岁，右肩臂疼痛难忍，曾去朝阳市中心医院、朝阳市第二医院、中国人民解放军总医院、北京协和医院就诊，均诊为肩周炎，却久治不愈。2011 年冬，经人推荐来普济堂就诊，察其脉象浮紧，知其先有风冷乘袭，后有邪气稽留，盘踞肩髃，故施用普济肩臂汤，以大剂生姜、大枣为引，疏通阳气，后用普济肩臂丸缓图之，半月而愈，后追访未见复发。

（八）普济脊背丸

肩为手足三阳经交会之所，背部督脉贯脊行于中，足太阳经分左右循行于脊旁，故脊背发病多因外邪直接侵害，或肺脏、肾脏受邪而影响经络所致。如脊背酸沉、板滞疼痛，肩胛不舒，兼有恶寒，为风冷乘袭足太阳膀胱经，经脉涩滞所致。治用普济脊背丸（《普济百集方》），以祛风疏络、宣肺顺气为大法。

【方药】

羌活、防风、生麻黄、紫苏、桔梗、苍术、陈皮、乌药、僵蚕、白芷、枳壳、甘草、白术、片姜黄、茯苓、半夏、香附、海桐皮、白芍。

【方解】

方中羌活、防风为君药，祛风胜湿，通痹止痛。羌活善祛上半身之风湿。《本草汇言》谓羌活“功能条达肢体，通畅血脉，攻彻邪气，发散风寒风湿”。防风为风药之润剂，《本草经疏》谓其“通阳中之阴，即除湿以绝风之源”。故本方之羌活、防风既统领全方为君，且可引药入手足太阳经。

苏叶、香附为臣药。苏叶辛温，归肺脾二经，“芳香气烈，上则清头目，中则开胸膈，醒脾胃，宣化痰饮，解郁结而利气滞”（《本草正义》）。香附，行气开郁之要药，《本草分经》谓之“通行十二经，入脉气分，调一切气……解六郁，利三焦”。

乌药、枳壳、陈皮、半夏为佐药。全方共收疏风散寒、理气和中、燥湿化痰、疏肝止痛之功，脊背之疾可愈。

【普济脊背丸方歌】

脊背丸用紫桔羌，防风苍术陈乌香。
白芷白术白芍壳，苓夏桐皮草僵黄。

【病例】

李某，昼夜循环倒班。冬月的一天，天气突变，冷风骤起，为了御寒，自饮白酒数升，酒罢性起，遂酒后入房，至午夜，起身上夜班，刚一出门，便打了一个寒战，至班上似觉身有不适，下班后渐觉背痛严重。此后连日寻找有名中医师治疗，未见症状减轻，后求笔者为其诊治。笔者以为酒后入房，正气虚弱，午夜上班遇风冷乘袭足太阳膀胱经，遂急投普济脊背丸加减，三剂而愈。

脊背痛，实为临床常见病、多发病。有因正气虚衰，偶感风寒者；有因酒后当风，风邪入中者；有因寒湿闭阻经络者；有因邪气稽留于肾脏导致肾脏风者。余常以普济脊背丸临证加减，或以羌活、防风为引经药，常可收到良效。

（九）普济肢麻丸

四肢麻木，不知痛痒，属气虚风痰入络，营卫不能流通。《内经》云：“营气虚则不仁，卫气虚则不用，营卫俱虚则不仁且不用。”对此，刘氏善用普济肢麻丸（《普济百集方》），治以补气行气、化痰湿而通经络。

【方药】

党参、黄芪、当归、白芍、枳壳、半夏、羌活、防风、威灵仙、僵蚕、桑枝、牛膝、白芥子、陈皮、蔓荆子、桂枝。

【方解】

党参、黄芪补气，当归、白芍和血，枳壳行气，半夏化痰，羌活、防风散风，威灵仙、僵蚕通络，牛膝强筋骨、壮腰膝，桑枝串走十二经，行于手臂，白芥子化胁痰，蔓荆子解表邪，生姜为使。全方补气养血，化痰疏络，营卫得通，肢麻得安。

【普济肢麻丸方歌】

营卫两虚四肢沉，风痰阻络肢不仁。
党参黄芪归芍壳，夏羌防威僵牛陈。
桑枝白芥蔓荆子，化湿通络气调匀。

【病例】

李某某，女，32岁。周身麻木不仁，以下半身为重，极度痛苦。曾去哈尔滨医科大学附属医院、沈阳盛京医院就诊，诊断无果。后去辽宁中医药大学附属医院按风湿治疗，但症状越来越重。2007年7月，其来普济堂就诊。见其脉寸口关上微，尺中紧，知其为营卫气血俱虚、阳气不足、阴血涩滞，复感风寒而致肢麻。遂投普济肢麻丸，效果不显。于是，加大方中桂枝、白芍、黄芪三药剂量至30克，并以新姜、大枣为引，一服奏效，连服三剂乃愈。

桂枝、白芍、黄芪、生姜、大枣，为《金匮要略》中治疗血痹之黄芪桂枝五物汤。歌曰："血痹如风体不仁，桂枝三两芍芪均，枣枚十二生姜六，须令阳通效如神。"因而，重加此三药之量，并以生姜、大枣为引，与众药相合，效果甚佳。李某某病愈后感触颇深，她说："我没想到能治好，身麻之状，非比疼痛，其难受之意，没法形容，我曾几次向亲友说，治不好就不想活了。今已治愈，我永生不忘。"说罢，双膝跪地。

此次临床，我亦感触良多，于是，翔实记录了我与患者相互对话的场景，并发出这样的慨叹：那些否认中医、企图取消中医的行为与做法是何等可笑！试问，血痹身麻之疾，西医将怎样诊断？又将如何治疗？此事过后，我速去辽宁中医药大学，亲见博士生导师李德新教授，向他讲述了李某某四处求医的全过程。

李教授拖着病体有感而发："中医药博大精深，诸多疑难重症，按传统医学理论用药，可手到病除，出神入化。中医，无愧是中华民族的瑰宝，你要认真总结，发扬光大！"

听了李师的肺腑之言，我铭记于心，决心继承经方至珍，发展刘氏"服、熥、贴"三合法，为百姓的健康倾注绵薄之力。

（十）普济定痛丸（筋骨胶囊）

定痛丸（《普济百集方》)，系刘氏祖传治疗痹症的方剂，祛风湿，止痹痛，益肝肾，补气血。临床观察发现，可用于治疗骨质增生、腰椎间盘突出症等，主治痹症日久，肝肾两亏，气血不足，腰膝疼痛，肢节屈伸不利，或麻木不仁，畏寒心悸等。

【方药】

桑寄生、独活、秦艽、当归、白芍、延胡索、熟地黄、杜仲炭、牛膝、羌活、防风、乳香、没药、白芷、血竭、麝香、三七、木香、细辛、石见穿、土鳖虫、透骨草、川续断、制川乌、巴戟天、红花、木瓜、黑老虎、牛大力、千斤拔、金毛狗脊。

【方解】

本方所治之痹症，属病久入深，邪气留连，或着于筋脉，或着于筋骨，营卫凝涩不通，气血运行不畅，久之，肝肾失养，气血失荣，而成肝肾不足、气血两虚之证。本方亦是治疗腰膝酸软、麻木不仁，甚则屈伸不利等症的经验方。

本方以独活为君，取其理伏风，善祛下焦与筋骨间之风寒湿邪。伍以细辛发散阴经风寒，搜剔筋骨风湿而止痛；防风祛风胜湿；秦艽除风湿而舒筋；桑寄生、杜仲、牛膝祛风湿兼补肝肾，强筋骨、壮腰膝；当归、熟地黄、白芍养血活血；延胡索、乳香、血竭、没药活血而止痹痛，麝香透达经脉。全方祛邪扶正，标本兼治，可使气血足而风湿除、肝肾强而痹痛愈。

【普济定痛丸方歌】

独活木生乳没香，红胡天芷三竭藏。
更加麝香透经脉，祛风除痹肝肾强。
黑黄牛力杜防羌，千虫细石断乌草。
风寒湿痹筋骨痛，刘氏家传此方良。

（十一）蘑菇丸（《普济百集方》）

【方药】

独活、防风、杜仲炭、生地黄、熟地黄、川续断、牛膝、当归、生麻黄、川芎、地龙、党参、马钱子、枸杞子、木瓜、榛蘑。

【方解】

方中榛蘑祛风活络、强筋壮骨为君药；独活、马钱子、防风温经、散瘀而疏风定痛为臣药；生地黄、熟地黄、牛膝、地龙、党参强筋壮骨、益气填精为佐药；生麻黄为使药。全方补肾益气，散瘀通络，祛风定痛，标本兼治，为治疗风痹之良方。

方中独活量宏，“为祛风通络之主药……能宣通百脉，调和经络，通筋骨而利机关，故为风痹顽软诸大症必不可少之药”（《本草正义》）。

【蘑菇丸方歌】

蘑菇木瓜膝断芎，独活杜仲二地龙。
党参当归马钱子，麻黄枸杞并防风。

（十二）腰痛——腰痛方

腰痛方（《刘氏家藏方》）：小茴香、杜仲炭、巴戟天、肉苁蓉、补骨脂、青盐、猪腰子。

此方出自清代鲍相璈的《验方新编》，原方名为“壮本丹”，“凡肾虚腰痛，久则寒冷，此药壮筋骨，补元阳，利大小便，养丹田，功效甚大”。诸药研末，装入猪腰（或羊腰），外用面包裹煨熟，去面与药，仅用腰子，黄酒送下，每日一剂。用治腰肌劳损，甚或腰椎病引起的腰腿疼痛，具有壮腰健肾、除湿散寒的功效。本方对肾阳亏虚、寒湿浸淫之腰腿疼痛，效果颇佳。凡腰腿痛困，遇寒加剧者，可斟酌使用。

【腰痛方方歌】

茴香杜仲巴戟天，苁蓉故纸加青盐。
猪羊腰子用一个，腰腿不疼似少年。

（十三）久痹——匀气散

匀气散（《普济百集方》）：红参 100g，白术 800g，乌药 600g，全蝎 100g，陈皮 100g，明天麻 100g，沉香 100g，白芷 100g 。

本方扶正祛邪，通络行气而止痛，适用于久痹入络，祛风除痹效果不佳之痹症。

血液运行靠气推动，气行则血行，气滞则血瘀。痹症经络瘀阻，以行气为先，则可收效迅速而不伤正。

【匀气散方歌】

匀气散中养卫营，脾升胃降络宣通。
八两白术乌药六，红参陈皮共全虫。
天麻沉香加白芷，扶正行气久痹荣。

（十四）顽痹——骨熥散

顽痹久治不愈，病邪与瘀血凝聚于精髓，胶结难解。刘氏祖传喜内外兼治，口服痹症丸，外熥骨熥散，以搜剔深入精髓之痰瘀，蠲肿痛，其效良也。

骨熥散（《刘氏家藏方》）：伸筋草、透骨草、红花、当归、防己、附子、防风、荆芥、千年健、仙灵脾、路路通、秦艽、桂枝、羌活、独活、桑枝。

【用法】1. 加水煎熬，另于浴袋蒸熥。

2. 加工成粉，用离子导入法局部导入。

【骨熥散方歌】

顽痹还需用骨熥，伸筋透骨当归红。
防己附子千年健，荆芥灵仙路路通。
二活二枝秦艽配，加水煎熬入防风。
风湿类风兼骨刺，凝胶瘀痰浴蒸熥。

【痹症结语】

痹病是以感受风寒湿热之邪为外因，以先天不足或正气内耗为内因，以邪气壅塞、气血凝滞、脉络不通为病机关键。病位在肌肉、经络、关节，与肝、脾、肾关系密切，涉及五脏。因感受风、寒、湿、热邪之偏胜有异，可形成行痹、痛痹、着痹、热痹之不同。若痹病日久，伤血耗气，损及肝肾，痰瘀交结，寒邪凝滞，形成正虚邪恋、本虚标实、虚实夹杂，发为尪痹，治以祛邪活络、缓急止痛。祛邪以祛风、散寒、除湿、清热为主，扶正以和营卫、健脾胃、养气血、补肝肾为主，通络则以活血、涤痰、搜风为主。临床应辨证求因，审因论治，注意祛邪不伤正，扶正不留邪。

痹症，“以冬遇此者为骨痹，以春遇此者为筋痹，以夏遇此者为脉痹，以至阴遇此者为肌痹，以秋遇此者为皮痹”。“五脏皆有合，病久而不去者，内舍于其合也。故骨痹不已，复感于邪，内舍于肾；筋痹不已，复感于邪，内舍于肝；脉痹不已，复感于邪，内舍于心；肌痹不已，复感于邪，内舍于脾；皮痹不已，复感于邪，内舍于肺。所谓痹者，各以其时重感于风寒湿之气也。”（《素问·痹论》）

《医宗必读·痹》：“治外者，散邪为急；治脏者，养正为先。治行痹者，散风为主，御寒利湿仍不可废，大抵参以补血之剂，盖治风先治血，血行风自灭也。治痛痹者，散寒为主，疏风燥湿，仍不可缺，大抵参以补火之剂，非大辛大温，不能释其凝寒之害也。治着痹者，利湿为主，祛风解寒亦不可缺，大抵参以补脾补气之剂，盖土强可以胜湿，而气足自无顽麻也。”

【痹症附方】

1. 防风汤（《宣明论方》）：防风、当归、赤茯苓、杏仁、黄芩、秦艽、葛根、生麻黄、肉桂、生姜、甘草、大枣。

2. 乌附麻辛桂姜草汤（成都中医药大学戴云波方）：附子、制川乌、生麻黄、干姜、桂枝、细辛、蜂蜜。

3. 苡仁汤（《类证治裁》）：薏苡仁、苍术、羌活、独活、防风、川乌、麻黄、桂枝、当归、川芎、生姜、甘草。

4. 白虎加桂枝汤（《金匮要略》）：知母、石膏、甘草、粳米、桂枝。

5. 风疾洗剂（《刘氏家藏方》）：槐枝、桃枝、李枝、霜打茄秧、桂枝、透骨草、爬山虎。

春槐桃李共茄棵，桂透草爬共一锅，不论远年与近日，一洗风疾尽消磨。

6. 刘氏骨痹膏（《刘氏家藏方》）：大枫子、熟地黄、木鳖子、地肤子、丹参、蒲公英、茯苓、川牛膝、骨碎补、威灵仙、蛇床子、粉甘草、补骨脂、川芎、生天南星、薄荷、枳壳、白芷、黄芩、防风、地骨皮、桔梗、锁阳、木瓜、高良姜、荆芥、生草乌、当归、生半夏、杜仲、羌活、生川乌、独活、蝉蜕、泽泻、陈皮、何首乌、石菖蒲、苍术、紫苏叶、金银花、南沙参、干姜、肉桂、冰片、樟脑、制没药、制乳香、细辛、生附子、全蝎、白胡椒、猪牙皂、山柰、丁香。

第二章　外科　杂症

一、肿瘤

肿瘤是常见病、多发病。除了遗传基因或热毒内蕴之外，主要是因免疫功能低下，正气不足，以致邪毒乘虚而入，蕴聚于经络、脏腑，导致气滞、血凝、痰瘀、毒壅的变化，而逐渐形成肿瘤，即所谓“积之成者，正气不足，而后邪气踞之”。据统计，全世界每年有 1930 万人患恶性肿瘤，有 1000 万人死于恶性肿瘤。恶性肿瘤早已成为人类第一杀手，严重威胁着人们的健康。因而，正确认识肿瘤的早期信号，加强防治与逆转，是摆在人们面前的首要任务。

世界卫生组织指出：“约三分之一的癌症是可以预防的，约三分之一的癌症通过早发现、早诊断、早治疗是可以治愈的，还有三分之一的癌症通过适当的治疗可以延长生存时间，提高生活质量。”

防癌治癌首先要彻底认识癌症的内在因素。那么，癌症为什么不能被治愈呢？这主要是因为癌细胞外围有一层薄膜，被称为“热休克蛋白 -70”，它像坚实的铜墙铁壁一样包裹着癌细胞，使之不受任何损伤。化疗、放疗后，人体其他正常细胞凋亡了，而癌细胞却暂时处于休眠状态。放疗结束后，它又重新活跃起来，癌肿亦随之增大。癌症，其实是正常细胞的异常增生。因此，癌症的治疗至今仍是世界医学的一大难题。

然而，原华西医科大学魏于全教授通过艰苦努力，“破译了癌细胞死亡之谜”。他“利用从植物中分离出来的‘槲皮酮’和人工合成的‘反义寡脱氧核苷酸’，两种物质阻断癌细胞内热休克蛋白 -70 的合成，从而触发癌细胞的自杀机制，使癌细胞大量凋亡，而无损正常细胞”。我们有理由相信，魏于全的“基因控制癌细胞自杀现象研究”在不久的将来，将在肿瘤生物治疗领域引领世界，造福人类。

肿瘤的治疗

对于肿瘤的治疗，张三说能治胃癌，李四说能治肺癌。其实，绝对地治愈恶性肿瘤是不正确的提法。癌症的治疗只能是相对稳定病情。同一癌症，在张三手中患者能存活一年，在李四手中患者能存活四年，在控制癌细胞增长方面，李四就比张三更胜一筹。治疗标准之所以这样定，是因为谁都不能完全杀死癌细胞。大量临床研究表明，癌症的治疗主要是靠强大的淋巴细胞，也就是中医提出的“养正”。我曾遇到一位肺癌患者，至今已十一年从未服过药，却安然无恙。对此，我找到知名专家寻求解释。他们坚定地告诉我：淋巴细胞很强大。

在“扶正”理念的指导下，抗癌队伍都把目光转到增强淋巴细胞功能上，这是科学的进步。因此，中医界在抗癌领域的有识之士，都把精力放在濡养正气上。抗癌成果越来越多，空喊绝对能彻底治疗癌症的人也越来越少。于是，全国各大医院抗癌小组的“扶正”制剂应运而生。如中国医学科学院肿瘤医院的扶正二号（生黄芪、补骨脂、菟丝子、当归、鸡血藤、枸杞子、陈皮）、扶正四号（生黄芪、黄精、鸡血藤、枸杞子、菟丝子、肉苁蓉）。中山医科大学以免疫Ⅰ号（扁豆、商陆、薏苡仁、土茯苓、首乌、沙参、茯苓）和Ⅱ号（仙灵脾、女贞子、薏苡仁、土茯苓、首乌、沙参）对24例鼻咽癌病人进行了提升细胞免疫力的观察，用药两周后淋巴细胞转化率呈上升趋势。上海华山医院用生地黄扁豆汤（生地黄、扁豆、党参、黄芪、龟板），北京中医医院用平瘤片（生黄芪、党参、白术、茯苓、补骨脂）结合清瘤片（半枝莲、白花蛇舌草、肿节风、藤梨根、山豆根、草河车），中国中医科学院广安门医院用猪苓提取物等治疗恶性肿瘤，巨噬细胞吞噬率上升，淋巴细胞转化率提高。由此可见，中医“扶正”法在防治恶性肿瘤方面有一定的作用。

（一）化瘤丸

化瘤丸（《普济百集方》），系刘氏祖传治疗瘿瘤癥瘕之秘方。经临床加减验证，此药治疗子宫肌瘤、甲状腺瘤、卵巢囊肿，安全有效。

【方药】

桂枝、桃仁、赤芍、海藻、牡蛎、三棱、莪术、鳖甲、茯苓、牡丹皮、当归、藏红花、乳香、没药、杏仁、陈皮、八角金盘、喜树果。

【方解】

本方以《金匮要略》桂枝茯苓汤加减，消癥化瘀而立。寒温相宜，攻坚而不伤正，消癥而不耗阴。桂枝化气温通血脉，茯苓健脾化湿，引湿下行，与桂枝同用，可以通阳化气；牡丹皮、赤芍清郁热，合桃仁活血化瘀，以攻癥瘕；赤芍与桂枝相伍，又可调气血；更加八角金盘、喜树果、海藻、藏红花，以增其破癥行瘀的作用。全方扶正祛邪，消癥散结，行气利湿，是治疗良性肿瘤的有效方剂。

【化瘤丸方歌】

化瘤丸中桂苓汤，海藻牡蛎棱术襄。
归陈乳没红杏入，八甲喜树消癥强。

【病例】

白某某，女，49岁。患多发性子宫肌瘤伴重度高脂血症，因惧怕手术而延误治疗，子宫出血加重，服用化瘤丸两月而愈。

（二）攻癌夺命汤

攻癌夺命汤，是中医治癌大家李可老中医经过40年的临床研究，所创的攻克癌症的有效方剂。

【方药】

海藻、生甘草、煅礞石、木鳖子、生半夏、鲜生姜、莱菔子（生炒各半），黄药子、鳖甲、生牡蛎、海浮石、海蛤壳、玄参、重楼各30g，大黄、浙贝母、桃仁、苦杏仁各15g，山慈菇、山豆根、红花各10g，雄黄1g。

上药以白花蛇舌草、夏枯草各120g煎汤代水煎药，煎取浓汁600mL，每日分3次服，7剂。另以全蝎12只、蜈蚣4条、明雄黄1.2g研末冲服，每日1剂。

方中海藻为消瘤专药，用时清水漂洗去盐，其味咸性寒，入肺、脾、肾经，能软坚化痰，泻热消水，主治瘿瘤、瘰疬、积聚、水肿。海藻与甘草同用，相反相激，增强激荡磨积、攻坚化瘤之力。木鳖子味苦，性微寒，有毒，有消积块、破肿毒之功。生半夏消痰核，化瘤散结。白花蛇舌草、重楼专治恶毒疔疮，善解血分诸毒。山慈茹、山豆根、黄药子皆近代筛选之抗癌要药。海蛤壳、海浮石，最善化痰软坚，清热泻火，养阴利水。夏枯草，味苦、辛，性寒，入肝、胆经，清肝散结，主治瘰疬、瘿瘤、癥积、乳癌、宫颈癌之崩漏下血、肺结核大咯血，兼有补益血脉之功用。鳖甲为鳖甲煎丸主药，历代用治癥瘕痞块，与消瘰丸相合，大大增强了养阴化痰、软坚破积之力。雄黄，可杀灭多种细菌，对癌毒扩散深入血分，有清除之效。

综上所述，本方以海藻、甘草相反相激，木鳖子、生半夏、雄黄以毒攻毒，合大队攻癌破坚、清热解毒、化痰散结之品为君，以鳖甲、消瘰丸养阴扶正为臣，以活血化瘀之虫类搜剔引入血络为佐使，直捣病巢，力专效宏。用治多种恶性肿瘤，有一举扫灭癌毒凶焰、夺回患者生命之效。

（三）反瘤膏

反瘤膏（《刘氏家藏方》）：大戟 30g，芫花 30g，甘遂 30g，海藻 30g，甘草 30g，香油 500g，黄丹 250g。

上药除黄丹外，浸入香油中 5 ～ 7 天，入锅内慢火煎熬，至药枯浮起为度，离火片刻，去渣，再将黄丹逐渐加入，边加边搅，至黑乌漆亮，滴水成珠为度，摊于布上待用。功能消肿止痛，软坚散结。

骨髓炎急性期，未溃、肿胀疼痛者，加热贴患处。

【反瘤膏方歌】

反瘤膏医疽肿痛，附骨未溃可蕴脓。
戟芫遂藻反甘草，香油黄丹火熬成。

（四）乳腺结节——化癖丹

1988 年，在一次国际医药大会上，余结识了江西民间中医李氏夫妇。李氏得一异人所传医治乳腺癌药方，因其是文盲，只会治疗“无力症”，遂将医治乳腺癌之方转交给我。我接触了 101 例乳腺癌患者，以此方治疗，疗效可靠。

化癖丹（江西李氏）：柴胡、当归、白芍、白术、茯苓、香附、郁金、天葵草、全蝎、白芥子、炙甘草、海藻、女贞子、王不留行、皂角刺、山慈菇、蜂房、白花蛇舌草、八月札、八角金盘、黄芪。

【化癖丹方歌】

乳腺小叶结肿出，肝郁气结血有毒。
归芍茯苓郁虫草，女贞香附共白术。
天葵白芥同海藻，蜂房皂刺山慈菇。
不留蜂房蛇舌草，八月八角黄芪入。
君臣佐使一锅烩，乳腺结肿可能除。

【病例】

杨某，女,48岁。家住辽宁省凌源市小城子镇。2002年患乳腺癌，医治无效。一天，与我相交甚厚的王木匠将其推荐给我，从试试看的角度，我施用了此方，汤剂与丸剂并用。1个月过后，腺瘤体积减小，续服3个月，癌肿平复，5年后进入静止期，现已痊愈。

此后，连续治疗乳腺良性结节患者166人、乳腺癌患者48人，临床观察显示，用药后乳腺结节增生患者治愈率为88%，乳腺炎治愈率为67%，但部分恶性乳腺癌患者效果不佳。

【癌症附方】

1. 海藻玉壶饮（《医宗金鉴》）：海藻、昆布、半夏、连翘、贝母、当归、独活各10g，青皮、川芎各6g，陈皮5g，甘草3g。

用法：水煎服。

功效：消散瘿瘤，化痰软坚。

主治：瘿瘤初起，或肿或硬，或赤或不赤，但未破者。用于甲状腺肿大、甲状腺功能亢进、乳腺增生、淋巴结核、结核性腹膜炎、多发性疖肿等。

2. 内消瘰疬丸（《疡科大全》）：夏枯草、玄参、青盐各150g，海藻、贝母、薄荷、天花粉各240g，海蛤粉、白薇、连翘、熟大黄、生地黄、桔梗、枳壳、当归、甘草、硝石各30g。

用法：酒糊为丸。

功效：软坚散结，清热化痰。

主治：瘿瘤、瘰疬、痰核，或肿或痛。

3. 赘瘤汤：柴胡、白芍、赤芍、茯苓、昆布、夏枯草各15g，白花蛇舌草、海藻、钩藤各25g。

用法：水煎服。

功效：软坚散结。

主治：神经纤维瘤。

4. 痰核内消丸：党参、黄芪各30g，山药15g，甲珠、僵蚕各12g，土大黄10g，蜈蚣2条，龟甲12g，生牡蛎12g，天南星6g，何首乌13g，甘草10g，胎盘血适量。

功效：扶正逐瘀，除痰散结。

主治：皮下脂肪瘤。

5. 大龟三胶丸：雄黄15g，胡椒、甲珠各10g，共为细末，放入乌龟腹内，盐泥封固，煅存性，去泥为末；熟地黄25g，山药、山茱萸各12g，茯苓、泽泻、丹皮各10g，鹿角胶、龟胶、鳖甲胶各3g，共为细末，与前药合为蜜丸。

主治：骨纤维瘤。

6. 平消丹：马钱子粉、白矾、郁金、火硝、仙鹤草、炒枳壳、五灵脂。

主治：骨巨细胞瘤。

7. 琥珀黑龙丹：琥珀、血竭、京墨、五灵脂、甲珠、夜明砂、蜈蚣、蝉蜕、昆布、海藻、僵蚕、天南星、木香、麝香。

功效：破瘀消肿，化痰软坚，攻坚散结。

主治：恶性肿瘤。

8. 会厌逐瘀汤：玄参15g，生地黄15g，枳壳、桔梗、贝母各10g，桃仁、红花、赤芍、三棱、莪术、半枝莲各9g，柴胡、甘草各6g，冬凌草30g。

用法：水煎服。

功效：益气活血，软坚散结。

主治：喉癌，气血阻滞者。

9. 龙华化岩方（《肿瘤良方1500首》）：党参、天冬、桃仁各10g，夏枯草、海藻、昆布各15g，王不留行、石见穿、黄药子、葶苈子、牡蛎、车前子各30g，大枣10枚。

用法：水煎服。

功效：益气活血，软坚散结。

主治：乳腺癌。

10. 乳一方：柴胡、当归各10g，郁金、三棱、橘核、香附、山慈菇、漏芦各12g，夏枯草、茜草各15g，赤芍15g，青皮、丝瓜络各6g，甘草6g。

用法：水煎服。

功效：疏肝活血，软坚散结。

主治：乳腺小叶增生症。

11. 五虎丹（湖南中医药大学第二附属医院方）：水银、牙硝、白矾、青盐各90g，食盐45g。

制法：降丹炼法收丹备用。

功效：祛腐拔毒生新。

主治：皮肤癌，痈疽恶疮，慢性瘘管，淋巴结核。

二、伤科

伤科一门，复杂纷纭。生活中，拦河筑坝，修路开山；灾害中，洪水泥流，风雪地震，可有跌打伤仆，可有折骨断筋。红伤止血，黑伤退爊，骨折接续，虚损回春。其手法方药，皆源于岐黄仲景之说。

刘氏伤科之奥，多为家传。曾太祖刘仁，清代名医，虽无著作传世，幸有手本藏珍。展开研读，见接骨续筋之术，承自少林、青城与武门。今重新整理录于“医方”中，以启后学。

骨　伤

（一）里东丸

里东丸（《刘氏家藏方》），为少林僧所传，用血肉灵动之品。虽非控经定证，然其调治折伤之法，井井有条，先退肿，后定痛，腐其坏肉，去其恶血，祛其风，活其血，经脉流通，则气血调畅，脂膏流着伤处，其骨自接。

【方药】

五灵脂炒，酱色为度，九两五钱五分，穿山甲炒黄焦，二两五钱，地龙韭菜地者佳，滚汤泡熟，日内晒干，九两五钱，不隔夜，番木鳖麻油锅内滚煎，二沉二浮，十两，麝香三钱三分，黄麻灰用麻切碎，置阳城罐内，封固，大火烧存性，三两，芸香二两五钱，半两钱火煅醋淬，十七枚，乳香去油，一两二钱五分，自然铜火煅醋淬，二两，草乌去皮尖，炒，三钱五分，全蝎去尾钩，一两二钱五分，当归酒洗，一两二钱五分，陈京墨火烧烟尽为度，二钱五分。

酒糊为丸，朱砂为衣，蜡丸，每丸一钱五分重。

【病例】

柳某某，女，19岁，患骨结核，髋关节粉碎性骨折四载，服抗痨金丹合内下甲字提毒药捻，病灶清除。X光片示骨折不能接续。服用里东丸合五骨金丹，两月而愈。现已年近46岁，膝下两女，身心健康。

【里东丸方歌】

里东原自少林僧，灵脂甲珠韭地龙。
油制木鳖黄麻炭，芸香乳麝自然铜。
草乌归蝎墨半两，遵古炮制接骨灵。

（二）青城仙传接骨丹

青城山，位于四川省都江堰市。清代康熙年间，青城山武术自成派系，善于运用三十六打穴法、二十四式游龙掌，江湖上被称为“青城派”。其仙传接骨方，四海盛誉。太爷少年习武，得青城接骨真传，遂将其收入“刘氏家藏方”。

【方药一】

生半夏200克，炮制6次，第一次米泔水浸3日，第二次盐水浸1日，第三次醋浸1日，第四次童便浸1日，第五次黄酒浸1日，第六次姜汁浸1日。阴干，加黄芩四两，共为细末，老酒送下。若肿痛，用醋调敷患处。

【方药二】

自然铜一两，醋制，土鳖虫去头，水蛭火煅醋淬、地龙酒洗火煅，龙骨、降香、苏木 各五钱，蝼蛄十个，火煅，川乌、明松节、乳香去油、没药去油、血竭、木香各三钱，白芍二钱，麝香一钱。

以上十六味，共为细末，每服一钱，酒送下。

【青城仙传接骨丹方歌】

仙传接骨属青城，跌打折伤最有名。
土虫水蛭降苏木，土狗川乌自然铜。
血竭乳没明松节，二香白芍骨地龙。
六制半夏醋调敷，内外同用古今灵。

（三）刘氏接骨紫金丹

【方药】

红公鸡一只，黄瓜籽一两，生菜籽一两，血余半两，全土鳖二十四个。共研细末，净瓦焙干，杏黄色为度，元酒送下。

苏木、松节、川乌、降香、制乳香、制没药、血竭、自然铜、地龙、水蛭，共研细末，黄酒送下。

（四）刘氏接骨丹

【方药】

自然铜、当归、川芎、羌活、独活、虎骨、五灵脂、乳香、没药、杜仲、木瓜、茯苓、芡实、炙酸枣仁、杏仁、川乌、薏苡仁、细辛、神曲、牙皂、乌药、朱砂、西香、木香、灶鸡（即灶马，俗称灶蟀）、地骨皮、土鳖虫、甘草、红蚯蚓、抱鸡、大皂（皂荚）、推车子（蜣螂）。

共为细末，每服一钱，酒下。

注：灶鸡即蟋蟀，抱鸡即刚孵出的小鸡，推车子即螳螂。

（五）接骨麻药

【方药】

生天南星、半夏、川乌、草乌、荜茇、蟾酥、胡椒、细辛。

（六）特效接骨秘方

【方药】

无名异、没药、紫荆皮、沙姜、血竭、乳香、五加皮、续断、骨碎补。

1. 扭断鸡头去毛；

2. 竹片刮皮去内脏；

3. 肉骨同砸烂；

4. 加入高度米酒；

5. 以皮敷药患处烫之。

跌打金创

（一）黑龙散

黑龙散，治跌仆损伤，筋骨碎断，差爻出臼。先煎葱汤或药汁淋洗，拔伸整捺，令骨相续平正后，却用生姜汁或生地黄汁和水调稀，却将熟帛或皮纸量损处大小，薄摊于上贴之。次以木皮，约如纸大片，束排令周匝，将小绳三度缚之要紧，三日一次，再如前淋洗、换药、贴裹。不可去夹，毋令摇动，候骨生牢稳方去夹，则复如故。若被刀箭伤，虫兽伤啮成疮穰烂，肌肉不生，跌磕肿痛，并用姜汁和水调贴，有破则留口，以风流散填涂。

【方药】

穿山甲六两，炒黄或烧存性　丁香皮六两　土当归二两　百草霜半两　枇杷叶根去毛，半两

上焙，碾为细末，姜汁水调，或研地黄汁调用。

（二）大活血丹

大活血丹，治扑损伤折，骨碎筋伤，疼痛浮肿，腹有瘀血，灌注四肢，烦满不安，痈疽发背，筋肉坏烂，诸般风疾，左瘫右痪，手足顽麻，妇人血风诸疾，产后败血不行，流入四肢，头面浮肿，血气疼痛，浑身疼痹，经脉湛浊，风痨发动，百节酸疼，并宜服之。每服半丸，用无灰酒磨化，微煎三五沸温服，不拘时，不限多少。此药以纱葛袋收挂净处，经久不坏，可备急用。孕妇莫服。损在上食后服，在下空心服，伤重不拘。余仿此。

【方药】

天南星一斤，姜汁浸一宿，焙　芍药一斤，赤白皆可　骨碎补一斤，焙，石上生者佳　黑豆一升，酒煮焙干　大栗间一斤，老者去皮，焙　青桑炭十斤，青桑木，取如臂大者去皮叶，炭火煅，令赤烟起，用酸醋杀为炭　木鳖半斤，去壳，细切，麸炒，取半斤　自然铜半斤，火煅，酸醋淬存性，取半斤　细辛十两，去苗、叶，取十两　川牛膝一斤，去芦，酒浸，焙，取一斤　川乌一斤，炮　没药四两，别研　乳香半斤，别研　血竭六两，别研　白芷一斤

上桑、栗、豆、补、星、药六味为末，和余药研为细末，用米醋煮，糯糊

拌，入臼捣千杵，方聚众人急下手丸，下手稍缓则折。阴干半月，然后用火焙，或晒一日。大丸重六文湿，中丸重三文湿，候干则以漆沫在手上，取两三丸，挪漆为衣。每服半丸。合此药勿令四眼见之，更忌鸡犬妇人，见之则折矣。

（三）小红丸

小红丸，治踒折伤损，皮破骨出，手足碎断，筋肉坏烂，疼痛，甚至昼夜叫呼，百治不止，手足久损，筋骨差爻，举动不得，损后风浸，肢节挛缩，遂成偏废，劳伤筋骨，肩背疼痛，四肢疲乏，动用无力。常服壮筋骨，活经络，生气血。每服三十丸，用生姜煎酒，或盐汤吞下，不拘时候。孕妇莫服。

【方药】

骨碎补六两，姜制，焙，取六两　土当归六两，焙取　川乌六两，煨　白杨皮六两，焙　肉桂四两，不见火　莪术二两，焙　丁香二两　干姜二两，焙　川芎三两　细辛四两，焙　附子半，煨去皮　乳香三钱，别研，不焙　没药三钱，别研　芍药六两，焙

上补、药、归、杨四味，用当土者；余八味研为细末，乳、没别制，和醋糊为丸如绿豆大，信朱为衣。每服三十丸，温酒下。敷用，生姜自然汁煎酒，或盐汤皆可，不拘时候。

（四）大红丸

大红丸，治仆损伤折，骨碎筋断，疼痛痹冷，内外俱损，瘀血留滞，外肿内痛，肢节痛倦，应诸损痛，不问年深日近，并宜服之。常服补损，坚筋固骨，滋血生力，神验不可具述。每服三十丸，温酒醋汤任下，不拘时候。孕妇莫服。

【方药】

赤蔹一斤，即何首乌，焙干，川乌一斤七两，火煨，天南星一斤，焙　芍药一斤，焙　土当归十两，焙　骨碎补一斤，姜制，焙　牛膝十两，酒浸，焙　细辛八两，去苗叶，焙　赤小豆二升，焙　自然铜四两，煅存性　青桑炭五斤，煅，醋淬　其上俱要制焙，后方称斤两。

上蔹、星、芍、归、补、膝、辛七味，并用当土者，同余药为细末，醋煮，面糊为丸如梧桐子大，信州朱为衣。每服三十丸，温酒下，醋汤亦可。损在上食后服，在下空心服，伤重不拘时服，或与小红丸互用亦可。

（五）黑丸子

黑丸子，治打仆损伤，驴马跌坠，骨断筋碎，百节疼痛，瘀血不散，浮肿结毒，一切风疾，四肢疼痹，筋痿力乏，浑身倦怠，手足缓弱，行步不前，妇人诸般血风劳损，并宜服之。每服二十丸、三十丸，用煨葱、酒或茶任下。孕妇莫服。

【方药】

白蔹一斤，焙　白及四两，焙　南星六两，焙　芍药十两，焙　土当归四两，焙　骨碎补八两，焙　川乌三两，焙　牛膝六两，焙　百草霜十两　赤小豆一斤

上除星、芍、归、补、膝、豆用土产者，草霜釜上取，同为末，醋糊为丸如梧子大，每服三二十丸。

（六）黄末药

黄末药，治跌仆伤损，皮肉破绽，筋肉寸断，败血壅滞，结痈烂坏，疼痛至甚；或劳役所损，肩背四肢疼痛；损后中风，手足痿痹，不能举动，筋骨乖张，挛缩不伸。续筋接骨，卓有奇功。常服活血止肿生力。

【方药】

川乌炮　草乌醋煮　枫香别研，各三斤　当归去芦头，酒浸一宿，阴干　赤芍药各半两　川独活去芦　川芎汤泡七次　细辛去苗，净洗　香白芷、山桂去粗皮　白姜面裹煨　黄姜湿纸里煨　五加皮净洗，去骨　桔梗去芦　骨碎补去毛，炒　苍术醋煮七次　何首乌用黑豆酒煮七次。以上各二斤　知母半斤　没药半斤　牛膝二斤，酒浸七日，焙干

上件为细末，每服二钱，盐酒调。病在上食后服，在下空心服，遍身损临卧服。孕妇莫服。

（七）白药末

白药末，治打仆伤损，皮肉破碎，筋骨寸断，瘀血壅滞，结肿不散，或作痈疽，疼痛至甚；或因损后中风，手足痿痹，不能举动，筋骨偏纵，挛缩不伸；及劳伤破损，肩背四肢疼痛，并宜服之。此药大宜续筋接骨，刻日取效。妇人产后诸血疾，并皆治之。

【方药】

白杨皮十二两，米汁浸一宿　桔梗十两，去苗　赤芍药九两，酒浸一宿　川芎半斤，汤泡七次　白芷十两　山桂半斤，去粗皮　细辛半斤，去苗　甘草十两，炙　花椒五两，去子、合口者　川乌六两，炮　续断六两，米汁浸　牛膝六两，去苗，酒浸一宿　泽兰叶九两，去叉枝　当归六两　香附子六两，炒

上为细末，每服二钱，酒调下，服法同前。妇人诸血风气，亦皆治之。

（八）乌丸子

乌丸子，治打仆伤损，骨碎筋断，瘀血不散，及一切风疾，筋痿力乏，左瘫右痪，手足缓弱，诸般风损，妇人血疾，产后败血不散，灌入四肢，面目浮肿，并宜服之。唯孕妇勿服。

【方药】

赤小豆炒　白蔹　赤芍药　何首乌醋煮　细辛去苗　草乌醋煮七次　白及煨　山桂去粗皮　南星面里煨　当归酒浸一宿　川牛膝去苗，酒浸一宿　川芎　百草霜　骨碎补去毛炒　天台乌药乌豆酒煮后焙干　以上各一两。

上为细末，用煮豆酒煮，面糊为丸如梧子大。每服五十丸，用煨葱酒或煨葱茶任下。

（九）红丸子

红丸子，治打仆损伤，骨碎筋断，疼痛痹冷，内外俱损，瘀血留滞，外肿内痛，支节疼倦，应诸伤损，不问年月日久，并宜服之。常服补损，坚筋固骨，滋血生力，神效不可具述。孕妇勿服。

【方药】

牛膝酒浸一宿　川乌炮　南星醋煮三次　细辛去苗，净洗　何首乌用水煮熟　桔梗去芦　山桂去粗皮　当归　自然铜煅，醋淬七次，别研　白蔹　赤芍药　骨碎补去毛　没药别研　羌活去芦　赤小豆不见火

上除研药外，余并打和，炒干为末，酒煮面糊为丸。每服五十丸，随病上下服之。

三、痛风

痛风是一种嘌呤代谢紊乱所致的疾病，临床特点为高尿酸血症，急性或慢性关节炎反复发作，关节畸形，肾脏病变，或痛风石、肾结石形成。

痛风，早在中医经典中就有论述，《丹溪心法·痛风》指出痛风为“白虎历节风证”，“四肢百节走痛是也”，“痛如虎咬”之状。《医学入门·痛风》认为痛风多由“气血虚劳”不荣关节腠理所致，并描述了其后期“痛入骨髓，不移其处”的临床表现。

综合古人对痛风的认识，其病理、病机大致有四。

一是血气虚劳，关节失养，致使经络空虚，腠理不密，风湿内侵与正气相搏而发病；二是瘀血滞留，恶血留而不去，腠理闭而不通，复遇风寒，血气瘀滞，阻滞经络隧道而发病；三是风湿侵袭，正气虚衰，涉水冒雨，感受风湿，邪入肾经，血脉瘀滞而发病；四是痰湿流注，多食肥甘，致脏腑气化功能受阻，三焦水道失于通调，形成痰湿，流注关节而发病。

然而对痛风一症的认识，唯现代医学从生理病理角度出发，才能给出最有力的说明。

现代医学认为，痛风是由嘌呤代谢异常引起尿酸盐沉积在软组织中造成的一种疾病。此病分为原发性和继发性两种。原发性与家族遗传有关，继发性与肾脏疾病、心血管疾病、血液病等多种因素有关。

高尿酸血症是痛风的重要标志。当尿酸生成增多或尿酸排出减少时，均可引起血中尿酸浓度升高。尿酸是人类嘌呤代谢的终末产物。

人体内尿酸的生成有外源性与内源性两种，从富含核蛋白的食物（如肝、肾、脑、鱼子、蟹黄、豆类等）分解而来的属外源性，从体内氨基酸、磷酸核糖及核酸等分解代谢而来的属内源性。内源性代谢紊乱较外源性因素更为重要。原发性痛风患者，一部分由于酶及代谢缺陷导致尿酸生成增加，另一部分主要是肾脏清除功能减退，大量的尿酸盐排泄不出去，而沉积在人体的软组织中。继发性痛风患者除由于细胞核破坏过多、核酸分解加速使尿酸来源增加外，大多由尿酸排泄减少所致。尤其是各种肾脏疾病及心血管疾病晚期引发的肾功能衰竭，致使尿酸大量滞留体内。其病理变化是尿酸盐沉积在关节囊、滑囊、软骨、骨质、肾脏、皮下及其他组织中，引起组织反应。尿酸盐沉积于关节软骨和骨质内，逐渐增多，突破关节面，刺激滑膜，发生急性炎症，滑液增加，关节红肿。滑膜发生慢性炎症变化而增厚，关节软骨面被破坏，骨质因尿酸盐侵蚀而缺损，关节边缘软骨增生，周围组织纤维化，发生强直、畸形。尿酸盐沉积为细小针尖样结晶，形成异物结节，产生痛风石。此时，痛如虎咬，很难缓解。

痛风以男性为多，可能有家族史，常见于饮酒者或多食鱼、蟹、肉者。

从中医的角度来认识痛风，可将其分为风湿热型、风寒湿型和瘀血型。风湿热型用清痹汤加减，风寒湿型用通痹汤加减，瘀血型用化瘀通痹汤。西医则用秋水仙碱排尿酸，用别嘌呤醇抑制尿酸生成。然此类药对胃肠刺激太大，患者往往难以耐受。

刘氏通过对中医经典的研究，结合现代医学病理学及药理学的实验，拟出一新方剂，临床应用，效果显著。

痛风汤

痛风汤（自拟方）有排毒、利尿、降酸、抗炎、通络、止痛之功。

【方药】

土茯苓、萆薢、虎杖、防己、黄柏、泽泻、薏苡仁、当归、苍术、独活、威灵仙、桂枝、牛膝、忍冬藤、络石藤、青风藤、葛根、香附、金雀根、金刚藤。

【方解】

本方以当归、苍术、独活、威灵仙、桂枝、牛膝为主，抗炎而止痛；土茯苓、萆薢、虎杖、防己降低血尿酸；黄柏、泽泻、薏苡仁、土茯苓促血尿酸排泄。痛风石以金雀根和金刚藤化之。全方抗炎排毒，通络祛湿，消肿止痛。

【痛风汤方歌】

痛风排泄血尿酸，黄青泽苡土苓煎。
萆薢虎络忍防葛，降低尿酸利湿黏。
归术独香牛膝桂，合并灵仙可抗炎。
倘有痛风石出现，雀根刚藤二金联。

【病例 1】

李某，男，46 岁。左足踝、第一趾关节剧痛，入夜更甚，痛如虎咬，彻夜不能入睡，服“消炎痛”效果不显。病变处关节红肿，痛不可触。舌苔黄，尿黄赤，脉浮数，血尿酸636μmol/L。拟诊：痛风，属风湿热型。治宜祛风除湿，清热宣痹。

【方药】忍冬藤60g，败酱草30g，络石藤20g，青风藤60g，土茯苓25g，老鹳草30g，丹参30g，香附20g，葛根15g，连翘20g。

一日一剂，水煎服，症状稳定后，续服刘氏痛风丸，一疗程而愈。

【病例2】

李某某，男，42岁。左足患痛风五年余，反复发作，日趋加重。2001年来我处就诊。见左踝漫肿、僵硬，行走艰难，经服秋水仙碱、别嘌呤醇，胃痛严重，不能进食。诊为风寒型痛风，法当祛风散寒，除湿通痹。遂投痛风汤，加水牛角浓缩粉、入地金牛以消肿，加蚕砂、僵蚕、蕲蛇以利湿除顽痹，并配痛风丸。汤丸并服，两月后渐愈，三疗程痊愈。

【痛风附方】

1. 清痹汤（自拟方）：忍冬藤、败酱草、络石藤、青风藤、海风藤、老鹳草、丹参、香附。

风热胜者加连翘、葛根，湿热胜者加防己、白花蛇舌草。

【功能与主治】祛风除湿，退热清痹。主治风湿热型痛风。

2. 通痹汤（自拟方）：当归、丹参、鸡血藤、海风藤、透骨草、独活、钻地风、香附。

风偏胜者加羌活、防风、威灵仙，寒偏胜者加制川乌、制草乌、桂枝、细辛，湿偏胜者加薏苡仁、萆薢。

【功能与主治】祛风散寒，除湿通痹。主治风寒湿型痛风。

3. 化瘀通痹汤（自拟方）：当归、丹参、鸡血藤、制乳香、制没药、香附、透骨草。

偏寒者加桂枝、制川乌、制草乌、细辛，偏热者加败酱草、牡丹皮，气虚者加黄芪，久痹关节畸形者加甲珠、乌梢蛇、地龙、全蝎、蜈蚣、马钱子。

【功能与主治】活血化瘀，通络除痹。主治瘀血型痛风。

4. 加味二妙散（《丹溪心法》）：苍术、黄柏、牛膝、当归尾、萆薢、防己、龟板。

热盛加龙胆草、栀子、忍冬藤、桂枝白虎汤，湿盛加薏苡仁、蚕砂、绵茵陈，肿痛甚加毛冬青、入地金牛、犀角（以水牛角代），湿热伤阴加生地黄、玄参。

【功能与主治】清热除痹，利湿祛风。主治湿热型痛风。

四、脱疽

脱疽，现代医学称之为血栓闭塞性脉管炎。其特点是：好发于四肢末端，尤以下肢较上肢多见，初起趾（指）端怕冷、苍白、麻木，步履不便，继则疼痛剧烈，日久患趾（指）变黑坏死，甚至趾（指）节脱落。

脱疽的病因主要是脾气不健、肝肾不足、寒湿侵袭、凝滞络脉。脾肾阳气不足，不能温养四肢，复感寒湿之邪，则气血凝滞，经络阻遏，不通则痛。四肢气血不充，失于濡养，则皮肉枯槁不荣；肝肾不足，或寒邪郁久化热蕴毒，湿毒浸淫，脉络闭阻，肢末无血供养，而致焦黑坏死，甚至脱落。久则耗伤气血，导致气血两虚之证。

脱疽大致可分为寒湿、血瘀、热毒、气血两虚四类。其属世界性难医之症，余经过多年临床探讨，以为吉林的万盛玉、晏树华之脉管炎一号、脉管炎二号和坏疽药膏，结合广东姚振加之静脉逆流注射，每能收到良好效果。

（一）温阳通脉散

温阳通脉散，系万盛玉、晏树华经验方，经刘氏加减化裁，收入《普济百集方》中，为治疗寒湿型脱疽之有效方。

【方药】

附子 100g，肉桂 100g，干姜 100g，甘草 100g，毛冬青 100g，黄芪 100g，桂枝 50g，党参 50g，白芍 50g，苍术 50g，水蛭 30g。

【方解】

方中以附子为君药。“附子，回阳气，散阴寒，逐冷疾，通关节之猛药也。”（《本草汇言》）《本草正义》云：“附子本是辛温大热，其性善走，故为通行十二经纯阳之要药，外则达皮毛而除表寒，里则达下元而温痼冷，彻内彻外，凡三焦经络诸脏诸腑果有其寒，无不可治。”脱疽实属血栓闭塞性脉管炎，其闭塞点多在下肢，此血栓非大热善行之药不能救逆，唯附子可以斩关夺将，以其为君，则可夺天地之造化。水蛭为臣药。水蛭破血逐瘀，散结消癥，“主恶血、瘀血，散血瘕积聚”（《神农本草经》）。现代医学认为，水蛭有抗凝血、抗血栓的作用，为治疗血栓闭塞之猛药也。黄芪、党参为佐药，为不使破癥之药伤其正气，佐二药以扶正固本。全方温阳通络，破癥散瘕，扶正祛邪，治疗寒湿型血栓闭塞性脱疽，效如桴鼓。

【温阳通脉散方歌】

附子干姜二桂同，黄芪甘草毛冬青。

党参术芍共水蛭，温阳通脉闭塞通。

（二）加减五味活血汤

加减五味活血汤（自拟方），用于治疗急性热毒内蕴型脱疽。

【方药】

蒲公英 30g，紫花地丁 30g，金银花 30g，天葵子 30g，蚤休 30g，当归尾 10g，赤芍 15g，丹参 20g，鸡血藤 20g，牛膝 20g，黄芪 15g，防己 15g，水蛭 10g，毛冬青 30g。

【方解】

本方以五味消毒饮为君，清热解毒，凉血散结。脱疽急性期火毒结聚，红肿热痛，以此气血两清，使积热火毒消散，是热毒型脱疽得以彻底治疗的首要思路。再以水蛭、毛冬青清热通脉，以当归尾、赤芍、丹参、鸡血藤活血化瘀，以防己渗湿邪，以黄芪扶正托毒，则热毒内蕴型脱疽可愈也。

【加减五味活血汤方歌】

五味活血蚤休藤，归芍丹膝毛冬青。

黄芪防己兼水蛭，热毒恶脉此方灵。

【病例】

李某某，男，42 岁。1988 年患血栓闭塞性脉管炎，左脚三趾变黑，且有二趾脱掉两节，血肉模糊，肉蚀骨脱，疼痛彻心，不能入睡。曾去沈阳某医院治疗两个月，但病情加重。

7 月 4 日，患者来普济堂就诊，见其步履艰难，精神疲惫，察看创口，血肉失荣。患者主诉多日未眠，因疼痛剧烈，稍一打盹，就又痛醒，如此煎熬，身心憔悴，几次寻短见均未遂。

四诊合参，脱疽已近末期。急投刘氏温阳通脉汤（黄芪、重楼、蒲公英、紫花地丁、金银花、天葵子、丹参、赤芍、当归尾、水蛭、毛冬青、党参、附子、肉桂，重用附子、黄芪）。一日一剂。创口外敷坏疽膏，并施以静脉逆流注射，一日两次。

治疗一月后，创口新鲜肉芽生出，疼痛减轻，三个月后痊愈。

李家生活困难，为其治病期间，我们夫妻隔日去其家换药，常给他家买菜，送去大米、白面，他们全家感激涕零。

李妻从未到外面做过事，孩子又小，所以坏疽膏寻找新鲜胎盘血的任务就落在了我的身上。产妇生产的时间不定，产房又不准男人进入，只好多给妇产科护士塞钱，让她们帮忙接血。好几回瓶子外面沾满血迹，弄得我吃不下饭，老想吐。

治完李氏之病总共花去1670元，我只收他家300元。为了帮助解决他家困难，与其工作单位协商，由其单位补助治疗费1700元。

【结语】

脱疽的治疗，目前仍是国际医学界的一大难题，许多大医院均束手无策。余通过对万氏与姚氏经验的学习，内服通阳复脉汤，创口外敷坏疽膏，结合静脉逆流注射，效果显著。

关于逆流注射，选用毛冬青、丹参、半枝莲等有清热解毒化瘀功效的注射液，通过逆流注射，药物可直接进入循环系统。逆流的意义是使药物在局部停留，直接溶解动脉血栓，达到治疗的目的。临床使用效果很好。

外敷坏疽膏不仅仅是止痛，更重要的是改善被破坏的肌肉筋膜组织细胞，其中较为显著的成分是新鲜胎盘血。众所周知，胎盘助阳补精、养血益气。现代医学研究发现，人胎盘中含有干扰素，有抑制多种病毒对人体细胞感染的作用。胎盘中 β-（1～3）键的葡萄糖，具有一定的抗肿瘤作用，能促进红细胞及血红蛋白生成，升高血小板计数，能保护造血干细胞，加速造血功能的恢复。因此，胎盘血对脱疽创口的恢复效果奇佳。

【脱疽附方】

1. 脉管炎一号（万盛玉、晏树华经验方）

附子100g，肉桂100g，干姜100g，甘草100g，毛冬青100g，黄芪100g，

桂枝 50g，党参 50g，白芍 50g，苍术 50g。

2. 脉管炎二号（万盛玉、晏树华经验方）

双花 100g，蒲公英 100g，苍术 100g，薏苡仁 100g，黄芪 100g，附子 50g，干姜 50g，肉桂 50g，甘草 100g，党参 50g，白术 50g，连翘 50g。

3. 坏疽膏

新鲜胎盘血 200mL，普鲁卡因 100mg，冰片 40g，樟脑 30g，凡士林 100g。

共调和。用于干性或湿性坏死期之溃疡。

4. 五味活血汤（姚振加经验方）

蒲公英 30g，紫花地丁 30g，金银花 30g，紫背天葵 30g，蚤休 30g，归尾 10g，赤芍 15g，紫丹参 20g，鸡血藤 20g，牛膝 20g，黄芪 15g，防已 15g。

5. 益气通脉汤（万盛玉、晏树华经验方）

党参、黄芪、当归、川芎、牛膝、木瓜、丹参、白芍、鸡血藤、甘草。

6. 静脉逆流注射（万盛玉、晏树华经验方）

踝关节上方 5cm 左右处扎止血带，取穿心莲、毛冬青注射液各 10 毫升混合，施行静脉逆流注射，20 分钟后松开止血带，每日 1 ～ 2 次，连续 20 天。并于局部用艾叶、松叶、银花叶、桑枝适量熬水熏洗。

五、附骨疽

附骨疽是一种毒邪深沉、深窜入骨的化脓性疾病。《千金方》云：“以其无破，附骨成脓，故名附骨疽。”其特点是好发于儿童与四肢长骨。局部肿胀，附筋着骨，推之不移，疼痛彻骨，溃后脓水淋漓，可成窦道，损伤筋骨。

附骨疽的发病原理大致有二：一曰余毒湿热内盛，深窜入里，留存于皮肤黏膜或其他部位的邪毒，乘机繁殖，经血循环侵入骨骼，使经脉被阻，气血不和，血凝毒聚而成本病；二曰骨骼损伤后，复感邪毒，瘀血化热，邪热蕴蒸，凝滞筋骨为患。

其发病急骤，初起 1 ～ 2 天，患肢疼痛彻骨，高热达 30 ～ 40℃，口干，溲赤，舌黄，脉数，患肢肿胀，不能活动。病变的骨端有深压痛或叩击痛。

其发病与历节风不同，历节风有游走痛的特点，且全身症状不如附骨疽严重；其发病与骨肉瘤不同，骨肉瘤的疼痛如锥刺，尤以夜间为重，发热不如附骨疽严重；其发病亦与环跳疽不同，环跳疽疼痛在关节处而不在骨端。

附骨疽的中医治疗，古人以“消、托、补”立法。初期，用黄连解毒汤合五神散清热化湿，行瘀通络；中期，则加入皂角刺、甲珠和营托毒，化瘀清热；溃破后，注重调补气血，化湿清热。刘氏治疗附骨疽，则别开生面。

1. 托里为主

刘氏受宋代陈自明、明代陈实功的学术影响，注重疡科“消、托、补”之法，强调托里为主之妙用。

先人云：“凡为疡医，不可一日无托里之药。”托里之法：“脓未成，使脓早成；脓已溃，使新肉早生。阴阳不和，托里调之；气血虚者，托里补之”。

刘氏对疽疮初期，内服消毒饮，化瘀托毒；外贴千锤膏，祛湿消肿。疽疮中期，创口以刘氏毒镖膏围之，口服普济托里散，托毒蕴脓，待疮面有波动感，以“三品一条枪”穿膜排脓，外贴疽疮膏，托里煨脓，三法合一，和营以托里，托里以拔毒，拔毒以抑邪，抑邪以内消。《外科精义》认为，大凡疮疡初起，用内消不效，经久不除，气血渐衰，毒不出，口不合，肿不赤，当以托法为主。这种以托为主的治疡理念，经刘氏几代人的探索与研究，形成了完整的“刘氏托里纲要”，沿用至今，久传不衰。

2. 治疽三合法

附骨疽后期，疮面脓水淋漓，久不收口。刘氏内下“甲字提毒药捻”，化腐提毒；外贴刘氏疽疮膏，煨脓长肉；口服平补托里散，扶正祛邪。三法合一，服药养正气，蚀药去腐朽，贴药生肌，阴疽可立除。

众所周知，附骨疽腐口不收，多因朽骨为害，这种坏死之骨，非腐蚀之药不能清出。刘氏内下、外贴之药，为炉制之品，其性阳刚，窜筋透骨，死骨触之即化，随脓水流出，疽疮立愈。

先人云：“下贴之药，切近皮肤，彻于肉理，透达经脉，溶于渗液，拔毒以外出，抑邪以内消，与托里内服药相合，调升降，理阴阳，安五脏，挫五郁之气而资化源，取其内外一贯之妙也。”

刘氏三合法，历经风雨沧桑，已经形成了独特的治疽经验，为世人所瞩目。

然而，到了我这一代，似觉祖传治疽法尚有不足之处。如患者杨某某，左胫骨粉碎性骨折后，发为附骨疽，脓水淋漓年余，窦口不收。施用刘氏三合法，却无济于事。经查其死骨偏大，后用蝶形手术将死骨取出，再以提毒药捻清创疮口，疽疮膏外贴，平补托里散内服，十日而愈。由此可知，刘氏治疽三合法与现代医学相结合，并能严格防止汞中毒之发生。刘氏治疽之术将更加完美与宝贵。

（一）甲字提毒药捻

甲字提毒药捻（《刘氏家藏方》），用以清理阴性疮疡瘘管，与赵炳南的外科经验方相近。

【方药】

白血竭 20g，京红粉 50g，麝香 25g，朱砂 5g，冰片 7.5g，琥珀 5g，轻粉 50g。

【功能】

化腐，提毒，生肌。用于瘘管、窦道、痈疽，溃后脓未净者。

【用法】

根据需要将药捻剪成小块，用镊子夹取插入疮口内，口外留药 0.5 ～ 1 厘米为宜。

【甲字提毒药捻方歌】

甲字提毒理阴疮，瘘管最宜捻药藏。
朱砂冰片白血力，轻红二粉珀麝香。
化腐提毒生肌肉，一切痈疽一扫光。

（二）紫色疽疮膏

紫色疽疮膏（赵炳南外科经验方），刘氏家藏亦有记载，后收入《普济百集方》。

【方药】

轻粉 15g，红粉 15g，琥珀粉 15g，乳香粉 15g，血竭 15g，冰片 1.5g，蜂蜡 50g，香油 200g，煅珍珠粉 1.5g。

【制法】

锅内盛油熬开后离火，将五种药粉入油内溶匀，再入蜂蜡使其完全熔化，冷却后兑入冰片、珍珠粉搅匀成膏。

【功用】

化腐生肌，煨脓长肉。

【主治】

淋巴结核（鼠疮），下腿溃疡（臁疮），慢性溃疡（顽疮），扁平疣（疣症），骨髓炎，骨结核等。

【用法】

贴敷患处。

【紫色疽疮膏方歌】

轻红珀乳共血竭，香油溶药最叫绝。

待等蜂蜡熔化后，冷入冰珠紫膏贴。

【注意事项】

急性炎症性皮损、新鲜肉芽勿用。此膏有一定毒性，勿大面积使用，慎防汞剂吸收引起中毒。汞过敏者禁用。

（三）附骨托里丸

附骨托里丸（《普济百集方》），为化脓性窦道型疽疮补虚托里而设。

【方药】

骨碎补 20g，生黄芪 20g，党参 20g，枸杞子 20g，当归 10g，赤芍 10g，菟丝子 20g，肉桂 10g，桂枝 10g，五加皮 20g，川续断 20g，芡实 15g，茯苓 15g，猪苓 10g，泽泻 10g，红花 10g，甘草 3g。

【方解】

方中骨碎补、枸杞子、菟丝子、川续断补肾，肉桂、五加皮温经散寒，茯苓、猪苓、芡实、泽泻健脾利湿，生黄芪、党参、当归益气养血，红花、赤芍活血，桂枝引经，甘草调和诸药。全方补骨、健脾、益气养血。

寒盛加附子、干姜，湿盛加土茯苓、白术、防己、木瓜，肾虚加巴戟天、山茱萸、杜仲、桑寄生，血虚加熟地黄、阿胶。

【附骨托里丸方歌】

骨碎芪参草归红，二子二苓二桂同。

五加川草赤实泻，温补托里此方宗。

【病例】

杨某某，某年正月初一上山打柴，见一簇干柴在石砬上长着，攀爬上去用力一拽，哪知土石滑落，将其下半身掩埋在了土石中。其大哥晨起走至街上，似觉山上有喊“救命”声，忙挨家挨户询问：“谁上山了？”杨某某之妻李某某闻之惊慌失措，说：“杨某某在山上！”于是，杨氏家族全员出动，循声找到人时，“救命”声已经微弱了。事不宜迟，迅即找车将其送往凌源市第一人民医院，那里有个有名的中医接骨大夫。诊为右下肢粉碎性骨折，在X光下复位，用小夹板外固定。8个月后，骨折愈合，但仍不能下床。无奈出院回家，到家后病情逐渐恶化，形成慢性化脓性骨髓炎。面对此景，李某某敲开了几家大医院的门，得到同样的回答：“截肢。”

杨某某听说要截肢，痛哭起来。治疗骨折花去近两万元，再行手术上哪儿去筹款？万般无奈，李某某去公社向党委书记求救。书记曹某某听了情况后，很有把握地说：“我给你找个大夫，治不好也误不了你截肢。”随即他把病人介绍给我。当我来到杨家，一眼看到杨某某的腿时，不禁倒吸了一口冷气：肿胀的右腿、溃烂的创口不断流着脓水。我赶忙回家炼制丹药，在创口内下“甲字提毒药捻”，外贴“紫色疽疮膏”，以化腐提毒。几天后，脓血大出，几块细小的朽骨随脓流出，同时发现一块较大的已经变黑的胫骨块，这就是病症的祸根。立即施行手术将死骨拿出，后口服大剂平补托里散，以补血养气，两个月后痊愈。

【附骨疽附方】

1. 平补托里丸（房芝萱经验方）

生黄芪20g，茯苓15g，甲珠20g，当归尾10g，赤芍10g，皂角刺10g，白术10g，川芎10g，白芷10g，桔梗10g，甘草3g。

【功能】

补气托里，主治细骨、朽骨。

【平补托里丸方歌】

生芪归尾赤茯苓，白术桔梗草川芎。
甲珠皂刺共白芷，平补托里此方通。

2. 活血助气托里丸（房芝萱经验方）

生黄芪20g，党参20g，白术10g，茯苓10g，当归尾10g，赤芍10g，皂角刺10g，红花10g，甲珠20g，桂枝15g，甘草3g，刘寄奴15g，肉桂10g。

【功能】

活血助气，温经散寒。主治长朽骨，令其真骨分离。

【活血助气托里丸方歌】

党参生芪共茯苓，赤芍归术二桂红。
山甲皂刺刘寄草，活血助气此方灵。

3. 拔毒托里丸（《刘氏家藏方》）

生黄芪 30g，当归尾 15g，皂角刺 15g，甲珠 15g，川芎 10g，金银花 20g，牛蒡子 15g，白芷 15g。

【功能】

清热化湿，解毒托里，行瘀通络。

【拔毒托里丸方歌】

透脓散治毒成脓，芪归山甲皂刺芎。
解毒又加银蒡芷，拔毒托里立见功。

六、疮疡

疮疡是各种致病因素侵袭人体后引起的体表化脓性疾患，如疖、疔、痈、疮、疽等。刘氏祖上以治疗疔毒恶疮、坏疽闻名。

（一）八宝夺命丹

八宝夺命丹（《刘氏家藏方》），是刘氏祖传治疗疔毒恶疮之秘传方。

【方药】

赤斑七星大活蜘蛛、冰片、大块朱砂、明雄黄、硼砂、麝香。

【方解】

疔疮，是一种发病迅速、易于恶化、危险性较大的疮疡。其形小、根深、坚硬而有根脚，状如钉而得名。如果处理不当，很容易走黄毙命。其特点是疼痛剧烈，常可损筋坏骨而影响功能，且能相互传染。

方中蜘蛛味苦辛，微寒，有小毒，能祛风镇痉，消肿解毒。赤斑七星大蜘蛛有剧毒，以其为君，对疔疮有拔根之功。硼砂解毒消肿，雄黄杀虫解毒，与麝香相伍，治疗疔毒，敷之立效，尚能将疔毒连根拔起，故称之为“夺命丹”，意即可将命夺回。方中麝香为使，雄黄为佐，两药相合，能解蜘蛛之毒，使之无虞。

【制法】

将毒蜘蛛置于瓶中，瓶内放麝香等药，瓶口封好，扎孔透气以保蜘蛛不致闷死，吊于房檐下 21 天，待蜘蛛将药吸入腹内干死后，取出研末即得。

制法虽简，却常有不成之果，诸如蜘蛛早死身烂，未将药全部吸入而死等，只有数月方可成之。

【八宝夺命丹方歌】

刘家世传夺命丹，七星蜘蛛带赤斑。
雄黄硼砂麝冰片，封瓶一起吊房檐。
奥秘之处蛛不死，药吸蛛腹待蛛干。
疔毒恶疮点敷后，损筋坏骨自安然。

【心得与传承】

今抗生素盛行，疔毒恶疮日渐少发，走黄之症（脓毒败血症）临床更不多见。然而，皮肤癌的发生日渐增多，八宝夺命丹正有其用武之地。

1991 年，我将其制成膏药，取名“治癌膏”，用于癌肿止痛，效果颇佳。

1993 年，将“治癌膏”申报了国家发明专利，申请号为 93110047.X。

2000 年，朋友张少义患拇指水钉，昼夜疼痛，不能入睡，用此方外敷，3 日而愈，众皆惊奇。

（二）白氏百药膏

【方药】

香油 10 斤，章丹 3 斤，乳香 2 两，没药 2 两，虎骨 1 两，鹿茸 2 钱，人发 2 撮，黄蜡 4 两，嫩柳枝 5 寸长 7 块，猪下颌骨油 6 个，血竭 1 两，黄表纸屑灰半两。

【制法】

先将猪油放小锅内熔化，将皮丝取出，后放蜡及诸药，香油入药熬至枝焦为度，取出药渣，入丹熬至滴水成珠，凉后入发面而成。

【功能】

主治一切疔毒恶疮阴证，如骨痨、坏疽等。

【白氏百药膏方歌】

白氏秘传百药膏，专治恶疮阴疽痨。

十斤香油章三份，乳没鹿骨血余调。

四两黄蜡颌骨六，血竭再加屑黄表。

遵法熬制滴珠后，火候全赖柳枝焦。

【方药来源】

有白氏者，20世纪50年代中国医科大学知名专家。白氏精于中西医内外科，尤以西医诊断见长，独擅中医疡科，在国内外享有盛誉。

适逢“文革”，其被打成反动学术权威，由专人看管，令其劳动改造，打扫院内卫生。有一政府官员，患重症肺炎，住进重症病房。半月余，病情加重，日渐消瘦，喘息不得卧。

一日，白老正在院中打扫卫生，恰逢此患自身旁路过。白老见患者面色晦暗，苦痛不堪，心中一震。这时，专家小组正左右为难，有人提出请白老会诊，“造反派”推托不肯，僵持到第三天，万般无奈，令红卫兵去请白老会诊。话音刚落，见白老凛然而至，不请自来，声严色厉地说：“此乃罕见之症，可能是肺间质病，还不快做断层扫描！”于是成立了抢救专家小组。经检查，果然如白老所说，为肺间质瘤。当即在白老主持下，多方救治，历经四十余天，病人转危为安，整个东北，众皆哗然。

1966年7月，白老被下放至辽西凌源，时任宣传部长的王沐林有幸与其接触，得知白老身怀绝技——世传白氏百药膏，可治疗一切痈疽疮疡，百治百验。

凌北一老农，患髋部大疮，脓水淋漓，血肉模糊，日日煎熬，来诊时，骨瘦如柴，步履蹒跚。白老身带百药膏，立刻用上。十天后，被人们称作不治之症的髋部大疮竟然好转大半。白老告诉患者：“一月后病情大有好转。”果然，四十天后疮面痊愈出院，百姓啧啧称赞。

王沐林与其相交甚密，得白氏百药制作之秘，于1998年面授于我，得以传承。

七、骨痨

骨痨，即骨结核。本病是一种继发病变，80%以上的原发病灶在肺与胸膜，其余在消化道和淋巴结。原发病灶的结核杆菌一般是通过血流到达骨和关节的，少数是由邻近病灶蔓延而来，如胸膜或纵隔淋巴结结核可侵犯附近的胸椎、肋骨或胸骨。本病病程长，且容易破坏骨骺和关节。

先天不足，后天失养；房劳伤肾，带下、遗精，或脾土不运，以致肾亏髓虚骨空，是本病的内因。外因则因外邪乘虚而入，客于经络，侵及关节，郁为痰浊，凝聚不散，或由跌打外伤，气血失和而致。

骨与关节结核，如病情发展，病灶穿破骨膜，则在其周围软组织间隙内形成脓肿，进而穿破皮肤形成窦道，经久不愈，引起继发性感染。

本病患者常有低热、倦怠、食欲减退和体重减轻，以及局部疼痛之临床表现。局部淋巴结偶可肿大。稍晚，可在病灶附近或远处形成寒性脓肿。脓肿溃破后，窦道口流出米汤样脓液，可看到干酪样坏死组织和死骨碎片。如病灶发生混合感染，则有全身中毒症状，局部肿痛也可随之加剧。某些颈椎和胸椎结核患者可出现运动无力、感觉丧失、括约肌功能障碍或脊髓受压等症状。

对其诊断：多数血沉增快，白细胞增多，轻度贫血。X线检查可见骨质密度增高、骨小梁模糊、溶骨性破坏、死骨游离、骨质疏松、软组织肿胀。

对于骨痨的治疗，刘氏有独到之处。

（一）骨痨丸

骨痨丸（《刘氏家藏方》），历经六代，治疗骨痨有奇效。

【方药】

全蝎 60g，蜈蚣 100 条，甲珠 40g，土鳖虫 120g，黄芪 100g，三七 50g，骨碎补 50g，乳香 50g，没药 50g，土茯苓 100g，熟地黄 100g，鹿角胶 50g。

【方解】

本方以全蝎、蜈蚣、土鳖虫为君。经现代医学药理研究表明，全蝎、蜈蚣都有中枢抑制、抗惊厥、镇痛、抗炎等作用。故以三药组成的结核散攻毒散结，通络止痛，以其为君，对结核杆菌具有一定拮抗作用。《本草求真》云："蜈蚣本属毒物……性善走窜，故瘟疫鬼怪得此则疗。"凡一切疮疡诸毒皆能消之，其性尤善搜风，内治肝风萌动，抽掣瘛疭，外治经络中风，手足麻木，凡气血凝聚之处，皆能开之。土鳖虫破血逐瘀，续筋接骨。《本草经疏》谓土鳖虫"咸能入血软坚，故主心腹血积、癥瘕血闭诸症"。治疗骨结核，不可或缺。

方中黄芪、骨碎补、熟地黄、鹿角胶为臣药。黄芪益气扶正托毒，骨碎补补肾壮骨。现代药理学研究表明，骨碎补能促进骨对钙的吸收，并提高血钙、血磷水平，改善软骨细胞功能，推迟细胞退行性变，降低骨关节病变率，而这些功能都是通过保护肾脏来实现的。故骨结核形成的骨损害，可通过骨碎补对肾脏的影响，发挥其补骨养骨作用，从而较快地恢复骨结核造成的骨破坏。

土茯苓解毒除湿，通利关节。《本草正义》谓其“利湿去热，故能入络，搜剔湿热之蕴毒”。

三七化瘀止血，活血定痛。《医学衷中参西录》称三七“善化瘀血，又善止血妄行”，“凡疮之毒在于骨者，皆可用三七托之外出也”。

甲珠活血消癥，消肿排脓，“气腥而窜，其走窜之性，无微不至，故能宣通脏腑，贯彻经络，透达关窍，凡血凝血聚为病，皆能开之”。以之为使，可使诸药之力直达病所，骨痨之疾可逐也。

【骨痨丸方歌】

骨痨丸用大蜈蚣，黄芪甲珠土全虫。
三七乳没骨碎补，熟地鹿胶土茯苓。
搜剔攻毒扶正气，骨痨之疾可立清。

（二）抗痨金丹

抗痨金丹（《刘氏家藏方》），治疗痨症之有效方。

【方药】

柏子仁、桑白皮、玄明粉、寒水石、蚕沙、板蓝根、浮小麦、女贞子、红地肤子、滑石、香砂、荆芥穗、茯神、甘松、紫草、路路通、地骨皮、青黛、蜈蚣、柴胡、党参、金沸草、谷芽。

【方解】

痨病多由体质虚弱，感染痨虫，侵蚀脏腑所致，以致咳嗽咳血，潮热盗汗，形体羸瘦，脏腑虚损。近年来，痨病似有复燃蔓延之势，须研制有效的抗痨中药新药，以备临床之急。本丹系刘氏祖传秘方制成，润肺清热，解毒杀虫。方中重用金沸草散邪宣肺、化痰消肿，重用百部温肺杀虫，为治疗痨病之专药，二药共为君药。然肺热不清，则咳血不止，故又以桑白皮、地骨皮清肺降热、凉血止血，白及润肺补肺、止血敛肺，共为臣药。寒水石、青黛清热降火、凉血解毒，花蕊石化瘀止血生肌，枇杷叶清肺润肺而止咳，紫河车补气养血益精以复虚损，共为佐药。更用蜈蚣一味，通络攻毒，散结杀虫，以为佐使。全方配伍，润肺清热，解毒杀虫，是治疗痨病的理想方药。

【制备】

本方不传之秘在于制药。

金沸草、柏子仁、女贞子、党参、桑白皮、红地肤子混合成粉末状，以童便炙 4～6 次阴干；玄明粉、滑石、寒水石粉末，以麻黄桂枝汤浸 2～4 次，每次浸 7～10 天；蚕沙、板蓝根、荆芥穗研末；浮小麦、茯神、甘松、谷芽研末，香油炒煎后再用五谷米泔炒两次；紫草、路路通、地骨皮研末，用纱布包细辛放在粉末中 10～15 日；青黛去灰，加蜈蚣、柴胡末，用莱菔子浸 7～10 天。上药炼蜜为丸。

【抗痨金丹方歌】

抗痨金丹三子明，双皮滑石寒水松。
蚕砂板蓝浮小麦，芥穗茯神与蜈蚣。
谷芽青黛并紫草，党参陆路紫胡同。
金沸全草精制备，一切痨症一扫平。

（三）刘氏毒镖膏

刘氏毒镖膏（《刘氏家藏方》），系刘氏祖传疡科以阴转阳之秘药。

【方药】

乳香 30g，没药 30g，血竭 30g，甘草 30g，芙蓉叶 30g，三七 30g，五倍子 30g，朱砂 10g，章丹 300g，麝香 5g，藏红花 15g，小燕 3 只（焙制），咸鸭蛋 7 个，香油 500g。

【制法】

先将香油熬开，次将小燕、鸭蛋、芙蓉叶在锅内熬后取汁去渣，再将五倍子、红花、三七放在油内炸黄，取出共为细面，合煎药内，文火熬之。见各药变成黄色，再入章丹，见黑色时取出一盆，滴水成珠为度，再入麝香，搅匀，倒入水盆中去火毒，膏成白色，取出即可使用。

【用法】

将膏药用凉水泡化，再用手捻开，外敷。

【功能】

治疗骨结核及一切毒疮，以阴转阳，立止肿痛，生肌长肉，效速如神。

【刘氏毒镖膏方歌】

刘氏毒镖医毒疮，以阴转阳秘法良。
三七五倍芙蓉叶，西章血朱乳没香。
妙在小燕咸鸭蛋，骨痨阴疽一扫光。

【病例】

例 1. 凌源佛爷洞柳某某，女，19 岁。突发左下肢疼痛，经多名中医大夫诊治，均无效果。一个月后，竟不能起床站立，疼痛难忍，昼夜呼号。

嗣后，其家人组织八人抬担架，坐火车来我处求治。见其面黄肌瘦，痛苦呻吟，遂令其去凌源县医院拍片检查。报告提示："左髋骨大面积鼠咬状结核腐蚀，呈病理性骨损坏……"医院建议去北京等外地的大医院治疗，因为髋关节损害严重，手术将面临诸多难题与挑战。走投无路时，其舅刘君毅然决定将其抬至我家，诚恳地说："哪儿也不去了，就在你这儿治，治好治坏没有埋怨。"见其一心一意，我便收留了她。窦道内下"乙字提毒药捻"，口服"抗痨金丹"，外贴"刘氏毒镖膏"，3 个月后痊愈。后远嫁唐山鸦鸿桥，生有一子一女，生活富足，称我夫妻为再生父母。每逢春节，均寄送地方特产，以报救命之恩。

例 2. 郑某某，男，21 岁，锦州市人。2010 年 9 月患左膝关节肿痛，不能行走，被锦州市中心医院诊为化脓性骨结核。经治无效，当年 10 月 2 日来本所就诊，见其步履艰难，疼痛不止，呈痛苦病容，遂投大剂骨痨丸，半个月后肿消，一个月后疼痛减轻，两年后痊愈。

【骨痨附方】

1. 骨痨散：红参、黄芪、当归、金银花、蒲公英、鹿角胶、甲珠、补骨脂、川续断、木鳖子、地骨皮、制没药、红花、蜈蚣、龟板、全蝎、蜥虎。

【功能与主治】温经活络，清热解毒，滋阴补肾，生津养血，强筋壮骨，消肿止痛。主治骨与关节结核及慢性骨髓炎。

2. 蟹墨膏：螃蟹 4 只，古墨粉 60g，麝香 10g，土炒地龙 30g，蜈蚣 10 条，全蝎 15g。

螃蟹捣成泥状，其他诸药研极细末，过 100 目筛。再用研钵磨细麝香，然后加香油适量调成软膏，装瓶备用。

并口服龟蜈阿蝎汤（龟板15g，蜈蚣10g，全蝎10g，阿胶15g，黄芪15g，蛤粉10g，薏苡仁10g，桃仁10g，赤芍15g，茯苓10g，黄精10g，甘草6g），以滋阴清热，祛风除湿，活血散瘀。

3. 骨痨一号（经验方）：熟地黄、黄精、麻黄、鹿角胶、骨碎补、附片、仙茅、肉桂、菟丝子、川续断、白芥子、当归、鸡血藤、补骨脂、黄芪、人参。

4. 骨痨二号（经验方）：人参、黄芪、当归、金银花、蒲公英、鹿角胶、穿山甲、补骨脂、木鳖子、地骨皮、没药、川续断、红花、蜈蚣、全蝎。

5. 骨痨三号（经验方）：土鳖虫、土茯苓、乳香、土贝母、蜈蚣、全蝎、没药、甲珠。

6. 骨痨四号（北票经验方）：白及、川贝、炒大麦面、砂糖、异烟肼。

7. 骨痨五号（经验方）：大黄、全蝎、紫花地丁、土鳖虫、蛇蜕、白花蛇、蜈蚣、黄连。

八、恶脉

恶脉，现代医学称之为血栓闭塞性脉管炎，多发生在四肢远端的中、小静脉内腔，同时伴有血栓形成。发生于浅静脉者，称为血栓性浅静脉炎；发生于深静脉者，称为血栓性深静脉炎。其最大的危险是血栓脱落导致肺栓塞而死亡。

本病的临床表现主要是病变的静脉处疼痛，局部皮肤呈条状红肿，有压痛，红肿消退后留下硬索，并有色素沉着，局部常有牵掣、隐痛、坠胀感，急性期有发热、全身不适、舌苔黄、脉濡数等。

治疗总纲为和营活血、清热利湿。后期则以活血破瘀、通络抗凝为主。

（一）静脉溶栓丸

静脉溶栓丸（自拟方），经刘氏临床实践并辨证加减化裁而来，用于深部静脉炎的治疗。

【方药】

生黄芪、党参、当归、赤芍、桃仁、红花、丹参、牛膝、泽兰、三棱、莪术、地龙、菟丝子、川续断、忍冬藤、生地黄、野菊花、萆薢、防己、水蛭、毛冬青。

【方解】

方中黄芪、党参、生地黄补气养血，当归、赤芍、桃仁、红花、丹参活血化瘀，三棱、莪术破癥通络，萆薢、防己、野菊花、泽兰、忍冬藤清热利湿，水蛭、毛冬青行滞通痹。全方补气血，散寒凝，清湿热，活血化瘀，温阳利水。

【静脉溶栓丸方歌】

静脉溶栓赤桃红，二参归芪膝地龙。
棱术泽兰共丝断，生地野菊冬青藤。
萆薢防己兼水蛭，深部血栓一脉通。

（二）隔血散

隔血散（赵炳南经验方），经刘氏临床化裁使用，治疗血栓闭塞性脉管炎，效果显著。

【方药】

藏红花 5g，苏木 15g，当归 25g，赤芍 25g，木通 15g，伸筋草 25g，透骨草 20g，土鳖虫 10g，蜈蚣 3 条，鸡血藤 25g，僵蚕 15g，京三棱 20g，水蛭 30g，蟾皮 15g，地龙 130g。

【方解】

本方是赵炳南老先生治疗因寒湿凝滞，经络阻隔所致血栓闭塞性脉管炎（隔血症）的有效方剂。方中藏红花、苏木、当归、鸡血藤温经通络；木通、伸筋草、透骨草、土鳖虫、蜈蚣、僵蚕、三棱活血破瘀，通经活络；藏红花活血力强，另煎兑服使功效益彰；土鳖虫、蜈蚣、僵蚕破沉痼之凝滞。全方以通为主，气血得行，静脉得通，血脉流畅，则隔血自愈。

在原方基础上，刘氏加进水蛭、蟾皮、地龙。其中水蛭逐恶血、瘀血，破血瘕积聚；蟾皮“能化解一切瘀郁壅滞诸疾，如积毒、积块……有攻毒拔毒之功”(《本草汇言》)。现代医学认为，蟾酥对心血管系统疾病、中枢神经系统疾病有较好的疗效。如治疗心律失常（蟾酥、三七、麝香、人参）、慢性肾功能不全（蟾酥、麝香、人参、皂苷）都有较好的效果。本方与隔血散配伍，治疗重症恶脉，可收奇效。

【隔血散方歌】

隔血散治静脉栓，西红苏木归芍蚕。

伸筋透骨木通配，土虫蜈蚣地龙蟾。

血藤三棱重水蛭，脉凝隔血自安然。

【病例】

例 1. 陈某某，男，36 岁，黑龙江省伊春市人。自幼患血栓闭塞性脉管炎，右下肢静脉血流受阻，遂致患肢肿胀。7 年后小腿变黑。2000 年，患者来我处就诊。见患肢溃疡面处黑水淋漓，行动不便。经诊断，患者右下肢为隔血恶脉症。遂投隔血散化湿、活血、破瘀、通脉，外敷紫色疽疮膏祛腐生新，一月有效。后口服静脉溶栓丸，补气养血，温阳和营，两月而愈。

例 2. 张某某，男，71 岁，河北平泉人。患者自诉 60 岁时患血栓性脉管炎，多方医治无效。2008 年来我处求治。见右下肢漆黑质硬，溃疡面渗黑水，不能站立，倘站立半小时，足下黑水注满鞋内，痛苦难言。遂以隔血散重用水蛭破瘀通脉、温阳利水渗湿；以紫色疽疮膏化瘀祛腐，使下肢肌肤变软；再以大剂静脉溶栓汤扶正、抗凝、通络、活血，一月而愈。

【恶脉附方】

1. 血栓性浅静脉汤：当归、赤芍、川芎、丹参、虎杖、泽兰、蒲公英、金银花、黄柏、防己、制乳香、制没药、三棱、莪术、野菊花、天葵子。

主要用于血栓性浅静脉炎。

2. 深部静脉汤：黄芪、党参、当归、赤芍、桃仁、红花、丹参、泽兰、三棱、牛膝、地龙、莪术、菟丝子、桂枝、川续断、忍冬藤、丝瓜络、赤小豆。

主要用于血栓性深静脉炎。

3. 静脉溶栓丸（自拟方）：黄连 50g，制乳香 60g，制没药 60g，金银花 50g，大黄 30g，土鳖虫 30g，水蛭 30g，蟾皮 15g，僵蚕 50g，地龙 130g。

主治血栓性深静脉炎久治不愈者。

4. 静脉外洗剂（经验方）：大黄 25g，黄柏 30g，苦参 30g，连翘 30g，红花 30g，公英 40g，板蓝根 25g，泽泻 30g，木通 25g，麻黄 30g。煎水熏洗。

用于静脉炎。

九、狼疮

狼疮，现代医学中属结缔组织病范畴，为自身免疫性疾病。临床上可分为盘状红斑狼疮和系统性红斑狼疮两大类。前者表现为皮疹，多为慢性局限性；后者除皮疹外，多累及内脏器官，且病变呈进行性。因其病情复杂多变，难以治愈，故有“第二癌症”之称。

狼疮与禀赋不足、肝肾亏损密切相关，在整个疾病的发展过程中，热毒炽盛的主证可以相继反复出现，甚或热毒内陷，热盛动风，病情往往虚实互见，变化复杂。

对狼疮的治疗，西医主张大剂量泼尼松冲击疗法。然而，预后多不理想，且常可造成狼疮皮肌炎，乃至心肾双重损害。刘氏祖传的狼疮丸、重叠丸，对红斑狼疮的治疗有效。

（一）狼疮丸

狼疮丸（《刘氏家藏方》），为治疗红斑狼疮专用方，经刘氏几代人临床使用，用于治疗盘状红斑狼疮，效果显著。

【方药】

金银花 50g，连翘 50g，蒲公英 50g，浙贝母 50g，红花 30g，蝉蜕 50g，丹参 75g，黄连 50g，大黄 20g，生地黄 75g，玄参 75g，乌蛇 50g，知母 75g，紫草 50g，甲珠 30g，蜈蚣 50 条，雷公藤 50g，玳瑁 50g。

【方解】

方中以生地黄、玄参、紫草清热凉血，金银花、连翘、蒲公英清热解毒，其中连翘、玄参清散浮游之火。全方凉血解毒、化斑透疹、益气养阴之功不可多得。本方之精妙处在于刘氏加入了雷公藤、蜈蚣、玳瑁。

雷公藤祛风除湿，消肿止痛。现代实验证明，雷公藤多苷能抑制脂多糖诱导的单核细胞产生 IL–6 和 IL–8。因而，雷公藤是一种强有力的免疫抑制中药，对 I 型胶原诱导的关节炎，有推迟发病时间、减轻病损程度等作用。诸多临床报道显示，雷公藤总苷对类风湿关节炎、强直性脊柱炎的效果显著，尤其对系统性红斑狼疮的治疗有效率高达91.2%。

玳瑁，镇心平肝，熄风定惊，清热解毒。有镇静、解热、降压的作用。临床研究证明，其既能抑制ITP（特发性血小板减少性紫癜）血清中抗体的活性，又能刺激巨核细胞的增殖、分化与成熟，并可增加巨核系集落刺激因子的活性，其作用部位在造血干细胞水平上，因而用于红斑狼疮的治疗应为首选。

蜈蚣，攻毒散结，通络止痛。《医学衷中参西录》谓蜈蚣“走窜之力最速，内而脏腑，外而经络，凡气血凝滞之处皆能开之”。

三药与狼疮丸相合，治疗盘状红斑狼疮，有独到之处。

【狼疮丸方歌】

狼疮先需免疫增，解毒双花翘公英。
凉血玄参地紫草，大贝丹蜕二黄红。
窜透甲珠乌蛇入，玳瑁知母雷蚣藤。

（二）重叠丸

重叠丸（《刘氏家藏方》），清营凉血之秘药，刘氏临床治疗热毒内陷、气阴两虚型系统性红斑狼疮，以及重叠皮肌炎，效果理想。

【方药】

玳瑁30g，生地黄200g，甲珠30g，金银花100g，白茅根100g，犀角10g，牡丹皮50g，天花粉50g，赤芍50g，玄参100g，黄柏50g，羚羊角丝30g，知母50g，石斛100g，板蓝根100g，紫草100g，全蝎50g，蜈蚣50条，雷公藤100g。

【方解】

方中玳瑁与犀角同入血分，清心肝之火，凉血解毒，用于热毒入营，温毒发斑，效果奇佳，配伍羚羊角丝，其解毒之功尤胜一筹。

全蝎攻毒散结，通络止痛，与蜈蚣相配，对热毒内陷引起的红斑狼疮，大有托毒消斑之力。再配以雷公藤，调节人体免疫功能，从而抑制狼疮细胞活动，减少其损害脏腑的可能性，达到控制红斑狼疮病情的目的。

方中金银花、蒲公英、浙贝母、红花、蝉蜕、丹参、连翘、黄连、生地黄、玄参清热解毒，凉血养阴，活血化瘀，与君、臣药重叠使用，对因免疫功能异常引起的红斑狼疮、皮肌炎等自身免疫性疾病合并发作之症，有明显改善作用。

【重叠丸方歌】

重叠丸中用玳瑁，生地甲珠与白茅。
丹皮双花同花粉，玄参黄柏知母芍。
板蓝石斛羚犀藤，全蝎蜈蚣和紫草。
红斑皮痹同发作，免疫增强一并消。

【病例】

温某某，男，16岁，凌源市三十家子镇人。1987年，他患红斑狼疮与皮肌炎交叉感染，经许多大医院医治无效。1988年2月来我处就诊。诊见发热，关节疼痛，淋巴结肿大，面颊红斑，手指红斑损害，对称性近心端肌肉乏力。经中国医科大学附属医院实验室检测：全血细胞减少，γ-球蛋白增多，血沉增快，红斑狼疮细胞阳性，抗核抗体、抗ds-DNA抗体、抗Sm抗体均呈阳性；血清中肌酸磷酸激酶和醛缩酶等显著增高，肌肉呈肌源性改变，并伴有轻度肾损害。综合诊断：系统性红斑狼疮合并皮肌炎。

中医诊断：病由先天禀赋不足，过早丧母，致七情内伤，加之日光暴晒，劳累过度，六淫之邪侵袭，导致机体阴阳失衡，气血运行不畅，瘀阻经络，而发斑、关节疼痛。邪毒稽留不去，入里灼伤阴血，深入筋骨，损害脏腑。

治以清热解毒、凉血清血、养阴通络。投重叠丸（玳瑁、犀角、生地黄、甲珠、金银花、白茅根、牡丹皮、天花粉、玄参、黄柏、羚羊角、知母、石斛、紫草、全蝎、蜈蚣、雷公藤、山海棠、金荞麦、白花蛇舌草。辨证加减），汤丸合用，两月而愈，至今未复发。

【狼疮附方】

1. 滋阴养肾活血汤（治疗皮肌炎经验方）

熟地黄15g，生地黄15g，山药10g，茯苓10g，阿胶10g，女贞子10g，旱莲草15g，枸杞子10g，菟丝子10g，牡丹皮10g，红花10g，葎草10g，桑枝15g，鸡血藤15g。滋阴养肾，活血通络。

2. 补气益肾汤（治疗皮肌炎经验方）

党参10g，生地黄15g，熟地黄15g，南沙参15g，北沙参15g，黄精30g，女贞子10g，墨旱莲15g，黄芩10g，白薇15g，大青叶30g，广木香10g，陈皮10g。金银花、连翘、紫草、牡丹皮适量加减。补气益肾，清热通络。

3. 活血补气汤（皮肌炎经验方）

党参 15g，黄芪 15g，生地黄 15g，红藤 15g，紫草 10g，鸡血藤 15g，白芍 10g，雷公藤 30g。

4. 狼疮地玄汤（经验方）

生地黄 15g，玄参 15g，甘草 30g，板蓝根 30g，金银花 15g，石斛 30g，北沙参 30g，紫草 30g，莲子心 10g，当归 15g，丹参 30g，桃仁 15g，山茱萸 15g，甲珠 10g，全蝎 10g，蜈蚣 3 条，秦艽 15g，蕲蛇 10g。

5. 狼疮三号（经验方）

紫石英 30g，石莲子 10g，白参 10g，南沙参 30g，北沙参 30g，生黄芪 30g，当归 10g，秦艽 15g，乌梢蛇 10g，黄连 10g，远志 10g，丹参 15g，合欢花 10g。

6. 狼疮四号（经验方）

枸杞 10g，女贞子 15g，川黄连 10g，生芪 30g，黄柏 10g，白芍 15g，党参 10g，山茱萸 10g，乌梢蛇 10g，秦艽 10g，丹参 10g，沙参 30g。

十、中医独门学科——丹术与丹药

中医丹药是中国古代炼丹术递嬗下来的一独特学科。

炼丹有两大派系：一是“人为万物之灵”，认为只要把自身的精、气、神加以锻炼，精神内守，聚精气于丹田，就可以达到“长生不老”的境地，此为炼内丹；另一派认为“黄金入火则百炼不消，入土埋之则毕天不朽”，是物质界最宝贵的东西。《神农本草经》称，服此“灵砂大丹”，可以“长生不死”，叫作炼外丹。

炼内家丹，需养精蓄锐，炼精化气，聚气存内，内固元阳，“阳气者，若天与日，天之大宝，只此一丸红日，人之大宝，只此一息真阳”（《素问·生气通天论》），“炼就命门水火，真阴真阳，则万物以赖”，“心赖之，则君主以明；肺赖之，则治节以行；脾胃赖之，济仓廪之富；肝胆赖之，谋虑归元；膀胱赖之，则三焦气化；大小肠赖之，则传导自分……”（《景岳全书·真阴论》）。内丹炼就，则益寿延年。《史记》记载，彭祖等远古世外道家方士，寿逾百岁，就是炼内丹的结果。

然而，炼内丹者必远离七情六欲。古往今来，内丹炼就得炉火纯青者，屈指可数，毕竟尘世纷扰，能净化身心之士，几乎无存。于是，诸多帝王将相都把注意力放在炼外丹上。选丹道术士，于幽地静宇、古洞庙禅，设坛升炉。然欲求长生而误服金丹致死者，不乏其人。外丹多为古之达官显贵所青睐、仁人医士所注目，其与中药结合，对于疑难重症，可斩关夺隘，起沉疴于须臾。其治疗狼疮、瘰疬、瘿瘤、顽癣等，巧夺天工。故丹药之功，非寻常之剂可比。

丹药，为汞剂，分为氯化亚汞、硫化汞和氧化汞。轻粉和粉霜是氯化亚汞的升华物，灵砂、银朱是硫化汞的人工形态，三仙丹与红升丹的主要成分都是氧化汞。

（一）氯化亚汞——轻粉

轻粉（Hg_2Cl_2），又名水银粉，为提炼水银时升华于鼎盖上的附着物。《天宝本草》说："味辛凉，无毒……转小儿疳并瘰疬，杀疮疥癣虫，风疮燥痒。"

【处方】水银七两，食盐三两，明矾五两。

【制法】《本草品汇精要》说："凡作粉，要先做曲。其做曲之法：以皂矾一斤，盐减半，二味入旧铁锅内，以慢火炒之，仍以铁铲搅不住手，炒干成曲，如柳青色。其升粉法：先置一平台，高三尺余，径二尺……每升粉一料，用水银一两二钱，曲二两二钱……入白矾粗末二钱，三味搅匀，平摊铁鏊，中心约厚三分许，鹅翎遍插小孔，将澄浆瓦盆覆之，缝以盐泥固济，勿令太实……置鏊于炽火上……待火尽，盆温揭之……状若雪花而莹洁，以翎扫之，瓷瓶收贮。"

其过程是：

1. $4Hg + 4FeSO_4 = 2Hg_2SO_4 + 4FeO + 2SO_2$

绿矾

2. $Hg_2SO_4 + 2NaCl = Na_2SO_4 + 2HgCl$（升华）

水银粉

（二）硫化汞——九转灵砂大丹

【处方】水银 5000g，净硫黄 1800g。

【炼法】先将硫黄用铁锅熔化，次下水银，以铁铲拌炒。另备醋一碗，炒至火烟冒时，急以醋喷之，不使烧太过，以成砂为度。入阳城罐内，铁盏盖口，用盐泥封固，铁丝上下缠紧，不使火气冲起铁盖。盏内贮水，以炼干十二提为度，用青枫炭架于四周炼之。另用醋调滑石粉成糊或盐泥一碗，如见缝口走气时，即以毛笔蘸糊补之。火候足时，取出研末，每 30g 灵砂，配以净硫 7.5g，再炼两转后，取出研末；三转时，每 30g 灵砂，配合硫黄 4.8g；四转时配硫黄 1800g；五转时，配硫与二转同；六转时，配硫与三转同；至九转时，可类推。

《庚辛玉册》说："灵砂者，至神之物也，系硫、汞制而成形……本天地造化之功，窃阴阳不测之妙，可以变化五行，炼成九还。其未升鼎者谓之青金砂头，已升鼎者乃曰灵砂。灵砂有三：以一伏时周天火而成者，谓之金鼎灵砂；以地数三十日炼成者，谓之医家老火灵砂；用九度抽添以周天火炼成者，谓之九转灵砂，并宜桑灰淋醋煮沸伏用乃良。"

服用灵砂糯米糊丸，枣汤送服。《证类本草》说灵砂味甘，性温，无毒，"主五脏百病，养神，安魂魄，益气，明目，通血脉，止烦满，益精神，杀精魅恶鬼气"。

（三）氧化汞——红升大丹

【处方】水银 30g，火硝 30g，白矾 30g，青矾 30g，朱砂 15g，雄黄 15g。

【炼法】

1. 硝、矾同研，研至极细，与其他药混合，堆于锅内中心，面积不宜超过碗口。

2. 焊底结胎，将锅内药物熔化，烧至药物无流动现象为止。

3. 扣上丹碗，接口处以盐泥封固，倘若走气，必定使丹变成绿色、蓝色，此为坏丹。

4. 先以文火烧 30 分钟，后以武火烧 30 分钟，再以文火烧 30 分钟，以碗底的大米烧焦为度。

5. 锅冷后，轻轻揭开丹碗，鲜明赤色的丹升于碗底，轻轻刮下，装瓶备用。

红升丹治疗疔毒恶疮、瘰疬肿瘤，效果奇特。

丹药的工艺分类

丹药，从工艺制作的角度可分为升丹、降丹、烧丹三大类。如升丹类的乾坤一炁丹、混元丹、七星丹、九龙丹、五虎红升丹，降丹类的金龟下海丹、大乘丹、八虎闯幽州、九龙归大海、白降丹，烧丹类的金液丹等。

【升丹】

混元丹

混元丹是升丹，为玄门四大丹之一，是廖复阳老师传授的一个秘方。

其升炼方法，可分三组。

一组：水银 60 克，火硝 60 克，白矾 60 克，皂矾 60 克，太阴元精石 60 克，朱砂 60 克，硫黄 15 克，雄黄 15 克，硼砂 15 克，硇砂 9 克。

二组：水银 60 克，火硝 45 克，白矾 30 克，朱砂 30 克，太阴元精石 30 克，硫黄 15 克，硼砂 15 克，硇砂 9 克。

三组：火硝 20 克，白矾 21 克，皂矾 21 克，硫黄 9 克，雄黄 8 克。

炼法：分成三转升炼。

第一转：除水银、朱砂、雄黄三味外，余七味共研入锅炒之，至老黄色时取起，然后加入后三味和匀入罐封固，用三文火一武火炼之，共火四炷，武火中须擦盏，火候足时冷定取下丹药准备二转。

第二转：将二组药照前炒研后，同一转升药研匀入罐封固，按照一转火候进行三打。

第三转：将前两种药物同二转升药研匀入罐封固，照一转法进行三打，三打毕时取出丹药，贮入瓶中封口，沉入井底，一周后退火备用。

此丹炼出，既可内服，又可外用。

1. 风寒湿气留滞经络筋骨疼痛者，以混元丹 9 克，加制乳香 9 克、没药 9 克、朱砂 0.5 克、麝香少许，酒糊为丸，如梧子大，每服 1 ～ 2 丸，酒送下，日三次。

2. 中满、臌胀、水肿者，以混元丹 6 克，加沉香 5 克，木香 5 克，土狗 3 枚（炙去头足），糊丸如绿豆大，每日空心用白商陆、砂仁汤下 3 丸，以平为期，次用调理之剂以善其后。

3. 九种心痛、小腹疝气者，用砂仁 30 克，陈皮 30 克，醋炒香附 30 克，木香 9 克，炒小茴香 30 克，荔枝核 30 克，枳壳 45 克，沉香 15 克，加混元丹 9 克，糊丸如梧子大，每服 6 克，黄酒送服。

4. 偏正头痛，百药无效者，用炒香白芷 75 克，川乌头半生半熟 30 克，共研末，加入混元丹 3 克，开水送服 0.3 克。

5. 年久气喘者，用莱菔子炒末，每 30 克中，加混元丹 0.15 克，研匀，每服 6 克，临卧开水冲服。

6. 风寒痹痛者，用续断、川乌、草乌、防风、牛膝煎水，每次冲服混元丹 0.3 克。

7. 瘀血积块者，用红花、延胡索煎水冲服混元丹 0.3 克。

8. 腹中癥瘕者，用三棱、莪术、桃仁煎水冲服混元丹 0.3 克。

9. 瘰疬已溃，瘀肉不去，疮口不合者，用松香 30 克、白矾 9 克研末，加混元丹 0.3 克，麻油调搽，亦可干掺，视情况而定。

10. 金疮，一切恶疮者，用广丹皮、煅石膏各等分为末，每 30 克加入混元丹 0.3 克，用时撒布疮上，外用膏贴。

11. 杖疮不愈者，用生半夏、松香各等份为末，每 30g 加入混元丹 0.3 克，用时撒布疮上，外用膏贴，3 次即愈。

12. 黄水疮者，用煅石膏 15 克，煅龙骨 15 克，枯矾 9 克，松香 9 克，共为末，加入混元丹 3 克，研细混匀，用蛋黄油调搽。

13. 痄腮者，用陈石灰烧七次，地上窨七次，研末，每 30 克末中，加入混元丹 0.3 克，醋调敷之。

14. 臁疮者，以混元丹 0.3 克，童便九制炉甘石 30 克，同化猪油调和成膏，涂搽疮上。

15. 刀砍斧伤者，用生半夏末 30 克，混元丹 0.15 克，研和，开水调敷，即生肌敛口，且愈后无瘢痕。

16. 一切湿疮者，取松香 60 克，广丹皮 30 克（微炒），炒铅粉 15 克，青黛 60 克，头发少许，一同煅枯为末，每 30 克加混元丹 9 克，以麻油或蛋黄油调敷患处。

【降丹】

白降丹

白降丹是中医外科的丹药方剂，现在只有红升丹、白降丹两种，在我国各地广泛流传。其他许多优于红升丹、白降丹的丹药方剂，都未得到很好的继承和使用，有的失传或接近失传。白降丹的炼法，各有师承，各有体会。四川简阳县何仲皋老医生有白降丹炼法流程歌：

始将金鼎化三仙，加入硼砂与盐矾。
升火初初将胎结，白烟团起悟纯恬。
拈转仰盂成覆碗，水下润而火上炎。
火尽丹成天将晓，白雪满地水涓涓。

所谓“三仙”是指水银、火硝、白矾三味药物。这三味药组成三仙丹方，加入硼砂、食盐、皂矾后，即为白降丹的基本组成。“胎结”是指初步坐胎。“白烟团起”是火候要领。“拈转仰盂成覆碗”是胎坐成时将罐连药覆于瓷盘内。“水下润而火上炎”，是将盘放于水盆内，周围用河沙掩护，露出罐的下半部，即将罐底露出部分以炽炭掩住加热。“火尽丹成天将晓”是指自加热至完毕、冷却及取出反应物的时间。“白雪满地水涓涓”是指反应物的形状如絮如雪。

白降丹的组成，各家稍有不同。《医宗金鉴》中，白降丹由水银、火硝、白矾、皂矾、食盐、硼砂、朱砂、雄黄等八味组成。方中硼砂是助熔剂，雄黄有的方中不用。此方特点是方中有火硝，氧化作用强，生成的氯化高汞反应也较强，这是与过去崔氏方相比进步的地方。此处的白降丹配方，是笔者几十年来常用处方，副作用比较小。

处方：水银 30g，火硝 30g，白矾 30g，食盐 30g，皂矾 15g，硼砂 12g，朱砂 18g，雄黄 3g。

配方中的火硝、白矾宜分量相等，水银稍轻，食盐必用足 30 克，轻则力缓，重则疼痛。

炼法：

1. 将全部药物（水银除外）先分别研细，次将研细的各药物合而为一，再将水银加入研匀备用。

2. 将研匀的药盛于阳城罐内，并用竹片刮平，置于火炉上，以文火缓缓烧之，使罐内药物熔化。此时定要注意火力是否均匀，是否为文火。熔化药物先起灰色泡，次起白色泡，再起金色泡，适为半罐面上倏焉五色俱备，是即结胎已成之证，马上将罐端下，并观察罐内药物是否凝而成草绿色，且要药与罐壁紧密接合而无缝隙。此步结胎工作最要仔细，火太大则老，则干枯，胎不凝聚，烧炼时药必坠下（名为坠胎）；火力太小则嫩，不干枯，烧炼时药必下流（名为流产），出现这两种现象时，都无丹可收。

3. 将结好胎的丹罐倒扣于大瓷盘中，在罐口与盘底接合处，用盐水浸湿捻条塞紧，再盖上一层纸条，并以盐水调煅石膏成糊状，浇于罐口周围，几分钟后，石膏即硬化。

4. 大陶瓷缸盆一只，装满河沙，于中间掘一圆坑，中间放一陶罐，满盛清水，将结好胎、封好口的丹罐安放在坑口，罐口周围用屋瓦直立围成圆筒形（如能用铁皮做成圆筒更好），填满河沙，只将罐底装药部分露在外面（瓦筒高于丹罐，以便加炭）。亦可在地下挖坑，安置丹罐。

5. 一切都布置好后，即先钳数块烧红的木炭平放于罐底，听其文火缓缓烧之。烧约 20 分钟时，再加炽炭，以中火（中火比文火稍强）烧之。烧至 60 分钟后，则需转武火，如火力不旺，可用扇扇之，以助火势。至 90 分钟时，即停止加炭，以剩余的炭缓缓烧之，炭烧完后，听其自然冷却。

6. 冷却后，将丹罐和盘取出，除去河沙和封口物，轻轻揭开丹罐，即见色白如雪的丹药降于盘中及罐口内壁，可用小刀细心地将丹药刮下，收贮备用。丹药放置越久越佳。

化学原理：白降丹有强腐蚀作用。主要化学成分为氯化汞（$HgCl_2$），颜色以雪白而呈长柱形者为上品，粉末状者次之，黄色者是火候过老，故效力较差。其化学反应式如下：

$$Hg+2NaCl+2KNO_3Al_2(SO_4)_3=Na_2SO_4+K_2SO_4+2Al_2O_3+HgCl_2+4SO_3\uparrow+2NO_2\uparrow$$

轻粉和白降丹主要区别在于有无火硝。无火硝者所得成品是轻粉，有火硝者所得成品是白降丹。

药理：白降丹具有强大的杀菌防腐力，能直接使蛋白质凝固而沉淀。其沉淀溶解的过剩毒液，又能扩散于周围而侵蚀广泛的组织，故其腐蚀和杀菌力更强大。

剂型：白降丹的剂型与红升丹的剂型一样，一般可以分成纯丹剂、稀释剂、锭剂、糊剂四种。除纯丹剂外，其他剂型都加有赋形剂。在配制这些剂型时，必须戴上眼镜和口罩。因为药性剧毒，对眼目、口鼻的刺激性极大，轻则喷嚏流泪，重则发炎中毒，故在操作时必须特别注意，以免损害健康。

1. 纯丹剂：是将炼成的丹药研成细末，不加任何赋形物的一种丹剂。一般多用于已经化脓而不溃头的阶段，以代替刀针切开引流。此外，也可用于疔疮、上皮癌等。

2. 稀释剂：是根据疮口情况，加赋形剂配成的剂型。赋形剂大都采用石膏粉，以丹药一份、石膏九份配成者，称为九一丹。或者丹药更多，石膏更少也可以，视疮口情况而定。这类稀释降丹一般多用于痈、疽，一切疮疡切开或溃后之有腐肉，及一切疮疡有腐不化者。

3. 糊剂：是以降丹同赋形剂面粉配成的一种剂型。成分的比例可按照实际需要配制（如丹药 15 克，面粉 3 克）。其法是将面粉加水调成稠糊，然后加入丹药拌匀。倘放久变干时，可临时加入开水调稀使用。

4. 锭剂：是以白降丹制成锭子（又叫药线或药捻），直接插入瘘管及较深窦道，或疮口过小，溃疡引流不畅，或深部溃疡有瘘管多骨者所用的一种药条，俗称捻子。配制方法：将糊剂（须较干者）用手指捻成如线香状条形，阴干备用。在捻制时，往往手指起泡，甚至化脓溃烂，故最好戴上橡胶手套，以保安全。黏合料可用煮米糊条，如用无菌针筒压制更好。

适应证：白降丹在外科方面的使用范围极广，如瘰疬、痰核、痔疮、瘘管、多骨疽、湿痹等疾病都可应用。功能杀菌、防腐、蚀恶肉，有良好效果。

用法：

1. 疮疡初起红肿坚硬，未成脓者，用蓖麻油调丹少许，扫于疮上，外以膏药盖之，即能消散。如欲速消者，则用清水调丹，点在疮头上，不用膏盖，约半小时至一小时，患部即起水疱，将疱挑破出水，疮即可消散。

2. 如疮已化脓，按之应指者，即可咬头出脓，以清水调丹少许，点于化脓处，外以膏药盖之，次日揭开膏药，疮即穿头出脓，有时还连脓栓（俗称脓头）一齐拔出。脓尽时，即用收肌药物收口。

3. 溃疡久不愈合，浸淫腐烂，瘀肉重叠，或胬肉突出者，以蓖麻油调丹少许，涂于疮面，外贴膏药，两日换一次。换药时即见疮面结成黑肉，再用药涂之，数次之后即见黑肉剥离，脓汁减少。至腐尽新生时，即用生肌药物收口。

4. 如疮已成管者，即用纯丹锭子插入管内，外盖膏药，次日揭下膏药挤脓。如此约一两次，瘘管即化为脓汁排出。脓尽时，再行用药收口。

5. 多骨：疮溃日久，内有多骨（亦称余骨）时，亦可用白降丹出骨。其法是将降丹锭子随疮孔大小深浅插入一至数条，外盖膏药。如疮内有骨，即可在换药时，随同膏药拔出，有时需要镊子夹出。如用药至三五次，都未见骨出者，则说明疮内并无多骨。

6. 痰核、瘰疬：结核型（核只有一个，推之能动）、硬结型（瘰疬破溃后，有核未脱，或已成瘘管）等都适用。制成锭剂，取米粒大小的一粒，放于膏药中心，贴于患处（疬核中心部），约 7 ～ 10 日，即可将核拔出。

7. 痔疮：将锭子插入痔核中心部分，外用膏药盖之。约一日后，痔核即被腐蚀，由溃烂逐渐化脓脱落，然后再用生肌药收口。

8. 疔疮走黄：白降丹对疔疮走黄亦极有效。有一 18 岁少年面部生疔，被抓破后半天时间，即全面肿大如瓜，神志昏迷，当即以陈白降丹 0.09 克服之，仅 2 小时后，即神志清爽，肿胀全消而愈。唯内服的白降丹，必须以陈至十年以上者为佳，新鲜白降丹恐有腐蚀胃肠之虞（并须用发糕或馒头包服），故临床必须审慎使用，不可草率大意。

9. 湿痹或麻木型麻风症：先将患部消毒，用针刺麻木区数十下（或用七星针刺），然后以纯粹降丹均匀撒上，外贴膏药，3 天之后，痹肉即腐溃脱落，至有痛感时，即用生肌药收口。

用白降丹散肿疡，必须在涂抹患部时，用涂药竹片尽量在涂药部皮肤上细心地将药抹散，使药力尽量渗入毛孔，然后贴膏药。不能药刚涂上，未经抹散，即贴膏药，效力就会降低。如患部已经化脓，则必须用水调药，不能用油调药。

【玄门丹】

毒龙丹

据廖复阳老师说，毒龙丹原是玄门四大丹之一，后来被江湖医生窃去，更名“黄金顶”，遂成为江湖医生的囊中秘药。唯他们未得到马钱子的真正炼制方法，效力总不如毒龙丹。三桥（鲁照）见其携带便、药价贱、效力宏、应用范围广，将其收入《串雅补》中。江湖医生即民间医生，他们在同行人中则被称作“老海”，江取其长，湖取其阔，海取其深，说明这类医生携技浪游五湖四海，行医卖药。

丹家传人张觉人老先生说：“毒龙丹是一极其神效秘方，最初本不想发表，后来感到‘夕阳无限好，只是近黄昏’的垂暮之年，保留起来不仅无益，而且对我国药学方面是一个损失，故现在把它公开出来，完成一整套玄门四大丹，贡献给人民。”

处方：马钱子，不拘多少。

制法：先将马钱子用童便、五石、五豆浸泡之，春秋二十日，夏十四日，冬四十九日。五石即丹砂、雄黄、曾青、白矾、磁石等，称五石散；五豆即扁豆、赤豆、绿豆、黄豆、黑豆。豆须发芽，但不可发得太长，三分许即可。扁豆的体积较大，发芽较迟，故必须早二三日浸，才能及时发芽。五石则打如米粒大小。马钱子浸泡时，有几个阶段的变化，初时黄色，次呈落霞色，即取出一粒视之，如中心变白色，即为合度之证。此时即全部取出，逐粒刮去皮毛后，再入甘草水中煮三小时，取出晒干，干后全部都成黑色，碾成细末，制为莱菔子大丸子备用，也可直接用散剂服用，但不如丸便利，最好是用胶囊装服。

用法：每服 0.9 克，早晚各服一次，按症用引药送服。

功能：钻筋透骨，活络搜风，兴奋补脑。

适应症：此丹治症甚多，见引药项。

禁忌：服此丹时，忌食鱼腥海味、辛辣、莱菔等物，孕妇慎用。

注意：服此药时，当避风一时。如不慎受风，则会发生寒战、呕吐，甚至痉挛强直。可服肉桂或浓生姜汤即止，浓白糖开水亦可缓解，并须严格掌握服量，每次最多不能超过 0.15 克，否则会发生危险。

各种疾病服用此丹时引药如下：

1. 感冒发热者，用生姜、葱煎汤下。

2. 鼻塞者，用细辛、辛夷煎汤下。

3. 咳嗽者，用生姜汤下。

4. 头痛牵连眉棱骨者，用姜皮、竹茹煎汤下。

5. 左边头痛者，用柴胡煎汤下。

6. 右边头痛者，用桑白皮煎汤下。

7. 两太阳穴痛者，用白芷、石膏、藁本煎汤下。

8. 巅顶痛者，用藁本、升麻煎汤下。

9. 头脑痛，身不发热，口中发渴（是痰火）者，用薄荷煎汤下。

10. 头晕不省人事者，用半夏、陈皮煎汤下。

11. 右半身瘫痪者，属血虚，用川芎、当归煎汤下。

12. 半身不遂，莫能起止，冷痛者，用五加皮、地榆制酒送服，半月后即能愈；如热痛者，用菊花、豨莶草泡酒服，二十日可愈。

13. 中风痰气壅盛者，用天南星、木香煎汤下。

14. 年久风气疼，手足拘挛难伸者，用牛膝酒煎下。

15. 遍身骨节疼痛，又兼恶寒怕热者，用老酒下。

16. 胁痛者，用木香、乳香煎汤下。

17. 腰痛者，用羌活、木瓜煎汤下。

18. 心气走痛者，用川椒、乌梅煎汤下。

19. 积痛走痛者，用苍术、老姜煎汤下。

20. 精神不守者，用朱砂煎汤下。

21. 噎膈反胃者，用竹茹、枇杷叶、南枣煎汤下。

22. 口舌生疮者，用黄连煎汤下。

23. 咽喉肿痛者，用桔梗、甘草煎汤下。

24. 严重翳障者，用蒺藜、木贼煎汤下。

25. 内障昏暗者，用熟地黄、石决明煎汤下。

26. 胬肉攀睛者，用石决明煎汤下。

27. 羞明怕日者，用荆芥煎汤下。

28. 目痛赤涩者，用甘菊、桑皮煎汤下。

29. 眼患热痛者，水煎百沸，置露天处一宿后，再温热调怀山药末敷眼眶周围，并用开水送服本丹。

30. 五淋痛甚者，用生车前草捣汁下。

31. 四肢浮肿者，用木瓜煎汤下。

32. 梅毒者，用黄连、栀子、土茯苓煎汤下。

33. 鱼口便毒者，用穿山甲、木鳖子煎汤下。

34. 通肠痔瘘脓血淋漓、秽疼难忍者，用土茯苓煎汤下。

35. 破伤风者，用天南星、防风煎汤下，或蝉蜕酒下。

36. 狂犬伤者，用斑蝥煎汤下。

37. 跌打损伤者，用童便、好酒下。

38. 附骨疽者，用黄酒下。

有人说，用引药是完全依靠引药治病，主药则是一个幌子，没有什么作用。这话诚然有一定道理，单用引药也是可以治病的，可是单用引药而不用主药配合，其疗效是不能尽如人意的。我国古代的丹道医家用丹药治病，就要用引药，而且还重视引药，因为引药是把主药的药力从经络循行路径直接引向病区，使其能顺利地达到治疗目的。这样一来，不但主药能够充分发挥其固有作用，而且也可利用引药来完成它的治疗作用，使所患疾病迅速痊愈。丹道医家则把这类主要的丹药叫作丹头。丹头药力都是很霸道的，因此，病愈后就应停止使用，否则会把好事变成坏事。这种一药多引的方剂，在祖国历代医学文献中随处都可看到。如明代陈司成《霉疮秘录》中的“生生乳”，就是一个明显的例子。他说把生生乳加入风药中就可以治大麻风，加入痰药中就可以治痰，“配痨药而治传尸痨，配虫药而治诸虫疾，配膈药而治噎膈翻胃，配疮药而治顽毒顽癣、久瘘骨痛。种种奇效，不独广疮梅毒之圣药也”。《师成子灵药秘方》中记载“五炁朝元丹”，也说：“丹药成后听，凭内外丸散中每斤加入此丹三钱和服，则诸药皆灵。”其他类似方剂，尚属不少，可见利用引药治病，并不是没有根据的。此外，赵学敏《串雅内编》序论中，也有“药有最验者曰丹头，即劫剂是也，病愈后必不可再用。走医多挟此博效，人每诧为神奇”。这也说明此类药服到病愈即止，不可当成家常便饭长期服用，以免造成不良后果。

古之丹道医家有训：“炼丹之地最好是深山野谷、古洞萧寺、人迹罕到之处，否则惟恐走丹。”意即在鸡不叫、狗不咬之地炼丹，炼到丹药升华时，可招来百鸟百兽，此为功德圆满，丹药炼成。此说虽有迷信色彩，却也提醒我们，炼丹时，一定是周围环境的僻静与丹士自身本体的净化相结合，才可有济世仙丹问世。

卷二

名方录

第一章　内　科

一、内科杂病

（一）多梦——益气安神丹

梦远行而精神离散，且多可惊可怕之事，常见于血虚证。以心神不安为主者，用益气安神汤。

益气安神汤（《刘氏家藏方》）：当归、茯神、生地黄、麦冬、炙酸枣仁、远志、红参、黄芪、胆南星、竹叶、黄连、甘草。

【益气安神汤方歌】

益气安神归地神，麦冬枣仁伍芪参。

远志胆星竹连草，梦绕心神自调匀。

【病例】

鞠某，女，49岁。曾因心脏瓣膜手术影响了睡眠，十几年来一直睡眠不佳。近半年来整夜噩梦缠身，进而夜不能寐，以致精神萎靡、短气乏力。某医院开出安定，令其不间断服用。服后头晕脑涨，却不能缓解失眠症状。遂投益气安神汤加减（当归、茯神、生地黄、麦冬、炙酸枣仁、远志、红参、黄芪、胆南星、竹叶、黄连、甘草、炒柏子仁、石菖蒲、生龙骨、生牡蛎、山萸肉、龙眼肉、木香），服10剂后症状好转，每夜能睡4个小时，噩梦也没有了。

（二）惶恐疑惧症——刘氏三方

惶恐疑惧症临床常见，刘氏祖传分型治之，为后世留下了宝贵经验。

1. 益气养肝第一方

肝血不充，则魂失所养。

惊恐不安，惶恐疑人，愁悴忧怒，时时太息，面颊消瘦苍白，语音弱而无力，少寐，舌淡红、苔白，脉细弱。治以益气养肝汤，养肝益气，定志安神。

益气养肝汤（《刘氏家藏方》）：茯苓10g，川芎10g，炒柏子仁10g，甘草10g，龙齿30g，炙酸枣仁30g，牡蛎60g，磁石60g（先煎），琥珀3g（冲）。

【益气养肝第一方方歌】

六十牡蛎与磁石，三十炙枣并龙齿。
十克芎柏苓甘草，三克琥珀安寐食。
肝血不足神恐惧，益气养肝定神志。

【病例】

张某某，男，58岁，北票泉巨永人。因事惊恐，而致气乱，心神不能自主。久之肝血不充，魂失所养，每当夕阳西下、夜幕降临之时，心中惕惕，恐惧油然而生，必明灯照亮，严重时有末日来临之感。倘遇阴天雨天，亦倍觉压抑不宁，痛苦难熬，百治不验。

2013年4月，患者来所求诊，查其脉动数而虚弦，主诉善惊易恐，少寐多梦，知其心神不安，乃气血逆乱之象。投益气养肝汤加减，以镇心定志、养心安神。

青龙齿25g（先），磁石15g（先），琥珀10g（冲），茯神15g，牡蛎30g（先），柏子仁25g，炙酸枣仁30g，石菖蒲15g，远志15g，厚朴15g，枳壳15g，木香10g，香附30g，陈皮15g，薏苡仁50g，苍术20g，川芎10g，桂枝10g。8剂而愈。

2. 滋阴养血第二方

心阴不足，则神失所养。

神形憔悴，面泛潮红，口干口苦，心悸，心胸烦热，舌红少津，脉细数。治宜滋阴养血，镇心安神，用滋阴养血汤（《兰室秘藏》）。

【方药】

黄连10g，生地黄15g，当归身15g，麦冬20g，磁石60g，珍珠母60g（打碎先煎），龙骨 60g，牡蛎 60g，甘草 6g，朱砂 3g。

【滋阴养血第二方方歌】

滋阴养血安心神，龙牡磁石朱母珍。
黄连生地归身麦，神有所主草调匀。

3. 清泄痰热第三方

痰火上扰，则神不守舍。

神情惊恐，疑虑重重，怒目四顾。额黑，面红，目赤，舌质红、苔黄腻，口苦而渴。治宜清泄痰热，镇惊安神，用清痰泄热汤（《刘氏家藏方》）。

【方药】

天冬 10g，麦冬 10g，川贝母 10g，石菖蒲 6g，胆南星 6g，橘红 5g，茯苓 5g，连翘 5g，法半夏 10g，茯神 10g，玄参 15g，钩藤 15g，丹参 15g，朱砂 3g，琥珀 3g，生铁落 90g（先煎）。

大便秘结加大黄。

【清泄痰热第三方方歌】

清痰泄热胆南星，川贝菖蒲天麦冬。
玄丹二参共法夏，连翘茯神与橘红。
再加朱砂和琥珀，重用铁落茯苓藤。

【病例】

乔某某，男，52 岁，北票人。平素饮酒，致痰火上扰，一旦身有不适，便疑虑重重，惧怕死亡。整日头昏蒙，善惊恐。舌黄、面红、口苦，一派痰火扰心之象。2013 年 5 月，求余诊治。诊为心虚胆怯、痰浊气郁，治以清泄痰热、化痰降逆、镇惊安神。投清痰泄热方加减（青龙齿、生牡蛎、灵磁石、琥珀、石菖蒲、远志、茯神、半夏、天麻、白术、陈皮、茯苓、厚朴、白蒺藜、蔓荆子、薏苡仁、苍术），10 剂而愈。

（三）神经衰弱——刘氏二方

神经衰弱，属“不寐”范畴，多由心脾不足、阴虚火旺、心虚胆怯与胃中失和所引发。刘氏以珠珀安神丹补养心脾，以珠母补益汤养血安神，治疗神经衰弱，堪称点睛之笔。

1. 珠珀安神丹

此为血虚伤神之疾，用珠珀安神丹养血安神以治之。

珠珀安神丹：珍珠、琥珀、红参、朱砂、鹿茸、当归、川芎、白芍、陈皮、黄芪、生地黄、代赭石、丹参、远志、茯苓等。此方主治心血不足，神经衰弱，不思饮食，心悸失眠，健忘等。实证则不宜。

【珠珀安神丹方歌】

珠珀安神归川芎，朱砂红参陈鹿茸。
当归白芍黄芪地，赭石丹参志茯苓。
心血不足神衰弱，失眠健忘服之灵。
倘有高压肝胆热，加入芩栀减芪茸。

【病例】

江某，女，64 岁，河北省玉田县孤树镇人。2009 年患者因长期失眠求治于余。诊见面色苍白，语声低微。患者主诉长期失眠，不思饮食。诊为心血不足，神失所养，投珠珀安神丹加炙酸枣仁、炒柏子仁、生龙骨、生牡蛎、山茱萸。三个月后面色红润，睡眠踏实。

2. 珠母补益汤

珠母补益汤：珍珠母 100g，龙骨 50g，炙酸枣仁 15g，五味子 10g，女贞子 25g，熟地黄 25g，白芍 20g。此方育阴潜阳，养血安神，益肾固精，适用于心脾两虚、肾虚损所致失眠、高血压、头痛等。

【珠母补益汤方歌】

二两珍珠一两骨，三钱炙枣二钱五。
女贞熟地各五钱，白芍四钱同锅煮。
诸般虚损五脏亏，心肝肾损此方补。
失眠倦怠加参芪，血虚心悸寄首乌。
神志不宁柏茯神，肾虚腰痛川丝杜。

【病例】

张某，女，38 岁，锦州市太和区人。数月来心悸、失眠，眩晕头痛，面色潮红，口热，耳鸣，用珠母补益汤加减（珍珠、龙骨、炙酸枣仁、五味子、女贞子、熟地黄、白芍、怀牛膝、桑寄生、何首乌、茯神、川续断、菟丝子）一疗程而愈。

（四）不寐——马氏三方

不寐，指入睡困难，寐而易醒，醒后不能再次入睡，或时寐时醒，甚至整夜不寐。

不寐一症，多为情志所伤、劳逸失度、久病体虚、五志过极、饮食不节等因素引起阴阳失调，阳不能入阴而致。

不寐之因，总与心、脾、肝、肾及阴血不足有关。其病理变化，总属阳盛阴虚，阴阳失交。血之来源，由水谷之精微所化。上奉于心，则心得所养；受藏于肝，则肝体柔和；统摄于脾，则生化不息；调节有度，则化而为精；内藏于肾，肾精上奉于心，心气下交于肾，则神志安宁。若暴怒、思虑、忧郁、劳倦等伤及诸脏，精血内耗，彼此影响，每多形成顽固性不寐。故不寐虚者尤多。

传统对不寐的治疗，肝郁化火用龙胆泻肝汤，痰热内扰用温胆汤，阴虚火旺用黄连阿胶汤，心脾两虚用归脾汤，心胆气虚用安神定志汤，等等。

有马氏以养心平肝安神之法治疗阴虚阳亢之失眠，以健脾和胃宁神之法治疗脾不升、胃不降湿浊之失眠，以化瘀清导安神之法治疗瘀阻中焦之失眠，另辟蹊径，足见其辨证之细微、立法之高明。

1. 养心安神——珍珠百合汤

症见失眠多梦，心悸，健忘，困乏神倦，语声虚弱，厌食乏味，烦躁不宁，或伴有头晕头痛，血压偏高，面色萎黄少华，或两颊潮红，有烘热感，舌质红、苔白薄腻，脉弦数或细数。

珍珠百合汤：珍珠母 30g，生百合 15g，钩藤 10g，夜交藤 15g，生地黄 15g，生白芍 10g，炒酸枣仁 15g，当归 6g，柏子仁 10g，炙鳖甲 30g，玉竹 6g，炒白术 6g。水煎服。

加减法：面色萎黄，气短，汗多者，去鳖甲，加黄芪 30g；面颊潮红，眩晕，血压高者，加生石膏 30g、怀牛膝 15g；心悸烦躁者，加莲子肉 15g、蒸山茱萸 10g、朱砂 1g（另包）冲服。

【珍珠百合汤方歌】

珍珠百合钩夜藤，白芍柏仁白术同。

当归生地炙鳖甲，炙枣玉竹睡意朦。
气虚黄芪用六两，高压石膏牛膝并。
心悸烦躁莲萸肉，养心安神法最灵。

2. 健脾和胃——茯苓佩兰汤

失眠，夜卧不安，辗转不能入睡，多梦，脘腹痞闷，饮食不化，腹中时有隐痛，嗳气吞酸，寝中龂齿，流涎，口气酸臭，甚者恶心反胃，大便不畅，舌苔厚腻，脉滑数。

茯苓佩兰汤：茯苓（朱砂拌）30g，佩兰 15g，槟榔 10g，炒白术 10g，鸡内金 10g，砂仁 6g，石菖蒲 6g，龙眼肉 10g，胡桃 1 个（打碎连壳）。水煎服。

加减法：脘腹胀满者，加山楂、神曲、麦芽各 10g；胸闷恶呕者，加姜半夏、姜竹茹各 10g；心烦、心悸者，加炙远志 6g、炒枣仁 10g；口中气臭者，加甘松 10g、大黄 10g。

【茯苓佩兰汤方歌】

茯苓圆肉与佩兰，槟榔焦术内金全。
砂仁菖蒲胡桃肉，远志枣仁治心烦。
三仙麦芽消腹胀，健脾和胃睡连连。

3. 活血化瘀——当归郁金汤

心烦失眠，噩梦纷纭，易惊易醒，胸胁痞闷或隐隐作痛，性情急躁，烦热易怒，或精神抑郁，时悲时怒，常有头痛，目赤，颧红烘热，口渴喜冷饮，大便干燥，小便黄赤，舌质暗红或有瘀血斑，脉弦数或滑。

当归郁金汤：当归 30g，广郁金 10g，石菖蒲 10g，生地黄 15g，桃仁 10g，红花 10g，京赤芍 10g，柴胡 10g，石斛 6g，川牛膝 10g。水煎服。

加减法：头痛者，加珍珠母 30g、川芎 10g；胁痛者，加川楝子 10g、生白芍 10g；大便干燥，小便赤涩者，加大黄 10g、黄芩 10g；目赤易怒者，加生石膏 30g、黄连 6g。

【当归郁金汤方歌】

当归郁金石菖蒲，生地桃仁与石斛。
红花赤芍柴牛膝，头痛川芎珍珠母。

胁痛川楝生白芍，活血化瘀睡过午。

（五）痫症——痫症丸

痫症是一种发作性神志异常疾病，其发病特征为精神恍惚，或突然仆倒，口吐涎沫，昏不知人，两目上视，四肢抽搐等。其发病多因情志失调、先天不足或脑部内伤。

刘氏对风痰闭阻型常以刘氏普济痫症丸加减，疗效显著。

痫症丸（《刘氏家藏方》）：明天麻20g，全蝎50g，半夏30g，郁金50g，僵蚕50g，胆南星50g，白芍50g，石菖蒲50g，蝉蜕30g，白芷30g，薄荷50g，钩藤30g，猪牙皂50g，白术40g，茯苓30g，莲肉60g。

【病例】

李某，女，22岁，朝阳市人。每遇心情不畅，即突然昏倒，伴四肢抽搐，牙关紧闭，口流涎沫，并有异常声音尖叫，醒后精神疲惫，头晕脑胀。近期每月发作频作，来诊所求治。投痫症丸加牛黄、犀角，10年未发。

【痫症丸方歌】

定痫白术芍芷苓，全蜕僵蚕并全虫。
半夏天麻猪牙皂，郁金菖蒲胆南星。
涤痰熄风开心窍，重用莲肉薄荷藤。
内乱神明外闭络，加入犀黄可解痉。

（六）胁痛——丹芍四子四花散

胁肋为肝之野，恼怒气逆、忧郁气结，皆可引起胀满作痛。临床中，或痛偏一侧，或有休止，或经久隐隐，或劳累加剧，或痛引胸背。方宜柴胡疏肝散、疏肝理气。肝郁化火，用清肝汤加黄芩；肝血不足，用四物汤加柴胡、青皮；痛久入络，加丹参、红花；肝脾两虚，用逍遥散。虚甚者，胁下一点痛不止，为“干胁痛”，用八物汤加木香、青皮、肉桂；有热者，加黄连、栀子。如外伤痛如刺，用复元活血汤。对此，刘氏善用四子四花散加减。

丹芍四子四花散（自拟方）：女贞子、楮实子、五味子、川楝子、素馨花、合欢花、佛手花、厚朴花、丹参、白芍、白蒺藜、炙酸枣仁、何首乌。

胁痛，气郁者十之七八，肝气盛则郁结不舒，疏肝法自是正治。《内经》云：

"肝欲散，急食辛以散之。"此是医家所常用的。然而，疏肝理气之品多属辛燥，有其耗阴一面，用四花代替香附、青皮之属，以减其燥性，解除胁痛，效果尚佳。

【丹芍四子四花散方歌】

丹芍四子四花散，女贞楮实五川楝。
蒺藜枣仁何首乌，素馨佛厚加合欢。
酸甘化阴扶正气，胁间之疾痛安然。

【病例】

刘某某，男，49岁，公务员。2009年患慢性肝炎，治愈后胁痛不止。

胁痛，气郁者十居七八，疏肝理气自是正法。然而，疏肝理气之品多属辛燥，有其耗阴一面。用四花替代香附、青皮之属，减其燥性；用四子益养肝肾，以酸敛肝气解其郁盛，胁痛自去矣。

2010年求余诊治，方用四子四花散（女贞子、楮实子、五味子、金樱子、素馨花、厚朴花、合欢花、佛手花、丹参、白芍、炙酸枣仁、白蒺藜、何首乌），10剂而愈。

（七）郁证——解郁汤

郁证是情志不舒、气机郁滞引起的一类病证，主要表现为心情抑郁，情绪不宁，两胁胀痛，易怒善哭，失眠，或咽中有异物梗塞感等。

郁证有虚实两种。实证，肝气郁结，以柴胡疏肝散疏肝、理气、解郁；肝郁化火，以丹栀逍遥散合左金丸清肝泻火、解郁和胃；气滞痰郁，以半夏厚朴汤化痰、利气、解郁。对于虚证，忧郁伤神，以甘麦大枣汤养心安神；心脾两虚，以归脾汤健脾养心，益气补血；阴虚火旺，以滋水清肝饮，滋阴清热，镇心安神。刘氏治以解郁汤为主。

解郁汤（《刘氏家藏方》）：白术50g，茯苓50g，白芍50g，柴胡50g，当归50g，远志50g，石菖蒲50g，龙骨75g，牡蛎75g，磁石150g，浮小麦50g，琥珀30g。

加减：心悸失眠，加炙酸枣仁、夜交藤、炒柏子仁；肾虚腰酸，加杜仲、枸杞子、川续断、海狗肾；肝阳上亢，加草决明、地龙；气短，加桔梗、枳壳；血虚，加参芪；食欲不振，加砂仁、鸡内金、焦三仙；痰多，加胆南星、陈皮、半夏、郁金；白带异常，加土茯苓；颈项强，加葛根、丹参；胸闷，加佛手、降香、瓜蒌；呃逆，加代赭石、丁香、柿蒂。

【解郁汤方歌】

解郁汤中磁龙牡，白术白苓白芍伍。
当归柴胡浮小麦，琥珀远志石菖蒲。
心悸失眠柏枣仁，肾虚腰痛杞断杜。
气短桔梗和枳壳，肝阳上亢决龙补。
若是血虚加参芪，呃逆柿蒂丁香苦。

【病例】

王某某，女，48岁。平素多愁善感，2012年突发腔隙性脑梗死，出院后右手拇指伸不直，自此纠结惆怅，忧郁不眠，不到1个月，便周身乏力，面色萎黄，不能做事。经诊，脉弦细，知其心神不宁，忧郁不解，心气耗伤，营血暗亏。遂施用刘氏解郁汤（白术、茯苓、白芍、柴胡、甘草、远志、石菖蒲、龙骨、牡蛎、磁石、浮小麦、琥珀、炙酸枣仁、炒柏子仁、黄芪、砂仁、木香、桔梗、枳壳），8次易方，一个月而愈。

（八）短气——普济短气逍遥丸

李东垣曰："太阴湿土，主壅塞，乃土来心下而为痞也。"此为湿阻气滞的证候，刘氏善用普济短气逍遥丸治疗。

普济短气逍遥丸（《普济百集方》）：藿梗、佛手、郁金、枳壳、陈皮、香附、桔梗、羌活、防风、当归、白芍、柴胡、茯苓、甘草、川芎。

《伤寒论》中有"心下痞"证，系表邪传里，表现为中脘满闷也，与本证有别。

【普济短气逍遥丸方歌】

柴芍壳附苓草陈，二梗佛手归郁金。
羌活防风膀胱位，引药入经短气匀。
梗壳相伍治胸闷，一升一降气机寻。
心气不足须审慎，理气之品当斟酌。

（九）脑鸣——右归饮

脑内如虫鸣，伴耳鸣、目眩，为脑海空虚所致。脑为髓之海，髓为骨之充，肾生精，精生髓。滋补肾阴，可医脑鸣。

右归饮（《普济百集方》）：熟地黄、山茱萸、龟板、枸杞子、麦冬、山药、杜仲、炙甘草。

亦有脑内震动如雷鸣，为风、湿、热邪郁结三阳经而致。宜清宣升散，用清震汤（升麻、苍术、荷叶）清解之。

【右归饮方歌】

右归熟地怀山药，枸杞山萸炙甘草。
龟板麦冬炒杜仲，滋补肾阴脑鸣效。
风湿热邪结三阳，苍麻荷叶清震妙。

【病例】

杨某某，男，69岁，朝阳市龙城区人。近一年来，时发脑内轰鸣，尤在夜深人静时更重，连月来逐渐加重，心烦而焦虑，经常发脾气。2012年夏日来求诊，投右归饮加减（熟地黄、山茱萸、龟板、枸杞子、麦冬、山药、杜仲、炙甘草、荷叶、苍术、升麻）滋肾健脑。三十日而愈。

（十）半身奇汗——益气养营汤

偏左或偏右半身汗出，多因气血不周，治当用十全大补汤益气养营；刘氏则用益气养血汤助阳固卫，奇汗奇治也。

益气养营汤（《刘氏家藏方》）：炙黄芪20g，红参15g，熟附子10g，细辛3g，肉桂10g，麻黄10g，白芷10g，牡蛎20g，龙骨20g，枸杞子20g，五味子15g，山药15g，锁阳20g，淫羊藿15g，蛇床子20g，杜仲15g，怀牛膝15g，炙甘草10g。

【益气养营汤方歌】

半身奇汗苦难当，气血不周乏营养。
芪参附辛麻桂芷，龙牡枸杞同锁阳。
山药五味羊藿叶，杜仲牛膝草蛇床。
助阳固卫养真气，半身汗出早复康。

【病例】

刘某，男，68岁，半身汗出不止，常常左侧汗流如注，右侧干涩难忍，久治不愈，痛苦难耐。2009年，求余诊治，投益气养营汤，3剂而愈。

二、消化

（一）胃痛——化阴养胃汤

高某某，男，36岁，时常胃痛隐隐，口燥咽干，大便秘结。近日胃脘灼热，嘈杂泛酸，日渐消瘦。多方医治无效。

1998年，求余诊治，知其为胃阴亏虚，一派阴虚火热之象，遂建议做胃镜检查，见胃黏膜糜烂出血，胆汁反流。治宜养阴益胃，酸甘化阴。方用先祖刘仁留下之化阴养胃汤（紫苏梗、制香附、芙蓉叶、炒白术、旋覆花、水炙甘草、白芍、平地木、八月札、赤芍、连翘、荜茇、乌梅），服药10剂而愈。

化阴养胃汤：苏梗30g，制香附30g，芙蓉叶15g，炒白术15g，旋覆花10g，水炙甘草30g，白芍30g，平地木15g，八月札15g，赤芍10g，连翘15g，荜茇10g，乌梅20g，丹参30g。

此方精秘之处在于治疗胃痛不用芳香燥药，而以酸味药与甘寒药配伍，呈酸甘化阴之势，达到健脾益气、通经止痛的作用，其临证加减，可称秘中之秘。脾虚湿热加儿茶、白扁豆、山药；阴虚肺热酸少加石斛、乌梅、木瓜（酸甘化阴）；胃黏膜苍白，腺体减少，加丹参、赤芍、血竭（活血化瘀）；胃黏膜糜烂有出血点，加赤芍、芙蓉叶、黄芩、连翘（凉血泻热）；胆汁反流加旋覆花、代赭石（降逆下气）；肠腺化生加白花蛇舌草、荜茇（清热消痈）。

【化阴养胃汤方歌】

刘氏家传养胃汤，赤白二芍香苏梗。
白术炙草平地木，八月覆花叶芙蓉。
酸甘凉润忌燥剂，凉血泻热胃痛灵。
酸甘温润弃热剂，温化腺体胃痛轻。
酸甘柔润重生化，护卫黏膜止胃疼。

芳香燥药少量用，酸甘化阴第一功。

（二）胃溃疡——养胃汤合瓦楞乌贼散

刘某，男，46岁。胃脘痛7年，诊为胃溃疡。近因精神刺激，复又发作，胃痛剧烈，呕吐酸水，不能进食。投养胃汤三剂，便下黑色黏液，疼痛减轻，遂加服瓦楞乌贼散合服，一月而愈。

养胃汤：清半夏15g，陈皮15g，云苓15g，川楝子15g，延胡索13g，郁金13g，海螵蛸15g，生牡蛎50g，草豆蔻10g，乌药15g，麦芽15g，吴茱萸15g，白芍15g，甘草8g，党参15g。

一服煎三次，每早食前两小时服，睡前服。

瓦楞乌贼散：煅瓦楞子30g，乌贼骨50g，鸡内金30g，白及30g，生白芍50g。混合研末，装1号胶囊，每服3粒。餐前1小时温开水冲服。

消化性溃疡之发病，多因精神刺激、饮食不节、生活不规律，常与吸烟、酗酒、进食刺激性食品有关。临床以周期性发作和节律性上腹部疼痛为特点。

现代医学对其治疗，采用制酸剂、抗胆碱药、组胺受体拮抗剂和胃黏膜保护药等。养胃溃疡汤是刘氏家传的胃痛灵药，此药健脾和胃，制酸消食，生肌敛疮，消炎止痛，用于治疗消化性溃疡，疗效喜人。

【养胃汤方歌】

溃疡方用夏陈芍，云茯川楝海螵蛸。
元胡郁金生牡蛎，草蔻麦芽共乌药。
茱萸甘草党参配，溃疡之疾有绝招。
瓦乌鸡及芍药粉，餐前服之法最高。

（三）胃热呃逆——竹叶石膏汤

姐夫毛某，突发呃逆，呃声洪亮，口臭烦渴，便结尿黄。来诊时，患者呈痛苦病容。投清补良方竹叶石膏汤，7剂而愈。

竹叶石膏汤出自《伤寒论》，主治“伤寒解后，虚羸少气，气逆欲吐”。适用于热病之后，余热未尽，阴伤羸瘦，呕逆者。

【方药】

淡竹叶15g，生石膏20g，肥知母10g，麦冬9g，生甘草6g，人参6g，炙甘草 5g，粳米 20g，半夏 10g。

方中竹叶清热除烦，石膏清胃火而除身热，麦冬生津养阴以润肺胃，人参益气扶羸，半夏降逆止呕，粳米、甘草和中护胃。诸药相合，共奏清热养阴、和中益气之功。

患者嗜食辛辣，胃肠蕴积实热，胃火上冲，为胃热内盛之证。方中人参易为沙参 20g，并加柿蒂 15g，以增强降逆之功；另加枳实 10g、大黄 5g、厚朴 10g，通腑泄热，呃逆自止。

【竹叶石膏汤方歌】

六参六草二十膏，胃热呃逆声自高。
粳米二十夏知半，竹叶十五麦八熬。
腑实承气泄腑热，沙人相易免热嚣。
再加柿蒂强降逆，胃火上炎清补消。

（四）肠粘连——松解汤

肠粘连造成梗阻，或因手术造成再次粘连，应尽量采用非手术保守疗法，而用肠粘连松解汤有明显优势。

肠粘连松解汤（自拟方）：生大黄 15g，枳实 15g，厚朴 15g，芒硝 6g，木香 10g，赤芍 25g，川芎 15g，水蛭 15g，炒莱菔子 30g，三棱 15g，莪术 15g，黄芪 30g，当归 10g，甘草 5g。

本方以大承气汤为基础方，专治脘腹胀满，便秘不通。肠粘连的治疗还可同时用此药灌肠；对体弱者，可在松解汤中加入益气健脾之品，如白术、山药等。

【肠粘连松解汤方歌】

松解汤治肠粘连，大黄枳实朴硝全。
木香赤芍川芎伍，水蛭莱菔黄芪添。
三棱莪术当归草，粘连之疾定安然。

林某某，35 岁。24 岁时行阑尾炎手术，术后未活动好，造成肠粘连，平时无恙，发作时腹痛、腹胀、身热、心烦，难以忍受。如此循环往复，病情一年比一年重。后经盛京医院确诊为术后肠粘连，为避免再次手术，来我处服用中药。开具松解汤，每剂两煎取汁 600mL，每次 200mL，一日三次口服。连服 10 天，至今未发。

（五）善饥——脾阴汤

善饥乃脾家邪火，其证有三。一曰中消，属胃中燥热，宜清热生津，用太清饮或消渴方。二曰除中，热性病中忽然思食能食，须防除中。《伤寒论》说："凡厥利者当不能食，今反能食者，恐为除中……不发热者，知胃气尚在，必愈""腹中应冷，当不能食，今反能食，此名除中，必死。"除中是中气消除的意思，可理解为胃气败坏，故主不治。三曰脾阴不足。刘氏以为善饥之疾，有因脾家邪火而使脾阴大伤，故善饥，当清火除热，生津液，益脾阴，宜甘寒、苦寒、酸寒之品，切忌辛温、大热、香燥之剂。方用普济脾阴汤。

【方药】

生地黄、白芍、牡丹皮、沙参、麦冬、石斛、竹叶、地骨皮、黄芩、知母、甘草。

【脾阴汤方歌】

脾阴汤中地芍参，丹麦石斛与黄芩。
竹叶骨皮知母草，善饥脾邪自调匀。

（六）泻痢——泻痢方

泻痢方（《刘氏家藏方》）：山楂、薏苡仁、乌梅、白头翁、白扁豆、马齿苋。

此方为刘氏祖孙三代经验方，用治泄泻与痢疾。显效的关键在于药量。曾有一患细菌性痢疾者，发热，腹痛，便脓血，服用痢特灵、黄连素、诺氟沙星等无效。改用此方，服一剂仍无改善。遂将原方改为生山楂 100g，生薏苡仁 100g，乌梅 15g，白头翁 30g，马齿苋 30g，白扁豆 30g，木香 10g，黄连 10g。水煎两次取药液 600mL，分两次服用。一剂热退痢止，三剂后告愈。用此方，辨证要点在于发热泄泻、舌苔黄腻，为湿热急性泻痢者所宜。

【泻痢方方歌】

山楂薏苡仁，乌梅白头翁。
扁豆马齿苋，泻痢无影踪。

（七）腹满——排气饮

腹满而无胀形者，多因脾胃消化不良，用排气饮理气化浊。胀之有形者用半夏泻心汤辛开苦降，理气化浊。

排气饮（《刘氏家藏方》）：藿香、木香、乌药、厚朴、枳壳、香附、陈皮、泽泻。

【排气饮方歌】

理气化浊辛苦降，乌朴枳附藿木香。

更有陈皮加泽泻，脾升胃降消化良。

【病例】

刘某某，女，68岁。常年腹胀难耐，尤以饭后为甚，曾以中满分消汤医治无效。思该患为湿阻气滞，应理气化浊，故投排气饮（藿香、木香、乌药、厚朴、枳壳、香附、陈皮、泽泻），并以红参粉加鸡内金粉冲服，取塞因塞用之意，半月而愈。

（八）寒热泄泻——刘氏白马红藤汤

“泄者，如水之泄也，势犹舒缓。泻者，势似直下。微有不同，而其为病则一，故总名之曰泄泻。”（《丹台玉案》）

泄泻之为病，皆为脾胃功能障碍所致。诸如感受外邪，饮食所伤，情志失调，脾胃虚弱，肾阳虚衰等，均可致泄泻。《景岳全书·泄泻》谓：“泄泻之本，无不由于脾胃。”临床中脾虚与湿热互为因果，外因如湿邪发为泄泻者比比皆是。刘氏治疗此疾，善用祖传白马红藤汤。

刘氏白马红藤汤：红参15g，黄芪20g，焦术15g，甘草10g，大黄15g，白头翁15g，马尾连15g，马齿苋20g，乳香3g，没药3g，红藤30g，白芷30g，木香10g，砂仁10g，肉桂10g，炮姜15g，草果仁15g，白豆蔻15g

此方祛邪、除湿、祛肠毒、通腹气，治疗寒邪、湿毒所致的寒濡泻、洞泄、飧泄、注泄等，历经六代而传之。

【刘氏白马红藤汤方歌】

寒热交浊泄泻频，参芪焦术草黄藤。

乳没尾连砂香芷，桂姜蔻果白头翁。

白马红藤养腹胃，寒邪湿热结肠宁。

【病例】

常某某，女，46岁。慢性腹泻10余年。每因陪来客喝啤酒而加重，严重时每日大便3～4次，偶有血便，不耐寒冷，倘误进生冷、油腻之物，腹泻更甚。经纤维结肠镜检查，诊为慢性非特异性溃疡性结肠炎。曾去沈阳、北京等地的医院治疗，不效。2012年经普济堂诊为脾肾阳虚泄泻伴湿热蕴于肠道，投刘氏白马红藤汤（红参、黄芪、焦白术、甘草、白头翁、马尾连、马齿苋、乳香、没药、红藤、白芷、木香、砂仁、草果仁、牡丹皮），一月而愈。

（九）食欲差——和中散

胃主受纳，脾主运化，同为后天之本、中气之源。病在胃而不在脾，则知饥不能食，食而亦饱；病在脾而不在胃，则不知饥饿，食后艰于消化。故一为湿浊，二为中气虚。治疗当以芳香和中为法。

和中散（经验方）：木香、厚朴、枳壳、半夏、陈皮、干姜、泽泻、山楂、麦芽、砂仁、茯苓，姜枣为引。

【和中散方歌】

和中散治食欲差，木香厚朴枳半夏。
陈皮干姜苓泽泻，砂仁山楂与麦芽。

常有小儿吃饭艰难，每到吃饭时即腹痛、哭泣，触脐周有硬包块，此为接生时未吸净婴儿口内秽物，存积于脐周围，古称之为积滞。投和中散运化水谷精微，则消化增强，中气得补，湿浊得散，腹气得通，食欲渐增矣。

（十）肝硬化——软肝煎

辽西松岭，曾有地方名医李民，世传医肝药方。1988年李氏病危，见其子女不务正业，决意不往下传，遂请工匠将药方刻于棺盖之上。时有郑氏与工匠相好，自工匠处觅得此方。余之好友三十家子镇李志忱，与郑氏相交甚厚，花六百元购得此方，转赠于我。余于临床广为使用，知此方治疗肝病腹水、肝气郁结、肝瘀血癥，疗效显著。于是，去北京中国中医科学院路志正教授处，其弟子李芳洁告知，此方疏肝理气，行气止痛，对肝硬化门静脉高压有一定作用。2000年，表弟王某某患肝硬化门静脉高压，服此方12剂，存活了11年。

【方药】

黄连15g，胡黄连10g，鸡内金10g，焦白术10g，焦三仙各15g，三棱5g，莪术10g，青皮15g，陈皮5g，香附5g，芦荟10g，槟榔10g，甘草5g。

【软肝煎方歌】

连连金术三，三文青陈甘。
干芦槟榔附，附清甲乙肝。
肝气郁结症，症减化肝坚。
坚结门脉压，压缩软肝纤。

（十一）小腹胀——寒湿丸

小腹胀，多为下焦寒湿所致。辽西著名老中医欧阳忠恕对此症的辨证施治有其独到见解。

寒湿丸：苍术 20g，附子 15g，焦白术 20g，茯苓 20g，泽泻 5g，猪苓 5g，陈皮 20g，川厚朴 20g，乌药 15g，砂仁 10g，胡芦巴 15g，沉香 10g。

本方治疗结肠炎、溃疡性结肠炎、非特异性结肠炎引起的腹泻与便秘，效果奇特。

【寒湿丸方歌】

泽泻陈皮芦巴乌，附子二苓与二术。
川朴砂仁沉香配，小腹胀痛一剂除。

（十二）肠痈——红藤地丁牡丹汤

《金匮要略》说：“肠痈者，少腹肿痞，按之即痛，如淋，小便自利，时时发热，自汗出，复恶寒。其脉迟紧者，脓未成，可下之，当有血……大黄牡丹汤主之。”

此证为湿热瘀滞壅遏于肠，初起应清化逐瘀，缓之则用清肠饮。

刘氏祖传善用张景岳治肠痈单方，后将其加入大黄牡丹汤中，成红藤地丁牡丹汤，对慢性阑尾炎的治疗颇有特点。

【方药】

红藤 50g，紫花地丁 50g，牡丹皮 30g，大黄 10g，桃仁 15g，冬瓜子 15g。

【红藤地丁牡丹汤方歌】

先人留下肠痈方，活血散瘀解毒良。
红藤地丁牡丹皮，清化肠道最相当。
大黄桃仁冬瓜子，湿热壅滞尽利光。

慢性阑尾脓未果，只需三剂保安康。

【病例】

北票李某，从事小杂粮经营，整日忙忙碌碌，食不守时，加之烟酒应酬，湿毒壅于肠道，阑尾疼痛难忍，时愈时作，虽不剧烈，却大有影响工作之势，手术切除又无暇住院，只好求余开汤药，三剂而愈。此后，相继有十几位慢性阑尾炎患者闻讯求治，皆以三剂取胜，无一不效，故被人誉为“阑尾炎神方”。

三、男科

（一）前列腺增生——前列汤

前列腺肥大，是中老年男性的一种常见病，主要表现为尿频，排尿困难，急性尿闭或尿失禁。明代楼英在《医学纲目》中说：“癃闭，合而言之一病也，分而言之，有暴久之殊。盖闭者，暴病，为溺闭，点滴不出，俗名小便不通是也。癃者，久病为溺癃，淋漓点滴而出，一日数十次或百次。”本病属古之癃闭范畴。《素问·灵兰秘典论》说：“三焦者，决渎之官，水道出焉。”因此，本病在病因、病理上属三焦范畴。

前列腺肥大，早期小便次数增多，以夜间为重。由于尿液长期不能排尽而发生尿潴留，以致尿液自行溢出。对其治疗，刘氏习惯使用前列腺汤加减。

前列汤（经验方）：丹参、泽兰、赤芍、桃仁、红花、乳香、没药、王不留行、青皮、川楝子、小茴香、白芷、败酱草、蒲公英、冬瓜仁。

【前列汤方歌】

前列增生丹泽芍，王不留行乳没桃。

红青川楝冬瓜芷，小茴公英败酱草。

（二）血精——普济补阴丸

精中带红线，古称血精，阴虚火旺故也。刘氏《普济百集方》以普济补阴丸主之，临床疗效显著。

【方药】

生地黄炭 15g，茜草 10g，乌贼骨 10g，三七 3g（另研），女贞子 10g，旱莲草 15g，知母 10g，黄柏 10g，炙龟板 15g，车前子 10g。

某银行职员，常于房事后出现血精，经某医院医治无效，后去北京某医院治疗亦无效。2001 年来诊，见其脉洪大，知其阴虚火旺，急投补阴汤，3 剂而愈。为巩固治疗，配制补肾丸，一日三次服，至今 10 年余，未发。

【普济补阴丸方歌】

火旺精中有红线，补阴重用生地炭。
茜草三七乌贼骨，知母黄柏败龟板。
再加女贞旱莲草，静中有动伍车前。

（三）少年手淫——淫遗方

少年思淫事，可有遗精之偏。然则，临床中却有诸多人手淫频作，损耗肾精，伤及肾气，封藏失职，阳火内动，火迫精室，阳事易举，是以遗精频发。此守淫——手淫也。

祖传淫遗方，医治少年手淫，奇方也。

【方药】

淫遗方（《普济百集方》）：知母 12g，黄柏 12g，生地黄 15g，山药 20g，芡实 30g，莲须 30g，金樱子 30g，煅龙骨 30g，煅牡蛎 30g，炙酸枣仁 15g，五味子 10g。

【淫遗方方歌】

祖传思淫遗精方，知母生地山药黄。
芡实莲须金樱子，龙骨牡蛎五味襄。
更加枣仁安神志，相火封动精室藏。
心理健康静心气，胜过淫乱请药方。

【病例】

陈某某，17 岁时看成人录像后，即以手淫寻求快感，长达 6 年之久从未间断，严重时一夜即手淫两次。直至 23 岁始梦遗滑精，有时一夜滑 2～3 次。现气短乏力，头身颤抖，步履艰难，无力支撑，2012 年前来求治。投淫遗方、玉华芡实丸，安心神，定心志，两月而愈。

（四）无子

无子亦称无嗣，以男子原因而言，古人以精冷而立法。《脉经》说："男子脉微弱而涩为无子，精气清冷也。"用五子衍宗丸、续嗣丹和长春广嗣丹治之。

然而，今人经过精液化验，发现男子无子尚有无精、死精、精子活动能力不强、精子液化不良等原因所致，故而治疗更有针对性。现将不同因素所致无子的遣方用药总结如下。

1. 死精——活精丹

死精，即精子成活率低，精子化验可见精子活动能力不足20%，对此应以活精丹治疗。

活精丹（《刘氏秘笈》）：枸杞子100g，覆盆子100g，菟丝子100g，五味子100g，车前子100g，女贞子100g，桑椹100g，补骨脂100g，黄柏150g，醋鳖甲300g。

【活精丹方歌】

活精枸杞女覆盆，丝子五味车桑椹。
更有补骨加黄柏，重用鳖甲可思春。

2. 无精——生精丹

无精，指显微镜下未发现精子，多为先天所致。这类人疲乏无力，腰膝酸软，精神萎靡，做事不持久。服用生精丹可缓解疲劳。

生精丹（《刘氏秘笈》）：红参、党参、山药、枸杞子、熟地黄、牛膝、楮实子、菟丝子、沙苑子、何首乌、淫羊藿、金樱子、巴戟天、仙茅、鹿角霜、路路通、王不留行。

加减：腰痛加桑寄生、川续断、杜仲，阳痿加阳起石、蜈蚣。

【生精丹方歌】

生精人参地金樱，山药枸杞膝陆通。
党参首乌仙灵脾，巴戟仙茅不留行。
鹿霜楮丝沙苑子，加减川杜寄蜈蚣。

3. 不射精——通精丹

房事时射不出精来，俗称不射精。这类人并不是先天无精，实因相火亢盛，精关闭阻。故而，平熄相火，打通精关，精液便会随欲而至。

通精丹（《刘氏秘笈》）：柴胡、赤芍、路路通、王不留行、石菖蒲、车前子、泽泻、生地黄、木通、龙胆草、栀子、甲珠、急性子，大枣为引。

加减：茯苓、甘草、瞿麦、萹蓄、蒲公英、败酱草、知母、黄柏。

【通精丹方歌】

精关闭阻不射精，相火亢盛络不通。
柴胡赤芍石菖蒲，车前泽泻生地龙。
栀子甲珠急性子，再加二通不留行。

4. 少精——养精丹

少精之病，主要是指精液稀薄、清冷。一为寒凉，一为房事多而损伤精气所致，故以养精为主。

养精丹（《刘氏秘笈》）：楮实子、枸杞子、覆盆子、女贞子、牛膝、桃仁、胡桃、山茱萸、生山药、云苓、何首乌、太子参、熟地黄、焦白术、玉竹、粉甘草。

加减：腰痛加桑寄生，阳痿加蜈蚣、淫羊藿，睾丸痛加山楂、橘核、荔枝核、琥珀。

【养精丹方歌】

养精四子与二桃，牛膝云苓生山药。
茱萸首乌大熟地，焦术玉竹粉甘草。

5. 生精活精睾丸外敷散

生精活精睾丸外敷散（《刘氏秘笈》）：鸡冠花、楮实子、鸡血藤、蛇床子、补骨脂。等量为末，透骨草水调，睡前敷睾丸处，忌酒、辣、腥、茶、黏。

【生精活精睾丸外敷散方歌】

睾丸外敷楮蛇子，鸡血藤加破故纸。
重用鸡冠花活性，热敷通透活精子。

6. 精少不育——腽肭脐丸

腽肭脐丸（《普济百集方》）：腽肭脐一对，沉香 200g，神曲（炒）200g，羊髓 500g，硇砂 100g，巴戟天 100g，肉豆蔻 100g，木香 100g，钟乳石 100g，红参 100g，补骨脂 100g，枳壳 100g，肉苁蓉 200g，肉桂 100g，附子 100g，山茱萸 75g，阳起石 100g，小茴香（炒）100g，槟榔 250g，天麻 100g，白蒺藜 100g，川芎 100g，鹿茸 50g，鹿胶 50g，鹿角霜 50g。

本方以腽肭脐为主药，其性热壮阳，味咸以入肾，且为血肉有情之品，有较强的暖肾壮阳、益精补髓之功，用治肾阳衰惫、腰膝痿弱、阳痿不举、精冷不育、尿频便溏、腹中冷痛等症。腽肭兽脐肥似病，有类麝鹿，其精华全在脐，独甲群药。佐以羊髓，补力尤大，又加沉香引药下行，以为起亟之本。硇砂号称透甲将军，大力攒透，又恐其中气未能斡运，特加神曲以和之。更有三鹿并用，精华尽撷，血随气行，气血俱充；佐肉苁蓉、地黄，则滋阴润育之力更大；佐阳起石、附子，则兴奋冲动之功更弘。

全方补肾填精，温阳散寒，治疗精少不育，其效莫大焉。

【腽肭脐丸方歌】

先祖留下肭脐丸，沉香神曲巴戟天。
槟榔茴香硇石配，白川二蔻钟乳研。
红参枳壳补骨脂，桂附山萸苁蓉淡。
补脾益肾生精血，三鹿天麻海狗全。

四、妇科

（一）产后关节炎——生化养血汤

产后肢体关节疼痛、麻木，其因主要是产后血虚、经脉失养、肾虚、胞脉失养，气血俱虚，营卫不调。

血虚、失血过多，四肢百骸空虚，筋脉关节失于濡养，以致肢体麻木、疼痛。

肾虚，产后伤动脏腑，胞脉失养，肾气虚，以致腰痛。

风寒，产后气血俱虚，营卫失调，腠理不密，风、寒、湿邪乘虚而入，留滞经络、关节，使气血运行受阻，瘀滞而痛。

对其治疗，古人各有方法。《金匮要略》以黄芪桂枝五物汤养血益气，温经通络，治疗产后血虚，遍身麻木，关节痛，为历代医家所推崇。

《千金要方》以独活寄生汤养血祛风，散寒除湿，治疗产后风寒湿邪乘虚而入引起的遍身关节痛，为历代医家所瞩目。

《叶氏女科证治》以养荣壮肾汤补肾、强腰、壮筋骨，治疗产后肾气亏损所致腰脊酸痛、腿脚乏力，为历代医家所青睐。

《医林改错》以身痛逐瘀汤逐瘀止痛、疏风通络，治疗因瘀血而致周身关节瘀痛之患，为后世医家所推崇。

《刘氏家藏方》以生化养荣通痹汤养血祛瘀、温经止痛，寓补血于行血之中，生新于化瘀之内，祛风于养血之间，疏络于益肾之妙，集历代医家之长，呈刘氏家传之奥，可留于后世之人。

【方药】

当归、川芎、桃仁、红花、炮姜、黄芪、赤芍、秦艽、牡蛎、桑寄生、荆芥、羌活、独活、桂枝、炙甘草、白芍。

【生化养血汤方歌】

产后关节痛，归芍艽蛎芎。
桃红姜芪芥，二活桂寄生。
生化养血脉，加减此方宗。

【病例】

朱某某，女，38岁。临产时值计划生育紧张时期，家门外有工作人员看守，只好躲藏在草垛里。谁料夜间小儿降生，时值数九寒天，寒风乘虚侵袭腠理，自此不能外出，整天穿棉衣、戴棉帽。倘不慎偶遇风寒，自觉冷风自头顶或项下骤然而至，周身似进冰窖，瞬间瘫软在床，寸步不能行走。曾服治风湿药百剂不愈，后经人介绍来我处求诊。诊见其脉沉迟，往来不畅，知其血痹身麻，投生化养血通痹汤，养血祛瘀，活血通痹，温经散寒，六剂而愈。为防止复发，口服汤剂加药渣外浴，很快收效。

（二）性交痛——刘氏家传二方

性交痛之因大抵有二：一曰寒瘀阻络，一曰子宫内膜异位。风寒阻滞络道者，多因正气不足，寒邪乘虚而入，以致瘀血内停，导致性交痛；子宫内膜异位，主要是子宫内膜组织出现在子宫腔以外，从而出现小腹痛、肢体酸痛。前者刘氏常用祖传四逆逐瘀散加减，后者则喜用消异止痛汤。

四逆逐瘀散（《刘氏家藏方》）：柴胡、白芍、枳实、甘草、小茴香、延胡索、蒲黄、五灵脂、牛膝、地龙、羌活、秦艽、香附、当归、川芎、黄芪、苍术、桃仁、没药、红花、薏苡仁、桂枝。

【四逆逐瘀散方歌】

四逆茴胡膝地龙，羌艽香附草归芎。
黄芪苍术蒲灵脂，薏苡桂枝桃没红。
风寒乘虚风阻络，性交疼痛化瘀灵。

【病例】

徐某，因性交时天气与环境恶劣，突发性交痛。每次性交后阴道、尿道、肛门、小腹出现剧烈酸痛，严重时阴道有黑血渗出，10日后逐渐缓解。倘再行房事，再痛10日，如此循环往复，痛苦难忍。曾于沈阳、北京等地多方医治无效。余以为，此为房事不洁，瘀血内停，复感风寒之邪，入于腠理，用祖传四逆茴香散合王清任之身痛逐瘀汤，拟名四逆逐瘀汤，10剂而愈。

消异止痛汤（自拟方）：桃仁、红花、当归、川芎、三棱、莪术、水蛭、䗪虫、红藤、鸡血藤、延胡索、党参、熟地黄、黄芪、木香、枳实、半夏。

上方每日一剂，药渣趁热外敷患处。

【消异止痛汤方歌】

内膜异位用桃红，党参熟地与归芎。
黄芪元胡实半夏，三棱莪术鸡红藤。
水蛭木香䗪虫伍，性交疼痛无影踪。

【病例】

王某某，女，28岁。自13岁初潮后，十几年来始终痛经不断。26岁时结婚，婚后性交疼痛，疼痛之状，无以言表，因而婚后不孕。后诊为子宫内膜异位症。2011年求余诊治，投通络消异止痛汤，8剂而愈。后喜得贵子，阖家欢乐，携厚礼来普济堂致谢，流下了感激的热泪。

（三）崩漏——琥珀散

琥珀散（《普济百集方》）：琥珀、三棱、莪术、牡丹皮、肉桂、乌药、延胡索、刘寄奴、当归、白芍、生地黄。

《景岳全书》云："崩漏不止，经乱之甚者也。"暴下量多为崩，淋漓不断为漏。临床多见二者交替出现，故概称崩漏。

崩漏虚多实少，多属虚实夹杂。《妇科玉尺》云："崩漏究其源，则有六端：一由火热，二由虚寒，三由劳伤，四由气陷，五由血瘀，六由虚弱。"临床崩漏夹瘀血者为多，以琥珀散透之，每每获效。

时立新云："先贤治崩漏三法：塞流，澄源，复旧。今见经血淋漓，反先以活血化瘀制剂疏导之，此为一般医家所惧，恐致经血大下不止。殊不知久患崩漏者，虽诸虚多见，然每有瘀血残留胞宫中，尤其早用固涩之剂更易致瘀。瘀血不去，新血难安。倘用固涩之品阻塞其流，反致瘀更甚而漏不止。用益气摄血之剂更难免'虚虚实实'之弊。必伏其所主，而先其所因，以琥珀散活血祛瘀以达到止血目的，加茜草、海螵蛸以加强行血止血之效，澄其源，则流自洁，此即活血止血法。'逐瘀如扫，止血如神'，故止血而无凝血之弊也。"

【琥珀散方歌】

琥珀散用刘寄奴，三棱莪术及元胡。
丹皮官桂大生地，当归芍药天台乌。
再加海蛸与茜草，化瘀澄源崩漏除。

（四）痛经

1. 中将汤

中将汤（日本名方）：肉桂 75g，沙参 100g，延胡索 75g，甘草 25g，牛膝 75g，山楂核 75g，肉豆蔻 75g，当归 125g，丁香 50g，苦参 150g，郁金 75g，川续断 100g。

【中将汤方歌】

日本名方中将汤，痛经带信效果良。

官桂楂核沙参蔻，元胡当归草丁香。

牛膝苦参郁金断，粗渣三剂水泡尝。

2. 痛经外敷散

痛经外敷散（《新中医》）：当归、吴茱萸、乳香、没药、肉桂、细辛各 50g，樟脑 3g，研末。

1. 先将当归、吴茱萸、肉桂、细辛水煎两次，煎液浓缩成稠状，混入溶于适量 85% 乙醇的乳香、没药液，烘干后，研细末，加入适量樟脑备用。

2. 经前三天取药粉一包（3g），用黄酒数滴，拌成糊状，外敷脐中，固定，三天后取下。

【痛经外敷散方歌】

外敷当归乳没药，吴萸肉桂辛樟脑。

如法炮制黄酒拌，经前三天脐中效。

（五）阴痒——姜艾汤

女性阴痒，是妇科常见多发病之一。有些患者长期治疗效果不明显，且反复发作，十分痛苦。1988 年，我在下乡工作时，听一位九旬老奶奶介绍用姜艾汤治妇人阴痒有奇效，经临床实践，治愈了多例患者。

姜艾汤：生姜 120g，洗净连皮打碎，艾叶 90g（鲜者 200g ～ 250g）。

方法：上药加水 1500mL，入锅煎沸后煮 20 分钟，去渣，将药液倒入盆内，患者坐在盆上，令蒸气先蒸阴部，待水温适宜，洗 10 ～ 15 分钟，每天 1 ～ 2 次，连续 3 天可愈。

治疗期间和愈后半个月内，忌食辛辣、油炸等食物，严禁饮酒与房事。

【姜艾汤方歌】

妇人阴痒有奇方，六两生姜水煎汤。

再加艾叶二三两，煮沸蒸浴洗阴腔。

忌食辛辣腥炸物，严禁饮酒与合房。

（六）不孕

女人不孕，原因很多，有属先天性的，有属后天病理性的。对此，古人早有论述。后天虚寒不孕，用艾附暖宫丸、毓麟珠、温胞饮；痰湿不孕，用启宫丸；郁热不孕，用开郁种玉汤或清骨滋肾汤，疗效可靠。

几十年来，笔者主要研究原发性不排卵和输卵管不通症。

输卵管不通——通管金丹

输卵管不通，有因先天不通，有因怀孕刮宫后不通。《男女科临症指南丛书》所载通管金丹，临床试用207例，有205例获得成功。今将原方录于下，供参考。

通管金丹（自拟方）：水蛭10g，当归15g，杜仲15g，佛手15g，五灵脂10g，三棱10g，乌药15g，丹参30g，川芎10g，甘草10g，小茴香10g，桃仁15g，莪术10g，王不留行15g。

【通管金丹方歌】

通管金丹用水蛭，当归杜仲五灵脂。
三棱莪术共佛手，乌参芎草不留子。
小茴桃仁明加减，卵道畅通最好使。

第二章 外科 杂症

一、筋骨

（一）强直性脊柱炎——益肾通督汤

益肾通督汤：龟板胶 10g，鹿角胶 10g，熟地黄 20g，山茱萸 10g，女贞子 10g，生白芍 10g，汉三七 20g，枸杞子 15g，生地黄 20g，生甘草 10g，青风藤 15g，砂仁 10g。水煎服。

功效：补肾填精，通调督脉，强筋健骨。

加减：中气不足加西洋参、生黄芪，气分有热加知母、生石膏，湿浊加薏苡仁，血分有热加犀角、玄参，调节免疫功能加桂枝汤，清热解毒加解毒汤（半枝莲 15g，金银花 15g，虎杖 15g，牡丹皮 10g，生地黄 30g，白芍 15g，土茯苓 10g，牛膝 10g，女贞子 10g，甘草 10g）。

强直性脊柱炎，古称骨痹，总由先天禀赋不足，而致脏腑功能失调，使邪气滞留于骨间是也。明代张介宾在《类经》中说“骨痹”者，病在阴分也，真阴不足则邪气得留于其间，至虚之处乃是留邪之所。陈士铎在《石室秘录》中说：“脊背骨痛者，以肾阴亏竭，不能上润于脑，河车之路干涩而难行，故而作痛……肾精不足，气血必虚，不能荣养筋骨肌肉，百骸作痛。”脊柱为病，首当责之督脉。督脉为奇经八脉之一，行于背正中，总督一身阳气，故其治疗原则应以补肾通督为大法，以扶正祛邪为基本原则。益肾通督汤为治疗强直性脊柱炎的有效方剂。

【益肾通督汤方歌】

益肾通督龟鹿胶，二地山萸生白芍。
女贞三七枸杞子，青藤砂仁生甘草。
补肾填精强筋骨，脊柱痛疾一笔销。

（二）颈痛综合征——颈痛灵

颈痛灵（自拟方）：红参、麝香、鹿茸、天麻、乳香、没药、熟地黄、何首乌、当归、黄芪、金毛狗脊、枳壳、天仙子、知母、百合、地麻、血竭、地龙、海马、牛膝、制川乌、制草乌、乌梅、水蛭、木香。

主治：腰腿痛，肩周炎，关节炎，坐骨神经痛，头痛，四肢麻木，胃痛，气管炎。

功效：祛风，通络，散瘀，止痛。

【颈痛灵方歌】

参茸麝乳没，地归芪百知。
川草梅乌首，龙马牛狗蛭。
天地麻仙枳，竭木痛止时。

（三）骨质疏松——骨康膏

骨康膏（《普济百集方》）：公鸡 1 只，乳香、没药各 15g，血竭 4g，骨碎补、五加皮各 12g。

上药共研细末混匀，将公鸡扼死，勿见铁器，去羽毛、内脏，剥取整个鸡皮备用。另用石臼将鸡肉、鸡血捣烂为泥，掺入药末砸匀，直接敷于骨折或骨质破坏处，外敷鸡皮，加绷带包扎，小夹板固定，24 小时后取出，隔 5 ～ 7 天敷 1 次。

此方消肿止痛，续筋接骨。主治骨质疏松、骨质破坏，并发病理性骨折。

【骨康膏方歌】

仙传骨病骨康膏，公鸡一只去脏毛。
乳没血竭五碎补，药鸡溶泥石臼捣。
骨质疏松骨破坏，摊于患处鸡皮包。

【病例】

杜某某，曾于前往凌源的路上遭遇车祸，骨折康复后，发现双侧髌骨骨质疏松，遂用乌鸡10只，以上法砸药泥外敷双腿，两月而愈。

（四）肋软骨炎——仙方活命饮

仙方活命饮出自《校注妇人良方》，具有清热解毒、消肿溃坚、活血止痛之功效。河南省洛阳正骨医院张虹教授以其加减方治疗肋软骨炎，颇见成效。

仙方活命饮：金银花20g，防风12g，白芷6g，当归尾15g，陈皮10g，甲珠10g，浙贝母9g，天花粉15g，乳香10g，没药10g，赤芍12g，皂角刺6g，甘草6g。水酒各半，煎服。

加减：气滞胀痛加香附12g，郁金12g；血瘀刺痛加三棱12g，土鳖虫10g；湿盛困痛加苍术10g，秦艽10g，萆薢12g；雨天怕冷加桂枝10g、细辛4g、羌活12g。

本方活血化瘀而不伤正，散结消肿、通络行滞而不伤阴，行散力宏。方中的金银花性味甘寒，最善清热解毒疗疮，重用为君。乳香、没药气香走窜而善行，故能行血散瘀，利气通络；当归尾、赤芍活血散瘀，消肿止痛；陈皮行气通络，以上诸药为臣药。白芷、防风透达营卫，散结消肿；贝母、天花粉清热化痰；穿山甲气腥而窜，宣通脏腑，贯通经络，透达关窍；皂角刺通行经络，直达病所，为佐药。甘草清热解毒，调和诸药；煎药加酒，借其行瘀而通行周身，共为使药。全方清热解毒，消肿溃坚，活血止痛。结合药渣醋炒热敷，使药力从皮到肉，从筋到骨，层层渗透，使腠理疏通、脉络调和、气血流畅，用于治疗肋软骨炎，疗效显著。

【仙方活命饮方歌】

仙方活命金银花，皂刺花粉穿山甲。
乳没归芍陈贝草，白芷防风效堪夸。
气滞香附并郁金，血瘀三棱土虫加。
湿盛苍术秦艽薢，阴雨痛增桂辛插。
不医疮疡治软骨，扩展使用觅新涯。

（五）膝关节滑囊肿——滑囊丸

关节骨膜受到创伤、炎症感染等刺激，产生大量含有血细胞、纤维蛋白等的滑液，使关节肿胀、积液、活动受限，这种情况称为关节滑囊炎。临床表现为关节活动受限，常伴有疼痛、肌肉痉挛及跛行。因病因不同，临床上分为创伤性滑囊炎、结节性滑囊炎、髋关节暂时性滑囊炎。对其治疗，刘氏以滑囊丸治疗，得心应手。

滑囊丸（寒湿型）：萆薢 100g，薏苡仁 100g，防己 40g，木瓜 60g，牛膝 30g，制川乌 30g，制草乌 30g，独活 60g，地枫皮 60g，千年健 40g，香附 60g，当归 50g，丹参 100g，青风藤 60g，络石藤 50g。

【滑囊丸方歌】

滑囊丸里伍地风，萆薢薏仁防己同。
二乌独与牛膝健，木瓜香附归参藤。
更加络石通经络，偏于寒湿法最灵。

【病例】

沈某某，女，46 岁。早年在农村长大，因家庭贫困，劳作艰辛，致腰腿疼痛。渐而膝关节肿大，不能走路。经中国医科大学附属医院诊断为右膝关节滑膜增厚、积液。口服滑囊丸，外敷硬吊散，外熥愈风散。十五日而愈。

（六）椎管狭窄——通督丸

通督丸：鹿衔草 150g，金毛狗脊 100g，当归 100g，泽兰 100g，苏木 100g，地龙 100g，杜仲炭 100g，鹿茸 15g，赤芍 100g，黄芪 150g，丹参 100g，麝香 10g，虎骨 30g。

上药为极细末，炼蜜为丸，每丸三钱重，日服两次，每次一丸。

【通督丸方歌】

通督活血二鹿芪，归苏丹芍金狗脊。
泽兰地龙杜虎麝，椎管狭窄最相宜。

（七）膝骨病变——三合法

《张氏医通》云：“膝为筋之府……膝痛无有不因肝肾虚者，虚则风寒湿气袭之。”古今医家皆认为肝肾亏虚是膝关节骨性病变的根本，风寒湿邪是致痹外因，瘀血是病变过程中的病理产物，邪、瘀日久致虚，相互为患，亦成其致病因素。大量临床证实，膝骨关节病变虽不出痹症范畴，但患者年老，病久且多发于身体负重后劳作多积，皆以肝肾两亏、气血双虚、筋骨不坚为本病的主要病机。对此，刘氏以“普济膝骨通络丹”为主，兼引陕西中医药大学骨病研究经验，其效显也。

1. 口服“膝骨定痛丹”

膝骨定痛丹：虎骨 10g，鹿角胶 15g（烊化），熟地黄 15g，淫羊藿 15g，川牛膝 10g，肉苁蓉 10g，生黄芪 30g，白芍 30g，鸡血藤 15g，汉三七 10g，没药 10g。

有湿者加苍术 8g；有热者加黄柏 8g；膝关节肿胀者加茯苓 15g、薏苡仁 30g；有风邪者加防风 10g，独活 20g；有寒邪者加附子 10g，宜先煎 20 分钟。

功效：补益肝肾，补养气血，通络止痛。

【膝骨定痛丹方歌】

膝骨定痛鹿角胶，熟地羊藿共白芍。
牛膝苁蓉黄芪伍，鸡血三七与没药。
湿加苍术热加柏，关节肿胀苡苓妙。
风邪防风加独活，寒邪附子不可少。
益髓添精健筋骨，天地至阴虎骨胶。

2. 膝骨洗剂

膝骨洗剂：桃枝 15g，李枝 15g，茄枝 15g，桑枝 15g，桂枝 15g，伸筋草 30g，透骨草 30g，艾叶 15g，花椒 15g，红花 15g，川乌 10g，草乌 10g，刘寄奴 15g，木瓜 15g，牛膝 15g。煎取药汁，用药渣熏洗，每日 40 分钟，下身密闭包裹，令其汗出。

【膝骨洗剂方歌】

二草伸筋与透骨，五枝二花共二乌。
艾叶木瓜牛膝并，活络再加刘寄奴。
膝骨之疾重熏洗，三法合一膝病除。

3. 膝骨热敷散

膝骨热敷散：刘寄奴 12g，独活 12g，防风 12g，秦艽 12g，红花 9g，艾叶 9g，桑枝 30g，麦芽 15g，花椒 9g，川芎 9g，草乌 9g，生姜 20g，栀子 9g，五加皮 15g，透骨草 12g，大葱 3 根切断。上药粉碎成粗末，用醋搅拌均匀，用纱布包裹，热蒸 20 分钟后敷患膝。

刘氏将药粉研为细末，用离子导入法，将药导入患膝。

功效：温经，活络，止痛。

【膝骨热敷散方歌】

温经活络刘寄奴，大活防风艽红乌。
艾叶桑枝椒芎麦，姜栀五加与透骨。
再加大葱三根段，热敷导入骨病无。

（八）骨刺——骨质增生丸

骨质增生丸（自拟方）：木瓜 15g，白芍 30g，当归 15g，威灵仙 15g，甘草 6g，五加皮 6g，羌活 10g，川续断 20g，牛膝 30g，枸杞子 15g，鹿角胶 15g，红参 10g，延胡索 10g，血竭 10g，白芷 10g，三七 10g，鸡血藤 15g，鹿衔草 30g，金毛狗脊 15g，麝香 10g。

【骨质增生丸方歌】

增生丸用金狗脊，重用白芍与牛膝。
木瓜当归灵仙草，羌活川断五加皮。
鹿胶红参元胡芷，血竭三七麝枸杞。
鸡血藤与鹿衔草，强筋壮骨益肾虚。

（九）股骨头无菌坏死——续骨丸

股骨头无菌坏死之因，主要是气血不足，血运不能通达骨端，股骨头失其营养而致萎枯。续骨药内外兼用，内服续骨丸，外敷续骨散，悉有实效。

续骨丸（《刘氏家藏方》）：当归尾 30g，川芎 15g，三七 15g，苏木 30g，酒大黄 15g，酒川断 45g，骨碎补 45g，煅自然铜 75g，泽泻 45g，茯苓 45g，枳壳 30g，桔梗 30g，酒防风 30g，白术 45g，血竭 15g，木香 30g，五加皮 30g，杜仲 45g，白芷 30g，扁豆 30g，桃仁 30g，红花 30g。

【续骨丸方歌】

续骨三七归川芎，川断骨碎自然铜。
酒黄苏木苓泽泻，桔梗枳壳断防风。

白术血竭木香入，五加杜仲扁桃红。

（十）骨痹——地仙丹

1973年春，在去沟门子的路上，见一老者步履艰难，将其扶至家中，得知其为河北青龙县人，因琐事烦心离家出走，至锦州投亲，不巧中途被小偷偷去路费，一急又患了重感冒，一路跌跌撞撞，像无头苍蝇，无意中来到凌源佛爷洞。幸遇我将其领至家中，治病服侍20余天，临别无可相报，他从兜里掏出一张纸来，说："这是我家世代相传的地仙丹，久服可强身健体，益寿延年。送给你，一是报答救命之恩，二是你家是祖传中医，可以发扬光大。"说罢他蹒跚而去。

【方药】制川乌、制草乌、荆芥、苍术、煅自然铜、白芷、地龙、没药、乳香、木鳖子、半两钱、生地黄、五灵脂、木香、生木瓜、沉香、败龟板、南瓜种、黄瓜种、梢瓜种、甜瓜种、生菜籽。

此药强筋壮骨，补肾强身，可治骨伤骨折、骨质增生、骨质疏松等。

2001年，在《瑞竹堂经验方》一书中，我查到了此方的记载。几十年来用此方治疗骨质增生、骨质疏松、椎管狭窄等骨伤骨病，深得患者信服。

【地仙丹方歌】

地仙二乌自然铜，荆芥苍术芷地龙。
乳没木鳖半两地，灵脂二香木瓜同。
沉香再加败龟板，南黄梢甜四瓜种。
妙在引用生菜籽，专治骨病骨疏松。

（十一）转筋——补血养肝汤

转筋，即小腿肚筋脉牵掣拘挛，痛如扭转。常于夜间睡眠时发生，以一侧或两侧小腿肚突然抽搐、剧痛为特点。轻者数分钟，重者半小时方能缓解。

中医认为，拘挛多由肝血不足，筋脉失养，或受风冷寒湿之邪侵袭而为病。《诸病源候论》说："转筋者，由荣卫气虚，风冷气搏于筋故也。"《素问玄机原病式》云："外冒于寒而腠理闭密，阳气郁怫，热内作，热燥于筋，则转筋也。"因而，治疗此疾当补肝养血、通络舒筋，兼温经散寒为法。

补血养肝汤（《普济百集方》）：薏苡仁30g，忍冬藤15g，当归15g，熟地黄20g，白芍20g，川芎10g，木瓜15g，怀牛膝10g，桑寄生15g，川续断10g，独活 10g，桂枝 10g，炙甘草 15g。每日一剂，水煎服。

体虚者，加党参、黄芪各 15g，大枣 12 枚，以益气补虚；小腿肚发麻抽搐甚者，加天麻 10g，全蝎 6g，炙蜈蚣 2 条，以熄风止痉；内热口干舌红者，加知母、麦冬各 10g，以养阴清热。

此病现代医学称之为“腓肠肌痉挛”，其病机一为肝血不足，筋脉失养。肝主筋，藏血以荣筋，夜卧血归于肝而藏，荣筋之血不足，则筋脉抽搐疼痛。二为下肢受寒凉，经气不利，使肢体肌肉挛急、剧痛、僵硬、屈伸不利也。

考补血养肝汤，实为《太平惠民和剂局方》之四物汤加味，方中当归、川芎、熟地黄、白芍补血养肝；怀牛膝补肝肾，强筋骨，疏通血脉，引药下行，直达病所；桑寄生、续断补肝益肾，养血补血；白芍、木瓜酸甘化阴入肝经，舒筋活络，长于治小腿转筋；独活、桂枝祛风胜湿，温经祛寒，治手足挛痛；甘草配白芍，功能缓急止痛，主治腿脚挛急，有镇静、镇痛、松弛平滑肌的功效。诸药合一，共奏补血养肝、舒筋活络、镇痉止痛之效，使阴血充、筋脉健，则转筋自愈。

【补血养肝汤方歌】

补血养肝主转筋，四物大枣共芪参。
木瓜牛膝寄生断，独活归枝甘草寻。
薏仁温经通筋脉，忍冬疏络功效神。
倘遇寒凝筋失养，路通血藤似甘霖。

（十二）足跟痛——鹿角立安丸

足跟痛属肝肾阴血不足。治宜峻补，用鹿角立安丸。

鹿角立安丸（自拟方）：鹿角胶、鹿角霜、熟地黄、红参、牛膝、茯苓、菟丝子、白术、杜仲、龟板、当归、虎骨、补骨脂、黄柏、小茴香。

【鹿角立安丸方歌】

足跟痛系血不足，肝肾阴血宜峻补。
二鹿熟龟参丝子，杜仲归茯与膝术。
小茴黄柏破故纸，立安最好加虎骨。

二、五官

（一）眼科

1. 视物颠倒——羚羊角散

凌源闫氏，自房顶跌下，将脖颈怼进项中，急去医院牵引，将颈拔出。出院后，渐觉视物颠倒，家前门在南，却硬要自后门而入；吃饭夹菜，常常夹空；打扑克时红桃3渐大压得人透不出气来……来就诊时病势已进一步加重，家人悲恸万分。

明代傅仁宇《审视瑶函》对此疾有详细论述：“颠倒光华病最奇，头风痰气火为之。阴阳反复光华损，屋宇如崩地若移。”此症谓目视物振动而颠倒也。即视物环舞而后定视，则物皆移动而倒置。盖气不正，阴阳反复，真元损伤，阴精衰弱，而阳邪上干，虚眩而运掉，神光坠矣，用羚羊角散治之。吾用此方治愈闫氏视物颠倒症，此后又遇7名患者，全部治愈。

羚羊角散（《审视瑶函》）：半夏（制七次）、当归身、川芎、白芷、防风、天麻、枳壳各12.5g，茯神50g，羚羊角丝50g。共为末，每服20g，姜3片为引。

【羚羊角散方歌】

视物颠倒光华陷，风痰虚火邪气偏。
茯神羚羊为君药，归身芎芷防风伴。
天麻枳壳制半夏，羚羊角散纠倒眩。

2. 视一为二——补肝散

“视一为二阴阳渺，肾肝不足精华少。”此症乃光华耗衰，偏隔败坏矣。病在胆肾，胆肾真一之精不足，而阳光失其主，故错乱而渺视为二。若目赤者，乃火壅于络，阴精不得升运，以滋神光，故反为阳邪错乱神光，而渺其视也。

补肝散（《审视瑶函》）：车前子50g，黄芩50g，川羌活50g，细辛50g，黑玄参50g，人参100g，白茯苓100g，防风150g，羚羊角150g。

【补肝散方歌】

胆肾真一之精少，视一为二阴阳渺。
车前芩羌白茯苓，玄参人参细辛找。
火壅于络神光乱，重用防风羚羊角。

【病例】

刘某，女，16岁。一日睡醒，突觉视线散乱，看什么都是重影。其父带其去北京同仁医院，未查出病因，经人介绍，求治于我，投补肝散四剂而愈。之后，又有三例患者就诊，治愈而归。

3. 多瞬症——刘氏定瞬汤

多瞬症，俗称老眨眼、眼皮振跳症。在当今电脑、电视时代，网瘾成灾，患眨眼之症的人越来越多。中医学对眨眼早有认识，称之为“目劄”，多为饮食失调，脾胃损伤；或用眼过度，暗耗阴血，日久脾虚肝旺，目窍干涩，开合失常所致也。

2009年，余于河北玉田遇一眼睑恶性振跳之人。

胥某，女，48岁，著名女企业家。自2006年开始，因工作劳思无度，患眼皮振跳症。其上下眼睑均振跳频频，且伴心悸失眠频频发作，非一般眨眼可比。

经查阅资料，眼轮振跳瞤动，属西医之眼轮匝肌抽搐，或称眼睑痉挛。此眼轮振跳之患，实为过劳伤神，损伤心脾，心脾血虚，筋肉失养；肝脾血虚，血虚生风所致。《审视瑶函》称胞轮振跳“乃气分之病，属肝脾二经络之患……血虚而气血不和，非纯风也”。遂用当归活血汤加减治疗。

制苍术15g，当归15g，川芎15g，薄荷15g，黄芪15g，熟地黄15g，防风15g，羌活15g，甘草8g，白芍15g，僵蚕15g，天麻15g，钩藤15g，全蝎10g，蜈蚣3条。

连服5剂后，加服刘氏定瞬汤（《刘氏家藏方》）：党参20g，白术15g，空青30g，独角金30g，决明子15g，桑叶15g，夏枯草15g，万寿菊30g，甘草8g，莲子10g，青葙子20g，谷精草15g。外熏、内服并用。

刘氏定瞬汤之君药，应首选空青、万寿菊与独脚金。

空青，为碳酸盐类矿物蓝铜矿的矿石，呈球形或中空者为佳品，晶透、内有浆者为最稀有。《造化指南》云铜得紫阳之气而生绿，得青阳之气而为精熏，精熏而生空青也。其味甘、酸，性寒，有小毒。功能明目、去翳、利窍，主治青盲、雀目、翳膜内障、赤眼肿痛、中风口歪、手臂不仁、头风、耳聋等。《本草经疏》言:“(空青)甘寒能除积热，兼之以酸，则火自敛而降矣。热退则障自消，目自明。耳者肾之窍，水涸火炎，故耳聋，肾家热解，则火息水生，而声复聪矣。九窍不利，无非火壅，肝家有火，则血热气逆，故血脉不通。凉肝除热，则精气自益，阴足火清，则窍自利而血脉自通，精神自长矣。目赤痛、肤翳、泪出，皆肝气不足之候，益肝气则诸证自除矣。其曰利水道、下乳汁、通关节、破坚积者，皆以热除则气血和平，阴气自复，五脏清宁则诸证自解。”刘氏先祖使用空青多从益州采之，常用来医治瞳仁破裂。今人药市之空青，味咸而不酸，实为铜绿之劣品，实不能用也。

万寿菊，性凉，味微苦、辛。功能平肝清热、祛风、化痰，主治头痛目眩、风火眼痛。《广西药录》云:“万寿菊有补血、通经、去瘀生新之功，且能医眼目昏暗。”现代医学从药理角度分析，其花有香味，可用作抑菌、镇静、解痉剂；含挥发油，有镇静、降压、扩张支气管、解痉及抗炎作用。

独脚金，味甘、淡，性平。含氨基酸、有机酸、酚类等成分。功能清肝、健脾、消食、杀虫。古人以独脚金干全草一两，煮猪肝吞服，治疗夜盲症，颇有效。

方中党参为清补之品，能益气生津，补益肺脾；莲子、白术能健脾；白花蛇舌草、独脚金能清热解毒，消积导滞；决明子、夏枯草、桑叶、万寿菊能平肝明目，后两味药兼能疏肝经风热；空青为历代中医药学家极力推崇的治眼圣药，并被列为上品，除含有眼部组织所需要的多种营养元素外，还含有铜、锌等微量金属元素，并可引经通络；甘草可调和诸药。

使用方法：将诸药置于一底大口小的透明容器中，加水约350mL，加热。患者取坐位，微低头，睁眼，让头部靠近药液容器口。为使药气不致过于外散，应以布巾蒙头。熏浴时间为15～20分钟。如果不方便，也可取药物上清液温洗双眼5～8分钟，另取药液50mL内服。病情较轻者，每日1次,10天为1疗程。病情较重者，每日2次为宜，20天为1疗程。

刘氏定瞬汤，丸、汤加洗熏，三者合而用之，使药力直达病所，标本兼治，收效甚佳，可谓奇方奇用矣。临床观察发现，该法对视疲劳及屈光不正等尚有防止其发展之作用。

某副市长之子，因昼夜贪恋网聊，患眼轮振跳瞤动，去北京、上海几经治疗无果，余以当归活血汤，配服刘氏定瞬丸，同时熏洗之，三月而愈。其家以重金酬谢，余婉言谢绝。

【刘氏定瞬汤方歌】

定瞬汤用白洋参，莲子白术独脚金。
青葙空青决明子，万寿桑叶三草寻。
内服外熏益肝脾，胞轮振动早逢春。

（二）耳鸣

1. 耳鸣——清肝散

耳鸣分虚实两种。实证为肝胆火气上逆，所谓“一阳独啸，少阳厥也”，用清肝散。虚证由肾阴虚、虚火上炎所致，所谓“髓海不足则脑转耳鸣”，用补肾丸治之。

清肝散（《普济百集方》）：柴胡、生地黄、赤芍、牛蒡子、当归、连翘、川芎、黄芩、栀子、天花粉、防风、甘草、路路通、石菖蒲。

补肾丸：熟地黄、菟丝子、当归、肉苁蓉、山茱萸、黄柏、知母、补骨脂、黑芝麻、胡桃肉。

【清肝散方歌】

耳鸣虚实分两端，一阳独啸胆火炎。
四物柴芩栀连翘，牛路花石风甘添。
所谓神经耳鸣症，连续用药快清肝。
肾虚虚火易上窜，髓海不足补肾丸。
更有胡桃黑芝麻，同捣常服耳鸣痊。

2. 重听——河车大造丸

重听，指听不真切。多因下元衰弱，精气不足所致，以老年人为多，宜常服河车大造丸。

河车大造丸（《扶寿精方》）：紫河车1具，熟地黄60g，杜仲20g，天冬15g，麦冬20g，龟板15g，黄柏20g，牛膝20g，生地黄45g。

河车大造丸（《诸症辨疑》）：紫河车 1 具，牛膝、肉苁蓉、天冬、黄柏、五味子、锁阳、当归各 20g，熟地黄 60g，生地黄 45g，枸杞子 45g，杜仲 30g。

【方解】气血精气不足为其主证，阴阳两虚为其兼证。方中紫河车补气、养血、益精，为君药。二地、当归滋阴养血，为臣药。天冬、枸杞子清肺滋阴；杜仲、锁阳、牛膝、肉苁蓉温补肾阳，强壮筋骨；五味子滋肾涩精，敛肺止咳；黄柏清泻相火，为佐药。众药相合，益气养血，气血双补，寒热并用，为大补真元之良剂也。

【河车大造丸方歌】

河车大造膝苁蓉，二地天冬杜柏从。
五味锁阳归杞子，真元虚弱此方宗。
虚损劳伤精血少，重听之疾慢求功。

3. 猝聋——桂香散

耳聋多由耳鸣而来，除气闭暴聋无耳鸣外，其他都是先鸣而后渐失听觉，故可分为风聋、湿聋、虚聋、劳聋、厥聋、猝聋等。

猝聋，有与肺气密切相关者，由外感风邪引起，必须调气开郁，用桂香散加减，不可误作肾和肝胆疾患。

桂香散（《普济百集方》）：炙麻黄、桂枝、川芎、白芷、当归、细辛、石菖蒲、木香、天南星、木通、甘草、白蒺藜。

【桂香散方歌】

桂香散用麻桂芎，白芷当归细南星。
木香甘草石菖蒲，更有蒺藜与木通。
外感风邪猝聋症，调气开郁一剂灵。

【病例】

龙城区联合镇农民孙某某，突然暴聋，按肝胆湿热证医治无效，遂按风聋投桂香散一剂而愈。

葫芦岛市顾某某，女，48 岁，2008 年突发猝聋，曾去沈阳诸多大医院就诊，治疗无效。2012 年 11 月来我处求治，诊断为外感引起暴聋，遂投桂香散，4 个月而愈。

（三）舌

舌岩——北庭丹

舌岩，亦称舌菌，系舌上肿突如鸡冠，舌本短缩，触之痛不可忍，津涎臭秽逼人。多由心脾郁火所致。因舌难转动，饮食不足，致胃中空虚，日渐衰败。初起用导赤散加黄连，热盛用清凉甘露饮。外用北庭丹点之。

北庭丹：硇砂、人中白、瓦松、瓦上青苔、青鸡矢、麝香、冰片。

【北庭丹方歌】

北庭丹医舌上岩，硇砂瓦松麝冰片。
人中白与青鸡矢，瓦上青苔同妙研。
津液臭秽痛难忍，心脾郁火点之痊。

（四）喉

1. 咽痛——普济甘露饮

咽喉是司饮食、行呼吸、发声音的器官，上连口腔，下通肺胃，又是经脉循行之要冲。喉在前，连于气道，通于肺脏，为肺之系。咽在后，接于食道，直贯胃腑，为胃之系。《灵枢·忧恚无言》说："咽喉者，水谷之道也。喉咙者，气之所以上下者也。会厌者，声音之户也；……悬雍垂者，声音之关也。颃颡者，分气之所泄也。"

咽喉是经脉循行交会之处，又是呼吸饮食之门户，与五脏六腑关系密切，因此咽喉与脏腑在生理功能和病理变化上相互影响。故而，咽痛之疾实与肺、胃、脾、肾、肝有着十分密切的联系。

对其治疗，古人以疏风清热汤治疗风热乳蛾、风热喉痹；以清咽利膈汤治疗邪热传里；以养阴清肺汤治疗虚火乳蛾、虚火喉痹；以知柏地黄汤治疗肾阴虚损等。刘氏则以普济甘露饮治疗咽痛，普济甘露饮堪称咽病之圣药也。

【方药】

天冬、麦冬、生地黄、熟地黄、白芍、赤芍、玄参、黄芩、石斛、枇杷叶、甘草、玉蝴蝶、犀角。

【方解】

本方以麦冬养阴润肺、益胃生津，以天冬滋阴润燥、清肺降火。《本草蒙筌》："天、麦门冬并入手太阴经，而能祛烦解渴……麦门冬兼行手少阴心，每每清心降火，使肺不犯于贼邪，故止咳立效；天门冬复走足少阴肾，屡屡滋肾助元，令肺得全其母气，故消痰殊功。"两药相合，治疗肺肾阴虚所致的虚火乳蛾或虚火喉痹，相得益彰。以生地黄清热、凉血、生津、养阴；熟地黄补血滋阴，益精填髓，两药滋阴凉血而利咽。并以赤、白二芍为佐。《本草求真》："白则有敛阴益营之力，赤则有散邪行血之功；白则能于土中泻木，赤则能于血中活滞。"对阴血不足、虚火上炎之咽痛的治疗，二芍可佐二冬二地而医阴虚阳亢之咽痛，其效速也。

方中黄芩泻火解毒，玄参滋阴解毒而利咽。《药品化义》："如纵欲耗精，真阴亏损，致虚火上炎……头痛……咽痛……喉风……皆无根浮游之火为患，此有清上彻下之功""亦能外行于经隧，而消散热结之痈肿。"更有玉蝴蝶清肺利咽，犀角清营血而解毒，咽痛之疾去矣。

【普济甘露饮方歌】

普济甘露饮，咽痛效如神。
二地凉血补血，二冬润肺滋阴。
二芍泻木活滞，二元浮游归根。
玉蝶清咽利膈，犀角合营散瘟。
枇杷柔金降逆，全方固本清喑。

2. 慢喉喑——会厌逐瘀汤

慢喉喑，是指声音嘶哑、声音不扬，与慢性咽炎相似的一种疾病。

本病多与肺、脾、肾虚损有关。声音出于肺而根于肾，肺主气，脾为气之源，肾为气之根，肾精充沛，肺脾气旺，则声音清亮，反之则有声喑之症。

肺肾阴虚，素体虚弱，肺气不能清肃，肾阴无以上承，虚火上炎，蒸灼于喉，声门失健而成喑。肺脾气虚，过度发声，耗伤肺气，气虚则无以鼓动声门，以致少气而喑。气滞血瘀痰凝，余邪未清，结聚于喉，过度发声，耗气伤阴，喉咙脉络受损，气滞血瘀痰凝，致声带肿胀不消，或形成小结、息肉，妨碍发声而为喑。

此病局部检查可见声带暗红、肥厚，有小结或息肉，声门闭合不良。

对其治疗，刘氏坚持以王清任的会厌逐瘀汤为主方。用桃仁、红花、当归、赤芍、生地黄活血祛瘀；柴胡、枳壳行气理气；佐以桔梗、甘草、玄参宣肺化痰、清利咽喉而开音；痰多加海浮石、瓜蒌、贝母，或以百合固金丸滋阴润燥；以蝉蜕、木蝴蝶开音利咽；以石菖蒲通窍；以诃子收敛肺气。

会厌逐瘀汤（清代王清任《医林改错》）：桃仁、红花、当归、赤芍、生地黄、柴胡、枳壳、桔梗、甘草、玄参、海浮石、百合、贝母、蝉蜕、木蝴蝶、石菖蒲、诃子。

【会厌逐瘀汤方歌】

会厌逐瘀补肺金，活血祛痰治喉喑。
桃仁归芍地柴红，枳桔海浮贝玄参。
蝉衣木蝶开音域，菖蒲通窍百滋阴。
收敛肺气诃子入，清咽利膈效如神。

【病例】

吉某某，男，河北玉田人。经常开会，过度发言，耗伤肺气，致使气虚无以鼓动声门，而致喑。用会厌逐瘀汤加减（桃仁、红花、当归、赤芍、生地黄、柴胡、枳壳、桔梗、甘草、玄参、海浮石、百合、贝母、蝉衣、木蝴蝶、石菖蒲、诃子、枇杷叶），六剂而愈。

（五）发

1. 斑秃——一味茯苓饮

徐某，男性，21 岁，1974 年 7 月 6 日初诊。

患者系斑秃症，头顶上如胡桃大小的圆圈，连接成片，渐成光秃。见者多说此症难愈，遂心情懊恼，忧郁伤神。切其脉濡，舌稍白，无其他痛苦。用一味茯苓饮：茯苓 500 ～ 1000g，为细末，每服 6g，白开水冲服，一日两次。嘱坚持服一个比较长的时期，以发根生出为度。约服两月余，来复诊，发已丛生，基本痊愈。

岳美中先生忆及患者父亲十余岁时，亦患发秃，脱去三五片，当时即曾投以一味茯苓饮，三月后发生。

张石顽说："茯苓得松之余气而成，甘淡而平，能守五脏真气。其性先升后降。"《内经》言："饮入于胃，游溢精气，上输于脾，脾气散精，上归于肺，通调水道，下输膀胱。"则知淡渗之性味，必先上升而后下降，膀胱气化，则小便利。

发秃的形成，多因水气上泛巅顶，侵蚀发根，使发根腐而枯落。茯苓能上行渗水湿，并导引下降，湿去则发生，虽不是直接生发，但亦合乎"伏其所主，先其所因"的治疗法则。

【一味茯苓饮方歌】

水气上泛发根枯，真气不从致斑秃。
一味茯苓知淡渗，下输膀胱发荣粗。
岳氏真传已几代，不治毛发发坚固。

2. 白发——乌发丸

发白多因肾阴肝血不足，治以滋肾阴、养肝血为法，方用乌发丸。

普济乌发丸（《刘氏家藏方》）：生何首乌 500g，黑芝麻 500g，旱莲草 100g，女贞子 100g，桑椹 100g，金樱子 100g，菟丝子 100g，生地黄 300g，牛膝 100g，杜仲 100g，豨莶草 100g，桑叶 100g，金银花 100g，决明子 500g，黑豆 500g，黑木耳 200g，黑灵芝 100g，枸杞子 100g，熟地黄 300g，西红花 30g。

【制法】

上药分别将桑椹子、金樱子、墨旱莲提取成 1∶1.25 的清膏；黑豆熬成清黑水，余皆粉碎成细粉，过 120 目筛，混匀。取金樱清膏、桑椹清膏和部分墨旱莲清膏，加炼蜜 10 克，以适量黑豆水泛丸。稍干后，用剩余墨旱莲清膏加炼蜜 10 克，包衣，打光，干燥，即得。

【普济乌发丸方歌】

八黑首乌莲耳豆，牛膝杜仲灵芝麻。
六子决明丝贞杞，桑椹金樱清膏化。
二黄生熟豨莶草，霜叶双花藏红花。
肾阴肝血得滋养，发黑皆因血发达。

3. 脱发

发为血之余，一般脱发属血虚。脱发，为血虚受风或虫害所致。治以养血、祛风、杀虫为主。

（1）生发丸

生发丸（《刘氏家藏方》）：木瓜、生地黄、何首乌、菟丝子、白芍、羌活、黑芝麻、旱莲草、熟地黄、天麻、当归、茯苓、甘草、胡桃肉、桑椹、龟板、苦参、女贞子、侧柏叶、白鲜皮。

【生发丸方歌】

生发二地与木瓜，首乌丝子芍二麻。
羌活旱莲归苓草，胡桃桑椹侧柏加。
龟板苦参鲜贞子，养血祛风治脱发。

（2）斑秃——斑秃酒

斑秃酒（《千家妙方》）：干姜 90g，当归 100g，赤芍 100g，红花 60g，生地黄 100g，侧柏叶 100g。

上药切碎放入 3000mL 75% 酒精中，密封浸泡 10 天后外用，每日擦患处 3 ～ 4 次，半月至一个月即见效。

【斑秃酒方歌】

斑秃酒专抑脱发，干姜当归赤红花。
再加生地侧柏叶，酒精浸泡日日擦。

【病例】

高某某，自锦州海洋之星洗浴后，突然脱发，一日间头发尽脱。用此酒洗头，口服生发丸，10 天后黑发丛生，20 天后头发全部出齐，且原来的黄发变黑，原来的细发变粗。

（六）面

1. 化妆品过敏——过敏煎

王某某，女，32 岁，朝阳市个体工商户。自述对化妆品过敏 7 年多，久治不愈。后经朝阳市中心医院一位朋友推荐，她来我处诊治。见其颜面片片绯红，左眉间、嘴角处有两片斑疹，看上去似有不雅。因该患者体态轻盈，身材秀美，面有瑕疵，非常焦躁懊恼，故而三次易方，但效果不佳。后来想起曾于中国中医科学院望京医院李芳洁处得来一抗过敏药方，治疗化妆品过敏甚效。遂投此方，果然一剂奏效，续服三剂而愈。

过敏煎：生黄芪 60g，焦白术 15g，防风 15g，生地黄 10g，牡丹皮 10g，赤芍 15g，黄芩 20g，秦皮 15g，大青叶 15g，紫草 15g，白鲜皮 20g，蒲黄 10g，穿山龙 15g，当归 10g，荷叶 20g，苦参 15g，徐长卿 20g，荆芥 30g，芙蓉叶 30g。

【过敏煎方歌】

化妆过敏重生芪，术防芩芍归生紫。
蒲黄二叶徐长苦，穿山丹秦白三皮。
再加荆芥芙蓉叶，美容增白最相宜。

2. 黄褐斑——黄褐斑验方

面部黄褐斑俗称蝴蝶斑，状如蝶形，呈黄褐色，分布在鼻梁、上唇、额前部位。余通过多年临床实践，使用黄褐斑验方治疗，效果满意。

黄褐斑验方（《刘氏家藏方》）：香附 20g，丹参 30g，蝉蜕 10g，浮萍 15g，赤芍 20g，当归 10g，女贞子 15g，枸杞子 15g，熟地黄 15g。

每日 1 剂，10 日为 1 个疗程。一般服一个疗程后，斑色消失或变浅；其色深而多者，可多服几个疗程，无副作用。

本方具有行气活血、补益肝肾的作用，对妇科疾病所引起的贫血、面色萎黄、黄褐斑，效果显著。

【黄褐斑验方方歌】

褐斑验方最信人，香附蝉蜕紫丹参。
浮萍赤芍大熟地，当归枸杞与女贞。
行气活血益肝肾，多服方可血不贫。

3. 颜面黧黑（血色沉着）

（1）化斑汤

某女企业家，家资近亿，风光无限，然面色黧黑，久治无效，常常抑郁无眠。2009 年，经人介绍求助于我。她说："自小踌躇满志，事业有成，今面黑无治，痛苦不堪。"遂投化斑汤，一月而愈。

化斑汤：生地黄 15g，牡丹皮 15g，秦皮 15g，黄芩 15g，紫草 30g，蒲黄 15g，丹参 30g，独活 10g，山药 40g，牡蛎 30g，茵陈 15g，瓦楞子 30g，茯苓 20g，白术 15g，薄荷 20g，麦芽 20g，当归 20g，白芍 15g，柴胡 15g，香附 15g，空青 10g，独角金 20g。

【化斑汤方歌】

血色沉着面黧黑，院方化斑有神威。
生地二皮芩紫草，蒲黄丹术独药归。
牡蛎茵陈瓦楞子，茯苓白术薄荷配。
麦芽白芍柴香附，面色黑变一扫没。
或加空青与独角，补益氨酸容貌美。

颜面黑斑的原因很多，风邪伤于营卫，气血失和，用调营散（当归、川芎、红花、益母草、藁本、制香附、牛膝、柴胡、白芷、芥穗）以活血散风，调和营卫，化瘀消斑。尚有血热妄行之患，服营卫散（柴胡、当归、白芍、白术、茯苓、甘草、薄荷、生姜、牡丹皮、桃仁、龙胆草）以调节内分泌，临证加减。

（2）美容净

一号美容净（《清宫秘方》）：荆芥 20g，防风 15g，紫草 100g，土茯苓 100g，刺蒺藜 50g，白鲜皮 100g，生地黄 30g，赤芍 20g，大黄 10g，红花 20g，香附 10g，柴胡 10g，炙酸枣仁 50g，当归 20g，苦参 30g，白术 30g，血力花（血竭）1g。

二号美容净（《清宫秘方》）：当归 15g，牡丹皮 15g，紫草 20g，赤芍 15g，红花 15g，何首乌 15g，女贞子 15g，旱莲草 15g，白术 15g，大黄 7g，焦山楂 20g，茯苓 15g，香附 15g，三七 10g，竹叶 15g，石膏 30g，生地黄 20g，知母 15g，金银花 20g，白鲜皮 20g。

【美容净方歌】

美白一号美容净，荆芥紫草与防风。
地芍大黄白鲜皮，归红香附土茯苓。
柴胡炙枣刺蒺藜，苦参白术血力同。
美白二号美容净，归芍紫草丹花红。
首乌女贞旱莲草，白术大黄焦茯苓。
三七香附石竹叶，地母双花白鲜灵。

（3）面斑——面膜散

面膜美容散（一）（《清宫秘方》）：白芷 30g，白术 30g，白鲜皮 40g，白薇 20g，白丁香 15g，白芍 20g，白僵蚕 10g，白附子 10g，白蒺藜 100g，白花粉

40g，甘松20g，红花20g，紫河车10g，山药30g，鸡内金20g。粉碎过120目筛后备用。

面膜美容散（二）（《清宫秘方》）：鹰粪10g，白术20g，熟石膏30g，白芍15g，白芷20g，天花粉30g，补骨脂15g，侧柏叶15g，三七10g，白鲜皮20g，僵蚕15g，白木耳30g，牡丹皮15g，珍珠粉5g，白丁香5g，莲子粉15g，绿豆粉30g。粉碎过100目筛备用。

【面膜美容散方歌】

十白红黄紫山药，芷术鲜薇香僵芍。
附葵花松与内金，面膜基脂熟石膏。
倘加多种维生素，肌肤垃圾全除掉。

（七）唇

唇颤动——四物消风饮

口唇颤动不能自制，多因血虚风燥引起。方用四物消风散。如在虚证中出现，多由脾虚不能收摄所致，应配合补中益气丸。

四物消风散（《刘氏家藏方》）：生地黄、当归身、赤芍、荆芥、薄荷、川芎、蝉蜕、柴胡、黄芪、甘草。

【四物消风散方歌】

四物荆薄共消风，柴胡黄芪甘草同。
血虚风燥唇颤动，补中益气见奇功。

【病例】

方某某，男，68岁，辽宁省锦州市义县人。突发嘴唇紧缩颤动，曾按面神经麻痹治疗，用针灸结合中药治疗，无效。投四物消风饮（生地黄、当归、川芎、赤芍、荆芥、薄荷、蝉蜕、柴胡、黄芪、甘草、僵蚕、全蝎、蜈蚣），养血、祛风、润燥，20天痊愈。

（八）牙

牙痛——张氏牙痛方

张氏牙痛方（《医学衷中参西录》）：代赭石（研细）30g，怀牛膝30g，滑石

18g，甘草 30g。

此方专治阳明实热所致暴火牙痛，屡治屡验。众所周知，龈为胃之络，齿为骨之余，暴痛必因胃火亢炽，缓痛必兼肾阴亏虚。方中滑石、甘草清胃火之有余，牛膝益肾阴之不足，代赭石镇逆力大功专。对症加减药味，实乃治疗牙痛之难得药方。

【张氏牙痛方方歌】

张锡纯有牙痛方，屡用屡验效果良。
赭膝六钱甘草配，四钱滑石同煎汤。
阳明实热火牙痛，只需一剂快试尝。

（九）口

口内糜烂——刘氏口腔散

口内糜腐，多由阳旺阴虚，脾经湿热内郁，热气熏蒸胃口所致。轻者用导赤散，重者用少阴甘桔汤，久治不愈者用刘氏口腔散。

刘氏口腔散（《刘氏家藏方》）：桔梗、甘草、川芎、黄芩、陈皮、玄参、柴胡、羌活、升麻、木通、生地黄、竹叶、山茱萸、山药、黄柏、知母、茯苓、泽泻、牡丹皮。

狐惑病口、眼、外阴三联征，口炎与食管炎症重笃时，加冬凌草、百合、犀角。

【刘氏口腔散方歌】

甘桔口腔溃疡散，芎芩陈柴羌麻玄。
知柏山黄通竹叶，专治湿热口糜烂。
口眼生殖狐惑病，犀角清血第一先。
冬凌百合辨加减，解毒滋阴赖祖传。

（十）鼻

鼻鼽——黄芪桂枝五物汤

鼻鼽，是以突然和反复发作的鼻痒、喷嚏、流清涕、鼻塞等症状为特征的鼻部疾病。临床表现与西医的过敏性鼻炎相似。

本病多由肺气虚所致。肺气不足，卫表不固，腠理疏松，风寒乘虚而入，犯及鼻窍，津液停聚，鼻窍壅塞，而致鼻痒、鼻塞、流清涕。

众所周知，肺气的充实，有赖于脾气的输布，脾气虚则肺气虚。而气的根在肾，肾虚则摄纳无权。本病的表现在肺，但其病理变化与脾、肾有一定关系。

对其治疗，古人以温肺止流丹为主。刘氏喜用《金匮要略》之黄芪桂枝五物汤，加减变化，益气固表，调和营卫，其效如神。

【方药】

黄芪 30g，桂枝 10g，细辛 3g，红参 20g，枸杞子 20g，五味子 10g，地龙 20g，云苓 20g。

鼻痒，喷嚏重者，加地龙、僵蚕祛风宣络；清涕多者，加五味子、乌梅酸敛止涕；寒重者，加附子、细辛温肺散寒；鼻塞重者，加砂仁、白术、苍术祛湿通窍。

【黄芪桂枝五物汤方歌】

鼻塞鼻痒清涕流，卫表不固肺气忧。
黄芪桂枝辛参杞，云苓地龙五味筹。
鼻痒蚕龙宣风络，清涕五味乌梅谋。
寒重辛附温肺气，鼻塞砂仁二术柔。
益气固表屏风入，和营助卫抗鼻鼽。

【病例】

张某，女，48 岁。辽宁省阜新市人。2013 年 1 月来我处求诊。一次感冒后，鼻流清涕不止，伴头痛、鼻塞、嗅觉减退，鼻腔检查见黏膜淡红，眉间额部有叩压痛，舌质淡、苔白，脉缓弱。诊为肺气虚寒，投黄芪桂枝五物汤加减（黄芪、桂枝、党参、枸杞子、地龙、五味子、茯苓、僵蚕、乌梅、细辛、砂仁、白术），半月而愈。

三、皮肤

（一）荨麻疹——麻疹汤

麻疹汤（《实用验方》）：威灵仙、甘草、石菖蒲、苦参、胡麻仁、何首乌。

共研细末备用。用时取药末二钱，以酒一碗送服，一日三次。

此方出自明代董宿的《奇效良方》，主治“遍身瘙痒，明目爽神”。毛德西曾以此方治男性荨麻疹一例，患者30余岁，患病10余年，所用药多为抗过敏剂及中药消风散、荆防败毒散等，时有好转，但每至心烦、紧张时仍会发作。后以此方散剂，每次6g，每日3次，白开水送服，瘙痒皮疹多年未复发。由此可知，此方治疗荨麻疹、风疹、不明原因引起的皮肤瘙痒等，方法得当，有良效。

此方所含药物具有滋阴润燥、祛风除湿的功效，所治应为阴虚生风、夹杂湿热之证候，如素体阴虚，五心烦热，舌质红赤，上浮腻苔者。若是风寒证候，则不适宜。但在应用时，最好不要用酒为引，以免引起过敏。

【麻疹汤方歌】

灵仙甘草石菖蒲，苦参胡麻何首乌。
药末二钱酒一碗，浑身瘙痒一身无。

（二）白疕——白疕汤

白疕是一种以皮肤红斑、鳞屑为特征的慢性复发性皮肤病，俗称银屑病。临床分为寻常型与特殊型两种。对其治疗，血燥证用养血润燥汤（净麻黄、川桂枝、制川乌、苍耳子、白芷、白鲜皮、地肤子、当归、鸡血藤、乌梢蛇，研粉吞服）；风热证用凉血润燥汤（桑叶、野菊、赤芍、牡丹皮、白花蛇舌草、草河车、大青叶、白鲜皮、苦参、蒲公英、泽漆）；湿热蕴积证用和营通络丸（苍术、黄柏、萆薢、蒲公英、薏苡仁、土茯苓、猪苓、泽漆、忍冬藤、泽兰、丹参、路路通）；血虚风燥证用养血祛风汤（生地黄、熟地黄、当归、赤芍、白芍、红花、鸡血藤、小胡麻、玉竹、白鲜皮、豨莶草、炙僵蚕、乌梢蛇，研粉吞服）；血瘀证用化瘀润燥散（丹参、当归、三棱、莪术、益母草、桃仁、王不留行、槐花、牡蛎、蝉衣粉）；肝肾不足证用补益散（熟地黄、当归、白芍、制首乌、仙茅、仙灵脾、黄精、菟丝子、苍耳草、地龙）；火毒炽盛证用凉血解毒汤（生地黄、赤芍、牡丹皮、金银花、连翘、栀子、黄芩、紫草、紫花地丁、大黄、甘草）。

临床中，皮外科大家赵炳南之白疕汤则可应用于多型白疕的治疗。

如白疕二号（《赵炳南临床经验集》）：鸡血藤、土茯苓、当归、生地黄、威灵仙、山药、露蜂房、犀角。

方中当归、鸡血藤养血活血润肤；生地黄、山药养阴清热；土茯苓、蜂房清解深入血中之毒热；威灵仙性急善走，通十二经，宣通五脏，搜逐诸风。全方养血活血，养阴清热，治疗白疕有奇效。

【白疕汤方歌】

白疕汤用鸡血藤，归地山药土茯苓。
蜂房清解风毒热，灵仙窜走十二经。
再加犀角清血热，银屑白疕一扫清。

（三）皮痹——温阳活血通痹汤

皮痹，俗称硬皮病，是指以皮肤进行性浮肿、硬化，最后发生萎缩为特征的一种结缔组织病。其临床表现为初期皮肤紧张变厚、皱纹消失，皮色苍白或淡黄。随着病情发展，皮肤变硬，表面有蜡样光泽，皮肤不能捏起，患处皮肤无汗，毛发脱落，面部表情固定，口眼张闭困难，胸部有紧束感。严重时内脏受累，出现吞咽困难、心律不齐、呼吸障碍，继而出现心力衰竭、肾衰竭、血压升高。

1991 年，赤峰的李某患此疾，见其周身皮肤硬化、萎缩，敲击有声，有特殊面容，吞咽困难。投温阳活血通痹汤，温阳扶脾、益肺补肾，加通痹汤外熏洗，令其汗自毛孔而出，收到了满意的效果。

温阳活血通痹汤：党参、茯苓、黄芪、薏苡仁、焦白术、肉苁蓉、陈皮、巴戟天、淫羊藿、丹参、山药、橘络、桃仁、川芎、川乌、草乌、皂角刺、甲珠、龟板胶、鹿角胶、灵芝孢子粉。

【温阳活血通痹汤方歌】

皮肤硬化皮不仁，苍白萎缩结缔侵。
温阳活血参苓芪，丹戟山络术藿仁。
二乌芎甲祛硬化，龟鹿二胶皮萎寻。
更有灵芝孢子粉，皂刺血藤与二陈。
通痹首应皮渗汗，免疫强大皮生纹。

（四）牛皮癣——大枫子外涂膏

大枫子外涂膏（《刘氏家藏方》）：大枫子、自然铜、川椒、吴茱萸、樟脑、银珠、硫黄、信石、水银、白芷各 9g，研极细末。油核桃 9 枚，去内皮，生猪板油120g去皮，与药同捣如泥，扎口悬挂于阴暗处，临用时以陈茶水洗患处，拭干，去药包在火上烘热，轻涂之。

【大枫子外涂膏方歌】

刘氏家传外涂膏，大枫然铜四川椒。
信石水银香白芷，硫黄银珠萸樟脑。
核桃猪油同去皮，与药砸泥涂癣消。

四、内分泌

（一）高血压

1. 高血压——神奇降压粥

神奇降压粥（民间验方）：鸡蛋2个，核桃仁2枚，花生米7粒，大枣7枚，黄豆14粒，黑豆14粒。

晚上先将黑豆、黄豆洗净浸泡，第二天早晨将众品集于一锅煮之，待豆熟米烂，连汤食之。早不食他饭，连续一百日。

上方屡试屡效，实为奇效良方也。

【神奇降压粥方歌】

二枚鸡蛋二核桃，七粒花生七大枣。
黄豆黑豆各十四，晨起同锅一起熬。
代替早饭服百日，血压平稳第一招。

2. 高血压——外治法

高血压病除内治法外，尚有外治法。中药外治法具有“简、便、廉、验”的特点。

吴茱萸外治法 用药：取吴茱萸200g。制法：将吴茱萸研成细末，再用白醋调成糊状，备用。使用方法：晚上睡觉前洗净双足，取吴茱萸醋糊适量，敷于两足中心处，敷药面积以1分硬币大小为宜，再用足够大的胶布固定，第2天早晨起床后除去。每天用药1次，连用1个月为1个疗程。一般1个疗程开始起效，3 个疗程显效。本法一般可降低血压约 10mmHg，对各期高血压均有效。

【吴茱萸外治法方歌】

茱萸研细醋调糊，晚睡适量敷双足。

每日一次连一月，各类血压皆能除。

药枕头外治法 用药：杭菊 1200g，川芎 500g，白芷 250g，牡丹皮 250g。制法：将上药晒干，装入棉布做成的枕袋内，缝好袋口。随证加减：肥胖伴潮热盗汗、舌红、少津、脉细数者，牡丹皮加大剂量至 350g；眩晕、头痛遇风寒加重或发作者，加细辛 250g；不能耐授白芷气味者，可酌情减量。使用方法：睡觉时枕用，每个药枕可用 6 ～ 12 个月。一般 1 个月为 1 个疗程。1 个疗程起效，3 个疗程显效。

【药枕头外治法方歌】

杭菊丹皮芷川芎，装袋为枕降压灵。

头痛遇寒细辛入，潮热盗汗丹皮重。

脐压散外治法 用药：吴茱萸（用猪胆汁制）450g，龙胆草 10g，白矾 100g，朱砂 50g，硫黄 50g，环戊甲噻嗪 175mg。制法：上述药物混合，研成细末，备用。使用方法：先将脐窝尽量外翻，用温水洗净，擦干，再取上述药粉约 200mg 放入脐窝内，用棉球盖住，以胶布固定（洗澡时不可弄湿），每周换药 1 次。1 周为 1 个疗程，一般 3 个疗程显效。本法对Ⅰ、Ⅱ级高血压病的疗效较佳。

【脐压散外治法方歌】

茱萸胆草共白矾，朱砂硫黄甲戊环。

研末置于脐窝内，擦干挤压压归原。

车前子浴足法 取车前子 300g，加水 600mL，炖煎后，添加开水，每晚临睡前熏洗双足 40 分钟，每日 1 次，1 个月为 1 个疗程。

【车前子浴足法方歌】

车前熬水需半斤，晚睡双足浴洗熏。

日日坚持不间断，高低之压定均匀。

（二）血脂高——刘氏降脂药

刘氏降脂药（自拟新方）：荷叶 100g，何首乌 150g，黄精 100g，山楂 300g，决明子 200g，桑寄生 100g，郁金 150g，丹参 300g，泽泻 150g，三七 100g，金樱子 100g，白矾 150g，猪胆汁 100g。

除白矾、猪胆汁外，余皆用水煮提取法收膏，兑入白矾、猪胆汁后，加辅料水泛为丸。每日服两次，每次三粒。

【刘氏降脂药方歌】

荷叶首乌与黄精，丹参郁金桑寄生。
山楂泽泻三七味，白矾胆汁与金樱。
再加大剂决明子，提取精华降脂灵。

（三）糖尿病——九香百合枸杞丸

九香百合枸杞丸（《普济百集方》）：九香虫、百合、枸杞子、薏苡仁、玉竹、益智仁、杏仁、蒲公英、山药、山茱萸、当归、女贞子、五味子、车前子、谷精草、黄精、海马、炙黄芪、肉苁蓉。

【九香百合枸杞丸方歌】

起死回生消渴灵，百合枸杞九香虫。
四子三仁玉竹配，山药山萸蒲公英。
海马炙芪谷精草，当归黄精淡苁蓉。

此方源自清宫“起死回生汤”，其降糖之功令众人称奇。制成胶囊，每日早饭后服两粒，不足一个月，血糖即恢复正常。然而，其奇效全赖药物提取技术和重用蛋白。余以山东一民妇自养的九香虫，通过乙醇提取大量蛋白为君药。

五、杂症

（一）紫癜——升板汤

锦州的李某某，35 岁，周身紫癜频发，全身乏力，伴鼻血自出。经上海血液病研究所诊为特发性血小板减少性紫癜（ITP），巨核细胞全无。多方医治无效。一日，余自刘氏家藏方中觅得一方，经辽宁中医药大学李德新教授认定，该方对血小板减少性疾病可能有效。于是，余大胆将其用于临床，果然一试即效，其后用治血小板减少之患者 13 例，疗效甚佳，故记录于此。

升板汤（《刘氏家藏方》（自拟方）：白鲜皮 50g，血见愁 30g，茜草 25g，仙鹤草 50g，牡丹皮 20g，地榆炭 20g，生地黄炭 20g，金银花 20g，丹参 30g，三七 20g，羚羊角丝 10g，紫草 20g，犀角 10g，栀子 10g，白芷 15g，牛蒡子 15g，红花 10g，赤芍 15g，玳瑁 50g，土大黄 50g，当归 50g，黄芪 50g。

【升板汤方歌】

升板茜鹤紫三草，血愁红花赤三药。
丹皮丹参榆地炭，白鲜白芷双花妙。
三黄当归三七配，犀羊牛子同玳瑁。
生化指标值标准，紫癜之疾自消掉。

（二）狐臭——甘白兰公母香石液

甘白兰公母香石液：甘松 10g，白芷 10g，佩兰 6g，公丁香、母丁香各 3g，石菖蒲 15g。

上药加水 1000mL，煎煮去渣取汁，待温洗腋下，每日 1 次，7 日为 1 个疗程。主治狐臭。

【甘白兰公母香石液方歌】

甘松白芷石菖蒲，佩兰再添公母香。
煎煮取汁洗腋下，狐臭之疾一扫光。

（三）褥疮——冰硼矾茶散

冰硼矾茶散（《刘氏家藏方》）：冰片、硼砂（煅）、枯矾、孩儿茶（煅）。

上药各等份，研细和匀备用。主治口腔溃疡、褥疮、梅毒。

【冰硼矾茶散方歌】

冰硼矾茶秘中藏，深居秘制取其霜。
褥疮霉毒内外用，口腔溃疡一扫光。

【病例】

某市财政局长袁某之岳母，患脑血栓后遗症，生活不能自理，长期卧床，褥疮血污淋漓，外敷冰硼矾茶散一年，褥疮痊愈，未给子女带来麻烦。

（四）小儿瘟疹感冒——保儿宁

保儿宁（1954年长春市复兴制药厂生产）：犀角、胆南星、川贝、天竺黄、朱砂、僵蚕、钩藤、冰片、紫草、川黄连、薄荷、羌活。

功效：发表，清里，退热，镇静，解毒，祛风。

用量：未满一岁一次半包；一岁至三岁一次一包；四岁至七岁一次两包；八岁至十五岁一次三包；轻者一日两次，重者一日三次。

用法：食后，白开水送服。

此方系流传于民间，专治小儿温毒、斑疹、感冒发热之圣药。建国初期，西医尚不发达，小儿患温疹、感冒，用此药，疗效显著。为记住此药，特记录于此，令后人思之。

【保儿宁方歌】

温疹感冒保儿宁，五十年代最风行。
犀角川贝天竺黄，朱砂僵蚕胆南星。
紫草冰片薄荷脑，川连羌活与钩藤。
发表清里解毒热，不用抗生婴儿宁。

（五）感冒咳嗽不愈——后遗散

感冒即触冒六淫时邪所致的常见外感疾病，表现为鼻塞、流涕、咳嗽、恶寒、发热等。临床中常有病邪留恋、经久不愈之咳嗽。四十余年来，吾常用自拟感冒咳嗽后遗散治疗，疗效颇佳。

感冒咳嗽后遗散（自拟方）：甘草、半夏、紫苏、杏仁、乌梅、阿胶、罂粟壳、生姜、紫草、贯众。

【感冒咳嗽后遗散方歌】

二紫二草共阿胶，半夏杏仁同米壳。
乌梅生姜与贯众，感冒后遗一笔消。

【病例】

李某某，男，46岁。1994年冬，患感冒咳嗽不止，渐而干咳无痰，曾静脉滴注青霉素、阿奇霉素、先锋B，均未见效。思该患乃六淫时邪侵袭肺脏，致肺阴亏虚，流连不去，故经久不愈，用自拟后遗散，益正气，抗病毒，养肺阴，三剂而愈。

（六）小绝招十一则

绝招，无比绝伦之招。1980年我去朋友家，其父是山东一带的绝招王，在那里学了十一则绝招，效果甚佳。

1. 刺疣——洗疣煎

香附15g，木贼15g，透骨草25g。煎水熏洗。

（歌曰）刺疣透骨香木贼，三药煎水一洗没。

2. 小儿流口水——抽薪散

吴茱萸15g，胡黄连10g，大黄10g，生天南星5g。共为细末，用醋调成糊状，敷于小儿脚心处。

（歌曰）小儿口水需抽薪，吴胡大黄生南星。

四药合一为细末，醋调糊状敷脚心。

3. 小儿龟头水肿——豆腐黄石软膏

黄柏面25g，石膏面10g，水豆腐一块。三药合一搅匀，敷在小儿龟头上。

（歌曰）龟头水肿黄石膏，豆腐搅匀敷肿消。

4. 电焊打眼睛——热豆腐

热豆腐敷眼上半小时。

（歌曰）电焊打眼睛珠红，豆腐敷眼睛珠明。

5. 疝气痛——傻狍卵子

傻狍子卵，用阴阳瓦焙干研面服之。

（歌曰）疝气缠绵腹睾疼，狍卵焙干服之灵。

6. 滑胎——艾叶合泡蛋

艾叶合泡鸡蛋，每日一个，连服一个月。

（歌曰）习惯流产不必愁，艾叶合蛋胎儿留。

7. 癫狂——猪心血一次丸

甘遂15g，黑丑15g，朱砂15g，猪心血适量。前三药研细，用新鲜猪心血和为丸，一钱重，朱砂为衣，一次服七粒，大泻不急，泻后自然睡去，醒后稍安。适用于癫狂狂躁型。

（歌曰）癫狂之症打骂人，甘遂黑丑三猪心。

一次服用七小粒，大泻之后自安稳。

8. 癞癣——三黄棒

硫黄、雄黄、大黄、枯矾、冰片。共为细面，粘成药棒，用时用火点着药棒，将药滴至癞癣之上。

（歌曰）癞癣之疾有秘方，枯矾冰片合三黄。

粘成药棒家备用，用时点化创面上。

9. 火烧水烫——寒冰三川膏

寒冰三川膏（《普济百集方》）：寒水石 15g，冰片 2.5g，川黄柏 15g，川大黄 15g，川楝子 15g，甘草 2.5g。共为细面，香油调敷，立效。

（歌曰）寒水冰片甘草添，三川合研油调拌。

专治火烧与水烫，不需三日可安痊。

10. 烫伤——痢特灵

1987 年，长子腿面被开水烫伤，经久不愈，青霉素静脉滴注 22 天，仍然血水淋漓。后遇一农妇，云："自药店里买来痢特灵，研成细面，撒于创面。"依法敷之，第二天创面就收缩了。此后临床遇到开水烫伤，我都如法炮制，没有一例不成功的。

（歌曰）开水烫伤痢特灵，研面敷之肿痛宁。

11. 小儿鼻塞——囟门饼

《幼幼集成》指出，小儿鼻塞，多为母亲喂奶时口鼻对着小儿囟门睡觉所致。因小儿囟门未合，大人呼吸时口鼻对着囟门的时间过长，故初生小儿常有鼻塞之症，可用囟门饼贴之。

囟门饼（《幼幼集成》）：香附子、川芎、荆芥穗、僵蚕、细辛、猪牙皂各等份。

和白面，做面饼，将上药研面摊于面饼上，临卧时贴小儿囟门上，一次即好。

（歌曰）囟门未合最娇嫩，母亲呼吸别对准。

小儿鼻塞需早医，囟饼敷之效如神。

卷三

附方录

一、刘彦普　集

1. 肋间神经丸

丹参 15g，五灵脂 10g，香附 20g，当归 10g，佛手 15g，柴胡 10g，三七 3g（冲服），白芍 15g，延胡索 15g，甘草 6g。

【肋间神经丸方歌】

丹归散医肋神经，二胡香附白手灵。
三七甘草同为末，匀气活血妙法通。

2. 胃一号

苏梗、制香附、炒白芍、炙甘草（水制）、白术、平地木、八月札、赤芍、旋覆花、芙蓉叶。

胃黏膜糜烂或有出血点，加赤芍、芙蓉叶、黄芩、连翘，此为“凉血泄热”；胆汁反流，加旋覆花、代赭石以降逆下气；肠腺化生，加白花蛇舌草、荜茇以清热消痈；脾虚湿热，加儿茶、扁豆、山药以健脾益气；阴虚胃热，少加石斛、乌梅、木瓜以酸甘化阴；胃黏膜苍白，腺体减少，加丹参、赤芍、血竭以活血化瘀。

【胃一号方歌】

健脾益气胃痛灵，赤白二芍香苏梗。
白术炙草平地木，八月覆花叶芙蓉。
酸甘凉润忌燥剂，凉血泄热胃痛宁。
酸甘温润弃热剂，温化腺体胃痛轻。
酸甘柔润重生化，护卫黏膜止胃疼。
芳香燥药少量用，养阴活血第一功。

此方来源于《新中医》，疗效奇佳。

3. 犀角甘露饮

天冬、麦冬各 60g，生地黄、熟地黄各 50g，白芍、赤芍各 50g，玄参（元参）、茯苓（元苓）各 40g，石斛 50g，枇杷叶 50g，甘草 30g，玉蝴蝶 30g。

【犀角甘露饮方歌】

普济甘露饮，咽痛效如神。
二地凉血补血，二冬润肺滋阴。
二芍泄木活滞，二元浮游归根。
玉蝶清咽利膈，犀角合营散瘟。
枇杷柔金降逆，全方固本清喑。

4. 刘氏家传黑伤硬吊散

三棱 30g，莪术 30g，乳香 30g，没药 30g，当归尾 60g，桃仁 60g，红花 30g，三七 30g，栀子 60g，肉桂 30g，木香 30g，楠香 90g，白芥子 15g，接骨仙桃草 60g，接骨木 60g，蟹灰 90g，仙茅 30g，淫羊藿 30g，透骨草 30g，虎骨 15g。

【刘氏家传黑伤硬吊散方歌】

硬吊棱术乳没归，桃仁三七企边桂。
楠木白芥共栀子，陈伤瘀痛酒敷没。
接骨草木透灰蟹，内服外熥治腰椎。
仙茅羊藿虎胫骨，补肾强筋显神威。

5. 气管炎丸

紫菀、款冬花、陈皮、半夏、枳壳、桔梗、杏仁、连翘、佛手、罂粟壳、鱼腥草、冬虫夏草、羚羊角丝。

【气管炎丸方歌】

紫菀冬花陈半夏，枳壳桔梗杏连同。
鱼虫二草羚羊手，巧用米壳咳喘宁。

传承之路，此方大验。

6. 排卵汤

柴胡、赤芍、白芍、泽兰、益母草、鸡血藤、怀牛膝、刘寄奴、蒲黄、苏木、女贞子、覆盆子、菟丝子、枸杞子。

月经来潮开始服，连续 7 剂，第 13 日或体温升高时同房。

【排卵汤方歌】

排卵汤用柴二芍，血藤怀膝益母草。
泽兰寄奴苏蒲配，唯有四子不可少。
月信来时始服药，体温升时入床好。

7. 短气逍遥丸

藿梗、佛手、郁金、枳壳、陈皮、香附、桔梗、羌活、防风、当归、白芍、柴胡、茯苓、甘草。

【短气逍遥丸方歌】

柴芍壳附苓草陈，二梗佛手归郁金。
羌活防风膀胱位，引药入经短气匀。
梗壳相伍治胸闷，一升一降气机寻。
心气不足须审慎，理气之品细酌斟。

8. 转律丸

红参 5g，丹参 30g，苦参 30g，炒枣仁 30g，琥珀 15g（冲服），车前子 20g（包煎）。

主治阵发性室上性心动过速、窦性心动过速。

严重时汤剂常服，将三参用水提纯，炒枣仁、车前子用乙醇提取，制成清膏，与其他药相混，制成胶囊，服之方便。

【转律丸方歌】

转律汤中用三参，枣仁琥珀车前寻。
心动不宁定时和，心气调和心律匀。

9. 松筋活节丸

当归尾 15g，闹羊花 15g，海桐皮 15g，川椒 15g，伸筋草 15g，续断 15g，寻骨风 15g，透骨草 15g。

每日一剂，内服，并外熏洗僵硬的关节。主治关节挛缩症。

【松筋活节丸方歌】

关节挛缩最佳疗，松筋活节羊花椒。

续断海桐寻骨风，归尾伸筋透骨草。
每日一剂内外用，关节僵硬熏服交。
更有循经点要穴，秘笈祖法法最高。

10. 热痹汤

生石膏 30g，忍冬藤 30g，石斛 15g，桑枝 60g，白茅根 60g，夜交藤 15g，白芍 15g，生地黄 15g，知母 10g，黄柏 10g，甘草 10g，竹茹 5g。

【热痹汤方歌】

热痹石膏忍夜藤，桑枝茅根地芍同。
石斛知柏竹甘草，红肿痹痛一剂灵。

11. 颅脑一号（颈椎病）

当归、赤芍、丹参、丝瓜络、白茅根、川芎、车前子。

【颅脑一号方歌】

颅脑一号用丹参，归芍丝络白茅根。
川芎车前通血气，化瘀活血痛除根。

12. 颅脑二号（颈椎病）

黄芪、茯苓、陈皮、川续断、熟地黄、葛根。

【颅脑二号方歌】

颅脑二号芪苓陈，川断熟地同葛根。
益气健脾强筋骨，颈椎之疾有法寻。

13. 骨痨系列剂一号

熟地黄、黄精、麻黄、鹿角胶、骨碎补、附片、仙茅、肉桂、菟丝子、续断、当归、白芥子、鸡血藤、补骨脂、黄芪、红参。

此方引自周虎林的经验方。温肾补脾，滋阴壮阳，散寒化痰，补养气血。主治骨与关节结核。

14. 二号骨痨丸

土鳖虫、土茯苓、土贝母、全蝎、蜈蚣、乳香、没药、甲珠。本品为骨结核专科用药。

【二号骨痨丸方歌】

二号骨痨用土虫，土贝全蝎与蜈蚣。
乳香没药甲珠配，抗痨必加土茯苓。
软坚散结清骨痹，温经解毒杀痨虫。

15. 三号骨痨散

红参、黄芪、当归、金银花、蒲公英、穿山甲、鹿角胶、补骨脂、木鳖子、地骨皮、没药、川续断、红花、全蝎、蜈蚣、蜥虎。

温经活络，清热解毒，滋阴补肾，生津养血，强筋壮骨，消肿止痛。主治骨与关节结核或慢性骨髓炎。

16. 四号骨痨散

大黄、全蝎、紫花地丁、土鳖虫、蛇蜕、金钱白花蛇、蜈蚣、黄连、白及、炒大麦面、砂糖、川贝母。

【四号骨痨散方歌】

四号骨痨紫地丁，大黄蛇蜕土全虫。
黄连白及炒麦面，砂糖贝母蛇蜈蚣。
通络消肿清毒癖，今人加进雷米封。

17. 静脉溶栓丸（静脉深部血栓）

静脉溶栓丸（自拟）：壁虎 50g，黄连 50g，金银花 50g，制没药 60g，大黄 30g，土鳖虫 30g，水蛭 300g，蟾皮 15g，僵蚕 50g，地龙 130g，制乳香 60g。

【静脉溶栓丸方歌】

龙虎溶栓共蚕蟾，乳没双花配黄连。
大黄土虫同水蛭，静脉血栓服之痊。
水蛭行血十倍用，溶栓之秘赖单传。

附：外洗剂

大黄 25g，黄柏 30g，麻黄 30g，苦参 30g，连翘 30g，红花 30g，蒲公英 40g，板蓝根 25g，泽泻 30g，木通 25g。

【外洗剂方歌】

静脉洗剂用三黄，苦参连翘红花镶。

公英板蓝木通泻，一日一剂溶栓康。

【病例】

李某某，男，某书店店员。1998 年患血栓闭塞性静脉炎，恐西医疗法致栓子堵塞肺部而不治，特来普济堂诊所求治。口服静脉溶栓丸，汤剂与胶囊同服，外熥溶栓散，外洗静脉活血汤，两个月而愈。

18. 新伤糊（闭合性软组织损伤）

血竭 150g，生蒲黄 150g，生大黄 150g，黄柏 150g，红花 150g，赤芍 120g，苏木 120g，儿茶 90g，白芷 90g，广木香 90g，延胡索 90g，海桐皮 90g，乳香 90g，没药 90g，冰片 60g。温开水调糊外敷。

另有新伤乐洗敷合用：血竭、三七、红花、制草乌、透骨草、白芷、大黄、冰片。

【新伤糊方歌】

闭合损伤称黑伤，水调伤糊敷之良。

血竭苏木赤红花，海桐儿茶共三黄。

乳香没药香白芷，冰片元胡广木香。

另有新伤乐合用，血竭三七冰芷黄。

草乌红花透骨草，开水调敷早复康。

19. 血栓闭塞性脉管炎（脱疽）

太子参、黄芪、当归、石斛、玄参、金银花、牛膝、水蛭、土鳖虫、乌梢蛇、罂粟壳、檀香。

此为血栓通脉丸。另加松香粉口服，专治血栓闭塞性脉管炎。

【血栓闭塞性脉管炎（脱疽）方歌】

血栓闭塞生黄芪，当归二参怀牛膝。

双花水蛭金石斛，米壳虫蛇檀香集。
另加松香口服用，通脉活血最相宜。

20. 牛皮癣外涂方

大枫子、自然铜、川椒、吴茱萸、樟脑、银珠、硫黄、信石、水银、白芷各9g。

上药研极细，加油核桃9枚（去内皮），加生猪板油120克（去皮）。上药同砸如泥，扎口悬挂于阴暗处，临用时以陈茶水洗患处，擦干，取药包置火上烘热，轻涂之。

【牛皮癣外涂方歌】

祖上留下皮癣膏，然铜大枫与川椒。
吴萸银珠同石信，硫黄水银芷樟脑。
九枚核桃一并入，生猪板油砸群药。
陈茶水洗皮癣处，火上烘化患处调。
此是传统绝妙用，牛皮大癣尽扫消。

21. 英武大力丸

黄鹰爪一两（酒炙），当归半两，川芎三钱，熟地黄五钱，山茱萸三钱，山药三钱，茯苓五钱（乳泡），泽泻五钱（酒炒），牡丹皮三钱，附子五钱，肉桂五钱，补骨脂三钱，巴戟天三钱（酒泡，火煨），川续断三钱，木瓜三钱，牛膝三钱，肉苁蓉三钱，炙黄芪二两，川楝子五钱，桂枝三钱，五味子三钱，焦三仙一两五钱，香附三钱，菟丝子一两，枸杞子五钱，杜仲炭四钱，乌药三钱，槟榔三钱，自然铜三钱（煅），地龙三钱，乳香三钱，没药三钱，红参五钱，土鳖虫四钱，川贝母五钱，紫豆蔻四钱，马钱子一两五钱。

22. 刘氏风心丸

桂枝30g，炙甘草15g，王不留行30g，当归60g，桃仁45g，红花24g，丹参45g，三棱30g，莪术30g，香附15g，石菖蒲15g，郁金30g，远志15g，蒲黄24g，五灵脂24g。

活血化瘀，温中理气。适用于寒凝湿滞型风心病。

【刘氏风心丸方歌】

刘氏风心志菖蒲，炙草桂枝丹香附。
当归桃红王不留，蒲黄灵脂郁棱术。

23. 狗肾丸

沉香 100g，神曲 100g，槟榔 100g，茴香 50g，硇砂 20g，巴戟天 50g，山药 50g，肉豆蔻 50g，木香 50g，钟乳石 50g，红参 50g，补骨脂 50g，白豆蔻 50g，枳壳 50g，肉苁蓉 100g，山萸肉 50g，肉桂 50g，附子 100g，明天麻 50g，犬肾一对，鹿茸、鹿角胶、鹿角霜等份。

硇砂易麝香更妙。

主治阳痿、早泄。适用于脾肾阳虚，阴茎短小、力不从心之男性病。

【狗肾丸方歌】

狗肾丸中用四香，沉茴木麝曲槟榔。
巴戟山药参钟砂，桂附二蔻补骨良。
枳壳寸云山萸肉，天麻犬卵茸胶霜。

24. 狼疮丸

金银花 50g，连翘 50g，蒲公英 50g，浙贝母 50g，红花 30g，蝉蜕 50g，丹参 75g，黄连 50g，大黄 20g，生地黄 75g，玄参 75g，乌梢蛇 50g，知母 75g，紫草 50g，甲珠 30g，蜈蚣 50 条，雷公藤 50g，鸡血藤、红藤、玳瑁各 75g。

凉血透疹，清热解毒。主治盘状红斑狼疮。

【狼疮丸方歌】

狼疮先需免疫增，解毒双花翘公英。
凉血玄参地紫草，浙贝丹蜕二黄红。
窜透甲珠乌蛇入，玳瑁知母雷公藤。

25. 痹症丸

乳香 15g，没药 15g，牛膝 15g，杜仲 15g，桂枝 15g，钻地风 15g，防风 15g，羌活、独活各 15g，川续断 15g，木瓜 15g，自然铜 15g，甘草 15g，马钱子 100g，生麻黄 100g。

上药水煎 3 次，合并药液，浓缩至原药液体积的 1/1.25。取清膏 1 份，兑入蒸糖粉 6 份，制成颗粒。

疏风通络，温经散寒，化瘀止痛。主治风湿寒痹之腰腿疼痛，左瘫右痪。

【痹症丸方歌】

寒痹马前生麻黄，桂枝防风独活羌。
牛膝杜仲川瓜草，地风然铜乳没香。

26. 经络散

乌梅、乌药、乌蛇、川乌、紫草、透骨草、鹿衔草、伸筋草、桑枝、柳枝。

主治风湿。

【经络散方歌】

四乌四草各三钱，一斤白酒泡七天。
桑枝柳枝倍增量，内服外洗风湿痊。

27. 经络丸

黑附子（1），白附子（1），川乌（1），炙五灵脂（1），僵蚕（1），没药（0.5），乳香（0.5），全蝎（0.5），枯矾（1），京墨（0.5），麝香（0.5），白蒺藜（1）。

通经络，化风痰，疗诸痹，散风寒。适用于寒性经络阻隔型痹症。

【经络丸方歌】

经络丸中四白黑，乳没全蝎助神威。
唯有麝香通经脉，真元密固风邪摧。

28. 通痹膏

桐油、茶油、章丹、川乌、草乌、血竭、红花、檀香、沉香、木香、乳香、没药。

主治心肌缺血、心绞痛。

【通痹膏方歌】

通痹膏中用章丹，桐茶二油秘相联。
二乌四香红血没，冠脉梗阻贴之痊。

29. 救脑丹

辛夷100g，川芎300g，细辛30g，当归300g，蔓荆子100g，全蝎100g，姜半夏100g，水蛭30g，蜈蚣60条，夜交藤100g。

祛风散寒，通经止痛。适用于风寒阻滞经脉所致神经性头痛、血管性头痛，久痛入络所致顽固性头痛。

【救脑丹方歌】

细辛辛夷归川芎，蔓荆全蝎夜交藤。
蜈蚣水蛭姜半夏，疏风通络救脑灵。
当归川芎三倍用，独领风骚镇脑宁。

30. 类风丸

当归60g，熟地黄100g，全蝎100g，龟板胶60g，蜈蚣100条，露蜂房60g，乌蛇60g，甲珠50g，没药50g，皂角刺100g，乳香50g，赤芍60g，麻黄50g，鸡血藤180g，天南星180g，白芥子180g，鹿角胶60g，雷公藤300g。

养血舒筋，化瘀通络，搜剔络邪，强肾壮骨。主治风湿及类风湿性关节炎。

【类风丸方歌】

类风汤中用三虫，乌蛇甲珠蜈蝎蜂。
乳没皂芍归熟地，二仙麻黄共三藤。
新加天南白芥子，窜透顽痹法最灵。

31. 刘氏骨质增生丸

金毛狗脊75g，淫羊藿100g，独活75g，羌活75g，防风50g，木香50g，当归50g，白芍50g，乳香75g，没药75g，红花50g，鹿衔草100g，威灵仙50g，骨碎补100g，川续断50g，熟地黄50g，鸡血藤100g，肉苁蓉100g，莱菔子75g，牛膝50g，木瓜50g，秦艽50g，伸筋草50g，透骨草50g，五加皮50g。

【刘氏骨质增生丸方歌】

增生丸中狗归芍，二活二香藿风艽。
乳没红花骨碎皮，伸筋透骨鹿衔藤。
熟地灵仙莱菔子，寸云木瓜川断交。

五加牛膝共血藤，骨质增生一笔销。

32. 匀气丸

红参 100g，白术 800g，乌药 600g，全蝎 100g，陈皮 100g，青皮 100g，明天麻 100g，沉香 100g，白芷 100g。

扶正气，通经络，理气和中。适用于久痹不愈之痹症。

【匀气丸方歌】

久痹匀气法最灵，气为血帅引血通。
八百白术六百药，仓廪健壮生化明。
红参陈皮香白芷，祛风宣痹天麻虫。

33. 脊背丸

鹿衔草、生麻黄、紫苏、桔梗、苍术、陈皮、乌药、川芎、僵蚕、白芷、枳壳、甘草、干姜、茯苓、半夏、香附、片姜黄、羌活、防风。

【脊背丸方歌】

风冷乘袭膀胱经，临床常见脊背疼。
香苏二陈乌药散，引经还须羌防风。
宣肺姜黄苍术草，三合鹿衔妙法灵。

34. 桑枝丸

何首乌 50g，枸杞子 50g，当归身 50g，黑芝麻 50g，菊花 50g，柏子仁 50g，白蒺藜 50g，桑枝 300g，豨莶草 50g。

【桑枝丸方歌】

桑枝丸治手指麻，首乌枸杞豨莶加。
柏仁蒺藜桑膏配，中风先兆引菊花。

35. 双麻丸

党参、黄芪、当归、白芍、枳壳、半夏、羌活、防风、威灵仙、僵蚕、蔓荆子、茯苓、牛膝、桑枝。

【双麻丸方歌】

风痰阻络四肢麻，党参黄芪归芍夏。
仙壳羌防蔓荆子，苓蚕牛膝桑枝加。

36. 脐腹丸

沉香 100g，乌药 100g，槟榔 100g，枳实 50g，木香 50g，延胡索 50g，五灵脂 50g，肉豆蔻 50g，没药 100g，厚朴 100g，枳壳 100g。

【脐腹丸方歌】

脐腹丸中沉香乌，槟榔枳实木延胡。
灵脂肉蔻没枳壳，血痹原来伍厚朴。

37. 桑枝中风丸

蕲蛇 75g，沉香 50g，胆南星 50g，乳香 50g，没药 50g，天竺黄 50g，郁金 100g，石决明 50g，钩藤 50g，地龙 50g，白蒺藜 50g，明天麻 50g，黄连 50g，杜仲 50g，春桑枝 150g，红参 50g，汉三七 50g，水蛭 50g，虎骨 50g，牛黄 10g，犀角 10g，麝香 25g，冰片 30g，血竭 50g，白矾 100g，京墨 7 块，朱砂 50g，竹沥 50g，羚羊角丝 100g，毛冬青 50g，白术 60g，木香 60g，白檀香 60g，安息香 60g，丁香 60g，荜茇 60g，苏合香 60g，石菖蒲 50g，远志 50g，黄芪 100g，桃仁 50g，玳瑁 60g，琥珀 60g，珍珠 50g。

【桑枝中风丸方歌】

桑枝中风用七香，更有四白与四黄。
蕲蛇水蛭共玳瑁，牛犀龙虎麝羚羊。
胆竭没墨珠珀片，天麻杜仲郁钩镶。
金石参七毛桑石，通透宣发脑脉畅。
醇水两提炉伏制，中风后遗早安康。

38. 中将丸

肉桂 75g，沙参 100g，延胡索 75g，甘草 25g，牛膝 75g，山楂核 75g，肉豆蔻 75g，当归 125g，丁香 50g，苦参 150g，郁金 75g，川续断 100g。

【中将丸方歌】

日本名方中将汤，痛经带信效果良。
肉桂楂核沙参蔻，元胡当归草丁香。
牛膝苦参郁金断，粗渣三剂水泡尝。

39. 神仙醒语丹

白附子 150g，石决明 100g，明天麻 150g，天竺黄 100g，桑螵蛸 100g，羌活 100g，全蝎 100g，郁金 100g，僵蚕 100g，远志 150g，地龙 100g，天南星 150g，钩藤 75g，石菖蒲 150g，红花 60g，葛根 100g，黄芪 100g，桃仁 100g，橘红 100g，益智仁 100g，木香 100g。

【神仙醒语丹方歌】

中风舌强语謇涩，大多病灶在脑左。
肾虚精亏风痰阻，痰蒙清窍络失和。
白附石决天麻智，桑蛸天竺钩羌活。
全蝎僵蚕郁金配，菖蒲远志南星葛。
桃仁橘芪木香入，神仙醒语莫蹉跎。

40. 支扩膏

沙参 120g，天冬 60g，麦冬 60g，五味子 50g，熟地黄 40g，生地黄 60g，白术 50g，茯神 60g，远志 50g，炙酸枣仁 40g，冬虫夏草 60g，龟板 120g，枸杞子 120g，夏枯草 60g，川贝母 60g，当归身 60g，银柴胡 50g，川黄连 30g，川楝子 40g，紫丹参 50g，甘草 30g。

【支扩膏方歌】

支扩膏方重沙参，二冬二地志枣仁。
三川三草归五味，枸杞龟板紫丹参。
银胡单将虚火退，心悸咯血术茯神。

41. 闭精方

柴胡、赤芍、路路通、王不留行、石菖蒲、车前子、泽泻、生地黄、木通、龙胆草、栀子、甲珠、急性子、大枣、茯苓、甘草、瞿麦、萹蓄、败酱草、蒲公英、知母、黄柏。

主治相火亢盛，精关闭阻。

【闭精方方歌】

不射精症细参悟，相火亢盛精道阻。
赤芍路通王不留，生地泽泻石菖蒲。
木通胆草急性子，甲珠栀子并柴胡。
萹蓄瞿麦公英草，茯苓败酱黄柏母。
车前临证辨加减，经络开处精关福。

42. 肾炎丸

生地黄、熟地黄、山萸肉、山药、生黄芪、党参、焦白术、茯苓、白芍、当归、枸杞子、金樱子、陈皮、炒麦芽、炒稻芽、泽泻、益母草、半枝莲、牡丹皮、紫苏叶、蝉蜕、杜仲。

【肾炎丸方歌】

肾炎之疾最难痊，四君四物六味填。
枸杞金樱陈杜蜕，麦芽稻芽炒用丹。
生芪用量加三倍，尚有坤苏半枝莲。

43. 食管癌

狗胆 3 个，铁甲军 120g（焙）、麦冬 90g，雄黄 30g，九香虫 60g（焙），天冬 90g，木香 90g，穿山甲 60g，急性子 100g，茶叶 180g，槐角 45g（炒），生地黄 90g，三棱 60g，槐花 45g，柿蒂 30g，莱菔子 30g，桃仁 90g，红花 60g，硼砂 30g，八角金盘 30g，八月札 90g，半枝莲 45g，丹参 45g，山楂 45g，冬凌草 50g。

【食道癌方歌】

狗胆铁山二甲黄，二冬三棱木九香。
槐角槐花莱菔枝，柿蒂桃红茶叶良。
八月八角山楂贵，急性冬凌丹硼襄。

44. 目痒散

荆芥 25g，防风 25g，羌活 25g，薄荷 25g，川乌 5g，川芎 20g，藁本 25g，

乌梢蛇 5g，白鲜皮 15g，地肤子 15g，羚羊角丝 8g。

【目痒散方歌】

目痒肝脾湿热风，凉肝清脾湿毒平。
荆防理血羌风热，巧用薄荷与川芎。
二乌当除风毒痹，藁本引药入睛中。
白鲜地肤止风痒，最好再加藏羊羚。

45. 纤颤汤

法半夏 60g，茯苓 60g，橘红 45g，炙甘草 15g，炒酸枣仁 90g，远志 30g，石菖蒲 24g，党参 45g，枳壳 24g，松节 90g，浮小麦 30g，大枣 13 枚，郁金 30g，瓜蒌 30g。

【纤颤汤方歌】

心房纤颤用二陈，菖蒲远志炙酸枣仁。
党参枳壳浮小麦，瓜蒌松节枣郁金。

46. 三甲复脉汤

牡蛎 100g，鳖甲 100g，龟板 100g，丹参 50g，麦冬 50g，桑寄生 50g，炙何首乌 50g，女贞子 50g，黄芪 50g，玄参 50g，百合 50g，旱莲草 50g，炙酸枣仁 50g，竹茹 30g。

【三甲复脉汤方歌】

三甲复脉养心阴，丹参麦冬炙酸枣仁。
寄生竹茹制首乌，黄芪百合共玄参。
重用牡蛎鳖龟甲，再加旱莲与女贞。

47. 薄皮烂疮摊

尿砖、瓦尿盆底、红山皮等分捣碎敷之。主治湿疮溃疡。并用鬼针草全草煎水洗并内服。

【薄皮烂疮摊方歌】

薄皮烂疮最难医，千年尿砖瓦（尿）盆底。
等份捣碎敷疮上，不可缺少红山皮。

倘有湿疮溃疡面，鬼叉全草煎服洗。

48. 甲瘤散结丸

酒炒黄药子 50g，海藻 50g，昆布 50g，海浮石 100g，生牡蛎 50g，川芎 50g，当归 30g，八月札 30g，乌药 30g，夏枯草 50g，三棱 50g，莪术 50g，白花蛇舌草 50g，郁金 50g，山慈菇 50g，香附 50g，甘草 30g，甲珠 30g。

【甲瘤散结丸方歌】

甲瘤散结酒黄药，昆布浮石共海藻。
牡蛎三棱八月札，当归川芎与三草。
郁金莪术山慈菇，甲珠香附麦麸炒。

49. 痿证丸

黄柏 150g（酒制），龟板 120g（炙），知母 60g（酒制），熟地黄 60g，陈皮 60g，锁阳 45g，虎骨 30g，干姜 15g，当归 50g，牛膝 50g，白芍 60g，羊肉 50g，金箔。

【痿症丸方歌】

髓枯筋痿苦难当，腿乏足软没力量。
龟板姜归知芍柏，虎骨膝陈地金阳。
羊肉为引丸汤送，先祖留下起痿方。

虎于兽中禀金气之至刚，风生一啸，特为肺金取象焉。其潜之云者，金从水养，母隐子胎，故生金者必丽水，意在纳气归肾也；龟应北方之象，禀阴最厚，首常向腹，善通任脉，能大补真阴，深得夫潜之义者。黄柏味厚，为阴中之阴，专补肾、肝之阴不足，能使足膝中气力涌出，故痿家必用二者为君，一以固本，一以治标，恐奇之不去则偶之也。熟地填少阴之精，用以佐龟甲；知母清太阴之气，用以佐黄柏；牛膝入肝筋，归、芍佐之，肝血有归；陈皮疏之，气血以流，骨正筋柔矣。又虑热则生风，逗留骨节，用虎骨所以驱之；纯阴无阳，不能发生，佐锁阳所以温之。羊肉为丸，补之以味；淡盐汤下，急于入肾。斯皆潜之为义。（《古今名医方论·叶仲坚》）

50. 消风散

当归90g，生地黄90g，防风90g，蝉蜕90g，知母90g，苦参90g，胡麻90g，荆芥90g，苍术90g，牛蒡子90g，石膏100g，甘草50g，木通50g，地肤子90g，白鲜皮50g。

【消风散方歌】

消风归地蝉防风，苦参知母苍麻荆。
牛子甘草地肤子，白鲜石膏加木通。

51. 盆腔丸

当归50g，川芎15g，赤芍15g，虎杖30g，红藤30g，白芷30g，乳香5g，没药5g，茯苓15g，牡丹皮15g，木香5g，肉桂10g，公丁香10g。

水煎，食后2小时口服。

【盆腔丸方歌】

盆腔丸用归芍芎，虎杖白芷乳没藤。
茯苓丹皮木香桂，再加使药香公丁。

52. 化斑散

犀角10g，生地黄100g，赤芍100g，丹参30g，茜草50g，甘草50g，大黄50g，紫草50g，牡丹皮30g，龟板50g，鳖甲50g，紫河车15g，益母草50g，大枣50g。

【化斑散方歌】

化斑犀角赤芍丹，茜坤甘紫四草联。
大黄龟鳖河车枣，和血化斑美容颜。

53. 白马红藤汤

红参15g，黄芪20g，焦白术15g，甘草10g，大黄15g，白头翁15g，马尾连15g，马齿苋20g，乳香6g，没药6g，红藤30g，白芷30g，木香10g，砂仁10g，肉桂10g，炮姜15g，草果15g，白豆蔻15g。

此方专治结肠炎、溃疡性结肠炎、非特异性结肠炎。

【白马红藤汤方歌】

先人留下泻泄停，参芪焦术草红藤。
乳没二马砂香芷，桂姜蔻果白头翁。
大黄一味调加减，脾肾阳虚辨重轻。

54. 蒙医肾炎方

（1）尿：木通 15g，重楼 15g，麦冬 15g，连翘 20g。

（2）尿蛋白：菱角 25g，小蜀葵 15g，方海 15g。

（3）管型：红花 25g，丁香 15g，牛黄 15g，银珠 10g，犀角 15g，白檀香 10g，麝香 15g，建莲肉 15g，麦冬 10g，木香 15g，诃子 10g，川楝子 10g，栀子 10g。

（4）红细胞：紫草 25g，茜草 15g，紫草茸 15g。

【蒙医肾炎方方歌】

蒙医肾炎有秘方，六十四号族中藏。
木通重楼麦连翘，蛋白菱角季花方。
管型银珠莲红麦，更有三子四香黄。
紫草茜草紫茸草，临证加减辨阴阳。

55. 刘氏溶降丹

（生）白芍 100g，生地黄 125g，（生）石决明 125g，生龙齿 125g，生牡蛎 125g，菊花 75g，白蒺藜 100g，炒枣仁 50g，远志 50g，磁石 50g，麦冬 50g，石斛 50g，大黄 75g，代赭石 50g，鸡内金 50g，当归 50g，郁金 100g，白矾 100g，桑枝 100g，龙骨 30g，羚羊骨 30g。

【刘氏溶降丹方歌】

溶降丹丸中五用生，地芍龙牡石决明。
菊花归枣磁远志，内金石斛赭麦冬。
郁金白矾桑枝配，大黄蒺藜共骨羚。

56. 化斑丸

珍珠母 20g，僵蚕 10g，白菊花 10g，茵陈 15g，夏枯草 5g，六月雪 15g，丝瓜络10g，赤芍10g，白芍10g，白茯苓20g，生甘草5g，玫瑰花10g。大枣为引。

【化斑丸方歌】

化斑丸能化黑斑，白菊白苓白芍蚕。
玫瑰珍珠六月雪，茵陈枯草丝瓜团。
赤芍甘草大枣引，和营理血美容添。

57. 痤疮丸

荆芥50g，薄荷50g，防风125g，栀子100g，枳实75g，甘草75g，川芎125g，黄芩125g，连翘125g，白芷125g，桔梗125g，苦参100g，莪术30g，夏枯草50g，海藻30g，牡蛎50g。

【痤疮丸方歌】

痤疮本有三类型，凉血清热第一宗。
健脾利湿第二类，本方化湿清热营。
荆芥防风甘草翘，薄荷栀子实芎蒡。
黄芩白芷苦牡蛎，或加莪术藻桔梗。
临床更有夏枯草，软坚散结祛囊型。

58. 背痛方

生姜25g，川羌活11g，赤芍20g，乌药20g，白术25g。

此方为凌源著名中医江俊遗留之秘方。

【背痛方方歌】

江俊遗得背痛方，赤芍乌药重生姜。
五钱白术固脾肾，引经之药用川羌。

59. 滋补大力丸

当归1斤，白术1斤，鱼鳔1斤，虎骨1斤，沙苑子1斤，山药1斤，白茯苓1斤，枸杞子1斤，菟丝子1斤，甜瓜子1斤，陈皮8两，牛膝8两，杜仲炭8两，川续断8两，桂枝6两，自然铜6两（煅），焦曲6两，麦冬4两（去心），制马钱子4两。

共为细末，蜜丸，每丸三钱重，朱砂为衣。每服一丸，一日两次，白开水送下。

【滋补大力丸方歌】

先人留下大力丸，鱼鳔虎骨共沙苑。
归术山药枸杞子，茯苓丝子杜仲炭。
牛膝陈皮甜瓜子，桂枝焦曲与川断。
然铜马钱子麦冬，强身滋补益天年。

60. 急性肾衰汤

益母草 180g，党参 30g，黄芪 30g，山药 60g，补骨脂 60g，肉桂 30g，白术 30g，茯苓 50g，泽泻 50g，猪苓 50g，大腹皮 50g，大黄 100g。

【急性肾衰汤方歌】

急性肾衰病非轻，肌酐超标命难容。
四两坤草清毒血，二两大黄腑气通。
六味芪术猪苓桂，灌肠内服加公英。

61. 解困汤

苍术 100g，厚朴 100g，陈皮 100g，甘草 100g，石菖蒲 100g，红参 50g，白术 50g，茯苓 50g，半夏 50g，藿香 50g，薏苡仁 50g，白豆蔻 50g。

主治：痰湿内阻、中气困顿之嗜睡症。

【解困汤方歌】

痰湿内阻中气偏，行车走路睡绵绵。
解困汤中六君子，再加菖蒲平胃散。
湿困藿香半夏入，薏苡蔻仁细评参。

62. 跟痛丸

鹿角胶 50g，鹿角霜 50g，熟地黄 50g，人参 50g，当归 50g，菟丝子 50g，杜仲 50g，虎骨 50g，败龟板 50g，白术 50g，茯苓 50g，牛膝 50g，补骨脂 40g，黄柏 20g，小茴香 10g。

【跟痛丸方歌】

跟痛汤中鹿霜胶，熟地人参当归梢。

丝子杜仲败龟板，虎骨牛膝术苓归。
故纸黄柏小茴入，立安之时见分晓。

63. 寒湿丸

苍术 20g，附子 15g，焦白术 20g，茯苓 20g，泽泻 5g，猪苓 5g，陈皮 20g，川厚朴 20g，乌药 15g，砂仁 10g，胡芦巴 15g，沉香 10g。

【寒湿丸方歌】

寒湿丸医小腹胀，二术二苓泽泻藏。
附子陈皮乌芦巴，川朴砂仁墨沉香。

64. 五骨金丹

老鹰骨、公鸡大腿、牙狗前胫骨、猴骨、男天灵盖、古城灰、自然铜、半两钱、麝香、尿砖（4 年）、马钱子、川大黄、土鳖虫、乳香、没药、申姜、生菜籽、黄瓜籽、冰片。

【五骨金丹方歌】

先人留下五骨丹，老鹰公鸡牙狗盘。
再加猴骨男灵盖，古城之灰半两钱。
然铜川军姜乳没，更有土虫和尿砖。
生菜黄瓜五菜籽，引经麝香共冰片。
天灵盖骨不可取，涉及伦理和人权。

65. 产后关节炎

当归 15g，赤芍 15g，秦艽 15g，牡蛎 50g，桑寄生 30g，荆芥 20g，羌活 15g，独活 15g，桂枝 15g。

【产后关节炎方歌】

产后关节痛，归芍艽蛎生。
荆芥二活桂，加减此方宗。

66. 乌发丸

决明子 500g，何首乌 500g，豨莶草 100g，菟丝子 100g，杜仲炭 100g，怀牛膝 100g，女贞子 100g，霜桑叶 100g，金银花 100g，生地黄 100g，熟地黄 100g，桑椹 100g，西红花 100g，金樱子 100g，墨旱莲 100g，黑芝麻 300g。

【乌发丸方歌】

乌发滋阴养精血，决明首乌黑芝麻。
女贞旱莲补肝肾，桑椹金樱清膏化。
二地生熟豨莶草，霜叶双花西红花。
丝子杜仲牛膝并，发黑皆因血发达。

67. 间盘定痛丸

鹿衔草 1500g，鹿角胶 1000g，红参 1000g，乳香 1500g，没药 1500g，延胡索 1000g，白芷 100g，白芍 1500g，牛膝 1000g，鸡血藤 1500g，三七 500g，麝香 15g，血竭 200g，附子 100g，葛根 1000g，藏红花 500g。

【间盘定痛丸方歌】

定痛全凭好麝香，乳没白芍血藤襄。
鹿衔鹿胶元胡芷，三七葛根红花藏。
红参牛附麒麟竭，间盘脱出早复康。

68. 腰椎定痛丸

炙川乌 1000g，炙草乌 1000g，马钱子 1000g，三七 500g，桂枝 1500g，麻黄 1000g，鸡血藤 2000g，苍术 2000g，黄柏 2000g，地龙 1000g，牛膝 1500g，车前子 1000g，杜仲 1500g，千年健 1500g，香附 1500g，威灵仙 1500g，木瓜 1500g，羌活、独活各 1500g，甘草 1000g，鹿角胶 1000g。

主治：腰椎间盘突出，骨质增生，脊柱炎，风寒湿痹。

【腰椎定痛丸方歌】

川乌草乌制马前，三七桂枝并麻元。
血藤苍术龙黄柏，牛膝杜仲千年健。
香附灵仙与木瓜，鹿胶二活健间盘。
专治间盘突出症，风寒湿痹早安痊。

69. 硬皮丸

党参 30g，白茯苓 35g，黄芪 50g，薏苡仁 15g（炒），焦白术 15g，肉苁蓉 15g，陈皮 15g，巴戟天 15g，淫羊藿 15g，丹参 15g，山药 15g，橘络 15g，桃仁 15g，川芎 10g，炙川乌 10g，炙草乌 10g，皂角刺 10g，甲珠 15g，龟板胶 15g，鹿角胶 15g，灵芝孢子粉 6g。

温阳，活血，通痹。主治硬皮病。

【硬皮丸方歌】

硬皮之症属皮痹，温阳活血才适宜。
参苓芪术淡苁蓉，苡仁川穹巴戟天。
山药川芎淫羊藿，丹参桃仁与陈皮。
川乌草乌同皂刺，兼用甲珠并络橘。
灵芝龟胶鹿角胶，汗渗皮孔软硬皮。

70. 硬皮二号

炙川乌 90g，炙草乌 90g，桂枝 90g，羌活 50g，独活 50g，秦艽 60g，防风 60g，防己 90g，伸筋草 120g，连翘 120g，白芥子 15g，生黄芪 120g，当归 90g，桑寄生 90g，牛膝 90g，玄参 90g。

祛风，化痰，通痹。主治硬皮症。

【硬皮二号方歌】

硬皮之症属皮痹，祛风化痰最相宜。
桂枝大艽伸筋草，二乌二活防风己。
当归连翘白芥子，寄生玄参芪牛膝。

71. 一号早搏丸

炙甘草 100g，生甘草 50g，益母草 100g，冬虫夏草 50g，桂枝 60g，生地黄 100g，阿胶 50g，麦冬 100g，五味子 100g，红参 100g，丹参 100g，炙酸枣仁 50g，火麻仁 50g，紫石英 30g，红花 20g，苦参 100g，泽泻 50g，龙齿 50g，冰片 10g。姜枣为引。

【一号早搏丸方歌】

早搏丸中用四草，桂枝麦地同阿胶。
三参二仁五味子，石英红花泻龙脑。
宗气甘草生熟用，免疫益母冬虫草。
安神炙枣生龙齿，肺气麦冬紫石胶。
收敛心气五味子，调节心律苦参熬。

72. 早搏二号

炙甘草 120g，红参 100g，桂枝 90g，生姜 90g，阿胶 60g，生地黄 30g，麦冬 100g，火麻仁 100g，大枣 10 枚，五味子 100g。

心阴不足加柏子仁、炙酸枣仁；心神不宁加琥珀、磁石、龙齿、朱砂、远志、石菖蒲、茯神，以安神定志。

【早搏二号方歌】

早搏二号炙草威，半两生姜枣十枚。
桂枝阿胶大生地，麦冬参麻北五味。
心阴不足加柏枣，心神不宁琥磁追。
或加菖蒲和远志，定志安神早搏没。

73. 普济羚麝丸

羚羊角丝 30g，牛膝 300g，麝香 30g，代赭石 200g，明天麻 180g，茯神 150g，钩藤 240g，龙齿 150g，菊花 150g，牡蛎 150g，石决明 360g，夜交藤 150g，益母草 150g，白蒺藜 150g，白芍 50g，栀子 150g，玄参 150g，黄芩 150g，天冬 150g，佛手 80g，杜仲 150g，麦芽 80g，珍珠 30g，桑寄生 100g，甘草 100g。

【普济羚麝丸方歌】

羚麝丸主治亢阳，天麻钩菊石决襄。
赭石牛膝龙牡伍，茯神夜交坤草帮。
芍天玄杜珍佛母，蒺藜芩栀寄生良。
六钱麝香通经络，镇肝熄风加羚羊。

74. 血精丸

生地黄炭 15g，茜草 10g，乌贼骨 10g，汉三七 3g（冲），女贞子 10g，墨旱莲 15g，知母 10g，黄柏 10g，炙龟板 15g，车前子 10g。

【血精丸方歌】

血精丸治射血精，阴虚火旺红线充。
地炭乌贼女贞子，茜草旱莲三七同。
知柏车前败龟板，阴火平之血归宗。

75. 少年淫遗方

知母 12g，黄柏 12g，生地黄 15g，山药 20g，芡实 30g，莲须 30g，金樱子 30g，煅龙骨 30g，煅牡蛎 30g，炙酸枣仁 15g，北五味子 10g。

手淫频作，损耗肾精，伤及肾气，封藏失职，相火内动，火迫精室，阳事易举，是以遗精频发。

【少年淫遗方方歌】

少年思淫遗精方，知母生地山药黄。
芡实莲须金樱子，龙骨牡蛎五味昌。
更加枣仁安神志，相火封动精室藏。

76. 棺藏清肝汤

黄连 15g，胡黄连 10g，鸡内金 10g，焦术 10g，焦三仙各 15g，三棱 5g，莪术 10g，青皮 15g，陈皮 5g，甘草 5g，芦荟 10g，槟榔 10g，香附 5g。

【棺藏清肝汤方歌】

连连金术三，三莪青陈甘。
干芦槟榔附，福医甲乙肝。

77. 通痹膏

麻油 1200g，麝香 10g，章丹 500g，藏红花 50g，血竭 50g，乳香 45g，没药 45g，三七 50g，犀角 25g，沉香 45g，虎骨 25g，檀香 45g，珍珠 50g，玳瑁 50g，柴胡 40g，胆南星 35g，龙骨 60g，白芷 50g，防风 40g，方海 80g，秦艽

60g，土鳖虫 60g，川芎 50g，土大黄 60g，荜茇 50g。

【通痹膏方歌】

麻油麝香与章丹，红花血竭乳没添。
三七犀角沉香贵，虎骨檀香珍珠圆。
柴胡胆星玳龙骨，白芷防风方海攒。
大艽土虫川芎入，土黄荜茇通痹痊。

78. 三白汤

白附子 15g，白鲜皮 15g，白芷 15g，独活 15g，羌活 15g，何首乌 15g，白花蛇 2 条，防风 15g，桂枝 15g，牛膝 15g，苦参 15g，浮萍草 20g，全蝎 50g，胡麻 15g，赤芍 15g，当归 15g，地肤子 20g，甘草 10g。

【三白汤方歌】

三白汤中用四白，二活防风苦参来。
胡麻地肤浮萍草，首乌桂枝牛膝开。
归芍甘草干全蝎，一切风疾尽摒埋。

79. 神效五骨丹

虎胫骨 50g，猴骨 50g，牙狗骨 50g，鹰爪骨 50g，鸡腿骨 50g，京墨 7 块，五灵脂 60g，地龙 60g，自然铜 120g，全蝎 50g，大芸香 60g，土鳖虫 30g，甲珠 30g，乳香 60g，炙草乌 50g，番木鳖 60g，没药 60g，硼砂 150g，三七 90g，申姜 60g，血竭 180g，青礞石 90g，肉桂 15g，牛膝 30g，五加皮 30g，木香 60g，当归 50g，麝香 10g。

【神效五骨丹方歌】

五骨丹中用五骨，猴狗鹰鸡和老虎。
京墨灵脂干地龙，二虫二香炙草乌。
三七没药自然铜，硼砂血竭山甲珠。
牛膝申姜桂礞石，五加木香归麝伍。
活血祛瘀通经络，续筋接骨壮肾府。

80. 软肝丸

三七、郁金、鸡内金、红参、土鳖虫、姜黄、紫河车、鳖甲、甲珠、龟板、山药、当归、生黄芪、薏苡仁、茯苓、沉香、阿胶、三棱、莪术、神曲、麦芽、平地木、八月札、犀角、木蝴蝶、灵芝、露蜂房。

【软肝丸方歌】

肝硬之疾有绝方，三甲二金三土黄。
三棱莪术参曲麦，八月平地犀灵香。
山药当归木蝴蝶，生芪茯苓补泻良。
人之胎盘调营血，浮肿之状苡蜂房。

81. 糖尿丸

沙参 100g，山药 100g，玄参 150g，熟地黄 150g，生地黄 150g，枸杞 150g，石斛 150g，玉竹 150g，丹参 150g，天花粉 150g，麦冬 75g，益智仁 75g，乌梅 50g，芡实 50g，知母 50g，黄芪 150g，鸡血藤 150g，忍冬藤 150g，防风 100g，黄芩 60g，黄连 60g，牛膝 160g，山萸肉 100g。

【糖尿丸方歌】

消渴之疾病理殊，倍他不产胰岛素。
常时血糖不分解，心梗脑梗糖尿殊。
三参二地玉牛粉，麦冬血藤防杞乌。
益智芡实芪芩连，山药山萸倍量图。

82. 搜风顺气丸

车前子 125g（炒），白槟榔 150g，火麻仁 150g（微炒退壳），郁李仁 150g（酒泡去皮），菟丝子 150g（酒浸干），牛膝 150g（酒浸 48 小时），山药 150g，枳壳 50g（麸炒），防风 50g，独活 50g，大黄 25g（半生半熟）。

【搜风顺气丸方歌】

搜风顺气化滞汤，车前火麻白槟榔。
郁李牛膝丝并子，山药枳壳独活防。
遵法炮制不离谱，半生半熟准大黄。

83. 秘传中风后遗丸

川芎 100g，三棱 60g，莪术 60g，水蛭 60g，土鳖虫 50g，五灵脂 50g，郁金 60g，红花 30g，当归 60g，茺蔚子 50g，赤芍 50g，麝香 10g，地龙 100g，黄芪 200g。黄酒送服。

【秘传中风后遗丸方歌】

中风后遗重川芎，血中气药引塞通。
土虫灵脂郁金配，水蛭莪术京三棱。
归红赤芍茺蔚子，黄芪麝香干地龙。
六世留下秘宗药，无私献出利众生。

84. 骨质增生丸

木瓜 150g，白芍 300g，当归 150g，威灵仙 150g，甘草 60g，五加皮 60g，羌活 100g，川续断 200g，牛膝 300g，枸杞子 150g，鹿角胶 150g，红参 100g，延胡索 100g，血竭 100g，白芷 100g，三七 100g，鸡血藤 150g，麝香 15g，鹿衔草 150g，金毛狗脊 100g。

【骨质增生丸方歌】

科研成果治增生，木瓜白芍延归灵。
羌活川断五加味，草膝杞鹿参血藤。
三七血竭白芷麝，鹿衔狗脊抑骨增。

85. 神力仙丹

牛肾、驴肾、狗肾、红参、酒当归、杜仲、肉桂、鹿茸（焙）、海马（焙）、阿胶、牡丹皮、黄芪、熟地黄、茯苓、焦白术、山萸肉、淫羊藿（拌炒）、补骨脂（酒）、枸杞子、菟丝子、巴戟天、肉苁蓉、覆盆子、胡芦巴、麦冬、锁阳（罐蒸）、仙茅（罐蒸）、川断、牛膝、玄参、甘草、附子、女贞子、红花、斑蝥（去头足）。

壮阳补肾，适用于肾阳不足，阳痿滑泄，腰腿酸痛，阴囊湿冷，精神萎靡，食欲不振，阴茎细小者。可调节人体机能，提高免疫力，对治疗阳痿、早泄有特效。

【神力仙丹方歌】

神力仙丹补肾精，壮阳秘制赖清宫。
牛驴狗肾滑石烫，参归杜桂海马茸。
阿胶丹皮芪熟地，术萸羊藿杞茯苓。
巴戟寸云覆盆子，芦巴丝子牛膝共。
锁阳川断仙茅草，玄参附子女贞红。
唯有斑蝥为主药，炮制计量显奇功。

86. 活精丹

枸杞子 100g，覆盆子 100g，菟丝子 100g，五味子 100g，车前子 100g，女贞子 100g，桑椹子 100g，补骨脂 100g，黄柏 150g，醋制鳖甲 300g。

【活精丹方歌】

活精枸杞女覆盆，丝子五味车桑椹。
更有补骨加黄柏，重用鳖甲可思春。

87. 生精丹

人参、党参、山药、枸杞子、熟地黄、牛膝、楮实子、菟丝子、沙苑子、何首乌、淫羊藿、金樱子、巴戟天、仙茅、鹿角霜、路路通、王不留行。

腰痛加桑寄生、川续断、杜仲，阳痿加阳起石、蜈蚣。

【生精丹方歌】

生精人参地金樱，山药枸杞膝陆通。
党参首乌仙灵脾，巴戟仙茅不留行。
鹿霜楮丝沙苑子，加减川杜寄蜈蚣。

88. 养精丹

楮实子、生山药、枸杞子、云苓、牛膝、何首乌、桃仁、太子参、胡桃仁、熟地黄、山萸肉、焦白术、覆盆子、玉竹、女贞子、粉甘草。

腰痛加桑寄生，阳痿加蜈蚣、淫羊藿，睾丸痛加山楂核、荔枝核、琥珀。

【养精丹方歌】

养精四子与二桃，牛膝云苓生山药。

山参首乌大熟地，焦术玉竹粉甘草。

89. 续骨丸

当归尾30g，川芎15g，三七15g，苏木30g，酒大黄15g，酒川断45g，骨碎补45g，煅自然铜75g，泽泻45g，茯苓45g，枳壳30g，桔梗30g，酒防风30g，白术45g，血竭15g，木香30g，五加皮30g，杜仲45g，白芷30g，白扁豆30g，桃仁30g，红花30g。

【续骨丸方歌】

续骨三七归川芎，川断骨碎自然铜。
酒黄苏木苓泽没，桔梗枳壳断防风。
白术血竭木香入，五加杜仲扁桃红。

90. 便秘丸

杏仁50g，桃仁50g，松子50g，柏子仁50g，郁李仁50g，火麻仁50g，陈皮50g，黄芪50g，肉苁蓉100g，枳壳100g，白术100g，青皮100g。另加生大枣30枚。

【便秘丸方歌】

便秘六子最相亲，杏桃松柏郁麻仁。
陈皮黄芪共枳壳，白术青皮与寸云。
老年便秘另有秘，三十生枣天天吞。

91. 感冒咳嗽后遗散

甘草、半夏、紫苏、杏仁、乌梅、阿胶、生姜、罂粟壳。

病毒性上呼吸道感染，加大青叶60g，紫草60g，贯众50g。

【感冒咳嗽后遗散方歌】

感冒后遗咳嗽频，甘草半夏苏杏仁。
乌梅阿胶共米壳，生姜为引笑吟吟。

92. 解郁丸

白术50g，茯苓50g，白芍50g，当归50g，柴胡50g，甘草50g，远志50g，石菖蒲 50g，炙龙骨 75g，炙牡蛎 75g，磁石 150g，浮小麦 50g，琥珀 30g。

心悸失眠加炙酸枣仁、夜交藤、柏子仁；肾虚腰疼加杜仲、枸杞子、川续断、狗脊；肝阳上亢加决明子、地龙；气短加桔梗、枳壳；血虚加参芪；食欲不振加砂仁、鸡内金、焦三仙；痰多加胆南星、陈皮、半夏、郁金；白带异常加土茯苓；颈项痛加葛根、丹参；胸闷加佛手、降香、瓜蒌；呃逆加代赭石、丁香、柿蒂。

【解郁丸方歌】

解郁白芍术白苓，柴胡甘草磁石同。
远志菖蒲归龙牡，浮麦琥珀最相应。
肾虚狗脊川杜仲，心悸失眠枣交藤。
食少内金三仙味，肝阳上亢草决龙。

93. 气瘿丸

木香 30g，陈皮 30g，海粉 30g，海带 250g，海藻 500g，昆布 250g，海螵蛸 50g，海浮石 500g，三棱 50g，莪术 50g，夏枯草 50g，炙黄芪 100g，牡蛎 50g，磁石 50g，白术 50g，郁金 50g，柴胡 50g，板蓝根 50g，连翘 50g。

【气瘿丸方歌】

六海消瘿香陈皮，三棱莪术夏连随。
牡蛎磁石白术郁，柴胡板蓝炙黄芪。

94. 骨痨丸

全蝎 60g，蜈蚣 100 条，甲珠 40g，土鳖虫 120g，黄芪 100g，三七 50g，骨碎补 50g，乳香 50g，没药 50g，土茯苓 100g，熟地黄 100g，鹿角胶 50g。

【骨痨丸方歌】

骨痨丸用蝎蜈虫，甲珠黄芪土茯苓。
三七乳没骨碎补，再加熟地鹿胶明。

95. 生发丸

木瓜 50g，旱莲草 150g，生地黄 60g，熟地黄 60g，何首乌 150g，天麻 75g，菟丝子 60g，当归 50g，白芍 75g，茯苓 60g，羌活 50g，甘草 25g，黑芝麻 150g，胡桃 60g，桑椹子 60g，女贞子 60g，龟板 60g，侧柏叶 60g，苦参 60g，

白鲜皮 60g。

【生发丸方歌】

生发二地与木瓜，首乌丝子芍二麻。
羌活旱莲归苓草，胡桃桑椹侧柏加。
龟板苦参鲜贞子，养血祛风治脱发。

96. 下乳散

当归、白芍、川芎、生地黄、柴胡、青皮、天花粉、漏芦、通草、桔梗、白芷、穿山甲、王不留行、甘草、路路通、猪蹄。

【下乳散方歌】

下乳归芍地川芎，柴胡花粉不留行。
青皮漏芦通桔皮，白芷山甲草路通。
猪蹄熬汤增营养，涌泉散结下乳灵。

97. 尿毒一号

大黄 50g，熟附子 30g，生甘草 15g，炙旋覆花 25g，代赭石 30g，半夏 25g，车前子 30g，泽泻 25g，薏苡仁 30g，丹参 30g，益母草 100g，生黄芪 100g，丹参 30g，地龙 30g。

【尿毒一号方歌】

急性肾衰命攸关，解毒通腑降肌酐。
附子覆花泽半夏，大黄生草赭车前。
薏仁坤草参黄芪，丹参地龙脾灵仙。
大黄五十坤一百，腹式透析最安全。

98. 尿毒二号

熟地黄 15g，山萸肉 15g，山药 20g，泽泻 15g，牡丹皮 10g，茯苓 20g，黄芪 30g，淫羊藿 15g，牛膝 30g，车前子 30g，生大黄 10g，薏苡仁 30g，益母草 30g，枸杞子 15g，生甘草 6g，地龙 50g。

【尿毒二号方歌】

慢性肾衰莫蹉跎，温经通腑降痰浊。

六味黄芪仙灵脾，坤草大黄三十克。

牛膝车前苡龙杞，口服灌肠齐下锅。

99. 自汗丸

炙黄芪 75g，党参 75g，牡蛎 75g（煅），麻黄根 50g，瘪桃肉 50g，浮小麦 50g，五味子 35g，炙甘草 35g，生地黄 50g，杭白芍 50g。

【自汗丸方歌】

自汗丸用炙芪参，牡蛎瘪桃麻黄根。

五味地芍浮麦草，周身上下无汗浸。

100. 化瘤丸

桂枝 30g，桃仁 30g，赤芍 30g，海藻 30g，牡蛎 50g，三棱 120g，莪术 120g，鳖甲 30g，茯苓 200g，牡丹皮 40g，当归 40g，藏红花 15g，乳香 120g，没药 120g，杏仁 50g，陈皮 50g，八角金盘 50g，喜树果 50g，三七 30g，酒大黄 20g，土鳖虫 30g，甲珠 30g，山慈菇 30g。

【化瘤丸方歌】

化瘤桂枝芍茯苓，海藻牡蛎术三棱。

桃仁鳖甲牡丹皮，归杏乳没陈花红。

八角金盘喜树果，三七酒军土鳖虫。

更有甲珠山慈菇，软坚散结化癖灵。

101. 转律丸

红花 100g，苦参 100g，炙甘草 60g，生甘草 60g，泽泻 60g，紫石英 50g，冬虫夏草 50g，桂枝 30g。

【转律丸方歌】

转律甘草炙加生，桂枝泽泻紫石英。

红花苦参为主药，心动结代加冬虫。

102. 通督丸

鹿衔草 150g，金毛狗脊 100g，当归 100g，泽兰 100g，苏木 100g，地龙

100g，杜仲 100g，鹿茸 15g，赤芍 100g，黄芪 150g，丹参 100g，麝香 10g，虎骨 30g。

山药为极细末，与上药炼蜜为丸，每丸三钱重，日服两次，每次两丸。

【通督丸方歌】

通督活血二鹿芪，归苏丹芍金狗骨。

泽兰地龙杜仲麝，椎管狭窄最相宜。

103. 肺痨丸

黄芩 50g，百部 75g，丹参 50g，红参 30g，五味子 50g，麦冬 50g，桑叶 50g，莲肉 30g，芡实 50g，杏仁 50g，枇杷叶 100g，山药 50g，白花蛇舌草 50g，十大功劳叶 50g，仙鹤草 50g，紫河车 50g，黄芪 150g，鸡内金 100g，牡蛎 100g，白及 150g。

滋阴降火，益气养阴。主治痨虫引起之肺结核。

【肺痨丸方歌】

肺痨百部与黄芩，麦冬五味丹红参。

桑叶莲肉芡实杏，枇杷山药蛇草金。

仙鹤黄芪功劳叶，河车牡蛎白及寻。

滋阴降火除痨瘵，补肺杀虫守命门。

104. 舌痹丸

茯苓 50g，橘红 50g，贝母 50g，瓜蒌仁 50g，黄连 50g，桔梗 50g，枳壳 50g，甘草 30g，黄芩 50g，胆南星 50g，法半夏 30g，明天麻 50g，皂角刺 15g，细辛 15g，生姜 15g。

主治舌痹舌麻，痰气滞于心包络。

【舌痹丸方歌】

舌痹舌麻用茯苓，贝母蒌仁共橘红。

黄芩枳壳同甘草，半夏天麻胆南星。

皂角细辛姜三片，血虚黄连舟桔梗。

105. 益气通脉汤

红参45g，熟附子20g，甘草30g，川芎90g，大黄30g，桂枝60g，赤芍450g，桃仁60g，益母草150g，红花50g，丹参75g，麦冬75g，黄芪150g。猪心血为丸，梧桐子大，日二次，白水送服。

回阳救逆，活血通脉。主治气血瘀滞型风心瓣膜病、慢性心力衰竭。

【益气通脉汤方歌】

益气通脉参附芎，川军桂枝赤桃红。
坤草丹参黄芪麦，心力衰竭见奇功。

106. 乙肝解毒汤

丹参50g，当归20g，红花5g，桂枝5g，柴胡15g，延胡索10g，平地木30g，八月札30g，白花蛇舌草50g，生黄芪30g，鱼腥草50g，三棱30g，莪术30g，板蓝根50g，何首乌30g，莱菔子30g，泽兰30g，土茯苓30g，犀角5g，木蝴蝶30g。

清热解毒，活血调肝。主治病毒性肝炎，亦可用于乙肝病毒携带者。

【乙肝解毒汤方歌】

乙肝解毒柴元胡，丹参归红平地木。
八月桂枝蛇舌草，黄芪鱼腥三莪术。
犀角泽兰莱菔子，土苓木蝶板蓝乌。
清热解毒调肝血，病毒携带可祛除。

107. 和营拓脉饮

当归50g，泽兰50g，金银花50g，玄参25g，钩藤25g，黄芪50g，罂粟壳20g，薏苡仁30g，鸡血藤25g，生甘草20g，丹参50g，牛膝30g，生地黄25g，蟾酥0.03g，水蛭15g，毛冬青150g。

和营拓脉，活血通络。主治血栓闭塞性脉管炎。

【和营拓脉饮方歌】

和营拓脉钩血藤，当归泽兰双花并。
玄仁米壳生血草，黄参牛膝水酥青。

薏仁丹参同水蛭，用好蟾酥可利营。

108. 食欲丸

木香5g，厚朴15g，枳壳15g，陈皮15g，姜半夏5g，干姜5g，泽泻15g，山楂15g，麦芽15g，砂仁15g，茯苓15g，赤茯苓15g。

理气化浊，芳香和中。主治胃气不降，知饥易饱而不能食；或脾不运化，食后艰化。

【食欲丸方歌】

食欲丸中壳陈皮，香砂厚朴半夏宜。
干姜泽泻赤白苓，山楂麦芽大枣随。

109. 菊藻丸

菊花65g，海藻65g，三棱65g，蚤休65g，金银花100g，漏芦100g，山慈菇100g，蜈蚣35g，何首乌130g，制马钱子65g，马蔺子100g，

解毒散结，化痰通痹。主治舌菌、舌岩、口腔炎。

【菊藻丸方歌】

菊藻首选山慈菇，三棱蚤休与漏芦。
双花蜈蚣马蔺子，精制马钱加蚣乌。

110. 视颠丸

半夏15g，当归身15g，川芎15g，白芷15g，防风15g，明天麻15g，枳壳15g，甘草15g，茯神5g，羚羊角50g。

镇肝熄风，育阴潜阳。主治阴精衰弱，阳邪上干之视物颠倒症。

【视颠丸方歌】

颠倒光华病最奇，头风痰蒙火为之。
重用羚羊一两剂，七制半夏准唯一。
归神芎草防白芷，天麻枳壳视颠愈。

111. 乳胀汤

柴胡50g，枳壳50g，炙甘草30g，白芍50g，赤芍30g，川芎50g，香附

50g，陈皮 50g，夏枯草 50g，王不留行 50g。

【乳胀汤方歌】

气郁乳胀情志由，柴胡枳壳二芍柔。
川芎炙草陈香附，再加枯草王不留。

112. 解酒汤

葛花 50g，大黄 30g，山楂 30g，六月雪根 30g，板蓝根 30g，绿豆 30g，莱菔子 30g，红糖 30g。

【解酒汤方歌】

自拟葛花解酒汤，山楂板蓝根大黄。
绿豆莱菔六月雪，药汁临服调红糖。

113. 坐骨丸

紫丹参 100g，钩藤 100g，血竭 50g，豨莶草 100g，蜈蚣 50g，地龙 100g，柴胡 100g，薏苡仁 100g，红花 50g，申姜 100g，桂枝 50g，白芍 100g，延胡索 50g，甘草 50g，罂粟壳 50g，野木瓜 100g。

祛风通络，活血止痛。主治风湿病、类风湿关节炎、坐骨神经痛。

【坐骨丸方歌】

坐骨豨莶双钩藤，丹参血竭大蜈蚣。
柴胡苡米红花桂，申姜甘草并地龙。
白芍米壳野木瓜，再加元胡止痛疼。

114. 淋巴结核丸

夏枯草、玄参、海藻、贝母、薄荷、天花粉、海粉、白蔹、连翘、大黄、猫爪草、生地黄、枳壳、当归、玄明粉、桔梗、生甘草、猫爪草。

【淋巴结核丸方歌】

淋巴结核用三粉，枯草海藻贝玄参。
薄荷连翘地白蔹，大黄猫爪生地临。
当归枳梗与生草，舟楫之药提药津。

115. 消积破癥丸

潞党参 50g，当归 50g，黄芪 50g，白术 100g，桃仁 50g，甲珠 30g，木香 50g，枳壳 50g，香附 50g，鸡内金 50g，八月札 50g，郁金 50g，水蛭 30g，川楝子 50g，水红花子 50g，鳖甲 50g，陈皮 50g，炙甘草 50g，延胡索 50g，海藻 50g，旋覆花 50g，白豆蔻 50g，厚朴 50g，八角金盘 30g，喜树根 30g，山慈菇 30g，两头尖 30g，急性子 30g，三棱 50g，莪术 50g。

消积破癥，散结软坚，解毒消肿。主治肝癌、胃癌、脾大、肝硬化、消化道积聚等恶块肿毒。

【消积破癥丸方歌】

消癥破瘕化积因，黄芪归术潞党参。
三棱莪术甲枳壳，桃仁木香附二金。
水蛭川楝水红子，鳖甲厚朴两头尖。
炙草元胡八月札，海藻白蔻覆花陈。
更有慈姑急性子，八角金盘喜树根。

116. 脓疡丸

苇根 50g，桔梗 50g，冬瓜仁 50g，鱼腥草 100g，生薏苡仁 30g，金银花 30g，连翘 30g，瓜蒌 30g，黄芩 30g，甘草 30g，桃仁 25g，贝母 15g，红藤 30g，蒲公英 30g，紫花地丁 30g，白及 30g，射干 30g，黄连 30g，栀子 30g，桑白皮 30g。

【脓疡丸方歌】

千金苇茎脓疡汤，专治肺叶生痈疮。
双花连翘鱼腥草，桔梗贝母三仁镶。
瓜蒌黄芩桑白皮，公英地丁射干藏。
黄连栀子红藤伍，临症加减细参详。

117. 面膜美容净

白芷 30g，白术 30g，白鲜皮 40g，白薇 20g，白丁香 15g，白芍 20g，僵蚕 10g，白附子 10g，白蒺藜 100g，白花粉 40g，甘松 20g，红花 20g，紫河车 10g，

山药 30g，鸡内金 20g，以石膏做基质。

【面膜美容净方歌】

慈禧留下美容净，十白面膜最柔情。
红花河车生山药，内金石膏与甘松。
工艺过程自理解，每晚贴面十分钟。

118. 美容丸

荆芥 20g，防风 15g，紫草 100g，土茯苓 100g，刺蒺藜 50g，白鲜皮 100g，生地黄 30g，赤芍 20g，大黄 10g，红花 20g，香附 10g，柴胡 10g，炒酸枣仁 50g，当归 20g，苦参 30g，女贞子 30g，墨旱莲 30g，白术 30g，血竭 1g。

【美容丸方歌】

美容丸用荆防风，紫草蒺藜土茯苓。
柴胡香附白鲜地，大黄炙枣归芍红。
苦参白术白血力，女贞旱莲美面容。

119. 婴儿湿疹

赤芍 10g，生地黄 15g，牡丹皮 10g，蝉蜕 5g，白鲜皮 15g，茜草根 10g，苏叶 5g，灯心花 5 个，山楂 10g，谷芽 15g，荆芥 5g，胡麻仁 2g。。

【婴儿湿疹方歌】

婴儿湿疹最常见，一服汤药好去半。
地芍丹皮金蝉蜕，苏叶山楂荆白鲜。
再加谷芽胡麻仁，灯心花与根草茜。

120. 刘氏强心丹

益母草 80g，鸡血藤 30g，白术 50g，赤芍 50g，丹参 90g，党参 50g，川芎 30g，桂枝 40g，炙黄芪 50g，桃仁 30g，红花 30g，大黄 20g，麦冬 30g，生黄芪 30g，熟附子 30g，五加皮 55g，葶苈子 30g，泽兰 15g，炙甘草 30g，肉桂 35g。三个猪心血合之，金箔为衣。

温阳益气，活血强心。主治充血性心力衰竭。

【刘氏强心丹方歌】

强心重用芪术参，益母通利定乾坤。
附子回阳救逆，葶苈泻肺助心。
活血赤桃红，通脉芎丹参。
血藤行痹，麦冬养阴。
炙草健旺宗气，肉桂温化水门。
温阳益气强心神，另有三个猪心一箔金。

121. 珠珀安神丹

珍珠、琥珀、红参、朱砂、鹿茸、当归、川芎、白芍、陈皮、黄芪、生地黄、代赭石、丹参、远志、茯苓、胆南星、夜交藤。

【珠珀安神丹方歌】

珠珀安神归川芎，朱砂红参陈鹿茸。
当归白芍黄芪地，赭石丹参志茯苓。
心血不足神衰弱，失眠健忘服之灵。
倘有高压肝胆热，加入芩栀减参茸。

122. 液化散

知母、生地黄、熟地黄、赤芍、白芍、麦冬、天花粉、黄柏、仙茅、枸杞子、车前子、牡丹皮、丹参、玄参、南瓜子、淫羊藿、巴戟天、泽泻、萆薢、乌药、茯苓、紫石英、蒲公英。

【液化散方歌】

二地麦冬仙灵脾，二芍知母粉巴戟。
二参羊藿南瓜籽，二英苓泻乌鲜皮。
黄柏仙茅车前子，促精液化加枸杞。

123. 奔豚汤

李根白皮 100g，半夏 30g，干姜 100g，茯苓 100g，人参 50g，吴茱萸 50g，肉桂 75g，桂枝 50g，牡蛎 75g 炙甘草。

【奔豚汤方歌】

奔豚起于肾之积，惊恐忧思神志离。
半夏干姜吴茱萸，秘在引药李根皮。
茯苓人参五味子，炙草二桂炙牡蛎。

124. 安神丹

红参 15g，青龙齿 50g，白茯苓 15g，朱茯神 15g，石菖蒲 15g，远志 10g，炙酸枣仁 20g，川芎 5g，知母 10g，白芍 15g，牡蛎 50g，炙甘草 5g，桂枝 15g，白术 15g，草豆蔻 15g。

益气镇惊，养肝清胆，安神定志。主治心胆气虚，面色无华，善惊倦怠，惕惕然。

【安神丹方歌】

自拟安神丹红参，龙齿茯苓枣茯神。
菖蒲远桂芍知术，川芎牡蛎炙草寻。

125. 易醒汤

炙酸枣仁 18g，知母 10g，川芎 5g，茯苓 10g，甘草 3g，白芍 15g，牡蛎 50g，人参 15g，龙齿 15g，茯神 15g，石菖蒲 15g，琥珀 15g，磁石 15g，远志 15g，五味子 15g。

另有心胆气虚者，不寐多梦，易于惊醒，“梦远行而精神离散，魂魄妄行，且多可惊可怕之事”。宜安神定志。

【易醒汤方歌】

炙枣川芎知母，茯苓甘草芍牡。
专治肝血不足，睡中易醒恍惚。
另有心虚胆怯，安神定志病除。
龙齿琥珀磁石，茯神远志菖蒲。
或加人参益气，收敛心气加五。

126. 湿痹丸

薏苡仁 100g，苍术 100g，独活 100g，羌活 100g，防风 100g，川乌 75g，麻

黄 100g，桂枝 100g，当归 100g，川芎 50g，生姜 50g，甘草 50g，防己 30g。

肿胀加萆薢、木通、姜黄，通利水络；肌肤不仁加海桐皮、豨莶草，祛风通络。

【湿痹丸方歌】

湿痹薏仁与苍术，健脾除湿湿气除。
羌独二活并防风，麻黄桂枝共川乌。
肌肤不仁桐莶枝，加入归芎营卫足。
若有肿胀湿气盛，草通姜已通水路。

127. 河间耳聋汤

蔓荆子、生地黄、赤芍、菊花、桑白皮、木通、麦冬、升麻、前胡、炙甘草、赤茯苓、石菖蒲、桔梗、路路通。

【河间耳聋汤方歌】

河间调肺治耳聋，蔓荆地芍菊桑通。
麦冬升麻前胡草，桔梗菖蒲路赤苓。

128. 褥疮散

制炉甘石、熟石膏、赤石脂各等份。

【褥疮散方歌】

刘氏褥疮散，首选制炉甘。
巧用熟石膏，妙使赤脂烟。

129. 滑囊丸（寒湿）

萆薢 90g，薏苡仁 90g，防己 36g，木瓜 55g，牛膝 27g，制川乌 27g，制草乌 27g，独活 55g，钻地风 55g，千年健 36g，香附 55g，当归 45g，丹参 90g，青风藤 55g，络石藤 50g。

积液三圣散外敷：黄柏、苍术、牛膝。

肥厚消瘀散外敷：大黄、栀子、木瓜、蒲公英、姜黄、黄柏，蜜水调敷之。

【滑囊丸（寒湿）方歌】

滑囊丸里伍地风，萆薢薏仁防己同。

二乌独与牛膝健，木瓜香附归参藤。

更加络石通经络，偏于寒湿法最灵。

130. 鼻炎一号

苍耳子、黄芩、车前子、白花蛇舌草、葛根、白芷、桔梗、甘草、蒲公英、辛夷、牡丹皮、荆芥。

【鼻炎一号方歌】

苍耳黄芩蛇丹皮，葛根白芷甘桔夷。

荆芥公英车前子，鼻炎失闻效最奇。

131. 芍药黄芩香连汤

芍药、黄芩、木香、黄连、甘草、枳壳、肉桂、槟榔、大黄、马齿苋、马尾连。

主治细菌性痢疾。

【芍药黄芩香连汤方歌】

芍药黄芩香连草，壳桂坠槟痛大黄。

菌毒泻痢马齿尾，重煎轻时水泡尝。

132. 僵直脊柱丸

金毛狗脊 50g，菟丝子 50g，枸杞子 50g，熟地黄 60g，生地黄 90g，猪骨髓 100g，牛脊髓 100g，生川乌 30g，蜈蚣 30 条，水蛭 30g。

补肾壮骨，祛风通络。主治风湿病、类风湿关节炎引起的强直性脊柱炎、骨质增生等。

【僵直脊柱丸方歌】

僵直脊柱金狗脊，丝子二地大枸杞。

蜈蚣水蛭生川乌，猪髓牛髓汤丸与。

133. 心血散（丸）

黄芪 300g，当归尾 60g，赤芍 45g，桃仁 30g，红花 30g，地龙 30g，川芎 30g，人参 100g，麦冬 100g，五味子 100g，龙眼肉 50g，茯神 50g，炙酸枣仁

50g，远志 50g，石菖蒲 50g，玄参 50g，生地黄 50g，柏子仁 50g。三个猪心血为丸，金箔为衣，每服 30 丸，糯汤送下。

补血养心，益气安神。主治血亏气虚，倦怠无力。

【心血散（丸）方歌】

心血散用芪芍归，地龙桃红参五味。
川芎麦冬龙眼肉，茯神柏枣玄地追。
菖蒲远志猪心血，益气养心引血归。

134. 颈痛灵

红参、鹿茸、麝香、乳香、没药、熟地黄、何首乌、当归、黄芪、狗脊、天仙子、知母、百合、天麻、地麻、血竭、地龙、海马、牛膝、川乌、草乌、乌梅、水蛭、木香、枳壳。

益气养血，疏风通络。主治腰腿痛、肩周炎、关节炎、坐骨神经痛、头痛、四肢麻木、胃痛、气管炎。

【颈痛灵方歌】

颈痛灵药伍参芪，龙马鹿牛蛭狗脊。
三香四乌归乳没，百合知母天熟地。
二麻血竭兼枳壳，通经窜络诸痛息。

135. 白疕二号

鸡血藤 50g，土茯苓 50g，当归 25g，生地黄 25g，威灵仙 25g，山药 25g，蜂房 25g，犀角 10g，羚羊角丝 10g。

【白疕二号方歌】

白疕原属牛皮病，治疗首选大犀羚。
当归生地威灵仙，山药茯苓与房蜂。
脾虚内湿木苡米，阴虚知柏槐二冬。
血虚应加丹芍地，行血舒筋鸡血藤。

136. 骨熥散

伸筋草、透骨草、荆芥、防风、防己、附子、千年健、威灵仙、桂枝、秦艽、羌活、独活、路路通。

【骨熥散方歌】

骨熥之药，疗效最宏。
伸筋透骨，荆芥防风。
防己附子，年健仙灵。
桂枝大艽，二活陆通。

137. 肺癌丸

南沙参 60g，北沙参 60g，天冬 50g，麦冬 50g，百合 75g，生地黄 75g，熟地黄 75g，金银花 75g，黄芩 50g，白茅根 15g，白花蛇舌草 150g，鱼腥草 150g，陈皮 50g，铁树叶 150g，薏苡仁 75g，玄参 150g，知母 60g，鳖甲 150g，龟板 150g。

【肺癌丸方歌】

肺癌之疾，养阴消痈。
南北沙参，天麦二冬。
百合知母，双花鱼腥。
舌草陈皮，黄芩茅藤。
玄参铁树，龟鳖苡生。
生地熟地，气血贯通。

138. 重叠丸

玳瑁 30g，生地黄 200g，甲珠 30g，金银花 100g，白茅根 100g，犀角 10g，牡丹皮 50g，天花粉 50g，赤芍 50g，玄参 100g，黄柏 50g，羚羊角 30g，知母 50g，石斛 100g，板蓝根 10g，紫草 100g，全蝎 50g，蜈蚣 20g，大白花蛇 100g，雷公藤 150g，红藤 150g，鸡血藤 150g。

【重叠丸方歌】

重叠丸中用三藤，专治胶原重叠症。
玳瑁生地珠犀角，双花茅根丹粉羚。
知母黄柏玄石白，板蓝紫芍全蜈蚣。
临证加减求变化，狼疮皮炎一扫清。

139. 地仙丹

川乌 50g，草乌 25g，荆芥 25g，苍术 50g，自然铜 50g，白芷 25g，地龙 25g，没药 25g，乳香 25g，木鳖子 50g，半两钱二文，生地黄 50g，五灵脂 50g，木香 10g，生木瓜 400g，沉香 25g，败龟板 30g，南瓜种 50g，黄瓜种 50g，梢瓜种 50g，甜瓜种 50g，生莱籽 50g。

【地仙丹方歌】

地仙丹乃六代传，健骨强筋治瘫痪。
川乌草乌术荆芥，白芷地龙乳没连。
生地灵脂木鳖子，沉香木瓜半两钱。
南黄梢甜四瓜籽，然铜二香败龟板。
酒提水提秘法制，一切风疾尽了然。

140. 四乌一草汤

川乌、草乌、乌梅、乌梢蛇、紫草。

祛风除湿，活血宣痹。主治风寒湿痹、蚊虫叮咬、风湿性关节炎。

【四乌一草汤方歌】

四乌一草各三钱，白酒一斤泡七天。
内服外敷皆可以，专治风湿关节炎。

141. 通管金丹

水蛭 10g，丹参 30g，当归 15g，川芎 10g，杜仲 15g，甘草 10g，佛手 15g，小茴香 10g，五灵脂 10g，桃仁 15g，三棱 10g，莪术 10g，乌药 15g，王不留行 15g，肉桂 8g，没药 8g，香附 30g。

活血逐瘀，理气调冲。主治输卵管阻塞性不孕症。

【通管金丹方歌】

女子卵管道不通，孕育精卵不相逢。
先人留下通管丹，水蛭丹参归川芎。
佛手灵脂小茴草，桃仁棱术与杜仲。
肉桂没药香附米，天台乌药不留行。

142. 金沸草丸

柏子仁 60g，女贞子 80g，桑白皮 50g，红地肤子 50g，玄明粉 40g，滑石 50g，寒水石 60g，蚕砂 50g，板蓝根 70g，荆芥穗 80g，浮小麦 100g，茯神 50g，甘松 50g，谷芽 60g，紫草 50g，路路通 50g，地骨皮 50g，青黛 50g，蜈蚣 10g，柴胡 60g，党参 60g，金沸草（全草）100g。

【金沸草丸方歌】

金沸草散杀瘵虫，白皮寒水共元明。
柏子贞子红肤子，蚕砂滑石芥甘松。
板蓝浮麦茯神谷，紫草陆路地骨蚣。
青黛党参加柴胡，秘法炮制抗痨灵。

143. 降压丸

桑枝、豨莶草、臭梧桐、夏枯草、罗布麻、葛根、杜仲、山楂、决明子、车前子、桑叶、菊花、牛膝、天冬、白芍、玄参、麦芽、旋覆花、钩藤、白蒺藜。水泛为丸，打光，代赭石末为衣。

【降压丸方歌】

降压豨莶臭梧桐，桑枝夏枯草杜仲。
葛根山楂决明子，桑叶菊花芍天冬。
车前牛膝罗布麻，覆花玄参双钩藤。

144. 降脂丸

荷叶 100g，何首乌 150g，黄精 100g，山楂 300g，草决明 150g，桑寄生 100g，郁金 150g，丹参 300g，泽泻 150g，三七 100g，金樱子 100g，白矾 150g，猪胆汁 100g。

【降脂丸方歌】

降压荷叶与黄精，首乌山楂草决明。
郁金丹参共泽泻，白矾三七桑寄生。
再加金樱猪胆汁，稀释血黏降脂灵。

145. 皮炎汤

黄芪、何首乌、生地黄、牡丹皮、防风、蝉蜕、金银花、连翘、乌梅、五味子、红花、甘草、紫草。

【皮炎汤方歌】

划痕性皮炎，指划皮肤变。
黄芪首乌地，随风蝉衣丹。
双花甘连翘，外加消风散。
乌梅五味子，红紫过敏煎。

146. 玉华白丹

【玉华白丹方歌】

早泄曾经犯手淫，两性相交不称心。
玉华白丹绝妙药，夫妻和谐早逢春。
欲心一动随念去，加入妙香调脾心。

附：辰砂妙香散

茯苓500g，茯神50g，山药50g，远志50g，甘草25g，黄芪50g，红参25g，桔梗25g，辰砂50g，木香10g，麝香5g。

147. 破伤风汤

蜈蚣一条，牙皂二两，白芷三钱，天麻三钱，全蝎五个，黄酒一两。

初期顿服六钱，透汗；中期顿服八钱，透汗；末期一两，透汗。

【破伤风汤方歌】

一个蜈蚣二两牙，三钱白芷共天麻。
五个蝎子同为末，黄酒引汗效堪夸。

148. 癌症止痛膏

蟾酥15g，生川乌15g，重楼15g，红花15g，莪术15g，冰片15g，藤黄15g，樟脑15g，天南星15g，生水胶170g，熟水胶240g，乳香15g，没药15g。

【癌症止痛膏方歌】

癌症止痛用蟾酥，没药藤黄生川乌。
七叶一枝花并用，樟脑冰片与莪术。
生熟水胶为胶质，红花藤黄南星扑。

149. 胸热养阴丸

生地黄 50g，木通 50g，竹叶 50g，甘草 50g，百合 50g，石膏 100g，栀子 30g，山萸肉 50g，粉丹皮 50g，山药 50g，茯苓 50g，泽泻 50g。

【胸热养阴丸方歌】

胸热多因阴不足，六味再添甘木通。
百合偏与栀子见，竹叶石膏开新途。

150. 手癣洗剂

蛇床子、百部、苦参、白鲜皮、雄黄（后下）、硫黄（后下）、黄柏。

【手癣洗剂方歌】

手癣洗剂用三黄，苦参百蛇鲜皮襄。
一切风疾气不通，鹅掌湿痒尽风霜。

151. 二号降压丸

生白芍、生地黄、生石决明、生青龙齿、生牡蛎、菊花、白蒺藜、磁石、炙酸枣仁、鸡内金、麦冬、石斛、桑枝、杜仲。

【二号降压丸方歌】

降压丸用五药生，白芍石决牡地龙。
蒺藜菊花磁石内，炙枣石斛桑麦仲。

152. 家用金黄散

大黄 250g，黄柏 250g，姜黄 250g，白芷 250g，天南星 100g，陈皮 100g，苍术 100g，厚朴 100g，甘草 100g，天花粉 500g。

【家用金黄散方歌】

家用金黄散，川柏姜三黄。

白芷苍南星，厚朴粉甘陈。

153. 更年解郁清心汤

柴胡 50g，制香附 50g，龙骨 100g，牡蛎 100g，石菖蒲 100g，广郁金 75g，生地黄 75g，黄连 40g，淡竹叶 30g，朱砂 10g。

痰热甚加天竺黄、胆南星，血瘀加桃仁、丹参，气虚加红参、黄芪，气滞加瓜蒌、枳壳，心悸加甘松、三棵针、苦参。

【更年解郁清心汤方歌】

更年解郁清心，柴胡香附郁金。
生地菖蒲龙牡，黄连竹叶砂辰。
痰热天竺胆星，血瘀桃仁丹参。
气滞瓜蒌枳壳，心悸甘松苦针。

154. 静脉丸

黄芪、党参、当归、赤芍、桃仁、红花、丹参、泽兰、三棱、莪术、牛膝、地龙。

合并腰酸腿软加菟丝子、川断，肢冷麻加桂枝、忍冬藤，通栓加毛冬青、水蛭、生地黄，湿盛加萆薢、防己、野菊花。

【静脉丸方歌】

静脉深部血栓，黄芪党参泽兰。
桃红棱术膝地，当归赤芍参丹。
桂枝忍冬肢麻，丝子川断软酸。
生地营养正气，冬青水蛭通栓。
防己萆薢除湿，野菊解毒清斑。

155. 刘氏安神丹

徐长卿、朱砂、炙甘草、夜交藤、珍珠、石菖蒲、炙百合、远志、琥珀、合欢花、红参、青龙齿、鹿茸、柴胡、磁石、浮小麦、当归、川芎、白芍、陈皮、代赭石、丹参、生地黄、黄芪、酸枣仁。

【刘氏安神丹方歌】

刘氏安神徐长卿，朱砂炙草夜交藤。
菖蒲远志珍百合，琥珀合欢齿参茸。
磁石浮麦丹枣地，柴芪陈皮归芍芎。

156. 搜风解毒丸

土茯苓 100g，防风 30g，木通 30g，薏苡仁 30g，金银花 30g，白鲜皮 30g，火麻仁 30g，木瓜 30g，犀角 10g。

酌加当归、赤芍、蝉蜕、生地黄、牡丹皮。

【搜风解毒丸方歌】

搜风解毒用防风，薏苡双花土茯苓。
火麻木瓜白鲜皮，丹芍蝉蜕地木归。
神经皮炎加犀角，解毒除湿搜风灵。

157. 窦房结综合征缓解丸

潞党参 400g，制附片 240g，炙甘草 300g，羌活 100g，川桂枝 100g，细辛 100g。

阴虚加生地黄、麦冬、玉竹，阳虚加红参、五味子、枸杞子、黄芪。

此方可对心肌 β 受体起激动作用。

【窦房节综合征缓解丸方歌】

缓解丸用羌党参，附片炙草桂细辛。
阴虚生地麦玉竹，阳虚五味杞芪参。
窦房节症能缓解，倍他受体可兴奋。

158. 清营汤

硼砂一钱，儿茶一钱，青黛一钱，牙硝一钱，枯矾一钱，蒲黄一钱，寒水石一钱，冰片二分，梅片二分，黄连六分，黄柏六分。

【清营汤方歌】

陈（士铎）氏留下解毒方，阴疮疣淋效果良。
硼黛矾梅茶硝蒲，二黄寒水护乳房。

唯有“羊片”不可用，痈疽羞性最相当。

159. 降酮丸

生黄芪、山药、玄参、苍术、黄连、黄柏、黄芩、栀子、当归、赤芍、生地黄、川芎、茯苓、泽泻。

口渴加天花粉，尿多加桑螵蛸，肾气不足加乌梅、玉竹、益智仁、枸杞子、芡实、蒲公英。

【降酮丸方歌】

糖不分解酸中毒，出现酮体正气无。
当归川芎赤芍地，生芪山药玄苍术。
三黄栀子苓泽智，桑花玉硝杞公乌。

160. 哮喘汤

炙麻黄 9g，钩藤 15g，葶苈子 9g，乌梅 6g，蝉蜕 9g，石韦 30g，甘草 15g。

营卫不和加桂枝、白芍，寒痰伏肺加川椒、干姜、细辛、五味子，热痰蕴肺加鱼腥草、金荞麦、秦皮，肺肾阴虚加玄参、麦冬、青果，痰黄加芦根、薏苡仁、冬瓜仁，伴支气管炎加紫菀、款冬花，鼻塞加苍耳子、辛夷。

【哮喘汤方歌】

哮喘汤用炙麻黄，钩藤葶苈与梅霜。
蝉衣石韦共甘草，过敏之疾最擅长。
营卫不和加桂芍，寒痰伏肺加椒姜。
痰热蕴肺鱼腥草，肺肾阴虚麦果尝。

161. 活血散瘀汤

当归、川芎、赤芍、苏木、牡丹皮、枳壳、瓜蒌仁、桃仁、槟榔、大黄。

主治慢性阑尾炎。

【活血散瘀汤方歌】

肠痈活血散瘀汤，当归川芎芍大黄。
苏木丹皮共枳壳，蒌仁桃仁与槟榔。
慢性阑尾痛不断，活血清痢第一方。

162. 清肠饮

当归、金银花、地榆、麦冬、玄参、甘草、薏苡仁、黄芩。

主治慢性阑尾炎。

【清肠饮方歌】

肠痈初起重清肠，当归双花共芩黄。

地榆麦冬同甘草，玄参苡仁共煎汤。

163. 凉惊丸

天南星四钱，天竺黄一钱，朱砂一分，龙脑半分，胆汁三钱，胭脂胚半分。

【凉惊丸方歌】

惊症尚有盛热传，角弓反张手足挛。

南砂竺胭胆龙配，刘氏留下凉惊丸。

164. 利痉丸

黑丑三分，天竺黄一分，龙脑一分，轻粉一分，青黛一分，炼蜜为丸。

【利痉丸方歌】

痉之为病瘈疭痫，身热无汗不恶寒。

黑丑竺黄龙轻黛，刘氏家传利痉丸。

轻粉慎用。

165. 通窍活血汤

赤芍、川芎、桃仁、红花、麝香、葱根、生姜、红枣。

【通窍活血汤方歌】

通窍全凭好麝香，桃红大枣老葱姜。

赤芍川芎通血气，瘀血阻络可安康。

166. 止痛没药散

没药、血竭、雄黄、朴硝、石决明。

【止痛没药散方歌】

止痛没药法最良，专医跌仆肌损伤。
朴硝石决共血力，妙在茶引索雄黄。

167. 解毒活血汤

连翘、葛根、柴胡、当归、生地黄、赤芍、桃仁、红花、枳壳、甘草。

【解毒活血汤方歌】

解毒活血连翘桃，柴葛生地壳赤芍。
当归红花共甘草，痈疽瘀肿尽化消。

168. 膈下逐瘀汤

五灵脂、当归、川芎、赤芍、桃仁、牡丹皮、乌药、延胡索、香附、红花、枳壳、甘草。

【膈下逐瘀汤方歌】

膈下逐瘀归芎芍，灵脂香附乌红桃。
甘草丹皮元胡枳，瘀血停蓄皆化逃。

169. 血府逐瘀汤

当归、生地黄、桃仁、红花、枳壳、赤芍、柴胡、甘草、桔梗、川芎、牛膝。

【血府逐瘀汤方歌】

血府逐瘀归地桃，红花甘草壳赤芍。
柴胡桔梗川牛膝，血化下行不作劳。

170. 少腹逐瘀汤

川芎一钱，炮姜一分，延胡索一钱，炒五灵脂二钱，赤芍二钱，小茴香七粒，蒲黄三钱，肉桂一钱，当归三钱，没药一钱。

【少腹逐瘀汤方歌】

少腹逐瘀芎炮姜，元胡灵脂芍茴香。
蒲黄肉桂归没药，调经止痛理血良。

171. 身痛逐瘀汤

牛膝、地龙、羌活、秦艽、香附、甘草、当归、川芎、黄芪、苍术、五灵脂、桃仁、没药、红花。

【身痛逐瘀汤方歌】

身痛逐瘀膝地龙，羌艽香附草归芎。
黄芪苍术量加减，重在五灵桃没红。

172. 加减会厌逐瘀汤

桃仁、红花、甘草、桔梗、生地黄、当归、玄参、柴胡、枳壳、赤芍。

【加减会厌逐瘀汤方歌】

会厌逐瘀补肺金，活血祛痰治喉喑。
桃红归芍地柴草，玄参枳壳桔梗寻。
蝉衣木蝶开音域，海浮川贝巧利咽。
菖蒲通窍诃敛气，利膈清喑效如神。

173. 痛泻要方

陈皮钱半，酒芍四钱，防风二钱，焦白术三钱。

【痛泻要方方歌】

肝气乘脾运徘徊，登车临考二便来。
脾虚肝郁常泻泄，痛泻要方巧安排。

174. 生化汤

当归八钱，川芎三钱，桃仁二钱，炮姜五分，炙甘草五分。

【生化汤方歌】

恶露不行阴血伤，冲任虚损败液淌。
三化清浊温经络，归芎桃草炮姜良。

175. 归脾汤

当归二钱，人参四钱，焦白术四钱，炙黄芪二钱，茯神四钱，远志二钱，木香八钱，炒酸枣仁四钱，龙眼肉四钱，炙甘草钱半，石菖蒲三钱。

【归脾汤方歌】

归脾汤用参术芪，归草茯神菖志随。
酸枣木香龙眼肉，姜枣为引益心脾。

176. 防风通圣散

大黄二钱，芒硝二钱，荆芥二钱，生麻黄二钱，栀子二钱，酒白芍二钱，连翘二钱，桔梗二钱，川芎二钱，当归二钱，石膏四钱，滑石六钱，薄荷二钱，黄芩二钱，苍术二钱，甘草四钱。

【防风通圣散方歌】

防风通圣大黄硝，荆芥麻黄翘栀芍。
归芎桔梗滑石薄，苍芩甘草共石膏。
表里交攻阳热盛，阳毒皮痒一并消。

177. 透毒散

穿山甲三钱，皂角刺五钱，荆芥穗三钱，防风三钱，蝉蜕三钱，葛根三钱。

【透毒散方歌】

透毒散医毒成脓，山甲皂刺与防风。
芥穗蝉蜕葛根配，一切痈毒一扫清。

178. 立甦丸

补骨脂三钱，酸枣仁三钱，焦白术钱半，酒白芍三钱，人参钱半，当归四钱，黄芪一两，山萸肉三钱，枸杞子三钱，甘草三钱。

【立甦丸方歌】

可保立甦故纸枣，焦归酒芍参芪草。
山萸枸杞水煎服，一个核桃连壳捣。

二、刘仁　集

刘仁，生于清康熙二十六年（1687 年），卒于嘉庆二十一年（1816 年）。一生喜医尚武，游历于山林旷野，遍访名山大川，活跃于乡间边塞，行医于百姓农家。嵩山习武，华山学医。《刘氏家藏方》倾注了先祖的心血。先人云："求木之长者，必固其根本；欲流之远者，必浚其泉源。"因而，先祖重视名方的收集，更重视名家经典理论的积累。

1. 观音普济丹

益母草一斤半（九蒸九晒），全当归一斤（酒泡晒干），川芎十二两，木香二两。共为细末，炼蜜为丸，每丸重三钱。

此药专治妇人一切之症，如无病久服，免生杂症，更能种子活力。此为血门三总领。一治产前产后胎孕诸病，室女经闭，男子劳伤，外伤失血，跌打损伤，伤胎失血，产后失血，血山崩漏，金枪失血。一切失血过多，烦闷脉绝，头晕目眩，并皆治之。以上通用元酒、童便送下。专项药引不赘。

2. 辰砂羌活丸

天麻、羌活、独活、石膏、连翘、防风、薄荷、细辛各一两，川芎、栀子、当归、芍药、黄芩、全蝎、大黄、荆芥、人参、菊花、白术各二钱半，桔梗、砂仁、寒水石各三钱七分，滑石二两，甘草、朱砂。

此丸治风热郁结，气血蕴滞，头目晕花，感冒伤寒，鼻塞流涕，口苦舌干，咽喉不利，胸膈痞满，咳嗽痰盛及偏正头病，发热牙痛，遍身疼痛麻木。疥癣痛痒，一切风邪之症，并皆治之。每服一丸，茶水送下，或炼蜜为丸，朱砂为衣。

3. 镇神锁精丹

此丸专治诸虚百损，劳伤心肾，气不摄精，神不守舍等症。

夫神者，精气之宅也，神以御气，气以摄精。凡人寤则神栖于心，寐则神栖于肾。心肾乃神之舍也，心肾一伤，故神不守舍也。昼之所为，夜之所为梦，男子梦交而精泄，女子梦交而精出，皆不知清心寡欲之道也。是人也，神不守舍，从欲而动，昼有所感，夜梦随之，心不摄念，肾不摄精，久而不已，遂成诸虚百损。或有神气萎靡，念虑猖狂，风邪乘其虚，鬼气干其正，与妖魅交通者，是又难状之疾也。

人参、白茯苓、远志（甘草水煮，去心）、柏子仁、炙酸枣仁各一两（炒），石菖蒲一两（去毛），煅白龙骨、煅牡蛎（各一分）。

共为细末，炼蜜为丸，辰砂为衣，如弹子大，每服一丸，枣汤送下。

4. 神效接骨丹

红公鸡一个，黄瓜子一两，生菜子一两，血余炭三撮（人顶心者为佳），全土鳖子二十个。共研细末，净瓦焙杏黄色为度，元酒送下。

5. 杀虫散

川军三钱，二丑各二钱，槟榔二钱，楝子三钱，雷丸三钱，使君子三钱。共为细末，红糖引。

6. 回生丹

南星三钱，天麻三钱，僵蚕三钱，白花蛇三钱，附子三钱，苍术五钱，川芎、川羌三钱，大活二钱，白芷二钱，防风五钱，人参三钱，麝香二钱，川乌三钱，荜茇三钱，麻黄三钱，胆星五钱，东黄三钱，玄羊血二钱，熊胆一个。

此药专治一切风症，中气、中风，口眼㖞斜，半身不遂，腹腿疼痛，手足麻木，以及羊羔风等症。

共为末，炼蜜为丸，三钱重。腹疼加杜仲三钱，腿疼加木瓜、牛膝各三钱，手足麻木加桂枝。男子诸症四君子引，女子四物为引。

7. 避瘟散

藿香一钱，甘松一钱，草果一钱，茅术一钱，香薷一钱，薄荷三分，青黛七分，台麝五厘，公丁香三分，良姜一钱，川军三分，贯众一钱，鹅不食草三分。

共为细末，封于药袋之内，每遇头沉暑热之时，闻之立效。

8. 万应丹

香薷一两五钱，扁豆八分（炒），荷叶三钱，白芷五钱，薄荷五钱，乌梅六钱，草果五钱，藿香五钱，广砂三钱，炙甘草三钱，滑石粉四钱，陈皮四钱，川芎五钱，姜朴五钱，茯苓三钱，干葛五钱。

共为细末，炼蜜为丸，三钱重，姜汤送。

主治一切瘟疫之症。

9. 避瘟正气丸（除瘟丹）

台香一两，藿香二两，荷叶四两，木香三钱，香薷二两，木瓜二两，檀香一两，丁香八钱，甘草四两，扁豆一两。

共为细末，炼蜜为丸，三钱重，姜汤下。

10. 乌及丸

乌梅、半夏、白及、炙甘草等份。

共为细末，或用汤剂煎。

专治崩漏带下血不止。

11. 治淋症良方

川萆薢四钱，乌药二钱（醋炙），白术二分（土炒），泽泻二钱，赤苓三钱，党参四钱，益智仁二钱，草梢钱半，川柏三钱（盐水炒）。

火淋加竹叶、灯芯，冷淋加附子，风淋加细辛，气淋加香附、郁金，热淋加大黄。

12. 朱衣正气丸

扁豆六钱，苍术一两一钱，草果仁三钱，枳壳五钱，藿香一两一钱，香薷一两一钱，木香一两一钱，香附一两一钱，木瓜一两一钱，白芷一两一钱，乌药一两一钱，砂仁一两一钱，白蔻一钱一分，神曲一两一钱，厚朴一两一钱，茯苓一两一钱，防风一两一钱，半夏一两一钱。

炼蜜为丸，朱砂为衣。

此丸专治瘟疫、霍乱吐泻转筋，心口疼，胃气疼，红白痢疾。红痢红糖引，白痢白糖引，霍乱吐泻用姜枣糖引，小儿急慢惊风白水引。

13. 桃花散

川贝五钱，三七三钱，寸冬四钱，石膏五钱，月石四钱，花粉四钱，朱砂三钱。

共为细末，每服二三分。

专治哮喘，神效。

14. 定风珠

胆南星四钱，天竺黄一两，豆粉四钱，姜半夏三钱，月石四钱，钩藤四钱，台麝二钱，冰片二钱，天麻三钱，牛黄一分。

共为细末，可另加川连四钱、川柏四钱、薄荷二钱、全蝎二钱、青黛二钱。

主治中风，神效。

15. 血瘀气嗅方

当归二钱，生地黄三钱，桃仁泥二钱，红花三钱，枳壳二钱，赤芍二钱，柴胡二钱，桔梗三钱，牛膝三钱，川芎二钱，甘草二钱，射干二钱。

水三盅，煎服。

16. 解毒活血汤

连翘三钱，干葛二钱，柴胡三钱，当归二钱，生地黄二钱，赤芍二钱，桃仁二钱，红花二钱，槟榔四钱，枳壳二钱，草果仁二钱，甘草二钱。

水煎服。

17. 外痔效方

牙皂七个，牛角一对，蛇蜕一条，猬皮一个，山甲七个。

三味焙干，每服三钱。

18. 痰喘神效方

红梨汁三个，白萝卜汁半个，姜汁四两，油香二两，蜂蜜四两，藕粉二两，竹沥一瓶，川贝七钱，款冬花七钱，柿霜七钱。

梨、萝卜汁合一澄清用，重者加白果。

19. 湿干疥方

香粉八钱，红矾八钱，水银八钱六，木鳖子四钱，江子三钱，核桃十个，章丹一钱，蓖麻三钱。

如湿去江子、核桃，加白芷一两、柏油一百钱。

20. 酒寒方

莎草四钱，白苓五钱，陈皮三钱，桃仁三钱，麻仁三钱，纹军四钱，明粉、银胡、中桂、檀香、酒芍、车前、甘草各二钱。

主治寒瘀、腹痛、四肢无力、发热、上火、下寒可也。

21. 神气汤

黄芪、人参、当归、生地、熟地、白芍、陈皮、升麻、柴胡、连翘、防风。虚实加减。

专治瘰疬，破者宜之。

22. 鸡爪风方

木耳四两，酒归三分，酒芍三钱，川芎二钱，川牛膝三钱，乳香二钱，没药三钱，木瓜四钱，钩藤三钱，全蝎二钱，天麻三钱，防风三钱。

共为细末，每服三钱，元酒冲服。

23. 腰腿疼方

地龙三钱，蛇蜕三钱，蝉蜕三钱，全蝎三钱，木瓜三钱，牛膝三钱，杜仲三钱，生麻黄二钱，五加皮三钱，透骨草三钱，甘草钱半，乳香三钱，没药三钱。

24. 瘰症方

当归四钱，川芎二钱，寸冬三钱，桔梗四钱，香附五钱，南星三钱，法夏三钱，白芥子三钱，海藻三钱，海带三钱，广皮三钱，贡朴三钱。

鲜姜三片，水三盅，煎服。

25. 产后血迷方

当归一钱，熟地三钱，白芍三钱，川芎五钱，香附五钱，生芪二钱，桃仁三钱，红花三钱。

若崩症加地榆炭、棕炭、管仲炭、黑芥子，水煎温服。

26. 脾虚无力方

熟地一两，云苓五分，焦术一两，建莲肉一两，山药五钱，山萸肉二钱，广皮五钱，广砂仁三钱，枳壳三钱，贡朴三钱，人参一两，当归一两，炙黄芪一两，丹皮二钱，川芎三钱，桂枝四钱，寸云五钱，益智仁二钱，柏仁二钱，菟丝子一两，炙甘草三钱。

为末，蜜小丸，白水下。

27. 壮阳丸

鹿角胶一两，破故纸五钱，蛇床子一两，巴戟五钱，细辛二钱，大活三钱，虎骨胶二钱，肉桂五钱，炮姜三钱，吴萸四钱，小茴香三钱，焦术一两，枳壳三钱，贡朴三钱，云苓三钱，炙甘草二钱。

共末，蜜丸三钱，盐水送下。

治肾囊湿潮，阳痿不举。

28. 谷精丸

菊花三钱，白蒺藜三钱，川连二钱，生地四钱，元芩三钱，桔梗三钱，谷精草三钱，蔓荆子三钱，归尾三钱，木贼三钱，真羚羊五钱，蝉蜕三钱，柴胡三钱，白芍五钱，防风三钱，甘草二钱。

水煎服，药渣洗眼。

治两眼晕花，云翳遮睛。

29. 血崩丸

人参三钱，云苓二钱，全当归三钱，酒芍二钱，赤石脂二钱，百草霜三钱，槐花二钱，黑祁艾二钱，焦术三钱，紫蔻三钱，川芎一钱（醋），柴胡二钱，棕炭二钱，炙甘草钱半，炮姜钱半。

煨姜三片，水煎服。

治妇人气血两虚，气晕下陷，血崩症。

30. 柴胡清解汤

柴胡四钱，桔梗八钱，清夏三钱，知母二钱，薄荷二钱，菊花三钱，连翘二钱，姜黄连一钱，当归三钱，甘草钱半。

姜水煎服。

治妇人劳累，头晕，心火亢盛，眼黑，频呕。

31. 喘晕方

桔梗四钱，云苓三钱，覆花二钱（另包），酒芩钱半，柏子仁二钱，清夏三钱，姜黄连钱半，厚朴二钱，紫蔻二钱，枳壳二钱，炙甘草钱半，广橘二钱。

煨姜煎服。

治气虚、痰喘、头晕、虚痰集结。

32. 消痞汤

当归五钱，炙酸枣仁三钱，通草二钱，川军二钱，枳实四钱，木通三钱，厚朴一钱，管仲三钱，香附二钱，盔沉二钱，葛花三钱，二丑二钱。

姜水煎服。

主治腹痛痞满，胀饱不通。

33. 腹痛汤

丁香五钱，檀香三钱，盔沉二钱，半夏四钱，广皮五钱，元胡四钱，红蔻四钱，草蔻四钱，白蔻仁五钱，肉蔻三钱，乳香四钱，香附一两，酒芍五钱，当归四钱，甘草二钱。

共末，蜜小丸，白水送下。

治腹痛呕吐。

34. 咳嗽验方

炙芪三钱，沙参四钱，焦术四钱，茯苓三钱，熟地三钱，归身三钱，炙酸枣仁四钱，远志一钱，莲子肉三钱，山药三钱，龙眼肉二钱，炮姜钱半，炙甘草钱半。

若吐血，加藕节三钱，忌生冷，不忌油腻，水煎服。

35. 伤劳方

伤劳吐血生地黄芍，归芎茅术丹皮草。

延胡索枳壳桔梗菖，香附青皮熟地好。

治劳伤咳嗽吐血。

36. 行床受风摊

山核桃一个，胡椒一两，古铜一钱，大葱三根。。

共捣烂，合一处，摊在棉花上，以右手拿药，对准阴头上熏之，一天二三次，不可多时，先天熏之，次日再用香附三钱、良姜三钱，水煎服，令汗出。

主治行床受风，浑身起疙瘩。

37. 补虚散

人参三钱，焦术四钱，云苓三钱，广砂二钱，肉蔻三钱，山药三钱，泽泻二钱，附子三钱，炮姜三钱，边桂二钱，陈皮三钱，炙甘草一钱，大枣五个，水煎服。

主治久泄、亏气、滑脱。

38. 稳心丸

炙酸枣仁三钱，车前子三钱，白茯苓五钱，寸冬五钱，五味子五钱，茯神五钱，肉桂五钱，熟地一两，青龙齿一两（煅），天冬一两，远志一两，山药一两，人参五钱，朱砂五钱。

共末蜜丸。

主治心跳、心慌、神不守舍。

39. 风湿骨痛丸

当归五钱，赤芍三钱，红花三钱，桃仁三钱，白芥子三钱，南星二钱，川牛膝三钱，杜仲炭三钱。

姜枣煎三剂，另加毛橘、清夏、乳香、没药。

主治骨痛、腰腿疼痛。

40. 补肾种子汤

大熟地二两，山药一两，山萸肉一两，粉丹皮七钱，盐泽泻七钱，焦术一两，益智仁五钱，芦巴子五钱，沙苑子三钱，建莲肉一两，云苓七钱，鹿茸五钱，人参一两，破故纸五钱，牛膝五钱，杜仲五钱，蛇床子一两，枸杞八钱，巴戟肉五钱，寸云八钱，远志肉五钱，炙酸枣仁五钱，节菖蒲五钱，桔梗八钱，寸冬五钱，京贝五钱，川柏五钱（炙），甘草四钱，紫油桂五钱，川附子五钱，车前子五钱，辰砂五钱，狗肾一具。

共为细末，蜜丸，每服三钱，盐汤下，另加附子两半、紫油桂一两、炮姜两半。

补虚损，种子。

41. 血虚抽风散

炙芪五钱，当归三钱，川芎二钱，酒芍三钱，香附四钱，炮姜钱半，附子钱半，肉桂一钱，吴萸二钱，红花二钱，桃仁二钱，青皮二钱。

姜水煎服。

主治气血亏虚、四肢抽搐。

42. 透骨丹

轻粉五钱，蟾酥五钱（元酒浸），硼砂五钱，巴豆肉二钱，台麝二分，蜗牛二大个。

共为细末，元酒调合成定子。
专治疔毒恶疮初起。

43. 洗眼仙方

乌梅二个，胆矾、炉甘石等份，煎汤洗之。
主治红眼病。

44. 提毒散

木香二钱，轻粉二钱，章丹二钱，冰片三分，枯矾五钱。
共为细末，猪胆汁调，晒干为面用。
主治疮毒内蕴。

45. 雀蒙眼方

槟榔面、常山面等份，鸡肝一个
将鸡肝切片，和药以白布包上，砂锅煎服。

46. 气迷汤

胆星四钱，姜夏三钱，元芩四钱，川军两半，石膏四钱，白苓三钱，明粉五钱，广皮二钱，知母三钱，郁金三钱，枳实三钱，石菖蒲一两，血珀一钱，甘草一钱，辰砂一钱，牛黄五厘。
水煎服，血珀、辰砂、牛黄另包，单服，水送下。
主治痰迷心窍，不省人事。

47. 清肺抑火丸

粉甘草、桔梗、元芩、元连、川贝各一两，枳实、橘红、青皮、连翘各二两，白芍、白苓、元参、槟榔、大黄各五钱。
水泛小丸。
主治肺炎咳嗽，高烧不退。

48. 火烧水烫效方

乳香、没药、血力、儿茶、当归、紫草。

共研极细末，用猪香脂油一两化开后，入香油一两再开一滚，晾凉出火，将药面入内搅匀，放水缸底下埋上多日再用。

49. 七转丹

木香、槟榔、大黄、使君子、锡灰、白豆蔻、雷丸各等份。

水二盅，连须葱五根，煎八分，夏秋春天露一宿。

专治水蛊膨胀、五膈噎食、心腹胀满、五积六聚等症。

50. 积聚丸

神曲、麦芽、山楂、松罗茶各二两，水二碗，姜二片，煎一碗，温服。

主治积聚，腹内膨胀。

51. 追风利积丸

使君子肉、牵牛各一两，槟榔五钱，芜荑仁、雷丸、乌梅肉、木香各三钱。

共为细末，以白糖为丸，如芡实大，每服一丸滚水送下。

52. 醋煮三棱丸

京三棱四两（醋煮，用竹刀切片），川芎二两（醋煮），大黄八两（醋浸，用纸包好，石灰煨熟）。

共为细末，醋糊为丸桐子大，每服三十丸，温水送下。大病服一月，小病服半月可也。

主治一切积聚，不拘远年近日，神效。

53. 朱砂守病丸

朱砂、硼砂、血竭、黄蜡各三两，巴豆（去油）、轻粉、硇砂各一两，共为细末，将黄蜡化开入药内为丸，如绿豆大，每服十五丸，烧酒送下，其积块消化行下为愈。

治远年近日肠内积块。

54. 牛郎丸

黑丑、白丑各五钱，尖槟榔一两，三味合匀听用。遇有虫症，于上半月空心，先用白糖水一盏，再用药三两，沙糖水调，连服三次，其虫尽出。小儿减半，孕妇勿用。

治腹内一切诸虫，屡试屡验，其效如神。

55. 三仙丹（沉香白消丸）

香附（醋炒）、五灵脂、黑丑（头末）、白丑（头末）各一两，沉香四两，共为细末，醋糊为丸，如绿豆大，每服三五十丸，食后姜汤送下。

上药能消食、消滞、消气、消痞、消痛、消肿。

56. 延龄固本丸

人参、肉桂、当归、枸杞、韭菜子（火酒煮）、茯神、山药、菟丝子、山萸肉、蛇床子、牛膝各二两，熟地、何首乌（九蒸）、肉苁蓉各四两（去甲，酒洗），大附子（浸煮），鸽子蛋十个（炒成粉，去皮），黄狗肾（酥炙，内外一具），车前子一两，黑驴肾（连子一具，竹刀去筋，同肉苁蓉酒煮一日一夜），鹿茸（酥炙，一对）。共为细末，以驴肾、苁蓉捣膏为丸，如桐子大，每服百丸，或元酒或滚白水送下。

治五劳七伤，诸虚百损，颜色衰朽，形体羸瘦，中年阳事不举，精神短少，未至五旬，须发先白，并左瘫右痪，步履艰难，腰膝疼痛，下元虚冷。

57. 长春补药方

人参、天冬、当归（酒洗）、山药（姜汁炒）、巴戟（去心）、木香各一两，川椒二两（微炒），肉苁蓉二两（酒洗），白茯苓、车前子、石菖蒲（去毛）、五味子、柏子仁（炒）、覆盆子、赤石脂（另研）各一两，生地、泽泻、熟地、牛膝、远志、山萸肉（酒洗）、杜仲（姜炒）、地骨皮各二两，枸杞子、菟丝子（酒炒蒸透，捣饼）各三两。

共为细末，炼蜜为丸，如桐子大，每服五十丸，空心，或元酒，或淡盐汤送下。

此药服过十日加二十丸，过半月再加二十丸。服十日之后，小便赤色，是旧疾出也；又觉鼻声酸，心胸痛，咳嗽吐痰、吐血，是肺病出也；大便下脓下血，或下冻青黄者，是五脏六腑之病出也；服到一月之后，一应七情之滞气、沉痼冷疾皆出也；服到百日之后，万病皆无，方觉容颜光彩，须发变黑，齿顽重固，既老康健，耳目明亮，精神百倍，益寿，种子，百发百中，但子寿二字皆由命内有无之分，惟积阴德可保。

上药专治男子诸虚，百损羸瘦，中年阳事不兴，精神短少，未至五旬，须发皆白，行步艰难，及妇人下元虚冷不孕育，服药即孕，必生长命之子。

58. 坐药

主治阴寒时疫瘟症初觉者。

一钱白矾八分丹，二分胡椒细细研。
火硝一分共四味，研醋调和手中摊。
男左女右按阴户，一身冷汗洒衣衫。
此方用者如神效，无义之人不可传。

59. 加味坎离丸

人参、天冬、麦冬（去心）各五两，菟丝饼（酒煮）、牛膝（酒炒）、肉苁蓉（酒洗）、山茱萸（去核）、杜仲（炒去丝）、巴戟（去皮，酒浸）、小茴香（盐水炒）、白茯苓、当归、五味子（去核）、黄芪（蜜炒）、川椒（去子炒）、木香各一两，黄柏（酒炒）四两。

共为细末，煮酒炼蜜为丸，桐子大，每服五十丸，盐汤送下。

治饮食少进，头目昏花，耳作钟声，脚力酸软，肌肤黄瘦，身体疼痛，吐痰咳嗽，胃脘停积，梦遗盗汗，手足厥冷等症。

此方下滋肾水，上降心火，中补脾胃，添精补髓，强阴壮阳，杀九虫，通九窍，补五脏，益精气，止梦遗，身轻体健，甚有效验。

60. 仙传草还丹

乌梅肉四两，薄荷二两（研末），白糖八两，片脑二分。

先将乌梅捣烂后，加薄荷、糖、冰片合为丸，含之。

治虚弱劳心之人，能添精补髓，清气化痰，常服神清气爽，瘟疫不侵，视听倍常，步履轻健，须发加添，返老还童，延年益寿。此方乃翊圣真君降受雷操宫张真人传教。

61. 鱼鳔丸

鱼鳔（剪碎，蛤粉炒）、沙苑蒺藜子（酒洗，炒）、全当归（酒洗，晒干）各四两，牛膝（酒洗）、枸杞各三两。共为细末，炼蜜为丸，三钱重，早晚各一丸，黄酒送下。

如愿大力者，螃蟹不拘多少，捣泥，合麦面烙饼当食，开弓有力，神效。

能补虚，添精髓，壮筋骨，益元阳。

62. 养血汤

当归、生地、秦艽、牛膝（酒洗）、肉桂、杜仲（盐炒）、防风各一两，白茯苓一钱半，川芎五分，甘草三分。

小二盅煎七分，入黄酒三分，热服。

治腰腿筋骨疼痛。

63. 乳香定痛丸

苍术二两，川乌（泡去皮）、当归、川芎各一两，乳香、没药各三两，丁香五分。

共为细末，枣肉为丸，如桐子大，每服五六十丸，黄酒送下。

治诸风，遍身骨疼痛，或腿膝疼痛，及筋骨风痛。

64. 飞步丸

乳香一两（另研末）、白芍、生川乌（去皮）、白胶香、番木鳖（去油）各二两。

共为细末，赤小豆面打糊为丸，如桐子大，每服十五丸，木瓜汤送下。

病在上，食后服；病在下，食前服。忌服食热物。

治筋脉、手足、腰背诸般疼痛，挛缩不能伸之患，预先服则不能生此症。

65. 四神汤

元胡（微炒）、当归、桂心各等份，共为细末，每服二两，温酒调服。如作剂，加杜仲、桃仁（去皮尖）、牛膝、续断各等份，水煎服。

治男妇腰痛，闪肭血滞，腹中疼痛，产后服之更妙。

66. 青鹅丸

核桃半斤（去细皮），破故纸半斤（水淘净，用黑芝麻同炒热，去芝麻不用），杜仲半斤（姜汁炒，去丝）。

共捣如泥，江米粥为丸，如桐子大，每服七八十丸，盐汤送下，常服。

治腰痛，兼乌须发。

67. 腰疼妙方

雄猪腰子二对，用竹刀剖开，去筋丝，每个内用杜仲、破故纸、牛膝、香附各二两，青盐一钱半，外用湿草纸包，灰火煨熟，去药，好酒送下，一醉即好。

68. 腿疼方

芥菜子一两（捣如泥）、松香末一两，二味共合成膏，布摊，贴疼处，出汗则愈。

69. 洗浴方

主治风瘫，四肢不顺，筋骨拘挛。

春槐桃李并茄棵，桑榴草麻共一锅。

不论远年同近日，一洗风疾尽消磨。

70. 洗药海桐皮汤

桐皮一两，乳香四钱，没药四钱，当归四钱，川椒二钱，透骨草一两，红花六钱，威灵仙三钱，白芷三钱，艾叶六分，防风三钱，木鳖六钱，黄连三钱，骨碎补四钱，甘草三钱，川芎三钱，地骨皮四钱，胡连三钱，生半夏五钱，刘寄奴六钱，葱根五个。

共粗末，用布口袋装之，凉温洗之。此药有毒，不可入口。

主治跌打损伤、皮肉肿胀等。

三、刘熹　集

刘熹，生于乾隆五十五年（1790 年），卒于道光三十年（1850 年），自幼受其父治学影响，一生苦读诗书，乐善好施，曾为少林寺炼药工，深得少林炉制三昧。嘉庆十五年（1810 年），他在刘家集开设普济堂卫生馆，精通丸、散、膏、丹的修制，为民众医病，深受百姓爱戴。

1. 鸡爪风方

乳香二钱，没药三钱，木瓜四钱，木耳六钱，当归三钱，杜仲三钱，川牛膝四钱。

共研细面，每服三钱，日二次，黄酒送下。

2. 通气散

柴胡、香附、川芎各五钱。

共为细面，早晚滚水冲服，每服三钱。

治耳聋不闻雷声。

3. 瘘疮方

枯矾、白砒各八分，朱砂二分，蟾酥二分，乳香三分，没药三分。

共为细面，面糊为条，插入管内，用膏贴之，其管自落。

4. 消瘰五海丸

海带二钱，海藻五钱，海硝二钱，桔梗二钱，香附二钱，木香三钱，昆布三钱，莪术三钱。

共为细面，炼蜜为丸，每服三钱，一日二次，白开水送下。

专治鼠疮、粗脖，如神。

5. 乾坤一气膏

当归、白附子、赤芍、白芷、生地、熟地、山甲、木鳖仁、巴豆仁、蓖麻仁、三棱、莪术、灵脂、川断、肉桂、玄参各一两，乳香二两一钱，没药二两一钱，马钱子一两（去毛），血余一两，台麝三钱，阿魏二两（切片）。

上药除乳、没、血余、台麝、阿魏，余皆入五斤酒罐浸泡，春三、夏五、秋七、冬十日。期毕，桑火熬之，药枯去渣，每油一斤，入东丹十八两，用槐枝搅动，候其膏成，离火待冷，渐下阿魏，化尽后，入乳、没、台麝、血余，乘热倾入磁罐，分三处盛之，临用化开，肿贴患处，遗精、白带贴丹田，诸风瘫痪贴肾俞穴。

专治诸风瘫痪，湿痰流注，恶疮痞疾，男子夜梦遗精，妇人赤白带下，男女精寒血冷，久无子嗣。

6. 偏坠奇方

楝肉、全蝎、人参、小茴香、元胡、乳香、没药、木香、附子各一钱。

共为面，酒糊为丸，梧桐子大，每服百丸，元酒送下，诸般疝气，肿痛，三服而愈。

治睾丸肿疼难忍，行房受风寒，引起小肠疝气，其效惊人。

7. 咳嗽痰喘方

炙芪二钱，人参钱半，贡术钱半，当归三钱，云苓二钱，广皮三钱，柴胡五分，升麻三钱，寸冬三钱，五味子一分，苏子一钱（炒），莱菔子一钱，白芥子一钱，炙甘草一钱。

姜枣为引，冬寒加山药（三钱），白芍（炒，二钱）。

8. 追风散

马钱子四钱（炙，去皮），生麻黄六钱，两头尖一两，川乌一两，独活一两，防风一两，甲珠一两，乳香一两，没药一两，千年健二两，当归二两，钻地风二两，茅术二两，草乌一两。

共面，每服三钱，元酒一盅、水一盅煎。腰痛加杜仲（末三钱），腿疼加牛膝（末三钱），臂痛加桂枝（末三钱）。

9. 八宝丹

象皮、赤石脂、乳香、没药、血竭、儿茶、珍珠、冰片、轻粉各一钱。

共为极细面，疮面上之。

治一切疮疡。

10. 麻药方

川乌、草乌尖各五分，蟾酥四钱，胡椒一两，生南星五钱，生半夏五钱，荜茇五钱，细辛一两。

共为细面，烧酒调敷。

11. 补心散

远志两半，琥珀三钱，茯苓七钱，南星五钱，半夏五钱，石菖蒲二钱，辰砂五钱。

为丸如绿豆大，金珀为衣，姜汤化下。

治心前区疼痛不已。

12. 上身刀伤方

当归一两，生地五钱，龟板五钱，丹皮钱半，川断钱半，牛膝三钱，乳香一钱，没药二钱，杏仁一钱，酒芍一钱，川军二钱，红花二钱。

水四盅，煎八分，外用血竭、儿茶各一钱，冲服。

13. 下身刀伤方

当归三钱，川芎三钱，赤芍三钱，生地三钱，红花二钱，杏仁三钱，申姜三钱，川断四钱，五加皮三钱，大黄三钱，乳香钱半，没药钱半，苏土鳖三钱，白芷三钱，甘草一钱。

水煎服，引加血竭、儿茶、乳香、没药、三七、白花蛇各一钱，共为细面冲服。

14. 损伤筋骨方

当归五钱，川断、五加皮、大黄、乳香各三钱，没药五钱，土鳖三钱，牛膝三钱，地龙一钱，自然铜三钱，巴戟二钱，虎骨一两，马钱子一两（去毛），甜瓜子一两，葡萄棍三钱，苦丁香一钱。

炼蜜为丸，五钱重，每服一丸，元酒送下。

15. 跌伤验方

柴胡、花粉、当归、甲珠、桃仁、红花、土鳖、龟板、乳香、没药、杜仲、申姜、川军、枳壳、甘草、血竭各二钱。

引用元酒，水煎服。

16. 明目流气饮

大黄、牛子、川芎、甘菊、蒺藜、细辛、防风、元参、栀子、芥穗、甘草、蔓荆子、黄芩、木贼、草决明、苍术、木通、白术、石决明。

水煎，食后服；为末，卧时服。

治目障，眼睑难开，迎风流泪，暴赤，视物不明。

17. 大角赤疼方

生地、薄荷、荆芥、防风、川羌、栀子、黄芩、川连、柴胡、石膏、甘草、胆草、菊花、竹叶，等分为末。

水煎服。

此心实也，大角属心，南方火位之相，心火旺则大角赤痛，服洗心散或三黄散治之。

18. 白翳补肺散

当归五钱，黄芩一两，桔梗四钱，赤芍五钱，生地四钱，桑白皮一两，炙麻黄四钱，枳壳四钱，葶苈子五钱，甘草一钱，地骨皮八钱，菊花四钱，元参八钱，白芷四钱，双花四钱。

共为细面，每服三钱，日服二次。

19. 洗脾饮

当归、花粉、赤芍、黄芩、连翘、山甲、川羌、双花、白芷、明粉。

水煎，食后服之。

治胞肿赤疼。

20. 密蒙丸

蒙花、菊花、川羌、石决、蒺藜、玄精石各等份。

共为细面，炼蜜为丸，桐子大，每服三钱，食后服之。

21. 补肾丸

车前子一两，石斛一两，青盐二钱，磁石二钱（醋制七次），菟丝子二钱，沉香五钱。

共末，蜜丸，梧桐子大，每服三钱，空心盐汤送下。

治视物不明。

22. 迎风流泪方

生地一斤，熟地一斤，防风四两，枳壳四两（炒），川膝五两，杏仁二两（炙）。

共末，蜜丸，桐子大，每服五十丸，此为明目地黄丸。

此肾虚也，肝木生风，肾水枯，不能滋肝木。

23. 荆芥散

荆芥、甘草、蔓荆子、菊花、白芍、香附、苍术、石决明。

黑豆汤下。

此为肝经风邪，迎风作痒，宜服荆芥散。

24. 上清丸

羚羊一两，犀角一两，牛黄五钱，琥珀五钱，川朴一两，黄芩一两（炒），川芎五钱，白芷五钱，菊花八钱，防风八钱，石决明一两，川羌八钱，二地各七钱，防己八钱，黑丑八钱，蝉蜕七钱，地肤子五钱，滑石一两。

水蜜为丸，如桐子大，食后五十丸。

主治迎风流泪，怕日羞明。

25. 尿血验方

木通二钱，黑栀子二钱，车前子三钱，瞿麦二钱，萹蓄二钱，川军一钱，枳壳二钱，广皮三钱，前胡三钱，元参三钱，甘草一钱。

水煎服用。

26. 半身不遂方

熟地、天麻、当归、川芎、怀牛膝、木瓜、川断、羌活、独活、杜仲各一两，人参五钱，枸杞子两半，防风两半，榛蘑一斤。

炼蜜为丸，三钱重，元酒送下。

27. 三换汤

当归三钱，川芎二钱，酒芍二钱，熟地三钱，苍术三钱，木瓜三钱，羌活三钱，防风五钱，黄柏三钱（炒），杜仲三钱，怀牛膝三钱，灵仙五钱，生麻黄二钱，荆芥三钱，姜炭二钱半，甘草二钱。

肩痛加桂枝，姜水煎服。

主治腰腿、骨节疼痛，左瘫右痪。

28. 搜风散

防风一钱，荆芥一钱，赤芍一钱，白蒺藜一钱，蝉蜕一钱，车前子一钱，谷精草一钱，蕤仁一钱，菊花一钱，甘草五分，大黄二钱，归尾二钱。

姜一片，水煎服。

29. 妇人血崩方

当归三钱，炙芪一两，远志三钱，熟地四钱，赤石脂三钱，川断三钱，鹿角胶二钱，党参二钱，柏子仁三钱，枸杞三钱，茯苓三钱，荆芥炭二钱，侧柏叶三钱。

引鲜姜三片、大枣五枚，水煎服。

30. 产后崩症汤

人参三钱，柴胡二钱，半夏二钱，川芎二钱，炮姜二钱，桃仁二钱，寸冬四钱，甘草一钱。

引用童便，水煎服。

31. 小产腰腹痛方

酒当归三钱，川芎二钱，香附二钱，红花二钱，益母草三钱，桃仁七粒，炮姜四钱，肉桂四分，炙甘草一分。

元酒、童便为引。

32. 产后下乳方

当归二钱，党参三钱，酒芍二钱，白术一钱，茯苓三钱，甘草一钱，熟地三钱，川芎二钱，白芷一钱，王不留行四钱，秦艽三钱，甲珠一钱，通草二钱。

雄鸡一只炖药服。

33. 腰腿疼方

杜仲炭五钱，川牛膝三钱，羌活二钱，香附二钱，故纸三钱，生麻黄三钱，秦艽三钱，防己三钱，独活三钱，桑寄生三钱，木瓜二钱半，灵仙二钱半，甘草一钱。

为末，蜜丸，元酒送下。

34. 产后咳嗽方

当归四钱，川芎一钱，桃仁十四个（炒），炮姜七钱，益母草一钱，黑芥子二钱，桑白皮一钱（炒），川贝二钱（略炒）。

元酒、童便、水煎服。

35. 养胃进食灵

山楂一两，砂仁三钱，豆蔻三钱，陈皮二钱，草果仁二钱，神曲三钱，麦芽三钱，枳壳二钱。

共为细末，炼蜜为丸。

36. 种子丹

白云苓三钱（乳制，浸），赤芍三钱（酒制，洗），当归三钱（酒洗），川芎五钱，牡丹三钱（醋炒），香附三钱（醋炒），延胡索三钱（醋炒），石菖蒲三钱，熟地二钱，骨皮五钱，益母草二钱。

水煎服用。

37. 托里消毒汤

人参二钱，川芎二钱，酒芍二钱，生芪四钱，当归四钱，猪苓二钱，茯苓二钱，皂刺二钱，白芷二钱，银花四钱，桔梗三钱，甘草二钱。

共为一处，水煎服。

38. 黑红伤方

血竭花一钱，自然铜一钱，川断一两，申姜一两，朱砂一两，寸香三分，土虫一钱，吉片一两，雄黄一两，当归一两，红花一钱，儿茶一两，乳香一钱，没药一两，川朴一两，山甲一两，泽兰一两，半夏一钱（生熟各半）。

为末，引用童便送服。

39. 梦遗方

猪大肠两个（去头尖），硫黄二两，装入肠内煮干，白面为丸。

白水送下。

40. 补肚子

炉甘石五钱，月石三钱，乳香钱半，没药钱半，朱砂五分（水飞）。

诸药装猪蹄皮内烧，共为细面，白水送下。

41. 桃花散

大赤金、川贝各二钱，花粉三分，杏仁三分（炒去尖皮），桃仁二分（炒去尖皮），血竭一钱五分。

传统制剂法制之。

42. 乳痈乳岩方

蜈蚣一条，全蝎七个，甘草三钱。

共为细面，取核桃三枚，砸开，挖去仁，将药面入内，核壳相合，黄土泥封固，用火烧至白烟尽、青烟起后，研为末，元酒为引，加万灵丹为丸。

43. 腰腿疼方

枸杞一两，当归二两，熟地二两，白术五钱，丹皮五钱，杜仲一两（炭），牛膝一两，苹茇五钱，生地二两，花粉一两，黄柏五钱（盐炒），木瓜一两，狗脊二两。

共为细面，炼蜜为丸。

44. 腿疼药酒

地风三钱，木通三钱，千年健三钱，豨莶草三钱，川牛膝三钱，木瓜三钱，生芪三钱，自然铜二钱，当归五钱，红糖四两，白酒二斤。

传统药酒制法。

45. 刘氏黑神丸

当归一两，木香五分，天麻五分，血竭三钱，儿茶三两，五灵脂两半，百草霜五分，京香墨一块。

此方秘而不传。

主治七十二症，诸般重症。

46. 兔吉丸

益智仁三钱，肉苁蓉一两，五味子一两，菟丝子一两，蛇床子一两，莲花蕊一两，盔沉香一两，广木香一两，川断一两，远志一两，淮山药二钱。

共细面，炼蜜为丸，元酒为引。

治肾阳不足。

47. 刘氏肾气丸

桃仁三钱，杏仁三钱，红花三钱，棕炭三钱，血余二两，百草霜一两，糟纸炭一两。

共为细末，蜂蜜为丸，水送下。口传心授。

专治女肾三疾。

48. 乌金丸

当归四两，川芎四两，川军四两，血竭一两，白芍四两，元胡四两，香附二两，百草霜一两，熟地二两半，京墨一两。

五月五日，日不出时，配陈醋二斤，砂锅滚七滚为丸，外露一宿阴干，永不见铁，永不见日。主治男女五劳七伤。姜引治吐血痰；蜜引治男女膨胀饱闷；槟榔引医炎症；茶调治红白痢疾；糯米送下，治疮疡，奇效如神，喜逢三淘水熬。

49. 固精丸

山药四两，莲肉二两，菟丝子二两，芡实二两，茯神二两，莲须一两，远志一两，秋石一两，枣一两。

共为细面，桐子大蜜丸，白开水送服。

50. 腿疼四肢冷方

绵生芪一两，全当归二钱（去皮），南红花钱半，紫油桂钱半，川芎藭三钱，薏米三钱，海桐皮钱半，春椒目钱半，石菖蒲二钱，炙远志一钱，炮姜一钱，川附子钱半，生鹿胶二钱，酒白芍三钱。

远食，水煎服。

51. 头痛散

当归一钱，川芎一钱，白芷一钱，细辛三分，羌活一钱，独活一钱，防风一钱，菊花五分，蔓荆子五分，苍术一钱，生甘草三钱，寸冬一钱，酒芩六分（酒炒）。

姜引，水煎服之。

52. 咽痛熏药

丁香、木香、血竭、川连、蟾酥、没药各等份，用陈猪脂油、苎麻秆入群药捣烂，用茅纸卷起熏口鼻。

传六代未有不效者。乳娥熏之，其效如神。

53. 仙传跌打药

乳香、没药、川断、乌药、泽兰、苏木、木通、川芎、生地、桃仁、甘草、生姜。

童便为引，尚有陈醋一盅水煎。剂量不拘。

主治跌打损伤，止痛接骨。

54. 臁疮膏

五倍子四两（焙），蜜。

五倍子为末，入蜜煎熬成膏，入醋少许，摊贴十日疮。

55. 消补利气汤

山楂肉三钱，神曲三钱，麦芽钱半（炒），香附二钱（醋炒），槟榔二钱，枳实二钱（麸炒），砂仁二钱，焦术三钱，青皮钱半，陈皮钱半，木香八分（研），吴萸二钱，甘草一钱。

姜枣为引，水煎。

56. 乳疮散

铜绿二钱，松香二钱，胭粉二钱（炒），银珠二钱

共为细面，香油调敷，主治乳裂、乳岩。

57. 秘传胃痛方

荜茇、良姜、三柰、丁香、零陵香、木香、干姜、川椒、蛇床子、锁阳、巴戟各三钱。

共为细面，炼蜜为丸。

58. 金水丸

生熟地、金樱子、广皮、沉香、怀牛膝、紫蔻仁、炙酸枣仁、寄生、雷丸、云苓、山药、石菖蒲、芦巴子、肉桂、朱砂、米壳各二钱。

炼蜜为丸。

补肾水，治肺金，专治咳喘

59. 筋骨散

川军二钱，白及二钱，白蔹二钱，黄柏二钱，连翘两半，双花一两，皂刺钱半，白芷二钱，甲珠钱半，川连二钱，轻粉钱半。

外敷熏洗，口服去轻粉。

60. 清瘀活血汤

归尾一钱五，红花九分，杏仁一钱，桃仁七分，苏木七分，乌药一钱，乳香一钱五，没药一钱五，川芎二钱，木香三钱，五加皮四钱，鲜紫荆皮三钱。

上药十二味，以半水半酒煎服，服后忌吹风，须静卧两小时。

61. 跌打内伤急消药方

蝼蛄三只，当归一两，红花二钱，没药三钱，乳香三钱，桃仁三钱，澄茄二钱，五加皮四钱。

上药八味，共研为细末，用陈酒冲服。服后忌吹风，宜静卧。

62. 金龙夺命丹药方

地鳖虫四钱，骨碎补五钱，上血竭五钱，自然铜五钱，沉香五钱，广木香五钱，滴乳香五钱，硼砂五钱，细辛五钱，锦纹大黄五钱。

上药十味，共研为末，用陈酒送下。服后忌吹风，宜静卧。

63. 地鳖紫金丹

赤茯苓三钱，广皮三钱，刘寄奴三钱，桃仁五钱，荆三棱四钱，红花三钱，乌药三钱，归尾五钱，贝母三钱，枳壳二钱，桂枝三钱，五加皮五钱，五灵脂三钱，赤芍三钱，秦艽三钱，肉桂三钱，蓬莱四钱，杜仲三钱，牛膝三钱，葛根三钱，虎骨八钱，黄芪三钱，栀子四钱，泽泻三钱，补骨脂四钱，蒲黄四钱，续断三钱，羌活三钱，威灵仙三钱，木通三钱，远志三钱，韭子二钱，丹皮四钱，自然铜五钱，苏木三钱，血竭八钱，硼砂八钱，辰砂三钱，地鳖虫八钱，土狗五钱，麝香二钱，木香四钱，香附四钱，元胡五钱，青皮三钱。

专治一切损伤等症。

64. 跌打损伤吐血药方

紫丹皮三钱，全当归三钱，广陈皮三钱，川郁金二钱，广木香二钱，炒川芎二钱，炙没药一钱，炙乳香一钱，藕节四个，顶上参三七八分，桃仁泥一钱五分，净红花一钱五分，净枣仁二钱，炒青皮二钱，炒白芍一钱五分。

血止后去参三七，再服二三帖可痊愈。

65. 刀伤敷药方

不论练习刀枪时误伤，或被人刺伤、砍伤，以及各种刀枪、棍棒所伤，致皮肤破裂浮肿，即将下药研末，用麻油若干调匀后，敷于患处，即奏奇功，切记！切记！

天麻二钱，南星三钱，丁香五分，白芷二钱，生白附子五钱，防风三钱，猪牙皂一分。

66. 打拍练手时跌打损伤方

学者在练习各种毒手之时，对之打拍，或因用功过度，伤及筋络或骨节，可将下药用童便煎送下，再用陈酒过口，自然无恙。

落得打三钱，红花二钱，桃仁二钱，无名异二钱，五加皮二钱，三七三钱，当归三钱，仙鹤草三钱，骨碎补二钱（去毛），陈皮三钱，南木香二钱，地榆一钱，自然铜五分（醋煅，细研），川断三钱，金不换三钱

67. 伤膏药方

红花三钱，白芷四钱，甘松四钱，细辛五钱，山柰三钱，六曲三钱，麝香一钱，白川三钱，丁香三钱，川芎二钱，血竭一钱，生军二钱。

上药二十味，研为细末，并炼成膏，用上好青细布匀摆之，折叠完好，勿使受潮。

68. 夺命接骨散

碎补钱半（去毛）；归尾、枣仁、儿茶、大广各一钱，酒浸晒干；黄麻根二钱（烧灰）；土鳖用活者，火酒浸入，放火锨上炙焦，去头足研细；麝香五分；乳香、雄黄、朱砂、血竭、自然铜醋炙七次，大块为佳，各二钱。共为细末，收贮瓷瓶内，用蜡封口。倘遇跌伤而有微气者，用好酒冲服（二三厘），过喉即活，连服即愈。

69. 接骨灵效丹

桑枝一根（煎汤代水），地鳖虫二十个，白蔻一钱（去壳），杜仲（盐水炒）、肉桂、虎骨、炙甘草各一两，前胡、三七、赤芍、川乌、草乌、乌药、青皮、丹皮各二钱，加皮、白杏仁各六钱，乳香、没药、苏木、川断、红花、归身、新会皮、桑白皮、风茄花、元胡、自然铜各四钱。

共为细末，用磁瓶收贮，逢拳伤用好酒送下八分。

70. 万灵透骨散

大铜钱醋炙、地鳖虫各五个（酒醋炙），全当归（醋酒炙）、没药（去油醋酒炙）、炙香附各二两，穿山甲、红花各五钱，蜂巢十个（烧火存性）、苎麻一把（烧灰存性），血竭一两，三七、肉桂各一钱。内用人参更妙。共为细末，每服三钱，陈酒送下，无不立效。

71. 灵验回生丹

生地、熟地、川乌、草乌、没药、蒲黄、桃仁、虎骨各五钱，红花钱半，当归、牛膝、木瓜、川断、杜仲、苏木、芸香、寄奴、碎补、血竭、韭菜子各三钱，防风、荆芥、独活、赤芍、青皮、元参、麻黄、灵仙各二钱，麻油斤半，同药煎好后，入十三味熬膏。

72. 筋骨酸痛药酒方

川断盐水炒、全当归各一两，五加皮一钱，川芎、独活、防风各五钱，桔梗三钱，炙香附、牛膝各六钱，灵仙、桂皮各四钱。用火酒三斤，隔水煎三炷香为度，取起退火，三日可饮。临睡服下，盖暖出汗即愈。

73. 重手法练手秘方

前虎掌一副，黄荆子二钱，血竭五分，生半夏三钱，松节油五钱，茜草根三钱，石菖蒲二钱，自然铜二钱，苍木耳二钱，五加皮五钱，桃核皮三钱，沙木皮五钱，杜仲二钱，川石斛三钱，荆芥二钱，川牛膝二钱，白蚤子一钱，甘草二钱，大刀根五钱，青木香三钱，鹏爪二副，海桐皮二钱，白鲜二钱，防风二钱，乳香二钱（去油），仙鹤草四钱，熟地二钱，川断二钱（去油），老鹳草六钱，桂枝尖五钱，没药二钱（去油），红花二钱，狼牙虎刺一钱（醋煨，研末），紫菀茸二钱，死儿穿二钱，千年健二钱，当归身二钱，蛇胆一个。

练后须以外壮秘方洗之，以舒筋活血，增力壮劲。

74. 外壮秘方

川乌二钱，草乌二钱，乳香二钱，木瓜二钱，红花二钱，没药二钱，灵仙二钱，当归二钱，虎骨二钱，秦艽二钱，神曲二钱，赤芍二钱，牛膝二钱，申姜二钱，元胡二钱，紫石英二钱，地荔一两，落得打一两。

以上十八味，煎水洗手。练后须先以两手互相摩擦，然后再洗，功效更著。并须于练功前服内壮药，以期收内外并进之效。

75. 内壮神效打虎丹秘方

松参一两，鹿茸一两，木瓜四两，木香二两，附子二两，远志二两，朱砂四两，牛膝四两，白蒺藜四两，肉苁蓉四两，巴戟四两，川乌四两，白茯苓四两，杜仲四两，天冬四两，麦冬四两，枣仁四两，砂仁四两，蛇床子四两。

以上十九味，共为细末，炼为水丸，每服一钱，黄酒送下，理门用白水送下，服后练功，效验愈速。惟出手击人，勿使十成功，盖恐一掌到处，劈顶破胸，伤生害命，习者须慎之。

四、刘宾　集

刘宾，生于道光二十八年（1848年），卒于民国十年（1921年），曾为秀才，举止儒雅，治学严谨，欣赏金元时期医学家成无己，开创了刘氏制方用药之先河，为百姓打开了方便之门。

手撰《医学传心录》，集中医经典之萃，深入浅出，简明扼要，提纲挈领，被诸多有识之士称为“医学入门之善本”。其中，“脉诊传心诀”总结了历代脉学之精华，紬绎出内、外、妇、儿等症的辨证论治要点；“用药传心赋”指出经方名方的临证加减变化法则，为刘氏家族积累了宝贵财富，为众多中医学子踏入中医药殿堂构筑了入门阶梯。

1. 腰腿痛方

当归一钱，川芎钱半，牛膝钱半，茯苓钱半，苍术一两，白芷五钱，防风一两，木鳖子五钱，老鹳草七钱，核桃仁四两，鹿角胶一两，琥珀一两，红糖四两，开元钱三个（醋制）。

为末，引元酒送下。

专治妇人腰腿疼。

2. 消毒散

当归二钱，川芎一钱，赤芍二钱，双花二钱，山甲一钱，皂刺一钱，连翘二钱，甘草二钱，防风一钱，生芪二钱，陈皮四钱，乳香四钱，没药四钱，花粉二钱，木瓜二钱。

共为细末，引用酒水各半。

3. 疥疮散

狼毒七钱，槟榔七个，核桃七个，水银0.01g。

共为细面，外敷之。

4. 刀伤药

石膏一两，血力花二钱，乳香三钱，冰片一钱，轻粉一钱。

外敷之。

5. 瘴气丸

白蔻三钱，滑石三两，草蔻三钱，肉蔻三钱，扁豆七钱，川连三钱，朱砂一分，砂仁三钱。

共为细末，白开水送服。

主治霍乱、瘟疫吐泻。

6. 保胎散

厚朴钱半，祁艾钱半，当归三钱，川芎二钱，黄芪钱半，芥穗钱半，贝母二钱，羌活一钱，菟丝子二钱，甘草一钱，枳壳一钱，白芍二钱半。

为引新姜。

胎前，产后。

7. 止泻药

郁金一钱，雄黄一钱，陈皮一钱，乳香一钱，没药一钱，皂角钱半，巴豆霜二钱。

共为细末备用。

8. 清心肺散

川连三钱，元芩四钱，元柏四钱，知母四钱，桔梗四钱，连翘三钱，川贝三钱，栀子四钱，木通四钱，川军四钱，朴硝四钱，甘草三钱，枳实四钱。

为末，每服生鸡子五个。

9. 五积散（《刘氏家藏方》）

木香三钱，槟榔五钱，灵脂四钱，千金子三钱，川军三两，木通三钱，二丑各五钱，官桂五钱，大戟三钱，元明粉三钱，滑石四钱，皂刺三钱，瞿麦三钱，猪苓三钱，泽泻三钱。

灯芯叶为引。

10. 拔毒膏

全蛇一条，全当归二两，全蝎五个，人甲十个，血余一团，桑枝七钱，槐枝七钱，柳枝七钱，官粉二合，章丹一包，银珠二包，麻油二斤。

火上滴水成珠。

地下十五日去火毒。

11. 子悬咳嗽方

当归三钱，川芎三钱，酒芍三钱，羌活钱半，枳壳钱半，厚朴钱半，芥穗钱半，炙芪钱半，川贝二钱，菟丝子三钱，祁艾钱半（醋炒），甘草一钱。

引鲜姜三片，水煎服。

12. 续命汤

防风两半，防己、肉桂、杏仁、黄芩、白芍、人参、川芎、麻黄、甘草各五钱，附子五分。

姜枣为引服。中血脉则口眼㖞斜，中腑则肢节废，中脏则性命危，治疗三者各不相同。

风有中血脉、中腑、中脏之异，此方治卒中，不省人事，㖞斜瘫痪，喑哑，麻木，眩晕，无汗，表实。

13. 疏风汤

羌活、防风、当归、川芎、赤苓、陈皮、半夏、乌药、白芷、香附各八分，桂枝、细辛各三分，甘草三分。

姜为引，水煎服。此方为中经络之要药。

治中腑，手足不仁。

14. 三化汤

厚朴、大黄、枳实、羌活各等份。

水煎服。

中脏腑者，二便阻隔不利。

15. 牛黄丸

山药、炙甘草、人参、蒲黄、肉桂、阿胶、白芍、麦冬、黄芩、当归、防风、白术、柴胡、桔梗、杏仁、云苓、川芎、犀角、羚羊角、麝香、牛黄、龙脑、雄黄、白蔹、金箔。

炼蜜为三钱重丸，姜枣为引。

主治中风不省人事，痰涎壅塞。

16. 子痫羚羊角汤

羚羊角、独活、酸枣仁、防风、五加皮、当归、川芎、茯神、杏仁、木香、钩藤。

子痫，怀孕抽搐，全身痉挛，角弓反张，此为阴血不足，虚风内动，急服羚羊角散以救之。

17. 调经种玉丹

熟地、香附米六两，当归、吴萸、川芎、酒芍、茯苓、陈皮、元胡、丹皮三两，炮姜三钱，肉桂、艾炭二两。

种子丹，六代传承，无一不应验。

18. 麻药方

皂角、木鳖子、紫荆皮、白芷、半夏、乌药、当归、川芎、川乌、草乌、茴香、坐拿草、木香，以上俱用生，共为细末，好酒送服，每服二钱。

19. 麦芽散

土鳖（瓦焙）、巴豆（生）、半夏（生）、乳香、没药各半分，自然铜（醋淬七次），为细末，温酒调服，车行十里之遥，其骨接时有声。

跌伤骨节端，五制尤妙。

20. 接骨丹外贴

当归七钱五分，川芎、没药、骨碎补各五钱，川乌四钱（煨），半两钱三枚（火醋淬七次），乳香二钱半，木香、黄香（松脂）各六两，香油两半。

为末，和油调成，摊纸，贴患处。

21. 没药降圣丹

生地钱半，川芎钱半，自然铜（淬研）、川乌（生）、骨碎补、白芍、当归、乳香、没药各一钱。

共为末，姜汁同蜜和匀，二钱五重，苏木引酒服之。

治打扑闪朒，筋断骨折痛不忍。

22. 接骨散

乳香、没药各二钱，自然铜五钱（淬研），滑石一两，龙骨、赤石脂各钱半。

共为末，好酒浸润，煮干，炒燥为末，临睡时服。入麝香和匀，酒调。若骨已接，去龙骨、赤石脂，极效。

治骨折。

23. 自然铜散

乳香、没药、苏木、真降香（紫檀可代）、川乌、明松节、自然铜各五钱，地龙（油炒）、龙骨（生）、水蛭（炒焦）各二钱半，血竭钱半，土狗五个（油浸焙）。

共为末，每服五钱，酒调服。

治打扑，筋骨伤折。

24. 接骨紫金丹

土狗、自然铜、骨碎补、大黄、血竭、归尾、乳香、没药、硼砂各一钱。

共为末，每服八厘，热酒调服，其骨自接。

主治跌打骨折，瘀血攻心，发热昏晕。

25. 乳香定痛散

白芷、当归、生地、丹皮、赤芍、川芎、乳香、没药、白术、甘草各等份。

共为末，每服二钱，酒、童便调匀服。

治伤损疼痛。

26. 当归须散

归尾钱半，赤芍、乌药、香附、苏木各一钱，红花八分，桃仁七分，桂皮六分，甘草五分。

酒水各半，煎服，百医百验。

主治伤损所致气凝血结，心腹胀闷。

27. 大七气汤

三棱、蓬术、青皮、陈皮、桔梗、藿香、益智、香附米、肉桂、甘草。

姜枣为引，水煎，或另加大黄、槟榔各一钱。

主治五积六聚，心腹痛胀，二便不利。

28. 真人化铁汤

三棱、莪术、青皮、陈皮、山楂、神曲、香附、枳实、厚朴、黄连、当归、川芎、桃仁、槟榔、红花、木香、甘草。

主治痃癖、癥瘕。

29. 分心气饮

紫苏、炙甘草、半夏、枳壳、青皮、陈皮、木通、茯皮、双皮、木香、槟榔、莪术、桔梗、藿香、香附、肉桂、麦冬、赤苓。

30. 顺气消滞汤

陈皮、半夏、云苓、丁香、柿蒂、黄连、神曲、香附、焦术、竹茹、甘草、石菖蒲、木香、山柰。

姜为引。

31. 桃奴汤

桃奴（炒）、雄鼠粪（炒）、元胡、肉桂、灵脂、香附米、桃仁、砂仁各等份。

奇方奇治，主治不赘。

32. 天保才危汤

川羌、前胡、半夏、陈皮、柴胡、云苓、川芎、枳壳（炒）、川朴、桔梗、升麻、葛根、藿香、独活、赤苓、苍术。

主治不赘。

33. 当归散

当归、川芎、人参、桂枝、升麻、白芷、柏仁、黑荆子、甘草、炙酸枣仁。

【方歌】

当归川芎人参桂，升麻白芷枣仁汇。
柏仁黑荆共甘草，产后血崩服之对。
心内实热俱用生，心内不热炒二味。
锅焦为引煎汤服，不过两剂病即退。

34. 便血方

椿白皮一两，青察合豆一钱。为细末，大白梨一个，用汁冲服，日三次。鸭胆子四十九个，圆肉七个，服之更效。

35. 五香顺气散

木香三钱，沉香二钱，茴香三钱，丁香三钱，香附三钱，泽泻三钱，陈皮二钱，乌药二钱。

共为细末，盐水送下。

主治小肠气，按之有声者。

36. 仙方活命饮

穿山甲三大片（炒），皂刺五分，归尾、甘草节、金银花、赤芍、乳香五分，没药五分，花粉、防风七分，川贝、白芷、陈皮五钱半。

37. 心疼方

大黄二两，黑丑二两，木香一钱，槟榔一钱，枳壳一钱，元柏二两，香附钱半，青皮一钱，陈皮一钱，元芩一钱。

主治气食火积。

38. 干血痨疾方

紫河车、明螺衣、飞罗面各四两，乌木筷子一双，红花二钱，赤木二钱，五月节粽子一个，红萝卜干、红鸡冠花各三个，苍耳子仁三钱，红子木三钱，槟榔三个，核桃仁三个，坤草三钱，百草霜三钱，朱砂一钱，莱菔子三捏。

奇方奇治。

39. 没竭散

没药三钱，血竭三钱。

为末，滚水调服，主治胞衣不下。

40. 急救回阳汤

党参八钱，附子八钱，干姜四钱，白术四钱，甘草三钱，桃仁二钱，红花二钱。

吐泻，阳气大伤，转筋、身凉、汗多，非此方不可及。

41. 五虎下西川

蝎子五个，蜈蚣二条，轻粉 0.01g，红粉 0.01g，冰片五分。

用猪肉作丸，香油炸熟，服之。主治邪风入络，口眼㖞斜。

42. 心抽方

芥穗三两，白矾三钱，枯矾三钱，朱砂三钱（水飞）。

新姜为引，每服五分，绝秘。

43. 六和汤

藿香二钱，厚朴钱半，杏仁钱半，砂仁钱半，清夏半钱，木瓜钱半，赤苓钱半，焦术二钱，人参钱半，扁豆一钱，甘草钱半。

水煎服。

主治孕妇抽风。

44. 擦脸方

大枫子一个，核桃仁三个，大枣三个，水银五分。

共捣如泥，以布袋装，用时熏热擦之。

主治满脸风刺。

45. 伤痨方

瓜子两半，马钱子二钱，乳香钱半，没药钱半，申姜三钱，土虫三钱。

共为细末，元酒引，服之。

46. 腿疼方

当归一钱，川贝一钱，元胡一钱，千年健一钱，钻地风一钱，桔梗一钱，羌活一钱，大活一钱，川乌一钱，人参一钱，灵仙一钱，桂枝一钱，土鳖一钱，自然铜一钱，杜仲一钱。

烧酒三斤炖服之。

47. 外肾消肿汤

川羌三钱，荆芥二钱，升麻一钱，防己一钱，元胡一钱（盐炒），苍术五钱，赤苓四钱，川芎二钱，大活三钱，甘草二钱。

引用猪心、竹叶，水煎服。

48. 虚劳肢痛方

木鳖子、自然铜、土虫、杜仲炭、赤木、地龙、牛膝、当归、无名异、虎骨、乳香、没药、知母（盐炒）、马钱子各二两半，白蒺藜二钱，羌活、防风、川断、黄柏（盐炒）、瓜子、菟丝子各二钱半，熊掌六钱，龟板六钱，独活四钱，升麻四钱，故纸六钱。

共为细末，炼蜜为丸，每服三钱。

临床检验，奇效无比。

主治虚劳，周身百节疼痛，左瘫右痪。

49. 箍无名肿毒散

雄黄、白及、白蔹、大黄、龙骨各等分。

共为细末，凉水调匀敷之。

50. 消水圣愈汤

天雄一钱（炮），菌桂二钱（去皮），细辛一钱，生麻黄钱半，炙甘草一钱，生姜二钱，知母三钱。

大枣三枚，水二杯半，先煮麻黄，去上浮沫，次入诸药同煎。水盛，加防己（二钱）；无真天雄，以附子代；无真菌桂，以桂枝代之。

51. 太乙紫金锭

山慈菇三两，五倍子二两，真大戟两半，千金子霜两半，明雄黄三钱，朱宝砂三钱，当门子三钱。

共为细末，糯米为丸，一钱重，内吃外上均可。

52. 柴胡清肝散

当归二钱，赤芍钱半，生地黄钱半，川芎一钱，柴胡钱半，连翘二钱，花粉一钱，牛蒡子钱半，栀子一钱，元参一钱，甘草一钱，防风一钱。

六世传承，肝热耳鸣之圣药。

53. 托里透脓散

人参一钱，焦术一钱，山甲一钱，白芷一钱，升麻五分，当归五分，生芪三钱，皂刺钱半，青皮五分，甘草五分。

酒引。

54. 鸡爪风方

南星一两，当归五钱，川芎五钱，酒芍五钱，中生五钱，防风五钱，香附五钱，苍术四钱，炙甘草二钱，木耳二两。

共为细末，蜜丸，元酒送服之。

55. 稀屎痨方（蒙医方）

连翘、麦冬、草河车各二两，木通二两，枯矾。

引用葫芦子三枚，共为细末，每服钱半。

56. 拔毒膏

独头蒜二十七个，鸭蛋二个，铅粉一斤，麻油一斤。

用槐、柳、桑、榆、杨五色条搅锅。

57. 攒药方

核桃三个，葱根三个，大枣三个，红糖、生姜、胡椒等份，光面钱一枚。

主治恶疮疔毒，出汗，男左女右攒之。

58. 除疥散

硫黄、血余炭、白丁香、鸽子粪、油灰、塔灰、香油等份，油调搽火烤之。

59. 妇人阴疮药

黄柏三钱，轻粉五分，儿茶三分，冰片五钱，麝香三钱，白薇三分，官粉三分（炒），乳香三分，潮脑三分，蚯蚓泥三分（炒）。

凡疮生阴门内外、肛门、脚上均可。

60. 鹿茸丸

大菖蒲两半，草乌七钱半，诃子，鹿茸八钱，海狗肾一对。

治痿症腰腿疼、下淋等。共为细末，蜜丸。

61. 诃子散

诃子五钱，川楝子五钱，山楂二钱半，栀子三钱半，苦参二钱，青木香四钱，桂枝二钱，山柰一钱。

共为细末，主治时疫。

62. 各路散

紫草六钱，寒水石四钱，瞿麦一钱，红花六分，青木香六分，广木香六分，川连二分，石膏一钱，沙参八分，甘草五分，栀子六分。

共为细末。

63. 八厘散

当归、金毛狗脊、杜仲、牛膝、红花、土虫各五钱，自然铜、乳香、没药、申姜、故纸、川断、川军、血竭各三钱，朱砂一钱。

共为细末。

64. 跌打损伤方

乳香、没药、土虫、川军、月石、自然铜、血竭、红花、人中白、骨碎补、天灵盖、小金童各一两，黄瓜子二两，红公鸡腿一对（焙黄色）。

共为细末，元酒送服。

65. 七味无价散

南星、天麻、半夏、首乌、草乌、白附子、雄黄各三钱。

共为细末，均七包，元酒四钱，汗出即愈。

主治吊线风、瘫痪。

66. 胎产金丹

当归一两，酒芍一两，川羌一两，坤草四两，广木香三钱，血珀三钱，汉三七三钱，益母草膏二两，紫河车一具。

共为细末，蜜丸二钱重，赤金为衣。

67. 补肾汤

当归、酒芍、生地、熟地、陈皮、大茴香、小茴香、破故纸、牛膝、杜仲炭、茯苓各一钱，人参五钱，黄柏七分，知母七分，甘草三分。

水煎服，痛甚加乳香、砂仁、沉香，去白芍、生地、陈皮。

治腰痛。

68. 七星剑（《刘氏家藏方》）

麻黄、苍耳、野菊花、薮草、重楼、地丁、半枝莲各等份。

主治热毒瘿瘤。

69. 心口疼方

熟地三钱，山药二钱，山萸二钱，巴戟三钱，焦术二钱，肉桂钱半，五味子钱半。

此方专治夜间心口疼，临床验证，效果甚佳。

70. 痢疾水泻方

当归二钱，白芍二钱，莲肉三钱，陈皮三钱，车前二钱，茯苓二钱，泽泻二钱，甘草。

水煎服。里急后重加槟榔（三钱），枳壳（三钱）；肚疼加附子（二钱），肉桂（二钱）。灯芯、竹叶为引。

71. 利气丸

大黄六钱，黑丑六钱，木香一钱，槟榔、枳壳、香附各四钱，青皮一钱，陈皮一钱，莪术一钱，黄连一钱，黄柏三钱。

为细末，泛水丸，梧桐子大，每服十粒。

72. 流气饮

木香七钱，丁皮七钱，藿香七钱，半夏五钱，人参五钱，焦术五钱，赤苓五钱，姜朴五钱，青皮二两，陈皮四两，槟榔七钱，香附二两，紫苏二两，腹皮七钱，木瓜五钱，麦冬五钱，莪术五钱，肉桂五钱，木通、石菖蒲各五钱。

姜枣为引。蛊胀，加白蔻；肿满，加黑丑；面肿，加葱白；肚肿，加枳实；脐至脚肿，加双皮，去藿香、菖蒲，加沉香、枳壳、大黄，名曰二十四味流气饮，其效如神。

73. 广茂溃坚丸

厚朴、元芩、元连、益智、草蔻、当归、半夏、焦术、升麻、红花、吴萸、甘草、柴胡、泽泻、神曲、青皮、陈皮。

74. 二母清顺汤

天冬一钱，麦冬一钱，知母二钱，贝母二钱，人参五分，花粉一钱，当归一钱，栀仁一钱，桔梗一钱，元芩一钱，薄荷七分，甘草三钱，玄参一钱。

75. 中满分消汤

益智、半夏、升麻、茯苓、木香、黄芪、吴萸、川乌、厚朴、草蔻、人参、泽泻、青皮、当归、柴胡、元连、荜澄茄、元柏、干姜。

生姜为引。

76. 清热宁嗽化痰定喘丸

橘皮五钱，青黛三钱，川贝七钱，胆星、花粉各七钱，双皮七钱，杏仁三钱，桔梗七钱，黄芩五钱，前胡七钱，甘草三钱。

共为细末，炼蜜为丸。

77. 清热胜湿汤

苍术、黄柏、羌活、酒芍、陈皮、牛膝（酒洗）、木瓜、杜仲炭、灵仙、泽泻各三钱，甘草（一钱）。姜引。

疼甚，加乳香、没药各一钱；水湿内停，加黑丑、槟榔各一钱；血痛，加归尾、桃仁、红花各一钱；冷风痛，加附子、虎骨，去黄柏、泽泻；倦怠如泥，下坠，加苡仁、苍术、防己、焦术；游走痛，加紫荆皮；湿热，加栀子；气不顺，加乌药；肾虚，加故纸、牛膝、生地、当归。

78. 活血汤

归尾、赤芍、桃仁、丹皮、元胡、乌药、香附、枳壳、红花、肉桂、木香、川芎、甘草。生姜为引。

主治瘀血，痛点不移。

79. 消食化气散

元胡、青皮、砂仁、草果仁各三钱，槟榔二钱，三棱二钱，莪术二钱，陈皮三钱，焦楂五钱，麦芽三钱（炒），焦术三钱，茯苓三钱，栀子二钱，枳壳二钱，郁金五钱，甘草一钱。

80. 千金定喘汤

麻黄三钱，双皮三钱，杏仁钱半，白果仁三钱，苏子三钱，冬花三钱，元芩钱半，半夏一钱，甘草一钱。

81. 癫狂散

陈皮四钱，当归三钱，川芎三钱，石菖蒲二钱，双钩二钱，木瓜二钱，石莲子二钱，防风二钱，白芥子二钱，青皮二钱，甘草钱半，生地二钱，柴胡二钱，朱砂五分，琥珀五分。

主治一切狂躁症。

五、刘呈　集

刘呈，生于1911年，卒于1949年，享年38岁。一生聪敏过人，不读书而识百家字，中年弃医从数，专研易经八卦。只传下一部手抄本。

1. 化癥汤

酒芍五两，木香一两，坤草三钱，酒当归四两，川芎五两，柴胡二两，甘草三钱。

蜜小丸，三钱重，朱砂为衣。

主治闭经腹痛，腹内有癥块。

2. 治水肿秘方

陈皮五钱，青皮五钱，枳壳五钱，杨木炭十钱，大戟十钱，芫花十钱，甘遂五钱，二丑各十钱，草乌十钱，槟榔十钱，木通十钱，古月十钱。

大麦面、陈醋为丸，三钱重，每服一丸，水送服。

3. 治便血

地榆炭四钱，酒炒全当归二钱，蒲黄炭钱半，槐花炭二钱，祁艾炭四钱，高丽参二钱，生地黄炭三钱，升麻五钱，黄芪三钱，藕节炭二钱，胶珠钱半，甘草二钱。

水煎服，童便一盅为引。

4. 白蔻散

白蔻三钱，元胡五钱，香附八钱，良姜五钱，古月三钱，广砂仁三钱，木香三钱，沉香三钱，公丁香三钱。

共为细末，每次三钱服，元酒送下。

主治胃痛、腹痛。

5. 瓜蒌神效散

酒归五钱，瓜蒌一个（研细），乳香五钱，没药五钱，甘草五钱。

黄酒为引，水煎服。

专治无名肿毒。

6. 肾囊风方

威灵仙、蛇床子、川芎，共为粗末，葱白三寸，水温熏洗立愈。

专治男子下部受风寒，肾囊肿如升斗。

7. 万应丹

苍术一两，大黄二两，丁香一钱，天麻三钱，朱砂二钱，麻黄一两二钱，蟾酥三钱，麝香三钱，明雄黄一两二钱，甘草八钱。

共为细面，糊丸，朱砂为衣，如梧桐子大。每服十五粒，开水送下，三伏天阴阳水送下。

主治四时不正之气，瘟疫感冒，山岚瘴气，周身筋骨疼痛，偏正头痛。

8. 大头瘟方

南星、姜黄、川朴、陈皮、苍术、黄柏、花粉。

研细末，茶调，常规服。

9. 劳伤咳嗽方

青皮二钱，广皮二钱，杏仁二钱，玉竹二钱，川芎二钱，百合二钱，冰糖二两。

炭烧面为引。

10. 劳伤方

酒芍二钱，酒归二钱，川芎一钱，熟地四钱，杜仲炭二钱，枸杞二钱，肉桂钱半，炒故纸二钱，焦术三钱，白苓三钱，赤茯苓三钱，炒蒲黄二钱，黄芪二钱，珍珠三钱，红参二钱，棕炭二钱，黑发二钱。

水煎服。

11. 淋巴结核方

南硼砂一钱半，轻粉二钱，台麝五分，巴豆、白槟榔一个、斑蝥四十个（去头足，同糯米炒）。

共为细面，鸡子二枚去黄，用蛋清调药，置于鸡子壳内，用湿布糊口十余层，于锅内蒸熟、焙干，研细面。虚者每服五分，实者不用干姜、元酒冲，五更服，自小便出。忌麻百日。如小肚子疼，服益元散。

12. 益气养荣汤

芎䓖三钱（微炒），当归五钱（酒炒），熟地四钱，酒芍三钱，红参一钱，茯苓三钱，白术四钱（土炒），甘草（三钱），桔梗三钱，陈皮二钱，贝母二钱（去芯），黄芪五钱（盐炒），香附四钱（酒炒）。

水煎服。治一切痈疮，气血双虚。

13. 乳药

当归五钱，熟地四钱，川芎四钱，酒芍四钱，王不留行四钱，贡术五钱，党参三钱，云苓五钱，神曲四钱，炙甘草三钱，通草三钱。

共为细末，食前服。主治乳胀、乳肿块、小叶增生、缺乳。

14. 保胎药方

当归二钱，酒芍二钱，川芎一钱，炙甘草五钱，艾叶一钱，枳壳一钱，菟丝子一钱，川羌一钱，酒芩一钱，密蒙花一钱，厚朴钱半，芥穗一钱。引用鲜姜三片。

水煎服。

15. 锁阳固精丸

芡实四钱，巴戟四钱，锁阳四钱，龙骨四钱，寸云四钱，茯苓四钱，牡蛎四钱，莲须四钱，鹿角霜四钱，白鸡冠花一个，淫羊藿四钱。

共为细面，为丸如梧桐子大，每服三钱，淡盐水送下。

主治气血虚损，久淋、滑精、遗精、自汗。

16. 风火牙疼外擦灵

雄黄三分，硼砂三分，牙硝一钱，冰片一钱。

共为细面，擦牙流涎即愈。

17. 阴道滴虫膏

蚯蚓四条（炙干为面），大葱四条（炙干为面），白蜜（一碗）。

熬成膏，将药捣入其中，纳入阴户，虫死自然随溺而出阴门，倘作痒作痛更佳。蛇床（一两），花生（一钱），白矾（三钱），水煎熏洗，内外合用。

18. 治风火牙痛

玄参二两，生地一两，酒芩三钱，知母三钱，黄柏二钱，黄连钱半，炙石膏二钱，甘草二钱。

水五碗，煎二碗，食后用。

19. 治虫牙

骨碎补三钱，白薇三钱。

共为末，用滚白水漱口，用滚白水合药酒成泥样，将药含在口内，其虫自出，千万莫咽。

20. 咳嗽药方

双皮五钱，桔梗五钱，杏仁五钱，炙麻黄五钱，石膏三钱，半夏五钱，甘草二钱半，川贝二钱。

引用鲜姜、红枣、葱根、茶叶。

21. 跌打损伤

汉三七四钱，苏土鳖四钱，炙乳香六钱，炙没药六钱，自然铜三钱，明雄黄三钱，大连珠二钱，血竭花八钱，冰片四钱，当归五钱，大豆砂二钱，台麝香二钱。

共为细末，每服一钱五分，老树皮、生菜籽一盅为引。

22. 一粒金丹

郁金五钱，巴豆霜五分，皂角三钱，陈皮二分，木香三钱半，槟榔五分，厚朴三分，三棱二分，莪术三分，明雄黄五分，甘草二分。

共为细面，醋糊为丸，朱砂为衣，姜汤送下。

专治一切积症，积聚腹痛。

23. 腰腿痛

杜仲炭四钱，川牛膝五钱，羌活五钱，大活五钱，灵仙三钱，虎骨胶三钱，当归四钱，防风三钱，川芎四钱，苍术三钱，秦艽三钱，香附三钱，甘草三钱，桂心三钱。

红糖一斤，酒五斤。共药入坛内煮一炷香时，取出，早晚空心服，酌量饮之。

24. 偏坠方

花生、古月、鲜姜、蜂蜜、葱须、艾叶，共捣如泥，箍患处。

主治偏坠，小肚疼痛。

25. 暴发火眼方（一）

生地黄三钱，柴胡三钱，黄芩三钱，防风三钱，白芍三钱，黄连二钱，甘草一钱，菊花三钱。

水煎服。

26. 暴发火眼方（二）

上羚羊角一钱，犀角一钱，菊花二钱，胆草二钱，冬花二钱，青葙子二钱，谷精草二钱，密蒙花二钱，熊胆二钱，川连二钱，草决明二钱，石决明一钱，白蒺藜二钱，望月砂二钱，夜明砂一钱。

水煎服用。

27. 双眼暴盲方

熊胆、川连、密蒙花、羌活、蛇蜕、地骨皮、仙灵脾、木贼、胆草各一两，旋覆花、甘菊花、瞿麦各五钱，葳蕤三钱，麒麟竭、蔓荆子各二钱。

主治忽然失光，翳膜障蔽。

28. 双目失明方

川黄连二钱，木贼二钱，蝉蜕钱半，白蒺藜二钱，草决明二钱，菊花二钱，木通三钱，防风钱半，胆草二钱，夜明砂三钱。

水煎温服，忌一切辣物，忌二十日为度。

29. 洗眼方

当归三钱，黄连二钱，明矾八分，空青一钱，独脚金五分，决明子五分，甘草一钱，万寿菊五分，皮硝一分。

泡水熏洗。

30. 四物加减汤

当归三钱，赤芍一钱，川芎一钱，熟地五分，姜三片，枣三枚。水煎，温服。

刘氏四季加减法曰："春加防风倍川芎，夏加元芩倍赤芍，秋加寸冬倍熟地，冬加桂枝倍当归。"

31. 出疹方

山栀一钱，元参二钱，元芩一钱，煅石膏一钱，猪苓一钱，升麻一钱，葛根一钱，柴胡一钱，荆芥一钱，防风一钱，泽泻一钱，前胡一钱，竹茹一钱，麦冬一钱，桔梗一钱，山豆根一钱，麝子一钱，甘草二分。

水煎服。

32. 伤汗方

川芎一钱，元参一钱，枳壳一钱，赤芍一钱，羌活钱半，柴胡一钱，桔梗二钱，竹叶一钱，葛根二钱，连翘一钱，白芷一钱，山楂钱半，花粉二钱。

水煎温服。

33. 产后流血方

当归五钱，芎蒡一钱，熟地五钱，白芍三钱，秦艽三钱。

水煎缓服。

34. 英神普救丹

明雄黄五钱，广郁金五钱，巴豆霜四钱，乳香一钱半，没药五钱，陈皮五钱，牙皂一钱，木香五钱，胆星二钱，紫蔻三钱，牛黄一分，麝香一分。

35. 淋症方

生地三钱，熟地三钱，小香片一两，京墨五分，炸樵五钱。

共一处，煎八碗，服药后发汗为度，忌食生冷，以三服即愈。

36. 咳嗽不止

柿霜二钱，川贝一两，杏仁七个，月石二钱半，清夏一两，朱砂三钱。

共为细面，白糖为引，顿服之。

37. 神效通经汤

红花二钱，赤木二钱，篦子一张，核桃仁三个（煨），小枣三个（烤焦），血余一两（烧炭）。

元酒为引，以水炖热，勿令泄之，温服出汗。

胎前产后，一切痨症。

38. 保产催生方

姜朴三钱，酒归钱半，羌活一钱，川贝一钱，川芎钱半，菟丝子钱半，芥穗钱半（醋炒），祁艾一钱（醋炒），酒芍一钱，生芪一钱，炒枳壳八分，甘草八分。

共为十二味，炮制勿错。姜三片，水二盅，煎八分，空心服。如遇临产胎动不安，欲小产，随时服之，立效。此方历经刘氏数代承传，效果颇受瞩目，尤以死胎与小产之患，最为专注。如怀胎不足月数，偶伤胎气，腹股痛，一服即安；甚则红势小产，二服即愈。如十月满足，交骨不开，存亡顷刻，能保二命。遂产横生，胎死腹中，立刻即下。临产之月加黄芪（三钱），临产之时醋龟板（六钱），可收临产之功。

39. 五积六聚方

黑丑六两，白丑六两，川军六两，槟榔五钱，青皮五钱，郁金钱半，良姜二钱，官桂二钱，灵脂五钱，木香三钱，茵陈钱半，三棱三钱，莪术三钱，牙皂钱半，僵蚕二钱，陈皮二钱，全蝎钱半，雷丸三钱，使君子三钱，白及一两，红曲二钱。

共为细面，醋糊为丸。

主治积聚，肚腹大串痛。

40. 偏头痛方

当归尾三钱，赤芍二钱，生地三钱，菊花钱半，黄芩钱半，山栀一钱，青葙子二钱，知母一钱，升麻一钱，川羌钱半，熟石膏二钱，荆芥三钱，防风二钱，蔓荆子二钱，甘草一钱。

姜水为引，水煎温服。

主治头晕、偏头痛。

41. 滑积病方

蜈蚣一个（去头、皮）、雄黄一钱，甲珠二钱，全蝎七个，僵蚕七个，斑蝥七个，郁金二钱，朱砂一钱。

共为细末，每用大钱币研，以鸡子清为引，白水送下。

42. 治火烧水烫

寒水石二钱，冰片五分，川柏三钱，川军三钱，川连三钱，甘草五分。

共为细面，豆油调敷。

43. 霍乱瘟疫方

升麻二钱，干葛二钱，柴胡二钱，荆芥三钱，防风二钱，前胡三钱，山栀子二钱，藿香三钱，紫苏一钱，陈皮二钱，姜朴二钱，白术二钱，白苓三钱，桔梗二钱，腹皮三钱，元芩三钱，川连三钱，滑石三钱，甘草一钱，寸冬三钱。

水煎服，引姜三片。

霍乱瘟疫，遍身发热，上吐下泻。

44. 白毒汤

当归尾三钱，川芎二钱，苍术三钱，防风三钱，赤芍一钱半，芥穗二钱，麦冬二钱，川羌三钱，连翘三钱，双花钱半，甘草三钱，苦参钱半，青皮三钱。

水煎服。

主治遍身瘙痒。

45. 臁疮方

血余一团（烧炭），人指甲三钱（焙干），香油一两，猪油一两，胭粉一两，陈窗户纸一张。

共熬成膏，贴之立愈。

46. 赤白痢方

川黄连一钱，生白芍四钱，黑栀子四钱，木通三钱，白茯苓三钱，地榆炭三钱，木香三钱，炒猪苓三钱，炒泽泻三钱，滑石三钱，川军三钱，元芩四钱，甘草一钱。

共为细面，每服三钱。

47. 小肠疝气

木香一钱，炒枳壳二钱，香附三钱，炒茴香三钱，吴萸三钱，良姜三钱，姜朴三钱，沉香三钱，川楝子三钱，广皮三钱，甘草八分。

引姜三片，水煎服。

48. 清热健脾化痰汤

黄芩三钱，白术三钱，川贝三钱，橘红三钱，茯苓三钱，香附三钱，芍药三钱，桔梗三钱，莒蒡二钱，前胡三钱，槟榔三钱，甘草一钱。

引姜三片，水煎服。

49. 褥疮方

红粉三分，轻粉一分，儿茶三钱，冰片三钱，麝香一钱。

共研细面，撒疮面即好。

50. 上中下搭方

红参三钱，焦术二钱，白苓三钱，当归二钱，川芎一钱，熟地三钱，酒芍二钱，炙芪二钱，肉桂八分，柏子仁二钱，首乌二钱，花粉三钱，白芷三钱，桔梗二钱，牛子二钱（炒），炙甘草二钱，茯神三钱，寸冬二钱。

姜枣为引，水煎服。

主治搭疮，脓水淋漓。

51. 杨梅解毒方

双花五钱，连翘三钱，当归三钱，赤芍三钱，生地三钱，防风二钱，荆芥三钱，牛大力二钱，土茯苓五钱，甲珠二钱，全蝎二钱，槐花一两，甘草三钱，元芩钱半，薄荷钱半。

水煎服。

52. 身痒方

归尾二钱，全蝎钱半，蝉蜕二钱，板蓝根二钱，荆芥二钱，薄荷二钱，甘草二钱。

水煎，空心温服。

主治遍身瘙痒。

53. 水气二肿方

红参二钱，焦术三钱，白苓三钱，苍术三钱，猪苓三钱，泽泻三钱，姜皮三钱，大腹皮三钱，陈皮三钱，五加皮三钱，木通三钱，茯苓皮二钱，炙芪三钱，防己三钱，木瓜三钱，木香二钱，槟榔三钱，甘草八分。

引姜三片，水煎温服。

54. 偏头痛方

归尾二钱，川芎一钱，白芷三钱，细辛八分，川羌二钱，独活三钱，防风二钱，菊花三钱，蔓荆子三钱，酒芩二钱，寸冬三钱，红花一钱，柴胡二钱，胆草三钱，生地黄四钱，干葛三钱，薄荷三钱，竹茹二钱，丹皮三钱，木通二钱，升麻三钱，甘草八分。

引姜三片，水煎服。

主治头风、偏头痛。

刘氏六世医方（第二版）

（下）

刘彦普 著

中医古籍出版社
Publishing House of Ancient Chinese Medical Books

卷四

医案

一、读百家经典，用家传妙方

论 读 书

书，是滋养灵魂的镜子，是智慧的长明灯，是世界的营养品，是良师，是益友，是立学之本。

英国哲学家、科学家培根说："读史使人明智，读诗使人灵秀，数学使人精密，物理使人深刻，伦理使人庄重，逻辑、修辞使人善辩。凡有所学，皆成性格。"

刘氏祖居山东刘家集，康熙、道光年间，曾有两位秀才。先祖治学严谨，幼时便引领孩童习文练字。余十岁能通览《三国演义》，十余岁对剑侠游记爱不释手，至十六岁承刘氏医籍家传。先祖有训："读得书多胜大秋，不需耕种自然收。日里不怕人来借，夜晚不怕贼来偷。"意即学得一身真本事，荣身、治家、立业，才有资本。自此，我一边参加中师函授学习，扩展知识视野；一边接触家学，苦读经典医书。

几十年过去，精读三十余部医书，其中有集大成之名典，亦有一家之言，对余之成医影响颇深。

《内经》《难经》《金匮要略》《伤寒论》，为刘氏家学的传承奠定理论基础。王肯堂《证治准绳》之惊恐辨析，李中梓《医宗必读》之心胸痛辨，喻嘉言《医门法律》之大气论，程国彭《医学心悟》之心痛方剂，叶天士《诊治大全》之胸痹案绎，郑寿全《医法圆通》之寒热论心痛，陈士铎《辨证录》之扶正为主治怔忡，方隅《医林绳墨》之顺气养血治心惊，王清任血府逐瘀治脉阻，张锡纯"二陈"伍"静心"治疗夜间憋醒危重症，张景岳之命门学说，朱丹溪之相火论……，为刘氏家学开辟了广阔的发展前景。受经典名家之启，余于临床注重经方传承、局方发挥、良方运巧、成方切用、名方扩展、验方化通，使刘氏家学逐渐走向成熟。

（一）读《黄帝内经》

黄帝，华夏族之始祖，中华民族的象征。黄帝不仅长于征战，且颇懂医术，经常与岐伯、雷公等臣子讨论医学问题，合而成文，著成《黄帝内经》。

《黄帝内经》是中华传统医学现存最早的一部理论经典，战国至秦汉医家将以前历代口耳相传的医学经验收集整理，它是中医名家学说的总汇。

《黄帝内经》博大精深，内容丰富，不仅涉及医学，还包罗天文、地理、哲学、军事、数学等学科。令人叹为观止的是，中华先祖在《内经》中所阐述的一些深奥精辟的理论，虽然早在2000年前，却揭示了许多现代科学正试图证实或将要证实的理论。中国古代大医学家张仲景、孙思邈、李时珍等均受《内经》思想熏陶，终成我国历史上的医学大家。

《黄帝内经》是中国古人关于天地和生命规律认识的百科全书，它鲜明地阐述了人与自然、人身五脏六腑及各部位互相依存的整体观念。阴阳理论、五行学说、精气学说、藏象学说和五运六气学说等，是中国传统文化不可或缺的重要组成部分，尤其是贯穿始终的整体观念，是西方医学不可比拟的。

《黄帝内经》是极其重要的养生巨著，是自然科学思想的典型代表。在生命科学领域，中医学作为宏观医学，具有不可动摇的地位。

《黄帝内经》对中医药学的思维方法、学术理论、临床实践、现代应用等诸多方面都有深远影响，必将在保障中华民族的繁衍生息中起医学主导作用。

余喜读《黄帝内经》，用以指导临床实践，其效果可见一斑。

案例1

啮　舌

临床中，常常出现自咬其舌之患，余不明其理。

2015年7月，好友杜某突发自咬其舌，接连数日，频频自咬，唾血淋漓。经查，此为啮舌也。

《灵枢·口问》云："人之自啮舌者……厥逆走上，脉气辈至也。少阴气至则啮舌，少阳气至则啮颊，阳明气至则啮唇矣。”

然而，何谓厥逆走上？何谓脉气辈至？其深邃之处不得而知。于是，展读《黄帝内经灵枢集注》。

“齿者，肾气之所生也，少阴之脉夹舌本，少阳之脉循于颊，阳明之脉夹口环唇下。如肾藏之生气厥逆走上，与中焦所生之脉气相辈而至，则舌在齿之内而反向外矣，唇在齿之外而反向内矣，颊在齿之旁而反向中矣。”故自咬其舌。清代李用粹《证治汇补》卷四：“心脾之虚，恒通于舌，阳明之经，直入齿缝，故邪入心脾，则舌自挺；邪入阳明，则口自噤，一挺一噤，故令口嚼舌，治宜清其风火，则舌自愈。”神圣复元汤主之。

葵花复元散：黄连、黄柏、生地黄、枳壳、细辛、川芎、羌活、蔓荆子、柴胡、藁本、甘草、半夏、当归、郁李仁、防风、红参、干姜、附子、黄芪、肉豆蔻、橘红、白葵花。

此方原载于李东垣《兰室秘藏》，主治复气乘冬足太阳寒水、足少阴肾水之旺，子能令母实，手太阴肺实，反来克土，火木受邪。又能治啮颊、啮唇舌、舌根强硬等证，如神。忌肉汤，宜食肉，不助经络中火邪也。大抵肾气与膀胱经中有寒气不足者并宜服之。

刘氏家传则以葵花复元散主之，其药味与此方大抵相同，只是以白葵花为君，且以之为引。

《名医别录》云：“葵花咸寒，无毒。理心气之不足，治带下，目中溜火，和血润燥，通窍，利大小肠。”张元素曰：“葵花，阴中之阳也。赤者治赤带，白者治白带；赤者治血燥，白者治气燥，厥逆走上，脉气双至，皆心气之虚甚，气燥之故也。所以白葵花为君，用药之妙也。”

啮舌，瞬间突发之状。与中风痰厥啮舌不同，与胸痹、心血瘀阻啮舌不同，与肾阳不足啮舌亦不同。中风啮舌用神仙醒语丹，胸痹啮舌用冠脉活血丸，肾阳不足啮舌用地黄饮子加减。此三则啮舌与厥逆走上、脉气双至之啮舌，有本质的区别。

诚如《灵素节注类编·啮舌、啮唇》所论：“经脉之气，升降循环，如其不调而厥逆走上，则其气至之处，经脉盛胀，与齿相碍，故不觉自啮。少阴脉气至舌，故啮舌。少阳脉气至颊，故啮颊。阳明脉气至唇，故啮唇矣。盛于上者，虚于下也，补其下则气平矣。”

【葵花复元散方歌】

啮舌本因厥逆上，脉气辈至祸口腔。
少阴气至则啮舌，少阳气至啮颊旁。
阳明气至啮唇环，一挺一噤啮齿床。
东垣早有奇方载，神圣复元兰室藏。
当归生地芎藁本，枳壳陈皮共三黄。
柴胡半夏与附蔻，郁李蔓荆草羌防。
刘氏白葵为君药，火木受邪赖参姜。

案例2

肢　麻

肢麻，气虚风痰入络，阻碍营气流行。《素问·逆调论》："帝曰：人之肉苛者，虽近衣絮，犹尚苛也，是谓何疾？岐伯曰：荣气虚则不仁，卫气虚则不用，荣卫俱虚则不仁且不用。"经典所言：营血虚弱则皮肉麻木不仁，卫气虚弱则肢体不能举动，荣卫俱虚则皮肉麻木、肢体不能举动也。李东垣、朱丹溪皆言营卫气虚，痰湿内阻之由也。

刘氏家传《普济百集方》中，以肢麻汤治疗四肢、身麻，颇有效验。

2007年7月，有李氏女，周身麻木，痛苦不堪。自述曾去某医院检查无果。后去某中医院按湿痹治疗，亦无效。见其脉寸口关上微，尺中紧，知其为营卫气血俱虚，阳气不运，阴血涩滞，复感风寒而致麻，投肢麻汤效果不显。

展读《金匮要略》血痹虚劳方，当属黄芪桂枝五物汤证，治当补气行血，温阳行痹。黄芪、桂枝温阳益气，推动血液运行。重用生姜，助桂枝走表散邪，载芪走表。芍药和阴血，除血痹；大枣和卫益气。一剂奏效，三剂痊愈。

此患愈后感激涕零，言说麻木之状难以言表，曾几次寻短见，今日有效，永生不忘。夫妻双双跪地，不肯起身。

本方为血痹而设。方中黄芪大补元气，扶助正气祛邪外出，固护肌表，为君。桂枝温经通阳，祛散外邪，与黄芪配伍，益气温阳，和血通经；桂枝得黄芪益气而振奋卫阳，黄芪得桂枝，固表而不留邪；芍药养血和营通痹，与桂枝相伍，调和营卫，祛散在表之风邪，共为臣药。病在肌表，以生姜发散风邪，以桂枝温行血脉，为佐。大枣调和诸药，与生姜相配，助桂芍调和营卫，为使。诸药配伍，使风邪除，气血行，则血痹去矣。

本方配伍之特点：补气养血与通经散邪同施，固表而不留邪，祛邪而不伤正。

本方之辨证要点：肌肤麻木不仁，或疼痛，手足冷，舌质暗淡或青紫，脉微紧或沉细。

清代医学家徐彬曰："此由全体风湿血相搏，痹其阳气，使之不仁。故以桂枝壮气行阳，芍药和阴，姜枣和上焦营卫，协力驱风，则病原拔，而所入微邪亦为强弩之末矣。此即桂枝汤去草加芪也，立法之意，重在行阳，故嫌甘草之缓小，若黄芪之强有力耳。"

【黄芪桂枝五物汤加减方歌】

血痹如风体不仁，桂枝三两芍芪均。
枣枚十二生姜六，须令阳通营卫匀。
加入刘氏肢麻辈，肉苛之疾早拨云。

（二）读张景岳之《景岳全书》

张景岳，名介宾，字会卿，别号通一子，会稽（今浙江省绍兴）人。生于明嘉靖四十二年（1563），卒于崇祯十三年（1640），享年七十七岁。

据记载，景岳幼时聪颖，喜读书，"自六经以及诸子无不考镜"（《类经·叶秉敬序》），于兵法阵战及医学方药尤为喜好。十三岁时，随父去京师，侯门之中，奇人异士群集，景岳游历其中，遂得遍交其长者，其中，金梦石精医术，景岳尽得其传。

景岳遭遇战乱，烽火中为人医病，深得人心。五十八岁时，战事频仍，事业无成，双亲衰老，家境贫困，回归故里，倾心轩岐，探隐研神，苦心研读《内经》。天启四年（1624），《类经》（三十二卷）问世。晚年著《景岳全书》六十四卷，将自己的学术经验和临床心得进行系统总结。1640年全书写完，未及出版就去世了。

清康熙三十九年庚辰（1700），景岳的外孙林日蔚将书稿带至广东，在同乡鲁超的捐资下，《景岳全书》得以刊行问世。

鲁氏序中言道："吾郡张会卿先生，名介宾，别号通一子，于书无所不窥，壮年好谈兵击剑，思有所用于世。筮《易》得天仙之遁，遂决意石隐，避世壶中，精研轩岐之道，而于生死疑难之际，审呼吸于毫芒，辨浮沉于影响。君臣佐使，无不析其源流；望闻问切，无不寻其深奥。汇成《景岳全书》一集，列为八阵，中为九宫。前分门，后方剂，去陈言之糟粕，阐前哲之心思。合者参之，疑者剖之，略者补之，诚度世之津梁，卫生之宝诀也。”余研读《景岳全书》，受其熏陶，得其要旨，临床见微，颇有感悟。

案例 1

火衰阳痿治验

火衰阳痿，阳事不举，举而不坚，精薄清冷，神疲倦怠，腰膝酸软，夜尿清长，皆因命门火衰、精竭阳虚之故。张景岳认为：“肾藏精之所，谓之命门。精藏于此，是为阴中之水；气化于此，是为阴中之火；命门居两肾之间而兼具水火，为性命之本。”并指出“命门之火，谓之元气；命门之水，谓之元精。五液充则形体赖以强壮，五气活则营卫赖以和调。此命门之水火，即十二脏之化源”。命门与十二脏是相互依赖的。“心赖之，则君主以明；肺赖之，则治节以行；脾胃赖之，济仓廪之富；肝胆赖之，资谋虑之本；膀胱赖之，则三焦气化；大小肠赖之，则传导自分。”

据此，张氏认为：“五脏为人身之本，肾为五脏之本，命门为肾之本，阴精为命门之本。”按照阴阳互根的辩证关系，阴精是阳气的根本。阳化气，阴成形，如无阴精之形，便不足以载阳气。人在少壮，不知节制房事，久之，命门火衰不能鼓舞阳气，则阳事障碍，精虚所致也。正如张景岳所说：“欲不可纵，纵则精竭，精不可竭，竭则真散。”“盖精能生气，气能生神，精竭之人则气无所附，生化之机息矣。”故而火衰阳痿现矣。

刘氏家传神力仙丹，治疗火衰阳痿，世所稀有。

神力仙丹（《刘氏家藏方》），源自奇门绝方。《刘氏家藏方》记载：“民国时期，娼妓盛行，大多近权贵而鄙庶人。挖煤者远离眷属，或只身而度，或思欲无求，欲逛胭花者不乏其人。因其肤黑资微，常被娼妓作戏，久被作弄，‘煤黑’则广集对策，有机敏者购得‘金枪’，一试即果，娼妓再不敢怠慢，皆惧‘煤黑’之厉。”

这种“金枪”，就是关外刘家的神力仙丹。

神力仙丹，非左道旁门，亦非故弄玄虚，堪称传统医学之瑰宝。它是治疗火衰阳痿的经典方剂。

一、神力仙丹，君臣互佐，生精壮元阳

神力仙丹，以三肾、淫羊藿为君药。三肾，气血有情之品，功能壮阳益精，用于阳痿、遗精，大有灵动之功。

淫羊藿，又名仙灵脾、三枝九叶草，味辛性温，入肝、肾经，有补肾壮阳、强筋健骨、祛风除湿、止咳平喘之功。现代医学研究表明，本品对狗有促进精液分泌的作用，其含有的类雄性激素，能使动物交尾亢进，并有促进淋巴细胞转化的作用，对肾虚阳痿、性功能下降的病人，可补肾壮阳，增强性功能。

肉苁蓉、鹿茸、海马、仙茅、巴戟天、补骨脂、胡芦巴等为臣药，助君药加强补肾壮阳之功。其中海马性味甘温，温肾阳，壮阳道，用治肾阳衰惫、阳痿不举、肾关不固、遗精遗尿等症。《本草新编》云其“入肾经命门，专善兴阳，功不亚于海狗”。仙茅，善补命门之火而兴阳，为补火兴阳之良药，用治肾阳不足，命门火衰，阳痿不举等症，常与淫羊藿、五加皮等配伍。《本草正义》曰：“仙茅乃补阳温肾之专药，故亦能祛寒湿，与巴戟、仙灵脾相类，而猛烈又过之。”

方中肉苁蓉、巴戟天入肾经血分，补命门相火之不足；熟地黄、枸杞子为补水之药，取其水足可以济火；杜仲、牛膝，复走肝肾，强筋骨，壮腰膝；更有相佐补血之当归、阿胶与熟地黄相伍；枸杞子、女贞子养阴药之相配，与众药相合，温阳补肾，阴中求阳，水中补火，寓清于补，补肾而不升火，性温而不伤正气，从而达到温肾壮阳、补肾生精的目的。

朋友师某，阳事不举多年，常因此影响夫妻关系。遂令其每日口服一粒神力仙丹，淫羊藿代茶饮送服，不足两个月，房事如常。其后询问，夫妻掩面而笑。

二、神力仙丹，以引药分型用药

神力仙丹，分型灵活使用引药，乃是一大特色。

1. 刺激海绵体充血

神力仙丹，激发命门水火，以刺激海绵体充血为主，其秘中之秘在于灵活使用引药斑蝥。

斑蝥，《本草纲目》云：“专于下窍，直至精溺之处。”《中药学》说：“斑蝥为壮阳剂，该药可刺激尿道黏膜反射引起阴茎勃起。”刘氏家传神力仙丹，加入斑蝥、藏红花，名为“金枪不倒”，可迅速起痿。然而，对于下作之人，轻投，恐其助纣为虐，再生事端；亦恐其造成暗伤，多不投。先人云：“贪情好色之人，不可轻入斑蝥，投之则杀人。”

有栾氏与我相交甚厚，常来我家闲聊。交谈中他总对自己房事不满，言说力度不够。查其脉象舌苔，与所叙不符，一直没给他内有斑蝥的神力仙丹。一日，趁我不备，他拿走两粒斑蝥本丹，一次性服下，龟头水肿一月未愈。可见服此丹必遵医嘱。

2. 补真火之不足

神力仙丹，以硫黄为引药，补益真火，堪称一绝。《中药学》云：“硫黄乃纯阳之品，入于肝肾，能大补命门真火而助元阳。”《本草蒙筌》言硫黄“体系至阳之精，能化五金奇物，壮兴阳道”。《本草纲目》云硫黄“秉纯阳之精，赋大热之性，补真火之不足”。《本草求真》：“命门火衰，服桂附不能补者，须服硫黄以补之，为补虚助阳之圣药。”众所周知，人到老年，命门火熄，阳痿自现，本丹以硫黄少许振兴阳道，实为补真火之不足。然而，硫黄为纯阳之品，非真火不足之患，不可予之。

三、神力仙丹，注重阴中求阳，防患于阳火过极

纵观古今治阳痿诸方，多以温补之品温肾壮阳，此偏谬也。岂知，温补之剂常可耗伤肾阴，或湿热内生，或“强弩暗伤”，引火自焚也。

1. 重用阴性药

刘氏神力仙丹，数倍用熟地，“以阴求阳，阳得阴助，而生化无穷”。加之用牛膝、菟丝子、女贞子、肉苁蓉等专走肝肾之味，更加强了阴中求阳之力。

《景岳全书》指出：“无论阴阳，凡病至极，皆所必至，总由真阴之败耳。”因而，阴盛于下者，原非阴盛，以命门之火衰也；阳盛于标者，原非阳盛，以命门之水亏也。水亏其源，则阴虚之病迭出；火衰其本，则阳虚之证迭出。因此，在治疗上，“善补阳者，必于阴中求阳，则阳得阴助，而生化无穷；善补阴者，必于阳中求阴，则阴得阳升，而泉源不绝”。是故，“阳失阴而离者，不补阴何以收散亡之阳？水失火而败者，不补火何以复垂寂之阴？”治疗火衰阳痿，必于温补、培本固元之时，采用顾护阴精之法，当为景岳之鲜明学术特点。

2. 制剂去其燥

神力仙丹，注重药品炮制工艺，采用生药材，自行炮制，从而降低药物的毒副作用，改变和缓和药性。绵羊油炒淫羊藿，滑石粉烫三肾，罐蒸仙茅、锁阳，烘焙海马、鹿茸，以及水煮提取等，除了清除杂质外，更主要的是“弃其燥气取其淡”“以其柔性克其刚”，大大减弱了君臣药温补燥烈之力。

3. 道地药佐制阳火过极

神力仙丹，巧妙使用道地药材长春草，亦为一大特色。

神力仙丹之所以长盛不衰，更重要的原因是使用道地药材长春草，配伍地龙，用以佐制“阳药升火之过极”。

长春草，菌类药，是在深山榛林沃土中培育出的榛蘑。其性味甘、咸，性平，入脾、胃、肾经。滋阴解毒，强筋壮骨，生精活痿，独取阳明。先祖云：“长春草，从阳明经治疗阳痿，生精潜阳，后天养先天，且大有佐制阳药升火过极之用。”

长春草，未载入《药典》，是人工培育药，与地龙相伍，取其性走窜、运行经络、通天彻地、用心专一的特点，与众阳药相合，治阳痿早泄之疾，功效显著，未有伤正之虞。

综上所述，火衰阳痿，实为精虚不能振奋阳气。火衰而使气化无权，神力仙丹温阳化气，补肾生精，使精盈气盛，生化无穷，阳痿得愈矣！

【神力仙丹方歌】

神力仙丹用三肾，鹿茸海马蚓长春。
锁阳五子补骨脂，巴戟仙茅共寸云。
唯有三枝九叶草，主药引药两度存。
巧用硫黄补真火，倍用熟地阴中寻。
精溺之处斑蝥量，金枪不予下作人。

案例 2

湿热阳痿

《景岳全书》云：“男子阳痿，火衰者十居七八，而火盛者仅有之。”

纵观今时，小旅馆林立，足疗城盛行，可往来于酒旅馆，可徘徊于洗浴宫，贪恋于麻网吧，沉迷于歌舞厅……火盛阳痿者不乏其人。故而，张景岳之说，应为男子阳痿，火衰者十居七八，而湿热者十居二三也。

一日，余去老中医朋友处。片刻，见一体胖之人匆匆而至，朋友问：“怎么样？”那人摇头曰：“不行！”朋友沉思良久，小声嘀咕：“怎么没效呢？”这时，他突然转头向我大声说：“让刘老给看看！”我再三推托不过，听到了这样的陈述："我是开矿的，今年四十六岁，七年来，家伙什儿不好使，非常痛苦。没办法，寻名医治疗。"

见其体胖、舌苔黄、汗多而疲，知其系酒色过度，湿热下注所致。若执意补肾壮阳，则引来宗筋弛纵，阳事愈发不举。遂建议用龙胆泻肝汤先清其湿热，看其效果如何。

三日早饭后，我刚到自家诊所，就见一车戛然而止，车中人下来热情地向我发问："老大哥，还认得我吗？"我似曾相识，一时想不起来他是谁。他情不自禁地紧紧握住我的手说："我就是那个怎么治也治不好的那位。""你说的那药，服下一服就有好转。这不，把我媳妇也带来向你致谢来了。"说着就往屋里搬东西。这时，我突然想起，肯定是那位矿长了。我随即答道："你不能谢我，是我那朋友给你治了老长时间，我不过是捡了个漏儿。"他慨然回答："谁都得谢，我想我这病还是由你来收尾吧！"见其诚恳，我即施用祖传龙胆起痿汤加减，一月而愈。

起痿汤 龙胆草、当归、制大黄、生地黄、泽泻、蛇床子、蜈蚣、柴胡、车前子、地龙、茯苓。

【方解】

湿热阳痿，阴茎不能勃起，或举而不坚，阴囊潮湿或腥臭，小便黄而浊，腰酸体倦，舌苔黄腻，脉弦滑数。

方中龙胆草清热除湿，柴胡疏肝解郁，蜈蚣、地龙活血通络，茯苓祛湿利水。诸药合用，共奏清利湿热之功，则阳痿去也。

起痿汤治疗阳痿，除了清热利湿外，更为奥妙之处在于蜈蚣的通络功用。《医学衷中参西录》："蜈蚣，走窜之力最速，内而脏腑，外而经络，凡气血凝聚之处，皆能开之。""其性尤善搜风，内治肝风萌动，外治经络中风，……"临床观察蜈蚣治疗各类阳痿，每能奏效。

现代医家周益新（《山西中医》1995 年第 1 期），从理气逐瘀、通络安神、强身兴阳三个方面重用蜈蚣治疗阳痿；陈玉梅的亢痿灵（《中医杂志》1981 年第 4 期），以蜈蚣为主，从肝论治阳痿；甘国杰用全蝎、蜈蚣合龙胆泻肝汤治阳痿；王蒙以单味蜈蚣治阳痿，皆各有建树。

起痿汤重用蜈蚣、地龙，以其走窜之力，开其络道，浚其精道，活其湿凝，阳痿去矣。

【起痿汤方歌】

起痿汤中用蜈蚣，胆草当归泽茯苓。

大黄生地蛇床子，柴胡车前共地龙。

案例 3

相火偏旺颠顶痛

李波，男，21 岁，朝阳市人，系高中生，家境贫寒。父亲早亡，母亲多病，为不耽误自己读书，遂将母亲与小妹接至学校附近，一边读书，一边外出打工，多有不眠之夜。2015 年高考临近，他突发巅顶痛，痛不可忍，到多家医院求医无果。余投加减三才汤，三剂而愈。后以三才膏方连用，他以优异成绩步入清华大学。

三才汤：源于《儒门事亲·世传神效名方》，以人参、天冬（去心）、熟地各等分，研细末，炼蜜为丸，主治咳嗽痰涎，面红身热，鼻血便秘。《中医病症医案》记载："此天秉火燥之症，平日喜读书，病由辛苦而得。"刘氏家传加减三才汤，以三才加进牡蛎、龟板，治疗相火偏旺，烦劳扰动，循经上犯巅顶痛。多年来，余临床使用此方，气阴两补，填精潜阳，兼泻相火，治疗学生临考用心太过之巅顶痛，每能奏效。

先人云："三才汤治咳嗽以天冬为君，治疗巅顶痛当以熟地为君。"相火扰动之巅顶痛，多由髓海不足而令肾阳飞越。故熟地为君益心血，补肾水，……安五脏，和血脉，养心神，安魂魄，滋补真阴，封填骨髓圣药也。今用功太过，烦劳扰动相火之巅顶痛，非熟地不可以当其大任。《景岳全书》云："阴虚而神散者，非熟地之守不足以聚之；阴虚而火升者，非熟地之重不足以降之；阴虚而刚急者，非熟地之甘不足以缓之；阴虚而真气散者，舍熟地何以归源？"

加减三才汤以人参、天冬为臣药。人参补心益气，助熟地开心益智，妙不可言。更有天冬祛渴解烦……复走足少阴肾经，屡滋肾助元，"使燥者润，热者清，津液纵横，方能化解……"（《本草蒙筌》）。

方中牡蛎、龟板重镇安神，平肝潜阳，助三才增治疗烦劳扰动、阴虚阳亢之功效。

黄柏长于清相火，退骨蒸；知母"止虚劳之热，滋化源之阴"（《本草蒙筌·用药法象》），二者并用，非唯降火，实能助水。

众药相合，引火归源，治疗用心太过之相火妄动之巅顶头痛，其效可见一斑。若以冰糖、蜂蜜制成膏方，连服数月，可止头痛于顷刻，祛沉疴于久远矣。

【加减三才汤方歌】

读书辛苦相火偏，循经上犯痛顶巅。
三才重用大熟地，火升燥动自安然。
更有龟甲与牡蛎，潜阳安神水木涵。
黄柏知母炒兼用，清泻相火滋水源。
倘是心悸伴高压，三棵针佐少梅片。
冰糖蜂蜜制膏方，学前临考看久远。

案例 4

不寐

不寐，指入睡困难，寐而易醒，醒后不能再入睡，或时寐时醒，甚或整夜不寐。

不寐之症，多为情志所伤，劳逸失度，久病体虚，五志过极，饮食不节等因素引起阴阳失调、阳不能入阴所致。《景岳全书·不寐》对不寐的病因做了精辟的分析："不寐症虽病有不一，然惟知邪正二字则尽之矣。盖寐本乎阴，神其主也。神安则寐，神不安则不寐；其所以不安者，一由邪气之扰，一由营气之不足耳。有邪者多实，无邪者皆虚。"

然而，细审不寐非一也，有思虑劳倦太过，伤及心脾者。心伤则阴虚暗耗，脾伤则生化之源不足。《景岳全书·不寐》指出："劳倦思虑太过者，必致血液耗亡，神魂无主，所以不眠。"

有心肾不交者，水不济火，心阳独亢，五志过极，故而不寐。《景岳全书·不寐》："真阴精血之不足，阴阳不交，而神有不安其室耳。"

有心虚胆怯者，决断无权而不寐。《沈氏尊生书·不寐》："心胆俱怯，触事易惊，梦多不祥，虚烦不眠。"

此外，尚有阴虚火旺之不寐、胃气不和之不寐……凡此种种，总与心脾肝肾及阴血不足有关。其病理变化，总属阳盛阴虚，阴阳失交。因为血之来源，由水谷之精微所化。上奉于心，则心得所养；受藏于肝，则肝体柔和；统摄于脾，则生化不息；调节有度，化而为精；内藏于肾，肾精上奉于心，心气下交于肾，则神志安宁。若暴怒、思虑、忧郁、劳倦等伤及诸脏，精血内耗，彼此影响，每多形成顽固性不寐。所以，不寐之疾虚者尤多。

传统对不寐的治疗，肝郁化火用龙胆泻肝汤，痰热内扰用温胆汤，阴虚火旺用黄连阿胶汤，心脾两虚用归脾汤，心胆气虚用安神定志汤等。

余于临床几十年，用“静心安神汤”治疗了诸多顽固性不寐患者。大连、沈阳、吉林、唐山、承德，多少不寐患者闻讯赶来，每能收到良好效果。余因此被誉为“不寐克星”。

静心安神汤（自拟方）：桂圆肉、炒柏子仁、炙酸枣仁、山茱萸、生青龙齿、生牡蛎、茯神、石菖蒲、远志、白芍、白蒺藜、白芷、僵蚕、白附子、合欢、夜交藤、五味子。

方中桂圆肉补心血，炙酸枣仁、炒柏子仁补心气，龙骨入肝以安魂，牡蛎入肺以定魄，山茱萸、五味子大能收敛心气之耗散，茯神、远志安神定志，石菖蒲开窍。妙在重用白芍养血柔肝，和阴潜阳，以白蒺藜、白附子、僵蚕平肝熄风，取白蒺藜上行通窍之力，故对心阴不足、肝阳上扰型不寐，效果奇佳。尤对长期服用安定等中枢神经抑制药物之患者，此方大有缓解西药依赖之弊。临床应用百例，均收良效。

李某某，女，56岁。两次去北京阜外医院实施心脏瓣膜手术，而后出现顽固性失眠症，口服西药无效。患者每日心悸、焦虑，痛苦难言。余先予静心汤合归脾汤，服用一个月，每晚能睡三个小时。一年后静心汤加进“五白散”，睡眠大有改善，现每晚能睡六七个小时，一切症状减轻。

贾某某，男，36岁。突发不寐症，整夜不能入眠，常常以电脑为伴，白日却毫无困意，日复一日，憔悴不堪。其放出豪言：“谁能把我的失眠治好，要什么我给什么。”余投静心安神汤六剂而愈，患者以名茶谢之。

【静心安神汤方歌】

静心安神柏枣仁，圆肉山萸五茯神。
菖蒲远志青牡蛎，五白合夜育心阴。
顽固不寐肝火旺，平肝潜阳自调匀。
景岳全书辨其证，药方功自张锡纯！

（三）读朱震亨《格致余论》

朱震亨（1281—1358），字彦修，婺州义乌（今浙江省义乌市）人。因世居丹溪，故人称丹溪翁。元代著名医学家，“金元四大家”之一。

丹溪自幼研读理学，因母病，三十岁始攻读《素问》《难经》等经典医著。后治装出游，访求名医，渡浙江，走吴中，出宛陵，抵南徐，达建业，后又到定城，始得刘完素《素问玄机原病式》和李东垣方稿。

泰定二年（1325），师从名医罗知悌，学术上受刘完素、李杲影响，成为融诸家之长为一体的一代名医。

朱震亨以为三家所论，于泻火、攻邪、补中益气诸法之外，尚嫌未备滋阴大法，遂创立了有名的“阳常有余，阴常不足”论及相火论；对于杂病提出了气、血、痰、郁的辨证方法；阐明人体阴气、元精之重要，被后世称为“滋阴派”创始人。临床治疗，效如桴鼓，弟子众多，方书广传，著有《格致余论》《局方发挥》《金匮钩玄》《本草衍义补遗》《丹溪心法》等。

朱丹溪的相火论

丹溪在《格致余论》中有两大名论，一是“阳常有余，阴常不足”论，一是相火论。“相火论”是丹溪学说中的核心理论之一。

丹溪的相火论，有两种含义：一是指正常的阳气之动，所谓天主生物，故恒于动，人有此生，亦恒于动，其所以恒于动者，皆相火之为也。而且这种阳气之动即相火，对自然界、对人类均起着巨大的推动作用，所谓天非此火不能生物，人非此火不能有生。这种相火，丹溪是从理学太极动静立论的，天人感应，在于天，泛指生阳之气，或六气之火；在于人，含有生气之原的意思，是脏腑之本、经脉之根、呼吸之门、三焦之源。二是指五志妄动，成为邪火。即思想为物所感，五志化火。丹溪指出：火起于妄，变化莫测，无时不有，煎熬真阴，阴虚则病，阴绝则死。这种相火，是阴虚火旺的邪火，为元气之贼，即后世所谓的龙雷之火。

《原病式》云诸风掉眩属于肝，是风之动；诸气膹郁属于肺，是火之升；诸湿肿满属于脾，是火之胜；诸痛痒疮属于心，是火之用，亦皆相火之为病，见于五脏者。这些火证，都是刘河间论五运六气为病的内容。两论综合而观，则丹溪的相火论，不仅是肝肾的阴虚火旺，而是包括五脏六气之火。

朱氏言火，从哲学角度阐发医理，其应于人，则人身之动，均为火之所为，并非仅指湿热而言。朱丹溪的这番议论，强调了正常人体亦有火的存在，而这存在于人体之火是通过生命的各种活动表现出来的，故归纳为“凡动皆属火”，实则朱氏所言之火在人体是指阳气而已。但存在于人身之火，朱氏又将其分为君火与相火。所谓君火，朱氏认为是属于五行中之火，是有形之体与无形之气相互化生而成，在人体则归于有形之体中，故心脏在五行属火，称其阳气为君火。而相火是由虚无而生，这里的虚无是指来源于先天之无。以人体来说，则是人体形气之本源，其在人体之中是藏而不露，只能通过人的生命活动表现出来，其不同于隶属五行的心火，被称为相火。朱氏的相火含义，是说明相火是人体生命活动的本源，是人身生生不息的机能活动的体现。正因为如此，人身相火就十分重要，既不宜衰，又不宜妄动。

朱氏认为，在正常情况下，人身之阴阳是阴常不足而阳常有余。因此，人身的阴精应当时时虑其不足，不能任意耗伤。防止阴精耗伤，就要防止相火妄动。因而，朱氏一再强调房事不宜太过，心神要保持安宁，不为外物所感；不宜肥甘太过，以防止生痰化火、生湿化热，使人身之湿热过重而耗伤阴精。总之，朱氏从病理角度强调了内伤饮食、七情、房事等诸种产生杂病的原因，均可使相火妄动而阴精耗伤，更会使人体阳有余而阴不足的偏盛偏衰之象加重，从而产生各种内伤杂病。

案例1

遗精、早泄

遗精，“因梦而出精者，谓之梦遗；不因梦而精自出者，谓之滑精”（《景岳全书》），故有“有梦为心病，无梦为肾病”之说。

梦遗滑精，虽皆属火，而有心肾之异。动于心者，神摇于上则遗精于下也。不必治肾，但清其心而自已。盖精之藏贮虽在肾，而精之主宰则在心。是以少年伶俐之人多有此病，而田野愚鲁之人无患此者，总由心之动静而已。（《金匮翼》）

遗精之症，朱丹溪从相火论角度之论述最为中肯。《格致余论》：“主闭藏者肾也，主疏泄者肝也，二者皆有相火，而其系上属于心。心君火也，为物所感则易动，心动则相火易动，动则精自走，相火翕然而起，虽不交会，亦暗流而疏泄矣。”

范某，19岁，家居农村，冬季与父母同居一室。一天夜里，偶然撞见父母房事，受了刺激，邪念顿生，欲求不得，于是误犯“手淫”，偷视成瘾，直至泄精为止。

入学住校，虽有女生在侧，终因农村中学女孩保守，本人又顾及颜面，未敢冒犯。手淫欲加频繁，有时一夜两次。如是一个学期过去，已不能正常读书，倦怠乏力，面色萎黄，一派“色痨”之象。老师见状，疑其生病，劝其退学回家医治，殊不知其源自精血暗伤。医院查不出缘由，只好让他来普济堂就诊。余见其昏昏沉沉，精神散乱，目光躲闪，羞与人言，脉大而空，知其久辟夺精。投滋阴降火汤合聚精丸无效。孰料梦遗未必肾阴不虚，滑精亦能引动心肝之火，常服滋补之剂，却可有引动相火的可能。

细审此患，精关不固，见色流泄，属严重遗精之症，“手淫之故也”。

《医学入门》云：“或闻淫事，或见美色，或思想无穷，所愿不得，或入房太甚，宗筋弛纵，发为筋痿而精自出者，谓之白淫，欲心一动，精随念去。”

明代李梴精辟地论述了遗精的根源有二：一是思想无穷，所愿不得而“手淫”；一是入房太甚，宗筋弛纵而筋痿精自流。此二者皆可致“欲心一动，精随念去”之状。范生自述：“见不得女人，只要美女从眼前一过，心一动，当即流精；不能看电视，电视节目中有男女相爱镜头一出现，欲心一动，精随念去；电视广告‘他好，我也好！’看一回，泄一回。”听到他的坦言，我深感其邪念太深，精关不固，已非药物所能控制。于是，我向其开展性知识健康疏导工作。首先，讲述张景岳“欲不可纵，纵则精竭；精不可竭，竭则真散”的道理。其次，讲解“留得一分精液，保得一分寿命”的意义，以及“精盈则气盛，气盛则神全，神全则身健”（《景岳全书》）的生理辩证关系，并要求他暂不看电视，祛除杂念，净化本体。每日行走一万步，与大自然接触，忘掉一切，转移思绪。

月余，初见成效。遂投九龙萃仙丹，立挽范生之败精失道。

九龙萃仙丹（《刘氏家藏方》），主治败精失道。

枸杞子、金樱子、覆盆子、菟丝子、莲肉、莲蕊、莲须、山萸肉、芡实、生地黄。

本方源自《杂病广要》，主治遗精。方中重用金樱子、芡实、莲肉与莲须。金樱子为淡涩之品。《本草新编》曰：“金樱子，世人采以涩精，谁知精滑非止涩之剂可止也。遗精之症，皆尿窍闭而精窍开，不兼用利水之药，以开尿窍，而反用涩精之味以固精门，故愈涩愈遗也。”莲子味甘，气温而性涩，“禀清芳之气，得稼穑之味，乃脾之果也。土为元气之母，母气既和，津液相成，神乃自生”（《本草纲目》）。凡心肾不交，劳伤白浊，补肾养精血，非莲子所莫属。莲须为花中之蕊，取其性味甘平，清心固肾涩精而止遗。芡实补中祛湿，性又不燥，故能去邪水而补真水。与金樱子、莲须同用，为水陆二仙丹，不单止遗而精滑反涩，用涩于利之中，用补于遗之内。与枸杞子、覆盆子、山萸肉、菟丝子相伍，益气、固精、养血、补肾、健脾。寓淡涩于其中，则遗可固也。

【九龙萃仙丹方歌】

刘氏家传萃仙丹，败精失道最有验。
枸杞金樱丝盆子，莲子莲须芡实添。
山萸肉与大生地，淡涩之中精自安。

服药一个月，效果甚佳，为巩固疗效，与有关单位联系，令其定向复习。果然情绪稳定，一次性考上了省辖狱警。高兴之余，我告诉他：“结婚时如有性功能障碍可再来找我！”

三年后，经人介绍与一女子闪婚，结婚那天他不敢进新房。他说，媳妇长得漂亮，一见她就要泄精。洞房花烛，眼看十二点了，他还不去新房，是母亲把他硬拖去的。他不敢正面看媳妇，不敢说话，一宿和衣而卧。第二天回门，三天后回来，媳妇主动接近他，不到一分钟竟然触之即泄。一连数日，皆以失败告终，媳妇见状，苦闷已极，第五天一早就回了娘家。

一个月过去了，不敢去接；两个月过去了，还是不敢去接。到了第三个月，父母和他一起去到岳父家，媳妇坦然地说：“你有病为啥要结婚？”“我给你个机会，去朝阳普济堂找刘老先生，把病治好再来接我！”

提起普济堂，他蓦地想起三年前，刘大夫曾嘱：“结婚时遇有性障碍再来找我。”于是，立即来我处诉说原委。思范生先手淫而致精关不固，九龙萃仙丹虽已止遗，但见美色，精关尚不能守，于是，遵丹波元坚《杂病广要》之说：“耳闻目见其精出，名曰白淫，妙香散吞玉华白丹。”余速投玉华白丹合辰砂妙香散。心、肝、肾同治，以金石之品缓其欲念，以调补心脾之剂，益气摄精，使精气守于命门，仅两个月就痊愈了。夫妻生活和谐美满，一年后生下一子，阖家欢乐有余。

玉华白丹 刘氏家传治疗早泄圣方。此方为唐冲虚先生三品制炼方。

白石脂七钱，净瓦阁起，火煅红，研细，水飞，牡蛎七钱，洗，韭菜捣，盐泥固济，火煅取白者为佳，阳起石半两，用坩埚于大火中煅，令其通红，取出，酒淬，放阴处，令干，钟乳石炼丹炉炼成，一两。

上四味，各研极细如粉，拌一处，研一二日，以糯米糊为丸，入地去火毒一宿。

清上实下，助养根元，扶衰救弱，补益脏腑，主治五劳七伤，夜多盗汗，肺痿虚损，久嗽咳喘，梦中遗泄，早泄阳痿，大肠风毒。

忌：猪、羊血，绿豆粉。

［方解］方中钟乳石温肺气，壮元阳，主泄精冷痹。取圆柱体、黄白色、透明者为佳。钟乳石“补命门，破痼冷，温脾胃，生气血”（《医林纂要》）。阳起石温肾壮阳，主遗精早泄，佐白石脂收涩止血而固下，益气生肌而调中，并以牡蛎重镇安神、平肝潜阳、收敛固泄。全方益气和中，温脾胃，补命门，治疗因思欲无穷引起的早泄、遗精，有独到之处。

【玉华白丹方歌】

玉华白丹壮元阳，清上实下治劳伤。
石脂固脱益精气，牡蛎安神闭封藏。
阳起钟乳命门固，白淫早泄伍妙香。
肝之阳强气不秘，肾之阴虚精不藏。
辰砂妙香调心脾，相火游动加冰黄。
湿热积滞当慎用，阴虚火旺少量尝。

【辰砂妙香散方歌】

妙香散医心脾伤，气不摄精神不藏。
山药扶脾益阴气，参芪生精纳化常。
二茯远志宁神志，二香通窍开郁疆。
丹砂镇心安魂魄，桔梗载药草调汤。
不以固涩而立法，精与神依自安康。

早泄之疾，千态万状，治疗亦当各异。

一日，某地方领导找到我说：“家父年迈早泄阳痿，求您老为其医治。”思年迈早泄阳痿，不属“欲心一动，精随念去”之例，一定与前列腺增生有关。遂用玉华白丹合桂枝茯苓丸，一举奏效。

老年早泄阳痿多为年老肾水亏虚，气化无力，则水停、津凝、血瘀，久之浊瘀搏结，阻于下焦，由此引发性功能障碍。玉华白丹合仲景桂枝茯苓丸，异病同治，破痼冷，温脾胃，补肾散结，通畅窍路，则早泄阳痿不存矣。

方中桂枝通血脉而消瘀血，助气化而行津液，导引三焦，下输膀胱。治疗老年人因前列腺增生引起的性功能障碍，唯桂枝可当此大任。

综上所述，暗流即为遗精，遗精可致早泄，早泄可引发阳痿，三者相互关联也。

【讨论与体会】

（一）治疗遗精必分虚实

《医家四要·七种遗精分虚分实》："……有用心过度，以不摄肾而遗者，有思欲不遂而遗者，有贪色过度而滑者，有肾虚不固而常渗者，此皆无梦而遗，为虚证也。……又有因相火动而遗者，为虚中之实证也，……又有少年久旷而精溢者，……又有饮酒厚味，痰火湿热扰动则精出者，此二者，皆实证也。以上诸症，当分虚分实而治，庶几可成。"范生之遗精属虚证，老年前列腺增生则为虚中之实也。

（二）遗精、早泄、阳痿三者相互关联。

大凡手淫、纵欲之人多有遗精之症，而遗精更多有早泄之苦。故遗精之症当与心、肝、肾相关。因而，暗流即为遗精，遗精可致早泄，早泄可引发阳痿。三者不可截然分开，其互为因果也。

案例 2

淫欲症

淫欲，即指色欲。医学所论之淫欲症，是指性交癖、性欲狂，或为古之"色劳症"，今之性放纵症。

淫欲症多发于性欲偏高之人。这类女性性欲高潮的敏感点在阴道，一旦两性接触，高潮便迅即来临，且接连不断。因而，她们对性生活要求频频，进而成瘾。

一贵妇，每晚睡前必有一次性事才能入睡。倘遇丈夫外出，必辗转难眠，或喊叫，或呻吟，或庭外踱步，或床上晃身，乒乓作响，吭呛连声，一派尴尬之象，四邻不安。直至丈夫回家，她才可安心。随着年龄增大，房事愈频，一夜如无两次，则后夜无眠。如此往复，其夫招架不住，渐而心悸气短，体力不支。

1964 年，经人推荐，她来刘家求诊。刘家有降欲熄火汤，专治淫妇之欲，颇见功效。四诊过后，开出降欲熄火汤，每 7 日 1 剂，连服 3 周。

降欲熄火汤 以金樱子、芡实、莲子心、冬瓜霜、菱角等为原料，用乙醇提取后，加入黄柏、知母、牡蛎等，治疗淫欲症，效果颇佳。尤对频发性幻想而误犯手淫之青年，更有抑制作用。

然而，对淫欲症的治疗，不应以药为主，性心理卫生干预、伦理道德教育，应是众人关注的焦点。如前所述之女，书香门第之后，自幼家教严格，加之丈夫的社会地位，其未敢踏破道德底线、轻越雷池。

众所周知，淫声美色，破骨之斧锯，迷魂之香饵，索命之美味，未可敌也。凡沾之者，或光环失色，或命悬一线，或身陷重围……

某铁矿矿主，矿业兴隆，年值过亿。可惜纵欲相交，未及半百，便精枯神竭，撒手人寰。

此为恣情纵欲而早衰，属性乱之例，亦为淫欲之害矣。

色欲是把双刃剑，正常的色欲，人之所求，所谓“人非草木”。贪恋色欲，进而成癖，玩欲偷情，则可令人丧志，令人颓废，令人多病，甚至祸起萧墙……

丧志者，颓废也。《素问 · 灵兰秘典论》言：“肾者，作强之官，伎巧出焉。”临床表明，一个肾精充足的人，其记忆能力和思维判断能力超出一般人，精于构思技巧，智力超群。反之，则精神萎靡。

诸多国内外科学家极力推崇保存肾精方略：远离妻室，使智力保持在一个较高的水平。以旺盛的精力奋战在世界科学发展的最前沿，此乃节嗜欲之功矣！

中医讲究“远房帏，绝嗜欲”，指出“天之大宝，只此一丸红日；人之大宝，只此一息真阳”“阳气不充，则生意不广……”“盖精能生气，气能生神，营卫一身，莫大于此”。因而，“善养生者，必宝其精”。谨遵先祖入房之训：“春二、夏三、秋一、冬无。”方可精盈气盛，气盛神全，神全而志满，立宏图大志，敢为人先。

“万恶淫为首”。淫欲症是一种病，亦可能受多种因素影响。一个有道德修养的人，是不会染上淫欲症的，只有那些性欲放纵之人才会拿生命开玩笑。

传统中医告诉我们，人身的所有关窍，都由神来统摄。神就是火，就是气，就是“坎中之真阳”。真阳配真阴，神始有所主；真阴配真阳，神始有所依。为什么误犯手淫的人，结婚后，大多“欲心一动，精随念去”，而有早泄苦恼呢？这是心与相火之间的关联。朱丹溪说：“主闭藏者肾也，主疏泄者肝也。二者皆有相火，而其系上属于心。心，君火也，为物所感则易动，心动则相火易动，动则精自走，相火翕然而起，虽不交会，暗流而疏泄矣。”故应远离色欲，尊重你我。

美国学者海弗利克研究发现，人体细胞最多增殖50次，而正常细胞分裂的周期大约是2.4年，照此计算，人的寿命应为120岁。然而，为什么人的寿命都达不到100岁呢？对此，有人经过反复验证，早衰和寿命减少，主要是无限度失精、过快地产生热量所致。

【降欲熄火汤方歌】

淫欲之疾最污秽，颓废丧志人憔悴。
刘氏降欲熄火剂，点到为止归正类。
冬瓜霜与嫩竹笋，芥蓝菱角同锅煨。
养身保精生意广，智力超群神百倍。

（四）读李东垣《脾胃论》

李东垣（1180—1251），名杲，字明之，晚年自号东垣老人，河北正定人，“金元四大家”之一。他富甲一方，师从张洁古学医，著有《脾胃论》《内外伤辨惑论》。

李东垣创立“脾胃内伤学说”，后世不乏推崇者，如王纶说“外感法仲景，内伤法东垣”，将其与张仲景相提并论。但也有不屑者，如陈修园说：“（四家中）最下是李东垣，树论以脾胃为主，立方以补中为先，循其名而亡其实，燥烈劫阴，毫无法度……”今人对李东垣的评论也褒贬不一。其实细读李东垣之作，亦会给医者一定的启发。

众所周知，好的医书有两种：一种是集大成者，一种是一家之言。前者如《医宗金鉴》《张氏医通》等，后者如《儒门事亲》《脾胃论》等。集大成者占有资料丰富、全面，立论较为中肯，临证时易于学以致用；一家之言，占有的资料全凭一己之见选取，立论多偏颇，临证广参经典才可致用。

中医学发展至今，高等医药院校教材，集医家之精，荟名家之萃，以辨证思维为主导的病证结合辨证论治体系，显示了学科的优势和特色。然而，《内经》《难经》《金匮》《伤寒》之理论体系博大精深，仍然是中医学不可缺少的辨证论治指南，各家各派之说，虽有偏颇，却能启迪思路。

有人说李东垣“健脾为主，补中为先”“名亡其实，燥烈劫阴”，岂不是一己之见？殊不知金元四家到了朱丹溪时期就提出“阳常有余，阴常不足”，后世以此相融，难道还有后顾之忧？况且东垣之补中益气汤相传至今，其效大焉，每能救人于水火。

余常以补中益气之加减法治疗妇女阴吹、女子烦劳体弱、性欲淡漠或重症肌无力等，皆获良效。

所谓脾主运化、胃主受纳，人尽皆知。“脾胃为仓廪之官，气血生化之源”，脾胃的生理功能是否正常，直接影响全身或其他脏腑的功能，正所谓“牵一发而动全身”。故而，李东垣《脾胃论》之学说，医不可弃也。

案例 1

女子性交无高潮

性高潮，即指男女性交时产生的快感。这种快感源于性神经系统或阴道与阴蒂。部分女性阴道或阴蒂与男性的阴茎一经接触，即可产生强烈的性刺激。这种刺激持续到一定程度，阴部高度充血，周身发热，呼吸急促，局部的反射、紧缩与跳动无法控制。随着手脚不自主地抓、抱、搂、夹男方，进而产生强直性肌痉挛。阴部的胀满感伴着无限的快意，一瞬间如暖流般散布全身。对此，美国性学家马斯特斯和约翰逊等，在医学实验室中观测和研究，科学而客观地记录了女性达到性高潮的一刹那：阴道充血，膨胀到极点。阴道平滑肌发生 3 ～ 6 次节律性收缩，会阴及全身的许多肌群亦同时出现数次控制不住的痉挛性紧缩，阴部的胀满感瞬间向全身放射，随着高度的快感，意识变得模糊起来，部分女性可出现柔声轻唤。极个别女性可伴有“高喊”与“射液”现象。“射液”强烈的女性，可湿透十几层垫纸，这种过程历时仅约 10 秒，之后便产生疲乏的性满足感。

然而，在现实生活中，却有许多女性没有性高潮。由此引发家庭不和，甚至导致情感平淡而婚变。

某女，豪门出身，雍容华贵，美丽端庄。她自幼勤奋好学，考入中国人民大学。毕业后，以其才华与美貌，被某合资集团录用。入集团不足一月，即与集团公子哥一见如故。公子哥气宇轩昂，二人志趣相投，故而形影不离，很快坠入爱河。仅约三个月，便闪婚步入了婚姻的殿堂。孰料，婚后却出现了大问题——此女性交无高潮。

起初双方并没在意，可时间一久，便产生了忧虑。公子哥说："你这么漂亮，可惜一上床就变成了死木头疙瘩。"其间，他俩也不止一次地查找书籍，讨取经验，可就是没有感觉。时间久了，两人渐行渐远，眼看已到崩溃边缘。怎么办？他们也曾动用两家的资源，找遍京城各路名医。然而，功效甚微。正值无计可施之际，女子来辽西普济堂就诊，哭诉着求我诊治。

见其丽人气质，透着平淡与真诚。四诊过后，知其食欲不振，阳虚之状显矣。遂投暖肾助火汤加减。服药三剂，效果不显，后在路老的建议下，加进补中益气之剂，效果明显。方中黄芪益气为君，参、草补中为臣，白术健脾，当归补血，陈皮理气，均为佐药，更有升麻、柴胡升举清阳为佐使，合暖肾助火汤，则性高潮得现，成就了一段美满姻缘。

女子性交无高潮，究其根源，是性神经系统或阴道及阴道黏膜的神经末梢感受器发育缺陷，或生殖器－脊髓反射中枢兴奋性低下；或者是内分泌功能不足，甲状腺及女性激素分泌不足，即所谓性器官发育不全所致。

中医认为，此乃人体任督二脉经络阻滞，不能周天运行所致。督脉总督诸阳经，任脉总辖诸阴经，二脉相悖，运行不畅，则欲火不能燃烧，经脉呆滞，性欲难求矣。治当温阳益肾助火，贯督脉，通任脉，使任督运行周天，或可使部分惰性性高潮点被激活。

暖肾助火汤（《普济百集方》）：附子6g，肉桂6g，党参30g，白术10g，熟地黄30g，芡实10g，桑螵蛸15g，鹿角胶10g，仙灵脾20g，阳起石10g，肉苁蓉15g，巴戟天10g，鹿茸0.6g，覆盆子10g，沙苑子10g，枸杞子10g，金樱子10g，蛇床子10g。另加黄芪30g，陈皮15g，升麻10g，当归15g。炼蜜为丸，日服二次，一次九钱。三月一疗程。

《素问·上古天真论》指出，人体的生长、发育、衰老与肾气的关系极为密切。张景岳说："命门之火，谓之元气，命门之水，谓之元精。五液充则形体赖以强壮，五气活则营卫赖以和调。此命门之水火，即十二脏之化源。"今女子性交无高潮，实属命门之水火不足，不能温煦肾阳，气化失灵，不能激发任督二脉。以家传温肾助火汤加补中益气之属，健脾益气，温补命门，益肾壮阳，可激发女子性交高潮。

方中仙灵脾、鹿茸、蛇床子为主药。

蛇床子性味辛、苦、温，入肾、肝二经。有温肾壮阳、燥湿杀虫、祛风止痒之功。适用于肾虚阳痿、腰膝酸软、尿频、宫寒不孕及白带阴痒、疮癣瘙痒等。《本草纲目》言其“主治妇人阴中肿痛，男子阳痿”,《名医别录》言其“温中下气，令妇人子脏热，男子阳强”,《大明本草》言其“暖丈夫阳气，助女人阴气”。古版《四百味药性赋》称“蛇床子内外兼用，可使女人切切思男”。意即蛇床子口服或置药于女子阴道，可刺激女子性神经，从而引发性高潮。

现代医学药理研究表明，本品含香豆素类成分、蛇床子素及挥发油等，其醇提物能延长小白鼠的动情期，并能使去势的小白鼠重现动情期。还能使子宫和卵巢的重量增加，有类似性激素样作用。本品对阴道滴虫、致病性皮肤真菌有抑制作用，并能减少炎症分泌物及渗出物；对男、女肾阳亏虚所致的各种疾病都有治疗作用。正如《本草纲目》所言:“蛇床为右肾命门、少阳、三焦气分之药，神农列之上品，不独辅助男子，而又有益妇人。”临床促女性性欲高潮，其功大矣。

方中马钱子、地榆亦为促性神经要药。

马钱子性苦寒，为通经络、散血热之要药，其所含士的宁，能兴奋中枢神经，对脊髓有高度选择性；生地榆具有影响肾上腺素与去甲肾上腺素之作用。两药相合，可使女性动情期延长，促进排卵，激发性神经中枢，引起性高潮。

马钱子极毒，主要含有士的宁等多种生物碱，用于健胃。中医以种子炮制后入药，性寒，味苦，有通络散结、消肿止痛之效。西医学上用种子提取物作为中枢神经兴奋剂。

【温肾助火汤方歌】

女子性交无高潮，任督二脉不通调。
暖肾助阳生欲火，激活神经情自高。
党参白术大熟地，仙灵阳起桑螵蛸。
芡实巴戟淡苁蓉，五子鹿茸鹿角胶。
唯有蛇床内外用，命门火起自然烧。
动情地榆马钱子，促进排卵呈秘招。
扶正当须兼脾胃，补中益气顾本标。
温补还需加桂附，春心荡漾性高潮。

（五）读张锡纯《医学衷中参西录》

张锡纯（1860—1933），字寿甫，河北盐山人，出身于书香门第。自幼读经书，习举子业，喜欢写诗，著有《莲香斋诗稿》。临终前两个月，赋诗述怀：“八旬已近又何求，意匠经营日不休。但愿同胞皆上寿，敢云身后有春秋。”诗的最后一句“敢云身后有春秋”，豪情满怀，盼望有诸多医家后来者，竟成一代宗师之绝唱。

张锡纯亦为著名的中医学家，为中西汇通派的代表人物之一。他一生精研大医之道，代表作为《医学衷中参西录》。其书中的真知灼见，影响了中医界，他为后世所敬仰。

余读张锡纯之作，受益匪浅。难能可贵的是，医好了我自己的夜间憋醒危重症，为诸多夜间憋醒之患总结了治疗经验。

案例 1

心气耗散、心下停痰之夜间憋醒

余常常于夜间被憋醒。1993 年 7 月 10 日夜里，突发憋醒。不由自主地跳下床，惨叫着，气却缓不过来，吸气受阻，气阻如鸡鸣，几十秒过去，方才缓解。少顷，口吐大量泡沫痰，尚带有浅红色泡沫，如此逐年加重。2006 年，病发频繁，每于熟睡之时，惊悸憋醒，且常有几秒钟无意识状态。

同年 8 月，我去北京阜外医院检查，一切正常。心内专家张奎俊教授分析：虽然生化指标不予支持，当疑似左心室不正常。发病是否属心脏骤停，还需进一步观察。“幸亏跳下床来，似有猝死之嫌。”“应该通过动态心电图，把动态抓住，看属于哪方面的问题。”

余幼时家贫，父亲早逝。幼年即在家务农。17 岁时在屯里从教。凭借聪明吃苦，只两度春秋，便从中师函授毕业。继而，为继承六世医学家学，苦读经典。1993 年考入北京光明中医学院，2009 年取得全国执业医师资格。

其间，煤油灯下读经典，深山野岭采名药，医院临床做对比，实验室里做药物分析。倾注心血几十年，耗散了心气，以致心下停有痰饮，故常常夜间憋醒。

张锡纯《医学衷中参西录·论心病治法》有云：“有其惊悸恒发于夜间，每当交睫甫睡之时，其心中即惊悸而醒，此多因心下停有痰饮。心脏属火，痰饮属水，火畏水迫，故作惊悸也。宜清痰之药与养心之药并用。方用二陈汤加当归、菖蒲、远志，煎汤送服朱砂细末三分，有热者加玄参数钱，自能安枕稳睡而无惊悸矣。”

然而，几易组方，养心之剂终未能适入，故效果不显。2010年，无意自“家藏方”中发现定志汤，一举奏效。

普济定志丹（《刘氏家藏方》）：桂圆肉30g，陈皮15g，半夏10g，茯苓20g，茯神15g，炙甘草30g，炒柏子仁25g，炙酸枣仁30g，山萸肉30g，生龙骨25g，生牡蛎30g，石菖蒲15g，远志15g，制乳香6g，制没药6g，生甘草10g，当归15g，红参15g，木香6g

方中桂圆肉补心血，炙酸枣仁、炒柏子仁补心气，龙骨入肝以安魂，牡蛎入肺以定魄。魂魄者，心神之左辅右弼也，且二药与山茱萸并用，大能收敛心气之耗散，并三焦之气化亦可因之团聚。心以行血为用，心体常有舒缩之力，心房常有启闭之机，若用药一味补敛，实恐予舒缩启闭之运动有所障碍，故少加乳、没之属，通血气，以调和之。又以二陈燥湿和中，人参益智，茯神、茯苓、远志安神定志，石菖蒲开窍，朱砂镇心，木香醒脾。全方化痰、安神、定志镇恐，补心气之不足，夜间憋醒无存矣。

近年广读医书，始发现刘氏家藏之“普济定志丹”，即张锡纯之静心汤，由是，二陈汤加张锡纯之静心汤再加当归，治疗心气耗散、心下停痰之夜间憋醒危重症，屡试屡验也。

【二陈定志丹方歌】

夜间憋醒停痰饮，心虚胆怯早搏停。
圆肉山萸炙山枣，龙骨牡蛎乳没寻。
生地远志石菖蒲，普济定志加二陈。
还有当归玄参味，清痰养心睡安稳。

（六）读李用粹《证治汇补》

李用粹，字修之，号惺庵。祖籍宁波，后随父移居上海。幼习举子业，才识敏捷。从父学医，克绍家学，博涉医经，因心变化，“息脉处方臻于神妙”而名动一时。著有《证治汇补》，其学术特点是“既尊经又重诸家”，博采众长，非博无由考其详；“学以穷理，非约不能操其要”。此书是中医临床必读之书。

余捧读《证治汇补》，学以致用，得其要也。

李氏生活在清康熙年间，时盛行“复古尊经”之风，李氏在其序中开篇即言：“不揣孤陋，取古人书而汇集之，删其繁而存其要，补其缺而正其偏。”其对后世医家之贡献不可一概抹杀，而应持慎重分析的态度。“上参三坟之典，下考往哲之书；审其异同，穷其辩论，始知古人立说，适所以相济而非相悖也。如仲景治冬寒，而河间发明温暑；洁古理脾胃，而东垣发明内伤；子和攻痰饮，而丹溪发明阴虚。此六家者，古今称为医学之宗。迨夫冬寒之论，至王安道而中寒、伤寒始明；温暑之论，至巢元方而热病、中暑方晰；内伤之论，得罗谦甫而劳伤、食伤乃别。痰饮之中，分湿痰燥痰，其说明于隐君；阴虚之中，分真阴真阳，其论创自叔和。乃知古人立说，各有一长。取其所长，合为全璧，先圣后圣，其揆一也。”因而，读《证治汇补》，可知医学历史发展全豹，以求“发皇古迹，再求新知”！

案例 1

心血不足，痰居心位之夜间憋醒症

南票李某，女，58 岁。因常发“夜间憋醒”前来就诊。其患心悸头晕，面色无华，胸闷气短，倦怠无力。心率 40 次 / 分，心电图示 ST–T 改变。近一个月睡眠憋醒严重，多方求治未愈。

此为心血不足之症。李用粹《证治汇补·惊悸怔忡》云：“人之所主者心，心之所养者血，心血一虚，神气失守，神去则舍空，舍空则郁而停痰，痰居心位，此惊悸之所以肇端也。”

心血不足，痰居心位，气道受阻，而发夜间憋醒。以二陈汤清痰，以普济心血丹补脾养心，益气安神，使心脏泵血功能加强，痰去，血充，仅一个月，夜间憋醒去矣。

普济心血丹（《刘氏家藏方》）：黄芪 30g，当归尾 60g，赤芍 45g，桃仁 30g，红花 10g，地龙 30g，川芎 30g，红参 100g，麦冬 100g，五味子 100g，龙眼肉 50g，茯神 50g，远志 50g，炙酸枣仁 50g，石菖蒲 50g，玄参 50g，生地黄 50g，柏子仁 50g。

三个猪心血为引，金箔为衣，每服 30 丸，糯汤送下。

然，心血不足之夜间憋醒有别。“有停饮水气乘心者，则胸中漉漉有声，虚气流动”，此为痰饮作祟也，当以心血丹加苓桂术甘汤，在补养心血的同时温脾阳、利水饮、通阳化气，减轻心脏负担，夜间憋醒之症可去矣；“有因阴气内虚，虚火妄动，心悸体瘦，五心烦热，面赤唇燥，左脉微弱，或虚大无力者”，此为心血不足兼阴虚火旺也，当于心血丹中加补心之剂，心火内动、扰动心神之夜间憋醒才可抑制。

【普济心血丹方歌】

心血散用芪芍归，地龙桃红参五味。
川芎麦冬龙眼肉，茯神柏枣玄地追。
菖蒲远志猪心血，益气养血引血归。
痰居心位加二陈，阳气不足补心肺。
虚火妄动益心阴，临床细诊不偏废。

案例 2

心阳不振，心动缓悸之夜间憋醒

一日，某市领导携老母亲求诊，言说老母亲心动过缓，常于夜间憋醒，每日心悸、气短，难以支撑。其母拒绝安装起搏器，求中医治疗。

刘某，67 岁。胸闷气短，心悸不安，形寒肢冷，面色苍白，且频发期前收缩，心率 38 次 / 分。此阳气内虚也。《证治汇补 · 惊悸怔忡 · 气虚》云：“有阳气内虚，心下空豁，状如惊悸，右脉大而无力者是也。”其人久病体虚，损伤心阳，心失温养，心悸不安，心阳虚衰，血液运行不畅，鼓动无力，此乃“阳气虚不能宣通脉气，血虚不能养心而成”之由。故于夜间熟睡时，心率低下，突发停搏而醒。投桂枝龙牡汤合普济早搏汤，温补心阳，安神定志，两个月后心率渐渐提升，免去手术治疗。追访四年，无夜间憋醒之症。

桂枝龙牡早搏汤（自拟方）：桂枝 10g，龙骨 30g，牡蛎 30g，红参 10g，黄芪 50g，炙甘草 30g，甘松 30g，苦参 15g，紫石英 20g，附子 8g。

夜间憋醒，属难医之症。心血不足、心气耗散、痰阻气道为三大主因。近年来，余以千古除痰圣方二陈汤，加入补血养心、益气安神之品，为众多“夜间憋醒”患者解除困危，深受百姓爱戴。此外，经有关部门验证，“祛痰养心安神汤治疗夜间憋醒”这一研究课题，对睡眠呼吸暂停综合征亦有一定的疗效。

【桂枝龙骨早搏汤方歌】

心阳虚弱血不充，夜间憋醒脉搏停。
桂参龙牡振阳气，芪草石附配苦松。
安神定志升心律，养心益气夜卧宁。

（七）读罗止园《止园医话》

罗止园（1879—1953），名文杰，字亦才，号未若。山东德州人。近代医家，世称“医画”双绝。著有《止园医话》《止园医话续集》。其医学心得颇有见地，如治疗肝胆风热巅顶痛之散热汤，得到了中医名家岳美中、毛德西的赞誉与肯定。

余于临床遇到诸多此类病例，一直没有好的办法。1999 年，偶在《岳美中医案》中发现此方，又购得《止园医话》，深入研究了罗止园先生对此类病的认识，用于临床，效果惊人。

案例 1

散热散治疗肝胆风热巅顶痛

张某，女，27 岁，感冒后出现面红发热，巅顶痛伴干呕，痛不可忍，经久不愈。

此为肝胆风热巅顶痛，虽疼痛伴干呕，却不吐涎沫，并非厥阴寒邪上逆之象，因此，绝非吴茱萸汤证。

喜读《止园医话》，见罗氏自拟治疗偏头痛方，屡试屡验，遂投之，三剂乃愈。

散热散 连翘、菊花、桑叶、黄芩、薄荷、苦丁茶、夏枯草、藁本、白芷、荷叶边、鲜茅根。

此方治偏头痛极灵。当代国医大师岳美中先生曾以此方治疗小女儿感冒后出现的剧烈偏头痛。初用解热镇痛中西药，只能缓解一时，不能根除，颇为苦恼。后投罗氏散热汤一剂痛减，三剂痊愈，五年未发。

岳老说：“方中连翘轻浮，为解热清气分之妙品，菊花、薄荷清利头目，消散上焦之风热，桑叶搜肝经络脉之风邪，黄芩清上焦之火邪，苦丁茶祛头部之热邪，夏枯草解散热郁，荷叶边疏散邪热，鲜茅根消除痰热，更佐以白芷通窍散发表邪，引以藁本直达头顶，以除风邪，诸药相合共奏祛风散热之效。”临床所见，此方治疗风热上攻之偏头痛，效果奇佳。

当代名中医毛德西先生，亦对此方赞赏有加。

1988年，毛老遇一患者，女，38岁。患头痛3年余，多家医院诊为“神经性头痛”。投谷维素、苯巴比妥、镇脑宁、清脑丸等，均无效。发作时以左侧偏头痛为主，偶有放射至枕部与颈部之象，睡眠不佳。毛老诊为风热入络、肝阳化风。

拟方：连翘15g，黄芩10g，菊花15g，霜桑叶15g，薄荷叶15g（后下），苦丁茶10g，夏枯草15g，藁本10g，白芷6g，荷叶15g，白茅根30g，生甘草10g。

每日1剂，分两次服用。20剂后头痛见效，因睡眠不佳，加进炙酸枣仁15g、夜交藤30g、焦栀子5g、莲子心5g以清火安神，很快奏效。

毛德西先生说：“《止园医话》由近代医学家罗止园著，其治学不拘旧说，每多新见，提倡‘新中医说’。书中头痛方，用于临床，每用辄效。”

罗氏说：“偏头痛者，病位在胆；巅顶痛者，病位在肝。”由此可知，余所见之患，系肝经热也，用罗氏之祛风散热汤，以平淡之剂祛其风热，而止巅顶痛，可谓神奇矣。

【罗氏散热散方歌】

肝胆风热巅痛发，薄荷连翘白菊花。
肝络风邪霜桑叶，头部热邪苦丁茶。
解散热结夏枯草，上焦火邪黄芩加。
白芷通窍散表邪，藁本引经直上达。
鲜茅根与荷边叶，疏风散热巅顶瘥。

（八）读喻嘉言《医门法律》

喻嘉言（1585—1670），名昌，字嘉言，明末清初著名医学家，江西南昌新建区人。

其自幼聪明，喜云游，足迹遍及江西、浙江、江苏、安徽。成年后习儒，攻举子业，精力过人，博览群书，自命不凡。虽才高志远，但仕途不顺，50岁时即削发为僧，遁入空门，潜心研究佛学和医学，苦读《黄帝内经》《伤寒论》。几年后，他选择“不为良相，便为良医”的道路，蓄发下山，行医为业。往来于南昌、靖安一带，足迹遍历赣、浙、苏、皖。著有《寓意草》《尚论篇》《医门法律》。

喻氏在中医学理论方面颇有贡献，倡导伤寒三纲学说、大气论、秋燥论，强调辨证施治，对后世医学的发展起到了推动作用。

余喜读《医门法律》，其大气之论，影响颇深。喻氏认为，大气即胸中之气，包举于肺之周围而行治节。所谓“五脏六腑，大经小络，昼夜循环不息，必须胸中大气斡旋其间”。若大气一衰，则人身气机运动无源，既不能升降，又不能出入，致使“神机化灭，气立孤危”，再甚者则危及生命。喻氏认为，大气使脏腑经络功能得以发挥，营卫之气得以统摄。大气充盈于周身上下内外，无处不到，川流不息，使通体活动功能正常，生命活力旺盛。然而，大气虽为胸中之气，然胸中还存在着膻中之气——宗气。它们虽出于同一部位，却有所不同，应当加以区别。

案例1

肺痿

肺痿，即肺间质纤维化，主要是肺泡上皮细胞与血管内皮细胞之间的间隙发生了改变，从而使肺阴耗伤，津亡液损，肺失濡养，肺叶枯萎，痿弱不用，为津亡而气竭也。

肺痿的病因，至今不甚明了。临床统计显示，约65%的患者病因不明。仅有35%的病患为吸入有害粉尘、烟雾，或接触病毒、真菌、毒气、农药等化学物质所致。

中医认为，肺痿与先天不足、禀赋薄弱、肺肾两虚有关。肺部反复感染，邪气稽留，宣肃不彻，肺中津液受损，渐生痰浊瘀血而致病。急性病势凶险；慢性者终因肺叶痿弱，由呼吸衰竭导致循环衰竭而不治。

临床所见，肺痿有肺燥津伤和肺气虚冷两端。肺燥津伤多由本脏自病所转归，肺气虚冷多由外界因素孤立性侵害而为病。

笔者自幼继承祖传炼制大黑膏药，工艺要求“火上收膏，地下十五日去火毒”，即烟火升起时熄火。由于缺乏安全防护措施，汞剂烟尘侵害了肺间质。每每炼完膏药，总要干咳几个月。随着时间的推移，常常一遇冷空气就感冒，一感冒就咳嗽，一咳嗽就肺内一点痛，症状逐年加重。60 岁之后咳嗽伴喘息，夜卧不宁。2010 年冬月，患者胸闷、气促，不能正常上班。肺部 CT 扫描显示：双肺间质纤维化，右肺上叶尖后段胸膜下炎性肉芽肿，左肺上叶后段结节密度影。西医诊断为不可逆性病变。

无所适从之际，查阅国医大师周仲瑛老师所编《中医内科学》对肺痿的认知，结合北京协和医院的全面检查结果，已知我的肺功能为孤立性弥漫性侵害，可知是肺气虚冷中期。自拟“抗纤救肺汤”，重用灵芝孢子粉增强免疫功能，加服钟乳石温肺益气，配服汉防己甲素片、丹参酮片，使汞尘所致肺纤维增生程度减轻，现已七年，症状逐渐缓解，肺 CT 扫描显示，笼罩在双肺的云雾状阴影已变得清晰。

辽宁抚顺钱女士，教育工作者。2014 年因咳嗽伴喘息、活动受限，CT 检查显示双肺纤维化。其病因为粉笔尘末中之二氧化硅在肺组织中长期沉积，久之则使肺功能下降，从而导致肺痿的发生。临床诊断亦属肺气虚冷中期，嘱其服用野生铁皮石斛养阴生津、灵芝孢子粉益气活肺，并予汉防己甲素片，使粉笔尘末末造成的纤维增生变得松散，临床症状逐渐好转。

实践证明，肺气虚冷是肺痿的主要证型，适时通过中药控制炎症，大多能够改善症状，延缓肺痿的发展进程。

综上所述，对肺痿的治疗，当以养阴、润燥、清热、生津为大法。笔者自拟“抗纤救肺汤”，益气、滋阴、活血、抗纤、润肺、止咳，用于治疗肺痿，疗效可靠。

抗纤救肺汤（自拟方）：党参、黄芪、黄精、茯苓、甘草、沙参、麦冬、五味子、熟地黄、当归、川芎、丹参、地龙、桑白皮、地骨皮、灵芝孢子粉、钟乳石、仙茅、淫羊藿、补骨脂、汉防己、云雾草、川贝母、苦杏仁、金银花。

加减法：

1. 冷肺，咀嚼生姜、甜甘草；汤剂加钟乳石，以温肺益气。
2. 津液短少，加服野生铁皮石斛，益气生津，每日 1 次，冲服。
3. 痰凝如胶，加桑白皮、地骨皮。
4. 肺内结节加服富硒灵芝合剂。
5. 热肺，加野生灵芝孢子粉，一日两次，一次 2g。
6. 硅肺型肺痿，加服汉防己甲素片。

【刘氏抗纤救肺廿句箴言】

肺痿原来肺阴伤，肺失濡养津液亡。
益气固本参苓草，脾肺双补加二黄。
滋阴补肺沙熟味，麦冬当须倍用量。
归芎丹参土龙伍，破瘀通络抗纤强。
最是灵芝孢子粉，激活谷胱富硒帮。
尚有姜草石钟乳，温化冷肺最相当。
更有铁皮神仙草，润泽热肺精津旺。
仙茅羊藿补骨脂，气化有力母病康。
乙醇提取汉防己，解聚散纤生化良。
再加冰糖与蜂蜜，长久之计赖膏方。

【按】

1. 重用灵芝孢子粉治疗肺痿的思路，源于“灵芝救母”的传说。相传道光年间，青龙河畔，独山脚下，住着一户农家。家中有两口人，母亲王氏与儿子冬冬。母子靠挖药打柴维持生计，生活十分拮据。

王母是个出了名的大善人，她见不得别人受苦，常常资助别人。一天，邻居家丢了猪，主人来到她家，怎么看王家的猪就是自家的猪，王母二话没说，让邻居赶走了她家的猪。半个月后，邻家的猪自己回来了，羞得邻家无地自容。

母亲的行为，冬冬看在眼里，无声无息地影响着他。冬冬十岁那年，母亲积劳成疾，染上了肺病，咳嗽、喘息，口吐痰沫，逐渐不能下床了。为了给母亲治病，冬冬每天翻山越岭，到独山山顶采药。这天，下起了大雨，冬冬躲到山洞里睡着了，醒来后，阳光四射，他举目一看，见山顶石砬上有一金光闪闪的东西，冬冬奋不顾身，爬呀爬，终于爬到了山顶，一看，原来是一朵大蘑菇，冬冬拼尽全力去拔，蘑菇竟然一动不动。这时，他奋力一扑，不想连人带蘑菇一起滚下山巅，昏迷了过去，幸遇邻居大叔将他救回。当冬冬睁开眼的时候，早已躺在了床上，大蘑菇也在怀里抱着，经查，却毫发无损。叶面上有一层金光闪闪的东西，冬冬小心翼翼地把它刮下来，让母亲喝下，说也奇怪，母亲服下此物，立见功效，接着切下蘑菇实体，一连数月，坚持服用，身体竟渐渐好了起来。“冬冬救母”是个传说，灵芝能不能治疗肺痿却还是个谜。于是，我去国家某药理检验基地对灵芝进行药检，发现灵芝含多糖，具有安神镇静、提高机体抗病能力的作用。灵芝孢子粉荟萃了灵芝的精华，富含蛋白质及多种氨基酸，抗氧化、抗衰老的作用极强，且可激活人体内谷胱甘肽过氧化物酶的活性。

2. 重用汉防己，治疗肺痿，缘于刘氏祖传“肺痈鱼腥草，肺痿汉防己”之说。余自汉防己的药效学中发现，汉防己具有解热镇痛、抗炎、抗过敏的作用，其提取物能使硅肺胶原松散、解聚，在间隙内出现新的细胞。故而，将灵芝孢子粉与汉防己甲素加入抗纤救肺方中，大大提高了抗纤救肺的疗效。而后，我又将此方配以冰糖与蜂蜜制成膏方，长期服用，现已六年，症状基本消失。此后收治硅肺患者近 30 人，均收到了满意效果。

二、辨疑难杂症，用世传验方

论疑难杂症

疑难杂症，难辨难治之症也。《周礼·天官》有云：“夫天之寒暑阴阳风雨晦明，既足以伤形，而人之喜怒阴阳运于营卫之间，交通则和，有余不足则病。”所谓“天地之六气，无岁不有；人身之七情，何时不发？”“盖气血旺而外邪不能感，气血衰而内正不能拒……”是故，六淫外侵，先入经络；七情所伤，脏腑郁发。三因极一，杂病乃生；疠气、瘟疫，邪气传播；房劳、阳痿、早泄，灯红酒绿，三高折寿；继发之疾，痰饮、瘀血；内因、外因，心伤病脑；不内外因，烧冻、虫害。杂病所始，不慎之由；八纲辨证，脏腑求因；辨识证候，去伪存真；“审察病机，无失其宜”。

纵观今日之世界，空气污染，战火纷飞，饥寒频仍。疑难杂症接踵而至：“渐冻症、艾滋病、癌症”；世之绝症，“格林－巴利、帕金森病、脑萎缩……”，正在威胁着人类的健康。

然而，杂症虽系难医，却并非不治，临床只需细心辨识其性质特点，对于诸多常见疑难杂症，遣药即可病除。

刘氏世传家学，对疑难杂症，善辨其宗，鲜有对号入座之方药。男子性交不射精，女子性交无高潮，男子精子不液化，女子不排卵等，皆临床难医之症。余以浅薄之识，录方于此，以利传承。

（一）红外伤——红伤药纸

红伤药纸是刘氏家传伤科至珍。

生活中，荆棘划破，酒后摔伤，蚊虫叮咬，抓破成疮；工作中，部队野营，民兵训练，体育赛场，学生游览，建筑工地，农民耕田，难免皮肤碰破，肌肉拉伤，药纸随身带，信手拈来，可立即止血，立即止痛，无感染，且肤伤无痕。

红伤药纸（《刘氏家藏方》）：雄黄 15g，藤黄 15g，硫黄 5g，乳香 25g，没药 25g，冰片 12.5g，龙骨 10g，白血竭花 15g，三七 15g。

［方解］

外伤金创，皮肉破溃，筋脉折损，出血疼痛，治疗急宜止血定痛，消肿生肌。

本方以净丝瓜叶清热解毒，消肿止痛；雄黄化瘀破结，生肌续筋，解毒杀虫，共为君药。藤黄消肿敛创，止血杀虫；硫黄益气止血，长肌肤，坚筋骨，共为臣药。乳香调气活血，护里护心；没药活血散瘀，消肿定痛；白血竭花止痛，止血，生肉；三七散瘀止血，龙骨收涩，生肌敛创，共为佐药。更以冰片辛香走窜，通窍止痛，助药力直达病所，以为佐使药。全方配伍，生肌止血止痛，适用于外伤金创、跌打损伤诸疾。

［红伤药纸历史沿革］

红伤药纸始见于清康熙年间先祖刘仁所著《刘氏家藏方》。那时候，以榆树胶作为基质。到道光年间，先祖刘熹将少林红伤药净丝瓜叶加进此方中，治疗刀伤之效明显强于原方。

民国二十八年，先祖刘宾又将得自青城派的刀伤药加进方中。自此，红伤药纸除了止血、止痛外，尚能祛除疤痕，大大提高了药纸的实用价值。他将基质改用水胶，工艺效果好于榆树胶。

［制作工艺］

先将生水胶研为粗末，用水二斤将水胶熬滚开，放上药，待温，下冰片涂之；熟水胶与群药研为粗末，另用滑石粉制熟。

［藤黄炮制］

先将藤黄放入瓷罐内，加入比藤黄多 10 倍量的鲜荷叶煎汁，将罐放入锅中，隔水加热 40 ～ 60 分钟，至罐内溶液呈紫红色时，倒入铜锅内再煎，浓缩成糊状，晒干。每藤黄 1 斤，约用荷叶半斤煎汁，去渣。

到了我这一代，瓷罐、铜锅失传了。先用豆腐一大块，平铺于盘内，中间挖一个不透底的槽，将藤黄放入，再用豆腐盖严，置于笼屉内，放入锅中，再将此锅坐于大锅内，隔水加热，蒸至藤黄熔化，取出，冷却凝固，去豆腐，晒干即得藤黄。

药中净丝瓜叶，需在暑天采晒，保存不好常有霉变，影响效果。先祖刘宾将丝瓜叶易为三棵针，其效果更佳。

青城派刀伤药，别名除痕散，在黄瓜中制作。黄瓜待成熟时，将其尾端挖出一个三角形切口，将适量净石灰植入，再将切口用原切块封上。至深秋黄瓜成熟时且无腐烂，取出石灰研末备用。

经查，黄瓜中含维生素 C，能提高人体免疫功能，且有较强的抗肿瘤作用；所含维生素 E，有抗衰老的作用。据报道，黄瓜中所含生物活性酶，能促进细胞生成，修复肌肉损伤。因此，红伤药纸加入除痕散，可用于外伤手术创面修复、美容祛斑，或祛除瘢痕。

案例 1

1989 年，朝阳马场张某在西瓜地与人发生口角，被人于四肢划破七处，鲜血淋漓，恰逢我路遇，自兜中取出药纸，急贴之，七日而愈。

案例 2

凌源刘某某，女，37 岁，因做结扎手术，术后一年不愈合，血水浸衣。全家四口人，吃在政府，住在政府。党委书记找到我说："这个人政府没办法了，不算误工费，已花去三万多元，每天都扬言要上告。你能不能想办法，替政府解危？"我思索一天后，决意用红伤药粉试一试，没料到药粉敷上三天就不流血水了，七天后刀口长上，肤伤无痕。患者临走时双膝跪倒，说："我们不是讹政府，创口不封我们心里也没底儿……这下好了，感谢你们！"这件事后，红伤药纸的作用被人们街谈巷议，有口皆碑，我也出了名。

案例 3

1992 年，国际医药博览会在中国南京召开，会上红伤药纸荣获国际优秀奖。台湾洛神美容中心万寿永教授在会后将药纸引进中国台湾地区作美容消痤用，在三所学校试用后，发来电文如下："吾将红伤药纸于三所学校分试之，开放性软组织损伤贴敷圣药，立即止血，立即止痛，三日后，红纸自然脱落，肤伤无痕，诚良方秘制也。"

【红伤药纸方歌】

红伤药纸用三黄，血竭三七乳没襄。

尚有龙骨与冰片，生熟水胶调脂浆。

三棵针与黄瓜种，肤伤无痕愈金创。

（二）性交痛——四逆逐瘀汤

有些男女，性行为不择场地、环境，引发性交痛，临床多见。

褚某，妙龄少女，冬月风雪严寒，与人热恋，于公园亭内性交，导致性交痛。此后，每次性交后，阴道、尿道、肛门、小腹剧烈酸痛。阴道常常有黑血渗出，小腹疼痛不能直腰，肛门疼痛不敢大便，整日尖叫，不进饮食，以泪洗面。10日后逐渐缓解，倘再行房事，再痛10日。如此循环往复，痛苦不堪。患者曾赴北京、沈阳等地多方医治。

1993年，患者来普济堂就诊。四诊合参，知其为房事不节，瘀血内停，复感风寒之邪，入于腠理，阻凝任督二脉，以致经脉阻于络道而引发阴道、尿道、小腹、肛门同时绞痛。以家传四逆逐瘀汤治之。

四逆逐瘀汤（《刘氏家藏方》）：柴胡、白芍、枳实、甘草、小茴香、延胡索、蒲黄、五灵脂、牛膝、地龙、羌活、秦艽、香附、当归、川芎、黄芪、苍术、桃仁、没药、红花、薏苡仁、桂枝。

【四逆逐瘀方歌】

四逆茴胡膝地龙，羌艽香附草归芎。

黄芪苍术蒲灵脂，苡仁桂枝桃没红。

君臣佐使化瘀络，煎汤专治性交疼。

本方为四逆散合王清任的身痛逐瘀汤，用于瘀血痹阻经络所致的肢体痹痛或周身疼痛。

“四逆”，缘于外邪传经入里，气机为之郁遏，不得流泄，导致阳虚内郁，不能达于四末，而见手足不温。此种“四逆”，与阳衰阴盛的“四逆”有本质的区别。正如李中梓所云：“此症虽云四逆，必不甚冷，或指头微温，或脉不沉微，乃阴中涵阳之症。此惟气不宣通，乃为逆冷。”张锡驹亦谓：“凡少阴四逆，俱属阳气虚寒，然亦有阳气内郁，不得外达而四逆者，又宜四逆散主之。”

本方以四逆散为君，宣畅气机，透达郁阳，疏肝理脾。柴胡入肝胆经，其性轻清升散，既疏肝解郁，又透邪升阳；白芍功能敛阴养血，养肝体，助肝用，肝体得养，则肝用易复，且能防柴胡“劫肝阴”，与甘草相伍，是为臣药。佐以枳实，苦降辛行寒清，具有下气破结泄热之功，既助柴胡调畅气机，又合白芍调理气血。甘草为使，一是调和诸药；二是益脾和中，以扶土抑木；三是缓急以助白芍止痛。综观全方，柴胡配芍药一散一收、一疏一养；伍枳实一升一降。四药合用，散而不过，疏而无伤，肝脾同治，气血兼顾，使邪祛郁解，阳伸肢温，诸症自愈。

四逆散治疗阳郁厥逆证之手足不温，或身微热，或咳，或悸，或小便不利，或腹痛，或泄痢下重；治疗肝脾不和之胁肋胀满，脘腹疼痛。其组方选药寓意深奥，故久用不衰，一直被列为调理肝脾的基本方之一。

清代名医王清任以桃红四物汤合四逆散（生地易熟地，赤芍易白芍），加桔梗、牛膝，组成血府逐瘀汤，治疗胸中血府血瘀所致诸症，堪称一绝。

刘氏先祖以四逆散合王清任身痛逐瘀汤，配以宣痹通络止痛之属，对于治疗因风寒袭络或肝郁不和而致瘀血内阻之性交痛，每能奏效。

刘某，丈夫在城里的机关做门卫，平时没有回家的机会。一日，单位领导与其闲聊，得知其半年未回家，立即安排人替其值班，放了他两天假。孰料到家后正赶上刘某来潮，第二天勉强行了房事，竟没采取任何措施，而致瘀血内阻，自此每次行房，必有腰痛、腿痛、小腹痛、肛门痛，且痛不可忍，口服止痛片、布洛芬缓释胶囊均不能缓解。两年后症状加重，每次行房，必卧床一个月才能下床。1988 年 11 月，经人介绍，求余诊治，投四逆逐瘀汤（柴胡、白芍、枳实、甘草、牛膝、地龙、羌活、秦艽、香附、当归、川芎、黄芪、黄柏、苍术、五灵脂、桃仁、没药、红花、枳壳、延胡索），三剂而愈。

（三）骨伤——五骨金丹

刘氏家传接骨续筋之法，源自少林、青城武门。

先祖刘仁，嵩山习武，华山学医，一生喜医尚武，寿高 138 岁。晚年云游时，与少林、青城住持相交甚厚，曾是彼时的座上宾。先祖刘熹，深得少林炉制三昧。因之，刘氏家传接骨理伤之秘，有少林里东丸，亦有青城仙传接骨秘方，更有世所稀传的黑龙散、活血丹、黄末药、乌丸子等骨伤绝世之秘。

然而，余行医几十年，对先祖刘仁所收清康熙年间散落于民间的“五骨金丹”情有独钟。

此方以五骨血肉灵动之品，与地龙、土鳖虫、全蝎三虫络品相伍，配以三籽三木，取其天然生物之活性，巧用然铜、礞石、硼砂、丹石炉制之妙，更有药物炉中提取清膏之纯，强筋壮骨，续骨荣筋，通络镇痛，大有超出同类药物之功，故余一生喜用之。

五骨金丹（《刘氏家藏方》）：虎骨、猴骨、狗骨、公鸡腿骨、黄鹰骨、京墨、五灵脂、地龙、自然铜、全蝎、大芸香、土鳖虫、甲珠、乳香、没药、草乌、番木鳖、硼砂、三七、申姜、血竭、礞石、肉桂、牛膝、五加皮、木香、当归、麝香、高粱花、生菜籽、黄瓜子、南瓜子、接骨木。

【制法】

1. 上药约在八月高粱开花时，用八宝转心炉在高粱地里炼制提取清膏。

2. 清膏与众药相合，将高粱自根部割开外皮，敷上药，用榆树皮包好，扎紧。

3. 将木棍插在地里，将割破的高粱秆绑在木棍上，以免刮风时高粱秆折断。

4. 待高粱熟时，割破的高粱即炉制成功。

冯某，59 岁，1998 年因车祸四肢折伤，粉碎性骨折 11 处，服用五骨金丹，接骨有声，28 日即可慢步行走。

五骨金丹为异人所传，不仅能医骨折，亦可医骨病之骨折。

凌源市佛爷洞柳某某，女，19 岁，患髋骨骨结核，百医无效，痛苦呻吟，不能行走。见其病情严重，嘱其去县医院拍片诊断。X 光片显示：左髋关节大面积鼠咬状结核菌腐蚀，病理性粉碎性骨折。属难医之症。县医院建议去北京的大医院求治。病人停在医院走廊，过往之人都为之叹息，娘俩哭，围观的人也跟着落泪。正值走投无路时，其舅便将其抬至我家。我为其内下炼制的“乙字提毒药捻”，外贴“刘氏毒镖膏”，口服“抗痨丸”合“五骨金丹”，三个月而愈，后远嫁唐山刘现庄，生有一子一女。

五骨金丹，尚可治疗股骨头无菌坏死之疾。

锦州李某，患双侧股骨头坏死，步履艰难，服用自云南购来的治疗股骨头坏死的药物，不见好转，三个月后瘫痪在床。经人介绍，服用五骨金丹，现能做轻微的家务。

【五骨金丹方歌】

五骨金丹用五骨，猴骨鹰骨和虎骨。

京墨灵脂干地龙，二虫二香炙草乌。

三七没药自然铜，硼砂血竭山甲珠。
牛膝申姜桂礞石，五加木香归麝伍。
活血祛瘀通经络，续筋接骨壮肾府。
倘有股骨头坏死，五骨金汤另锅煮。
鹰骨虎骨世禁用，一级动物法保护。

道光年间，先祖刘宾又自民间得来五骨金丹，其药性与康熙年间之五骨金丹大致相同。不同的是，其除接骨续筋外，尚可治疗老年阳事不举，特附于后。

道光五骨金丹（《普济百集方》）：老鹰骨、公鸡胫腿骨、牙狗前胫骨、猴骨、男天灵盖、古城灰、自然铜、半两钱、麝香、尿砖（四年）、马钱子、川军、土虫、乳香、没药、生菜籽、黄瓜籽、梢瓜籽、南瓜籽、申姜、三枝九叶草、冰片、枸杞子、五味子、车前子、菟丝子、覆盆子。

【民间五骨金丹方歌】

先人留下五骨丹，鹰骨鸡骨牙狗盘。
再加猴骨男灵盖，古城之灰半两钱。
然铜川军兼乳没，更有土虫与尿砖。
生菜黄瓜五菜籽，引经麝香共冰片。
壮阳三枝九叶草，生精还应五子添。
天灵盖骨不可用，涉及伦理和人权。

（四）破伤风——“一二三五”血风散

破伤风，是因外伤感染了特殊邪毒，引动内风，引起的一种以肌肉阵发性痉挛和紧张性收缩为特征的急性疾病。又名伤痉、金疮痉。西医认为，破伤风杆菌自伤口侵入，在人体内繁殖、分泌毒素，作用于神经系统而发病。

破伤风之病名，首见于唐代蔺道人的《仙授理伤续断秘方》。

隋代巢元方《诸病源候论·金疮中风痉候》云：“夫金疮痉者，此由血脉虚竭，饮食未复，荣卫伤穿，风气得入，五脏受寒则痉。其状口急背直，摇头马鸣，腰为反折，须臾大发，气息如绝，汗出如雨，不及时救者皆死。”

北宋王怀隐《太平圣惠方·破伤风》云：“夫刀箭所伤……或新有损伤……毒气风邪从外所中，……致身体强直，口噤不开，筋脉拘挛，四肢颤掉，骨髓疼痛，面口㖞斜……此皆损伤之处，中于风邪，故名破伤风也。”

此后，金代刘完素《河间六书》、元代朱震亨《丹溪心法》、明代虞抟《医学正传》、薛己《正体类要》、王肯堂《证治准绳》、陈实功《外科正宗》，清代程国彭《医学心悟》，都对破伤风之病理病机及临床表现做了详尽的概括。

破伤风，起病缓急不一，轻重不同，早期有全身不适，咀嚼不便，已愈合的伤口有刺麻感、肢痛等，继而出现肌强直和肌痉挛。主要表现为张口困难，牙关紧闭，腹肌坚如木板，角弓反张等。肌痉挛系阵发性抽搐，发作次数及频率不等。伴有吞咽困难、呛咳、喉头阻塞、发绀、全身抽搐、呼吸困难、窒息、便秘或尿潴留，严重时可出现重要器官、组织缺氧而发生一系列并发症。

中医认为此病属“金疮得风”“血风痹”等范畴。其发生必须具有创伤和感受风邪两个因素。创伤后，或有感染病灶，失于调治，流血过多，营卫空虚，正气不足，外感风邪，由外达里而发病；或有风邪入里传肝，肝血不调，筋脉失于濡养，则见筋脉运动失常的病变，如角弓反张、牙关紧闭、四肢抽搐等，如未及时控制，则会导致脏腑机能失和，筋脉拘急不止，甚至导致呼吸、循环衰竭而不治。

对其治疗，古之医家多有论述。然而，对破伤风之病因、症状、治则，概括较为翔实的当属《医宗金鉴·外科心法要诀·破伤风》：“皮肉损破外伤风，初觉牙关紧不松。甚则角弓反张状，吐涎抽搐不时宁。四因动静惊溃审，陷缩神昏不语凶。在表宜汗里宜下，半表半里以和平。”其主张疏散表邪，用千里奔散、雄鼠散和蜈蚣星风散；邪在里者，用江鳔丸下之；邪在半表半里无汗者，羌麻汤主之；头汗多而身无汗，宜榆丁散和之；若自汗不止，二便秘赤者，宜大芎黄汤主之。为后世总结了宝贵的经验。

辽西中医名家张泽民，世传“一二三五”血风散，以驱风定痉、解毒活络之急救法，治疗破伤风，常使患者一身透汗，片刻救人于水火，实乃绝招。

“一二三五”血风散（辽西名医张泽民经验方）：大蜈蚣1个，猪牙皂二两，香白芷三钱，明天麻三钱，全蝎五个，黄酒半斤。

四十年前，笔者姐姐上山打柴，掌心被扎破，三天后遍身抽搐，角弓反张。急送去县医院抢救。笔者闻讯带血风散去医院，见其肢体僵硬，精神恍惚，速将血风散灌下，半小时后一身透汗，保得性命。后以西医创口处理、抗破伤风血清治疗而愈。

血风散之秘，在于重用猪牙皂。《长沙药解》云：“皂荚辛烈，开冲通关透窍，搜罗痰涎，洗涤瘀浊，化其黏联胶热之性，失其根据攀附之援，脏腑莫容，自然外去，……开口噤，通喉痹，吐老痰，消恶疮……皆其通关行滞之效也。”

破伤风九窍闭塞，痰涎壅滞，以皂荚利九窍，疏导肠胃壅滞，洗垢腻，豁痰涎，散风邪，暴病气实者殊效也。更有天麻、全蝎、蜈蚣熄风通络，攻毒散结而定痉，黄酒、白芷引经，可引汗于旋踵。

【“一二三五”血风散方歌】

一个蜈蚣二两牙，三钱白芷共天麻。

五个蝎子同为末，黄酒引汗血风煞。

此方无汗正当令，自汗之状禁用它。

传统医学散落于民间的不传之秘，往往异于寻常，出人意料而出奇制胜。如本方之猪牙皂，按《中药学》之用量，研末每服不超 1.5g，煎服不超 5g。而此方之量，竟然高达 50g，令人匪夷所思。临床中，余从不敢超过 10g。

1956 年，有一王姓农民，从杏树上跳下，被荆条茬扎破脚心。一天后，周身打颤，牙关紧闭，身热昏厥。医院用大剂量抗生素无效。正危在旦夕之际，请来老师张泽民，他二话没说，令人撬开牙关，急投血风散。半小时后，病人大汗淋漓，翻身喊叫，至深夜能要水喝。老师说：“好了，没事了。”这时，我实在按捺不住，偷问老师：“这是什么药？”老师说：“这就是你不敢用的血风散。”“此药不可轻投，皂角服用过量容易引起呕吐、腹泻，可危及生命。这例病是实证，‘死马当活马医’，我才大胆使用。”此后，我查阅了中药学中对皂角的使用范围及禁忌，深感师之艺高胆大、博学多识。

恰巧，姐姐患此疾，我试用了一次，余者一律未敢造次。故告诫同道：方子我献出来了，使用时当严格遵守《药典》要求，谨记“非顽痰证、体壮者不宜轻投，孕妇、气虚阴亏及有出血倾向者忌用”。

（五）脑萎缩——三髓膏方

脑萎缩（阿尔茨海默病）是由多种原因导致脑组织本身发生器质性病变而产生萎缩的一种病变。

脑萎缩的发病主因有遗传、脑外伤、脑炎等。其病理为脑血管长期慢性缺血，脑细胞认知能力下降，微血管有效血液灌注不足，使大脑机能衰退和认知功能减弱。其临床症状有痴呆、智力减退、记忆障碍、性格改变、行为变化等。

中医学称脑萎缩为“脑枯”，可分为“心肾两虚型”“心脾两虚型”“肾精亏虚型”“痰浊扰心型”四大类型。余多年临床接触诸多脑枯患者，以为此类病以肾精亏虚与痰浊扰心两型最为多见。

有一聪明才俊，高考时以文科状元的身份进入清华大学，曾两次成为高校专题辩论赛最佳辩手。毕业后他以后备力量被某国家机关选为培养对象，但入职后忘乎所以，目中无人。后因贪腐被革职审查，之后萎靡颓废，不思进取，整日泡在酒缸里，以酒为浆，以妄为常，不知持满，不时御神，未及不惑之年，便老气横秋，步履艰难。

思此患者正值年华丰茂之时，为什么过早患此疾呢？究其根源，实为贪欲失志，失志伤神，酒色无度，乱欲为害之故也。法当以家传三髓膏方，补肾填精益髓，挽其早衰。

三髓膏方（《刘氏家藏方》）：牛髓、猪髓、羊髓、鹿角胶、龟板胶、山茱萸肉、芡实、莲肉、山药、茯神各四两，五味子、金樱子各三两，党参、熟地黄各八两，鱼鳔胶一两，海狗肾一具，冰糖一斤二两，收膏。

本方用三髓以髓补髓，健脾益肾，补肾生精，治疗精亏脑枯，可收万全之功。

众所周知，精亏不能生髓，髓枯不能养脑，脑失滋养则萎，萎则五神失主。故情绪波动，精神恍惚，目光飘忽。所谓“肾生精，精生髓，髓养骨，脑为髓之海，髓为骨之充”是也。

该患者经服三髓膏方，日渐好转，不足三年，即走上新的岗位，又成为岗位能手，令人刮目相看。三髓膏方因此被众人传颂。

脑萎缩也有因痰浊扰心为患者。辽宁有一贵妇，年仅 60 岁，即拿东忘西，神情不佳。本来从诊所回家应往左走，她却偏偏往右，女儿拉都拉不回来。早年曾与女婿有过过节，她怀恨在心。脑萎缩后，一天夜里，她趁女婿熟睡之机，往其头上撒尿，弄得家庭支离破碎。究其发病根源，是其赶上了多事之秋。

其丈夫是教育战线的先进工作者。“文化大革命”中受人迫害，故于“牛棚”改造。从此，她不吃不喝，整日去“牛棚”找丈夫。十年后，脑萎缩形成。此类脑萎缩为痰浊阻络而致脑梗死，脑失所养，脑细胞过早凋亡而致萎，嘱其每晨一碗三髓汤，以髓养髓，长期服用两仪膏，两年后生活能够自理。

【三髓两仪膏方歌】

三髓三胶补精髓，返老还童治脑萎。
二子二肉益肝肾，子须黑发补肾亏。
山药茯神实参地，海狗一具助神威。
加入宝枫神经酸，从此海默天下携。

（六）面瘫——五虎下西川

面瘫，是以颜面表情肌群运动功能障碍为主要特征的常见病。表现为患侧口角下垂，健侧向上牵拉，上下眼睑不能闭合，饮水漏水，不能鼓腮吹气等。

现代医学认为本症病因不明，可能是由于某种病毒感染，使神经鞘膜发生炎症而水肿；也可能因为寒冷引起营养面神经的血管痉挛，导致神经缺血和毛细血管损害，从而发生面神经水肿；或因为风湿性面神经炎、茎乳孔内的骨膜炎引起面神经肿胀、受压，导致血液循环障碍而为病。

中医称此病为“吊线风”。其发病的根源是正气亏损、脉络空虚、卫外不固，风邪乘虚入中脉络，经气流注失常，气血痹阻，经筋失于濡养，纵横不收而致。风邪入侵又有寒热之分。《诸病源候论》云：“偏风口㖞，是体虚受风，风入于夹口之筋也。阳明之筋，上夹于口，其筋偏虚而，风因乘之，使其经筋急而不调，故口㖞僻也。”辨证需分表虚与表实，治疗当以祛风通络、养血和营为主。

辽宁凌源地方名医张泽民，才思敏捷，治学严谨。以经方治疗常见病、多发病，每能一剂奏效，众皆呼之为凌南名医。

年轻时，余在本乡黄土坎子教小学。一日，见一人过河踩错桥石，横卧水中，我将其救起，才知其是本地著名中医张泽民。拜其为师十几年，深得恩师教诲，苦读《伤寒》《金匮》。他尚有独家不传之秘“五虎下西川”，正是治疗吊线风的不传之秘。

五虎下西川（地方名医张泽民经验方）：白附子、僵蚕、蜈蚣、全蝎、川芎。

此方舒风活络，养血和营，治面神经麻痹，堪称一绝。

何某某，一日晨起忽见左口角下垂，眼泪汪汪，面无表情。急去县医院，诊为急性面神经炎。服药无效，速来我家。开具“五虎下西川”，又见其中气不足，另加黄芪 50g，另炖同服，三剂而愈。

张师专嘱，使用此方，必细辨寒热、虚实，才可一剂奏效，不可死搬硬套。

症状倘有不效，还可以甲鱼血合药外敷同治，神奇也。

（七）女性不排卵——排卵汤

女子常有子宫内膜增生，子宫腺体分泌欠佳，以致不排卵，这是不孕的主要因素。北京妇产医院中医科针对不排卵或卵巢功能不全的患者，采用排卵汤，舒肝理脾，疏通经脉，建立规则的月经周期；补肾益精，温煦生化卵细胞，临床效果好。

排卵汤（北京妇产医院方）：柴胡、白芍、赤芍、泽泻、益母草、鸡血藤、怀牛膝、刘寄奴、苏木、生蒲黄、女贞子、覆盆子、菟丝子、枸杞子。

方中柴胡疏肝解郁，白芍敛阴柔肝。二药有推陈致新而调经的作用。赤芍通经行血，配生蒲黄行瘀化滞，有增强子宫收缩的作用；鸡血藤补血活血，治疗血枯经闭，与益母草相伍调经，化瘀生新；苏木祛瘀理气破血，合刘寄奴更增强祛瘀通络之功；佐泽兰入厥阴肝经血分，疏肝气以宁血；用牛膝宣导，引血下行而能补，益肝肾，强筋骨。全方舒肝肾之郁，补肝肾之精，使气舒精足血畅，月经正常则能正常排卵。

服药方法：月经第一天开始连服三四剂，月经第十三天再连服三四剂。

田某，女，自初潮起月经量少，色黑有块。24 岁结婚，无性欲，至 33 岁时月经逐渐断绝。曾去沈阳某医院诊治，建议其去北医三院生殖中心诊治，后诊为卵巢早衰，服药不效，家人恐慌。2014 年来我处求治。

余首先投以桃红四物汤促月经，后兼以榆钱排卵汤生化卵细胞、调节月经周期。前三个月月经来潮，五个月后月经正常排出，八个月后月经色红、量多，之后又过十个月怀有一子。

只此一例，余名声大振。

纵观女性卵巢早衰之患日益增多，调理月经周期势在必行。然而，调理月经周期是一项艰苦而漫长的工程。医患双方，必当心气平和，不可躁动，直至经色新、经量足、经期准，方可一举奏效。

【排卵汤方歌】

排卵二芍加柴母，血藤牛膝刘寄奴。
女贞覆盆丝枸子，蒲黄泽兰合苏木。
生化榆钱调经血，不孕之疾可消除。

（八）高血压——菌茸曲降压药

高血压是常见的心脑血管疾病，是全球范围内的重大公共卫生问题。

由高血压导致的脑血管疾病危害极大。据统计，1998 年，我国脑血管病居城市居民死亡原因的第二位，在农村居首位。全国每年死亡人数超过 100 万，存活的患者为 500 万～ 600 万，其中 75% 以上遗留不同程度的残疾，给个人、家庭和社会带来了沉重的负担。同时，高血压还是各种疾病的导火索，会使冠心病、心力衰竭及肾脏疾病等的发病风险增高。

中医将高血压分为肝阳上亢型、肝火上炎型、肾精不足型和气血亏虚型等数型。对其治疗，以平肝潜阳法、清热熄风法治疗肝阳上亢型高血压，以燥湿祛痰、健脾和胃法治疗痰湿中阻型高血压，以清热泻肝法治疗肝火上炎型高血压；以补肾滋阴法治疗偏于阴虚之肾精不足型高血压，以补肾助阳法治疗偏于阳虚之肾精不足型高血压，以补养气血、健运脾胃法治疗气血亏虚型高血压。

刘氏治疗高血压，另辟蹊径，以得自香港的奇方，选择天然药物，经科学提取加工而成。本方可有效缓解和稳定各类高血压，平稳修复微循环。通常每三日服一粒，或五日一粒，或七日一粒，简便易行。

刘氏菌茸曲降压丸（自拟方）：山药、枸杞、杜仲、罗布麻、豨莶草、桦褐孔菌、决明子、姬松茸、车前子、臭梧桐、紫红曲、野菊花。

制法：山药、杜仲、豨莶草粉碎加工成 120 目细粉备用；乙醇提取枸杞、桦褐孔菌、车前子、决明子、紫红曲、姬松茸、野菊花、罗布麻、臭梧桐。混合粉末，装入“0”号胶囊即得。

2011 年，遇一特殊型高血压患者，历经一年多时间，通过中药汤剂与刘氏菌茸曲降压丸联合用药，终将血压控制在正常范围以内。

邵某，38 岁，平素血压常在≥ 180/ ≥ 110mmHg 之间，遵医嘱每日以三种降压药联合使用，亦不见效果，后来去北京 301 医院，诊断为肾上腺皮质醇增多症所致高血压，建议手术治疗。其拒绝手术，来普济堂想通过中药治疗。

普济堂以刘氏菌茸曲降压丸合并仲景桂枝茯苓汤，通血脉而清瘀滞，助气化而行腺液。用药两个月，血压逐渐下降。半年后，血压徘徊在 140/90mmHg 上下。此后，刘氏菌茸曲降压丸用量从每日一粒、每三日一粒、每五日一粒，直至每七日一粒，血压基本在正常范围内。

【刘氏菌茸曲降压丸方歌】

刘氏神奇降压药，桦褐孔菌野核桃。
菊花枸杞姬松茸，臭梧桐与豨莶草。
杜仲车前紫红曲，决明罗布淮山药。
乙醇提取装胶囊，三日一粒有长效。

（九）黑伤——黑伤硬吊散、新伤糊

外伤肌肤，瘀血肿痛，血未溢出软组织之外者为黑伤，此种外伤时有危急后生之弊。有栾氏兄弟因群殴致下肢瘀肿，日久未愈，后感染发热，未经正规医治，半年后失去知觉，经骨伤医院确诊为骨筋膜室综合征，最后导致截肢。

先祖刘熹于少林寺独得黑伤硬吊散方，与新伤糊联合应用，治疗黑伤重疾，独擅其长，在百姓中享有盛名。

黑伤硬吊散（《刘氏家藏方》）：三棱 30g，莪术 30g，乳香 30g，没药 30g，当归尾 60g，桃仁 60g，红花 30g，三七 30g，栀子 60g，肉桂 30g，木香 30g，楠香 90g，白芥子 15g，接骨仙桃草 60g，接骨木 60g，蟹灰 90g，仙茅 30g，淫羊藿 30g，透骨草 30g，虎骨 15g。

黑伤硬吊散，活血化瘀，通络止痛，主治跌打损伤、瘀血内停、骨折筋聚、肢体麻木等。此药功大力宏，关里关外，闻名遐迩。到了我这代，于临床扩展使用，治疗腰椎间盘突出、骨质增生，并做椎管狭窄之理疗导药外熥剂，广受推崇。

【刘氏家传黑伤硬吊散方歌】

硬吊棱术乳没归，桃仁三七企边桂。
接骨草木透灰蟹，内服外熥治腰椎。
淫羊藿与虎胫骨，补肾强筋显神威。

新伤糊（少林新伤瘀血糊）：血竭 150g，生蒲黄 150g，生大黄 150g，黄柏 150g，红花 150g，赤芍 120g，苏木 120g，儿茶 90g，白芷 90g，木香 90g，延胡索 90g，海桐皮 90g，乳香 90g，没药 90g，冰片 60g，制草乌 30g，透骨草 60g。温开水调糊外敷。

【少林新伤糊方歌】

闭合损伤称黑伤，水调伤糊敷之良。

血竭苏木赤红花，海桐儿茶共三黄。
乳香没药香白芷，冰片元胡广木香。
另有草乌透骨草，开水调敷治新伤。

（十）嗜睡——刘氏解困汤

嗜睡多因痰湿内阻、中气困顿所致。治疗用平胃散加石菖蒲。食后困倦，为脾胃运化不及，用六君子汤；阴虚困倦，宜温补少阴，用附子理中汤。刘氏则用解困汤。

刘氏解困汤（《刘氏家藏方》）：红参、白术、茯苓、甘草、半夏、陈皮、苍术、厚朴、石菖蒲、薏苡仁、藿香。

解困汤内含六君子汤（《古今名医方论》）。此补气化痰之剂，为气虚痰湿内聚之专方也。纵观医家吴崑《医方考》从辛甘之配伍，论述六君子补气化痰之功；汪绂《医林纂要探源》从补泻之主次，阐述六君子以补为本之旨；唐宗海《血证论》从标本之病机，论述君子汤所治肺逆有痰实缘于脾胃之虚，论治胃即所以治肺之理。诚如徐大椿《医略六书·杂病证治》所论："脾气有亏不能健运，故痰湿内聚，食少吞酸焉。人参补气扶元，白术健脾燥湿，半夏燥湿气以化痰，陈皮利中气以和胃，茯苓渗湿气，炙甘草益胃气也，俾脾健气强则胃气自化，而痰湿无不消。"更有平胃散加石菖蒲、薏苡仁、藿香之属相伍，燥湿运脾，行气和胃，中气困顿之嗜睡症荡然无存矣。

王某某，女，56岁，企业会计。素有嗜睡症，平时不能看电视，不能骑自行车，因为睡意随时可至。

1988年，商场领导请我为其治疗此疾。诊前患者先去厕所，20多分钟未归，领导命同事去找，推开厕所门，见其坐在马桶上睡得正酣，引得众人大笑一场。诊其脉迟缓，舌苔白腻，知其痰湿内阻，遂投刘氏解困汤（党参、白术、茯苓、甘草、半夏、陈皮、苍术、厚朴、石菖蒲、薏苡仁、藿香、肉豆蔻），反复加减易方，一月而愈。

尚某某，男，61岁，北票市人。2016年7月1日，患者来普济堂就诊，自述患嗜睡症一辈子了，从来都没治好过。"夜间睡，白天睡，吃饭时睡，看电视时睡，天天都在蒙昽中。"

听到患者家属的叙述，我半信半疑，随即搭脉诊视。突然，其鼾声大作，早已进入梦乡。于是，我立即开出刘氏家传解困梦醒汤（红参、白术、茯苓、甘草、半夏、陈皮、苍术、厚朴、石菖蒲、薏苡仁、藿香、肉豆蔻、娑罗子）。三剂见效，六剂痊愈。复诊时患者儿子告知，坐车来诊途中，其父没有一点睡意，妻子、儿女欢笑一堂，我随即开出解困梦醒丸，嘱其长期服用。

【刘氏解困梦醒汤方歌】

嗜睡原是痰湿阻，中气困顿神无主。
补气化痰六君子，平胃散加石菖蒲。
苡仁藿香肉豆蔻，除湿还需娑罗伍。

（十一）不射精——通关丹

不射精，是指阴茎勃起插入阴道内不能达到性高潮和射精。从西医角度看，是中枢和周围神经系统、内分泌系统及生殖器官等共同参与的复杂生理反射过程中，某个环节功能障碍，使性兴奋的刺激不足以产生射精反射。其病因有功能性与器质性两类。临床所见，从未发生过射精现象的为原发性不射精；曾有过在阴道内射精的经历，之后性交时不射精的为继发性不射精。其中，原发性不射精占大多数。

功能性不射精，多为性交时不产生射精反射，或有精神、心理障碍，或有非性生活排精史。如劳倦内伤，手淫频频，性欲放纵等，使肾气损伤，以致性兴奋刺激缺如，而无射精反射之感。

器质性不射精则由其他疾病所引发，如前列腺炎、精囊结核或肿瘤等引起的精道梗阻，导致精液未排出。

一男，患有阳强不射精，此为相火独亢、性欲亢进之患。此人每次性交常在一两个小时之内动作不停，女人早已狼狈不堪，他却不能达到性满足。久之，其家属患上了性交恐惧症，每当提起性事，就会厌烦、惧怕，如临大敌。本来是男女渴望追求的事，却变成了残酷无情之事。无奈，此男择女一个换一个。然而，她们无不是高高兴兴地来，悲悲切切地走。说也奇怪，凡是跟过他的女人，不管如何貌美如花，最后都变成了黄脸婆。这是典型的功能性不射精，实为阴虚阳亢，相火偏旺，阳强不倒。所谓“精藏于肾，其主在心”，“精之泄为心所主，心肾失交，精关不开，故交而不泄矣”。刘氏家传通关散，平息相火，打通精关，精液便会随欲而至。

通关丹（《刘氏秘籍》）：柴胡、赤芍、路路通、王不留行、石菖蒲、车前子、泽泻、生地黄、木通、龙胆草、栀子、甲珠、急性子，大枣为引。

【通关丹方歌】

男子房事不射精，精关闭阻相火盛。
柴胡赤芍石菖蒲，车前泽泻木路通。
生地二草急性子，甲珠栀子不留行。
热在膀胱萹瞿麦，解毒泻火酱公英。
阴虚当有知柏配，健脾渗湿白茯苓。
临症加减须仔细，打开精关育后生。

2016年7月，有李氏男子前来就诊。言说结婚后其妻怀有一子，不慎服打虫药导致流产，此后一直未孕。不料三年前突发无精，辗转多地医治，都没有效果。后来，经沈阳某医院检查，确诊为输精管阻塞，所谓的“没有精子”原来是三年前突然患了不射精。这是典型的继发性不射精。遂服刘氏通关丹加水蛭、藏红花、三棱、莪术，在平息相火的同时活血通关。十剂而愈，后其妻受孕。

不射精的病因复杂，治疗方法各异。余自辽西地方名医张泽民、米彦珠、闫山处获得不同的治疗经验，记录于后，以利传承。

1. 张泽民治疗不射精

张泽民，辽西著名经方传承人。熟读《金匮》《伤寒》，用药简练，在群众中享有较高的威望。

凌南百牛群村申氏，结婚三年无子，多方医治无效。巧遇张泽民先生，诊为肾精亏虚型性交不射精。投五子衍宗丸加减（菟丝子、覆盆子、枸杞子、五味子、车前子、紫河车、牛膝、路路通），补肾益精，三月而愈。此后，余以此法治疗三例男子性交不射精，均获显效。

2. 米彦珠治疗不射精

米彦珠，聪颖好学。早年在民族地区参加土改运动，在一大地主家始见《东医宝鉴》与《国医指南》等诸多医书，爱不释手，有些经典名句、良方多能记诵，且可举一反三、触类旁通。其长期临床实践，信手拟方，一剂奏效，在凌南一带广受欢迎。

1969年，余接触一例不射精之患，几易方剂无效。找到了米老先生，说："我给您领来一患者，请您给诊治。"四诊过后，他说："此是先天禀赋不足，后天脾胃乏源，应当脾肾同治。开具一方（路路通10g，山药15g，山茱萸15g，白术10g，菟丝子15g，石菖蒲10g，仙茅10g，枸杞子10g，韭菜籽10g，车前子10g，生地黄5g，石斛10g），果然奏效。此方本无方名，我起名"陆路通汤"，又加进马钱子1g，蜈蚣1条、淫羊藿30g、牛膝10g，用治先天禀赋不足、后天脾胃生化失常所致原发性不射精，补脾滋肾，常收良效。

3. 闫山治疗原发性无精症之不射精

闫山，辽西凌南一带地方名医，身怀绝技。一次，余亲见其为一不射精男子治疗不育症，感触颇深。

赵某，男，34岁，结婚十年无子，去了许多地方，千方百计地为其妻治疗不孕症。最后来到闫山老先生家。闫老先生说："这是你的病，你的交媾不全。"话音未落，媳妇便哭了起来，说："你看怎样，说你不信，生说我有病。"接着便哽咽着说："他跟我睡觉啥也不出来。"一句话，道破机关。原来此男性交不射精。闫老先生很有把握地说："不怕，我给你开个种子丹方吧（菟丝子、山茱萸肉、熟地、枸杞子、淫羊藿、丹参、枳实、地龙、韭菜籽、路路通、蜈蚣、补骨脂、巴戟天）！"此时，恰好我在其侧，默默地将此方记下，起名"补肾种子丹"。之后余曾两次去其家走访，言说服了两服药就射精了，三个月后妻子就有孕在身，秋后生一大胖小子。对此，我记录在案。临床中，常以此方临证加减（精门不开，加急性子、王不留行；射精无力，加黄芪、党参；精少，加女贞子；肾阴虚，加桑椹；阳痿，加巴戟天、淫羊藿；睾丸肿，加橘核、荔枝核；瘀阻，加牛膝、三七；湿热，加革薢、黄柏；遗精，加首乌藤），补肾通精，生精种子，治疗原发性不射精，每能收良效。

（十二）目札——刘氏定瞬丹

目札，即老眨眼，中医称"胞轮振跳"，属西医眼轮匝肌抽搐或眼睑痉挛。

当今电脑时代，网瘾成灾，眨眼患者越来越多。眼轮振跳之患，实为过劳伤神，损伤心脾，心脾血虚，筋肉失养，肝脾血虚，血虚生风所致。《审视瑶函》称："脾轮振跳……乃气分之病，属肝脾二经络之患……血虚而气血不和顺，非纯风也。”

古人用当归活血汤治疗目札，药物组成如下：制苍术 15g，当归 15g，川芎 15g，薄荷 15g，黄芪（后下）15g，熟地黄 15g，防风 15g，羌活 15g，甘草 8g，白芍 15g，僵蚕 15g，天麻 15g，钩藤 15g，全蝎 10g，蜈蚣 3 条。

然而，临床有些目札患者，施用当归活血汤，却没有效果。

如徐某，46 岁，著名女企业家。自述 2006 年始，因工作繁劳，突发眼皮振跳，且上下眼皮频频齐跳，并伴心悸失眠，症状逐年加重。予当归活血汤不效，遂投刘氏定瞬丹，外熏内服并用。

刘氏定瞬丹（《刘氏家藏方》）：白洋参 20g，白术 15g，空青 30g，白花蛇舌草 30g，独脚金 30g，决明子 15g，桑叶 15g，夏枯草 15g，万寿菊 30g，甘草 8g，莲子 10g，青葙子 20g，谷精草 15g。

刘氏定瞬丹之君药，应为空青、万寿菊和独脚金。空青，为碳酸盐类矿物蓝铜矿的矿石，呈球形或中空者为佳品，晶透内有浆者为最稀有。《造化指南》云：“铜得紫阳之气而生绿，得青阳之气而为精熏，精熏而生空青也。其性味甘酸，寒，有小毒。”

空青功能明目、去翳、利窍。主治青盲、雀目、翳膜内障、赤眼肿痛、中风口歪、手臂不仁、头风、耳聋等。

《本草经疏》言：“（空青）甘寒能除积热，兼之以酸，则火自敛而降矣；热退则障自消，目自明。”

刘氏先祖所用空青多从益州采之，常用来医治瞳仁破裂。今人药市之空青，味咸而不酸，实为铜绿之劣品，实不能用也。

万寿菊，性凉，味微苦、辛。功能平肝清热、祛风、化痰，主治头痛目眩，风火眼痛。《广西药录》云：“万寿菊有补血、通经、祛瘀生新之功，且能医眼目昏暗。”现代医学从药理角度分析，其花有香味，可用作抑菌、镇静、解痉剂；含挥发油，有镇静、降压、扩张支气管、解痉及抗炎作用。

独脚金，味甘淡，性平，含氨基酸和酚类物质。功能清肝健脑、消食、杀虫。古人用独脚金全草一两煮猪肝治疗夜盲症，效果显著。

刘氏定瞬丹，方中白洋参为清补之品，能益气生津，补益肺脾；白花蛇舌草、独脚金清热解毒，消积导滞；决明子、夏枯草、桑叶、万寿菊平肝明目，兼疏肝经风热；空青为历代中医药学家所极力推崇的治眼圣药，并被列为营养药物之上品，除含有眼部组织所需要的多种营养元素外，还含有铜、锌等微量元素，并可引经通络；甘草可调和诸药。

刘氏定瞬丹、丸、汤加洗熏，三合剂而用，能使药物直达病所，标本兼治，收效甚佳，可谓奇方奇用矣。

一少年，昼夜贪恋网聊，患眼轮振跳瞤动，去北京、上海几经治疗无果，余以当归活血汤、刘氏定瞬丹交叉服用，兼以熏洗，三月而愈。

【刘氏定瞬丹方歌】

定瞬丹用白洋参，莲子白术独脚金。
青葙空青决明子，万寿桑叶四草寻。
内服外熏益肝脾，胞轮振动早逢春。

（十三）虚劳——养生膏方

虚劳，亦称虚损，系指多种原因所致的以脏腑亏损、气血阴阳不足为主要病机的慢性衰弱证候。

刘氏家传以养生膏方治疗虚损，世代盛传。养生膏方，为还少丹之加减方。还少丹在清代喻嘉言《寓意草》中有记载，出自宋代杨士瀛的《仁斋直指方论》。纵观历代医家，于不同历史时期，以之沿革、演变，加减化裁，成为世代推崇的养生名方。

先祖刘仁，善使还少丹，在长期的临床实践中，加入覆盆子、菟丝子、车前子，用以大补心脾肾胃，治疗一切虚损，神气俱耗，筋骨顿衰，腰脚沉重，肢体倦怠，怔忡健忘，目暗耳鸣，气血羸乏，阳痿早泄，遗精不育等，大有神奇之妙！

【方药组成】

熟地四两（九蒸九晒，不见铁器），枸杞子四两（红小鲜明者，去枝梗，酒浸），菟丝子四两（酒蒸），牛膝四两（去芦，酒拌蒸熟），何首乌四两（黑豆一碗，水三碗，同煮，去豆），肉苁蓉三两（酒浸一宿，刷去浮甲，劈破，去心中白膜），山药二两（酒浸一宿，焙干），覆盆子二两（焙干），五味子一两（蜜水浸蒸），山茱萸肉一两（酒浸，去核，慢火焙干），车前子一两（盐炒），大茴香一两（去子，盐水炒），巴戟天一两（酒浸一宿，去心），杜仲一两（刮去粗皮，盐酒拌炒，去丝），楮实子一两（水淘去轻浮者，酒浸一宿，焙干），茯苓一两（刮去皮筋，微炒乳拌），石菖蒲一两（刮去皮毛，微炒，不见铁），远志一两（甘草浸一宿，去骨晒干）。

【方解】

本方之养生，重在脾肾双补。脾为后天之本，肾为先天之本。肉苁蓉、熟地黄、枸杞味之厚也，“精不足者，补之以味”；茴香、巴戟天、杜仲性之温也，“阳不足者，益之以温也”。君药巴戟天、肉苁蓉补肾益精，入肾经血分；小茴香疏肝理气，温肾散寒，入肾经气分；山药、茯苓兼通脾土，渗湿补中；牛膝、杜仲强志健脑，活血壮腰膝，直达少阴；肾水足则少火熏蒸脾胃，赖母以健运矣，熟地黄、枸杞、山茱萸、五味子滋养肾水而固精，可使命门之火补虚而不亢，肝肾同治也。更有五子补肾益精固肾阳，治疗阳痿早泄、遗精不育，其效奇矣。药理检验认为，刘氏养生丹能调节下丘脑－垂体－性腺轴的功能。由此可知，久服则筋骨强，机关利，精力充，颜色变，是抗衰老、抗氧化、增强免疫功能、增强性功能之理想药。临床治疗肾虚阳痿不育、遗精早泄，独具特色。

【工艺制作】

群药加水煎两次，滤汁去渣，合并滤液，加热浓缩成清膏。然后加蜂蜜1000g，文火煎熬，滴水成珠为度，收膏即成，贮瓶备用。

【服药方法】

每次30g，一日2次，水调服。忌食辛辣、油腻、烟酒、海鲜；禁房事，注意劳逸结合。

【功效】

益气养阴，补益肝、脾、肾、胃，适用于肝肾阴虚者。症见腰膝酸软，头晕耳鸣，视物不清，烦躁易怒，口渴咽干，手足心热，阳痿，遗精，不育，老年性智力下降等。

案例

刘某，男，78岁，原地方领导干部。其艰苦朴素，率先垂范。遇抗洪抢险，他走在群众的前头。在抢修堤坝时，他与老百姓在水里奋战了一昼夜，落下了腰腿痛的病。退休后，他双下肢越来越不听使唤，大便溏泻，腰脊冷痛，阳痿早泄，双下肢麻木，双脚落地像踩在棉花上，没有知觉。为防瘫痪，为其配制了养生膏方，连服三个疗程，现已痊愈，每天早晚接送孙女上下学，毫无疲倦之意。

（十四）精液不液化——除湿液化汤

精液不液化是指射入女性阴道的精液始终呈胶冻状或块状。实验室中，30分钟后仍含有不液化的凝块，即可诊断为精液不液化症。

中医学认为，精液不液化症常因房事过度，阴虚火旺，精液受灼而黏稠难化；或素体元阳不足，阴损及阳，精室虚寒，阳不化阴而精液不液化；或湿热下注，阻滞阳道，精浊混淆而精液难化。临床可分四型。

1. 肾阴亏损，相火偏旺型

此类病患头晕耳鸣，腰膝酸软，手足心热，大便秘结，舌尖红、苔少，脉细数。治以滋补肾阴，清泄相火，方用知柏地黄丸加减。

2. 肾阳不足型

此类病患腰腿酸软，四肢不温，阴囊湿冷，精液清稀不液化，舌淡苔白，脉沉而无力。治以温补肾阳，常用右归汤加减。

3. 痰湿瘀阻型

此类病患头晕恶心，四肢困乏，形体肥胖，胸闷心悸，舌胖有齿痕，苔白腻，脉滑，精液黏稠不液化。治以健脾化湿、祛痰通窍，常用导痰汤加减。

4. 湿热下注型

此类病患四肢乏力，嗜睡纳差，小便赤热，舌苔黄腻，精液黏稠不液化，脉滑数。治以清利湿热、分清化浊，常用萆薢分清饮加减。

有张氏女，结婚十年，始终不孕。全家抱怨，言其是“漂身子”。四方求医无果。一日，全家五口来我处哀求，为其治疗不孕。询其经期、经血，诊其脉象，未见经血不调、不孕之象。遂建议去北京大学第三医院（北医三院）生殖医学中心做生理、病理十项检测，均无不孕之征。后来，为其夫检查，发现患有严重的精液不液化症。医院建议中医治疗，速来普济堂就诊。

杨某，男，33岁，结婚10年无子。北医三院精液检测显示45分钟不液化。结合四诊，属膀胱湿热，烧灼精液，精液不能液化，直接影响精子与卵子的适时结合，使受孕的概率降至最低水平。遂投除湿液化汤。

除湿液化汤（自拟方）：知母、生地黄、熟地黄、赤芍、白芍、麦冬、天花粉、黄柏、仙茅、枸杞子、车前子、仙灵脾、牡丹皮、丹参、玄参、南瓜子、巴戟天、泽泻、萆薢、乌药、茯苓、紫石英、蒲公英。

此方以除湿促液化。杨某为阴虚火旺、湿热下注混合型精液黏稠不液化之患。方中黄柏、知母、麦冬养阴清泄相火，萆薢、蒲公英、泽泻、茯苓清热除湿。三剂而愈。

【除湿液化汤方歌】

二地麦冬仙灵脾，二芍知母粉巴戟。
二参乌药南瓜籽，二英苓泻萆丹皮。
黄柏仙茅车前子，强化肾精加枸杞。
精子早期液化去，育出后代天下奇。

此外，临床尚有诸多精液清稀而不液化者，当予生精液化汤或种子液化汤，以温补肾阳为主，促其液化。因此，辨证施治当为首，不可以一方治百病也。

附：万通药方，医囊瑰宝

祖传万通药方，解郁除烦，增食欲，强睡眠，堪称“走方医”囊中瑰宝。

名家郝万山、刘渡舟曾去外地巡诊，遇一名老中医，此医每天来诊者数以百计。然而，令郝老不解的是，先生每天开出的药方，竟有二三十人的药方是一样的。更令人疑惑的是，凡来复诊者，个个面带笑容，千恩万谢，赞赏有加。

岂知关东刘氏家学亦有此方的传承。方名曰“万通药方”，由柴胡、黄芩、枳壳、甘草、娑罗子、白芍、赤芍、生山楂、熟山楂组成。其奥秘在于：“山楂生熟之用，与芍药的赤白兼得。”《本草求真》言：“白芍能于土中泻木，赤芍能于血中行滞”。此方服后饮食增，睡眠好，解郁除烦，许多临床之症好去大半，深受老百姓青睐。

祖传万通药方：

柴胡 10g，黄芩 10g，枳壳 20g，甘草 10g，娑罗子 8g，白芍 30g，赤芍 10g，生山楂 30g，熟山楂 20g。

【方歌】

万通药方最神奇，解郁除烦开心气。

柴胡黄芩枳甘草，生熟山楂并陈皮。
赤芍白芍一并用，土中泻木兼行滞。
熟楂入脾增进食，生楂潜阳降脂需。
娑罗理气顾脾土，临症加减莫迟疑。
倘有重症细分类，对号入座解靶谜。

三、学名家之绝技，记经典而启发

（一）国医泰斗——冉雪峰的世传二方

冉氏传承谱系

冉天星（1680—1760），乾隆朝太医；

冉泰丰（1730—1818），嘉庆朝太医；

冉佑祖（1765—1850），道光朝太医；

冉启新（1793—1870），咸丰朝太医；

冉作楫（1823—1910），咸丰朝太医；

冉雪峰（1879—1963），国医朝泰斗；

冉先德（1938—2010），中国中医科学院教授。

冉小峰（1926—），中国中医科学院研究员。

冉雪峰，字敬典，别号剑虹。重庆市巫山县大溪镇人。

冉雪峰出生于医药世家，六世医传。自幼学医，十五岁入津，十九岁乡试，在父亲冉作楫的教导下，不入仕途，遂常攀登瞿塘险峰之巅采药，治病问疾于田禾农舍之内。早在20世纪30年代便名扬全国，有“南冉北张（锡纯）”之誉。

冉曾为全国政协委员、中华医学会常务理事、卫生部中医研究学术委员会副主任，著名医学家、中医教育家，一代中医大师。

著作有《冉雪峰医学丛书》《内经讲义》《伤寒论讲义》《冉雪峰医案》《八法效方举隅》等。

冉雪峰为人虚怀若谷，勤学苦研，尊古不泥，学识渊博。其学术思想可以概括为“一融三合”。一融即伤寒与温病相融，三合即哲学与科学、中医与西医、理论与实践相结合。

冉氏熟读经典，深明药性，故治病多立方精当，疗效确切。汉剧名演员余某某，六十岁时中风，口眼㖞斜，半身不遂，卧床不起，痰声辘辘，神识半昏，吞咽困难，中西药无效。冉氏诊其脉乍密乍疏，弦劲中带涩象。方拟白薇、百合各9克，龙骨、牡蛎各12克，紫石英、灵磁石、赤石脂各9克，寒水石、滑石各12克，大黄4.5克，铁锈末9克，荆沥、竹沥各15克冲服，古今合参，圆机活法。

方中白薇味咸走血，平上逆之气血，戢其狂飙；百合收敛浮阳，宁谧心神；龙骨、牡蛎育阴潜其阳；再加五石之重，以镇其热而清其血；盖以大黄荡积，铁锈重坠，其降压之力更大；再借荆、竹二沥化痰涎以通窍，扭转病机。经治一周略安。二诊时，加琥珀定惊安神，牛膝降气消瘀。三诊去大黄、铁锈，加生地黄、山茱萸益阴滋液，敛阳熄风。后用石菖蒲开窍祛痰，甘松清热，泽兰破积，橘络通络，木香导滞，前后加减变化，六十日乃愈。其师法古人，方从己出，古今合参，圆机活法，一代宗师之范。其得力门生郭士魁、陈可冀，为中国中医科学院名医。多年来，余捧读冉氏之作，深得妙理，临床偶拾，颇有感慨。

1. 化癥回生丹

1986年，余于凌源新华书店工作，时任农村股长，下乡售书时，在万元店乡遇一王木匠，其妻李氏患乳腺肿物，无钱医治。查其乳透报告：腺瘤增殖。其拒绝病理检测。为免其病痛，遍查医书，在《解放十年来临床实用中药制剂验方选集》中查到一方，名曰化癥回生丹，精心炮制，粉碎过120目筛，炼蜜为丸。服药一月，肿块见小，续服三个月，肿块基本消失。此书由中国中医科学院中药研究所冉小峰汇编。冉小峰是国医泰斗冉雪峰长子，冉氏之传，倍感珍惜，我精心收藏。

化癥回生丹

[来源] 吴瑭方，据周复生氏报告。

[主治] 1. 癥瘕不散不痛，或痛甚，血痹，干血痨症之属实者；疟母左胁痛而寒热者；妇女经前作痛，古谓之痛经者；将欲行经而寒热者；经闭，经行紫黑成块者；腰痛跌仆死血者；产后少腹疼痛拒按者；金创棒疮瘀滞者。2. 宫颈癌。

[处方] 人参六两，官桂二两，两头尖二两，麝香二两，姜黄二钱，公丁香二两，川椒炭二两，虻虫二两，三棱二两，蒲黄炭一两，红花二两，苏木三两，桃仁三两，苏子霜二两，灵脂二两，降香二两，干漆二两，当归尾四两，没药二

两，白芍四两，杏仁三两，香附二两，吴萸二两，元胡二两，水蛭二两，阿魏二两，小茴炭一两，川芎二两，乳香二两，良姜二两，艾炭二两，益母膏八两，熟地四两，鳖甲胶一斤，大黄一斤。

［制法］

1. 大黄研为细末，以酒醋一斤半，熬至汁尽，晒干为末，再加醋，熬法同前，如此三次。

2. 将益母草、鳖甲胶、大黄（醋制）三味加热熔化搅匀，加入适量炼蜜。

3. 将人参等药共为细末，加胶蜜捏合成丸块。

4. 搓条，制丸，每丸重一钱五分。

5. 蜡壳封固即得。

［剂量］每次 1 丸，每日 1 ～ 2 次。

［禁忌］凡燥气久伏下焦，不与血搏，老年八脉空虚者不可服。

此方伴我 40 余年，每遇癥瘕积聚、瘿瘤痰核，依法炮制，软坚散结，化瘀去积，无不奏效。

2014 年，老伴田翠珍渐觉消瘦，食欲不振，常常呛食呛水，进而吞咽不利。百般规劝，去医院做内窥镜探查，发现食道下端有一肿物。子孙闻之，皆惊慌失措。专家谆嘱，需尽快手术。可老伴这一关却过不了，她执意不肯，孙子哭泣哀求，依然不为所动，说死了也不做手术。

恰于此时，闻得武当山药业的“化癥回生片”是唯一获批抗肿瘤的国药准字中药。速去沈阳泰颐堂购得此药。每日服两次，每次四片，20 天后效果不显，见其药之说明与冉氏化癥回生丹一模一样，遂自制化癥回生丹，两药一起服用。一个月后，临床症状减轻。2015 年 6 月，女儿不放心，同女婿自通辽一起来到朝阳市，专车送往沈阳军区总医院，经内窥镜探查，肿瘤不见踪影，阖家四代欢喜若狂，续服化癥回生丸一年，症状全无，而今神采奕奕，精神十足。2017 年 5 月随团去华东五市旅游，亲戚邻居皆羡慕不已。

【化癥回生丹方歌】

化癥回生丹妙方，专治瘿瘤肿毒疮。
人参官桂两头尖，川椒虻虫与三黄。
苏木三棱桃红配，降香干漆苏子霜。
归芍乳没香脂魏，杏仁吴萸高良姜。

元胡小茴川水蛭，艾叶益母同四香。
熟地鳖甲巧制用，一切癌瘤尽扫光。
冉氏世代独传秘，四海传承利民康。

2. 黑疸汤

冉氏有一经验方，专治黑疸，四方闻名。

黑疸，现代医学称之为艾迪生病。大多因结核等慢性疾病影响双侧肾上腺，使之出现严重损伤或造成萎缩，异致肠胃紊乱，代谢失常，免疫功能大大降低，病人对冷、热、寒、凉、烟尘毒雾、传染病等异常敏感，如不及时治疗，往往导致多器官衰竭而亡。

刘某某，男，49岁。2000年，出现肾功能衰退，心动过速，低血糖，低蛋白血症，肾上腺皮质分泌不足，皮肤色素沉着，四肢乏力。中国医科大学附属第一医院诊断为肾上腺皮质功能减退症，合并肾功能不全。医院滴注氨基酸、人血白蛋白效果不显，余投黑疸汤半年好转。

黑疸汤

[来源] 冉氏经验方。

[适应范围] 慢性肾上腺皮质功能减退症。

[药物组成] 附片三钱，黄芪五钱，甘草二钱，党参三钱，玄参三钱，肉苁蓉五钱，龟板胶一钱，鹿角胶一钱，丹参一钱，红花三钱，当归三钱，枳实二钱，生姜一钱，广木香一钱。

[制法] 1. 附片、鸡血藤二味加水1000毫升，加热煮沸2小时。

2. 附片、鸡血藤加水至药液保持800毫升，加入黄芪、甘草、党参、玄参、肉苁蓉、丹参、当归、枳实、生姜、广木香等十味药，加热煮沸30分钟，再加龟板胶、鹿角胶，加热煮沸15分钟，过滤，滤液另器放置。

3. 药渣再加水350毫升，加热煮沸30分钟，过滤。

4. 合并两次滤出液，即得。

[加减] 1. 浮肿者，减甘草量，加茯苓五钱、车前子三钱；浮肿严重，尿少者，加泽泻三钱，猪苓三钱，浮肿缓解则立即停用。

2. 心力衰竭者，加红参三钱，玉竹二钱；血压低者，加大枳实用量，最多加至五钱。

3. 腹胀者，加厚朴三钱、乌药三钱、鸡内金二钱。

4. 恶心呕吐，加半夏二钱、柿蒂三钱、山楂二钱。

5. 夜不安寐者，加五味子三钱，炙酸枣仁三钱至一两。

6. 大便溏者，去肉苁蓉，加薏苡仁五钱、芡实三钱、山药五钱。

7. 大便干燥者，肉苁蓉加至一两；便秘者加麻子仁一两。

8. 性功能减退者，加巴戟天三钱、补骨脂三钱、蛇床子三钱、枸杞三钱。

［服法］每日 1 剂，每 100 剂为一疗程。每周停药 1 天。

黑疸的治疗当以扶正为主，增强机体的抗病能力，帮助肾上腺功能逐步恢复。所谓复正重在补肾，其君药当属附子。《中国医学大辞典》说：“附子补命门真火，能兴奋神经，鼓舞细胞，增进体温，唤起全身一切机能之力。”《中药学》云附子“为纯阳燥烈之品，效力强大。能上助心阳以通脉，中温脾阳而散寒，下补肾阳以益火，能复散失之元阳，有回阳于顷刻之间”之功效。上例肾功能衰退之患，肾小管再吸收能力不足，必然出现精神萎靡，血压偏低，血糖偏低。以大剂附子合黄芪，改善人体器官功能衰退，补充肾上腺皮质机能分泌不足，起着举足轻重的作用，故而大剂投之，疗效显著。

黑疸之患，大多有消化系统紊乱，厌食、胀满、恶心、呕吐、腹泻，常可同时并见。因而，改善肠胃功能当是重中之重。方中枳实、生姜、广木香即为此而设，能够起到健胃、消胀、促进肠道吸收之功。

黑疸之患，由于肾上腺皮质功能不足，体重减轻，亦常有体液、血液的病理改变，严重者可有循环衰竭或肾功能衰竭，因而，除了病因治疗外，必须佐以养阴润液和活血化瘀之品以弥补不足，方中党参、玄参、肉苁蓉、龟板胶等就是用于此目的。余于临床善使二冬、黄精、玉竹、石斛、龙眼肉、益母草，临证加减，可收意想不到的效果。

【黑疸汤方歌】

冉家世传黑疸汤，专治皮质机能伤。
君药附子黄芪伍，扶正为主可回阳。
龟鹿二胶苁蓉配，肾功衰退早复康。
健脾消胀促消化，枳实生姜草木香。
三参当归西红花，养阴润液活血良。
临证加减须谨慎，肾腺退弱最相当。

（二）国医大师路志正国医风范

路志正，国务院参事，首届国医大师，博士生导师、博士后导师，全国老中医药专家学术经验继承工作指导老师，中国中医科学院资深研究员，中央保健局会诊专家，国家级非物质文化遗产代表性项目代表性传承人，中华中医药学会终身成就奖获得者，中医调理脾胃法创始人。

2000年，经中国中医科学院望京医院内科主任张瑞林引荐，我与路老的得意门生李芳洁教授相识。2001年，经李芳洁女士推荐，我与路老于北京三芝堂会面并合影。

多年来，路老为我答疑解难，为朋友诊疗疑难重症，尽显国医风范。

1. 桂枝的临床应用

2001年，申报“普济早搏胶囊”国药准字时，按照国家药监局的要求，报批方剂不得超过10味药，经化裁后的“普济早搏胶囊”保留了“炙甘草、琥珀、甘松、苦参、红花、红参、黄芪、生地黄、泽泻、紫石英”这10味药。但临床观察时，却意外发现简方普济早搏胶囊有下痢之虞，许多患者反映不佳。我百思不得其解。

2001年，带着这个问题，我专程去北京三芝堂向路老请教。路老参照原方，沉思良久，说：“此方不可将桂枝删掉。《长沙药解》言‘桂枝，入肝家而行血分，走经络而达荣郁。善解风邪，最调木气，升清阳之陷脱，降浊阴之冲逆’。将其易除，全方气化无权，下痢现矣。”谨遵路老之嘱，速将桂枝补入方中，果然下痢之虞去矣。

2. “红伤药纸”不可弃

刘氏家传“红伤药纸”，百年伤科至珍。治疗外伤金创（开放性软组织损伤），可立即止血，立即止痛，不感染，不留瘢痕。然而，却遭到诸多非议：“民间的东西不能登大雅之堂，‘文化大革命’前还算个东西，拿到现在已经落后了”，等等。

2009年，我去北京三芝堂，向路老提及“红伤药纸”，他很高兴地说：“红伤药纸是民间验方，早年盛行关外，很有名气。”当听到有人持反面意见，他很坚定地说："而今，不能完全否认它，改变树脂，变水胶为橡胶，变红纸为无纺布或什么的，一定能变废为宝，照样是不可替代的外伤金创名药""要保护它，红伤药纸不可弃！"

路老没有把"红伤药纸"一棍子打死，令我欣慰。最近，香港药业的罗贤槐来朝阳市洽谈，欲把红伤药纸改变剂型，用于开放性软组织损伤或小型手术不缝合，这是一件鼓舞人心的事。

3. 巧治低血糖症

患者张某，某地税局领导。多年来，他因低血糖常常胃部不适、困顿疲劳，而无力坚持上班。几经治疗，均未见效。

2012 年，其求治于我。翻阅资料，觉得低血糖症非一般中医所能治疗，推荐其去上海医科大学（今复旦大学）附属华山医院，求全国低血糖症权威专家俞茂华教授确诊后再行治疗。张某遂驾车速去上海华山医院，经俞教授两天时间诊察，排除了胰岛素瘤和胰外肿瘤，嘱血浆葡萄糖未低于 2.4mmol/dL，寻著名中医诊治即可。

张某自上海回京，寻著名糖尿病专家和消化科专家诊治，均无效。

无奈之际，余通过中国中医科学院望京医院李芳洁教授挂得路老 2013 年 8 月 27 日的号。这天，恰逢路老身边的导医研究生不在，路老耳聋，只好用笔简写病历，路老看后，经过一番思索，毅然决然地说："治脾胃！"遂开出药方。

太子参 12g，西洋参 10g（先煎），炒苍术 15g，炒白术 12g，干姜 8g，茯苓 30g，草豆蔻 8g（后下），黄连 4g，竹茹 12g，姜半夏 12g，娑罗子 12g，防风 12g，地肤子 15g，炒三仙各 12g，炒莱菔子 12g，乌梅 10g，生龙骨、生牡蛎各 30g。生姜 2 片为引。水煎，14 服。

此药服下，一剂奏效。患者自觉症状减轻，胃部不适感逐渐消失，血糖渐渐恢复正常。期间复诊两次，几个月后，已无疲乏难耐之状。

路老治疗此例低血糖案，我永不能忘怀，深感大医治病，妙不可言。

众所周知，低血糖不是一种独立的疾病，而是由各种疾病引起的血糖浓度过低的综合征。该患者虽未达到血糖过低的阈值，但结合其临床症状，亦当以低血糖论治。

低血糖可致大脑皮层受抑制，继而累及中枢及延髓活动，可发生朦胧状态，定向力与识别力逐渐丧失，出现嗜睡、多汗、肌张力低下、震颤、精神失常等。当大脑皮层受抑制时，可出现躁动不安、痛觉过敏、阵挛性与舞蹈样动作，严重者可出现昏迷。然而，从解剖学角度观察，短暂性血糖过低未必发生病理性解剖改变，但反复发作、历时较久，则易发生脑组织充血、脑细胞水肿及缺血性点状坏死。故低血糖是难医之症。

张某虽非真正意义上的低血糖症患者，然其症状多数符合该病表现，故而专家诊为自身免疫性低血糖症，以脾胃论治当属首选。

路老名不虚传，区区几味中草药温补脾阳，竟能将自身免疫性低血糖症治愈，堪称绝妙。路老之临床经验超人也。

路老谦恭谨慎，《八十抒怀》写道：

八十寒暑业未成，医籍博览尚欠精。
论著虽有卓跡少，园圃争艳慰平生。
频频出访有新悟，盛世激发再攀征。
同道老幼皆师友，继承弘扬立建功。

2001年，吾与路老会面时，有一年轻专家正在香港讲学，路老一再赞佩。我问过李芳洁老师，那个专家之资历远不可与路老同日而语，可路老始终自叹不如。

（三）京城名医萧龙友一药方

萧龙友（1870—1960），名方骏，晚号不息翁，民国时北京“四大名医”之首，擅治虚劳杂病，推崇《伤寒论》。中医界最早的中国科学院学部委员。其博学多才，能诗、能文、能书、能画，尤以书法见长。

其留给后世一药方。

查先生丸药方：周身无毛，法当养血。

台党参八钱，於潜术七钱，全当归一两，阿胶珠一两，大熟地一两，山茱萸肉八钱（去核），甘枸杞八钱，女贞子七钱，生杭菊八钱，抱木茯神八钱，狗脊七钱（去毛），川芎六钱，补骨脂八钱，骨碎补八钱，肉苁蓉七钱，益智仁八钱，巴戟天八钱，天门冬七钱，酸枣仁七钱，桑椹子七钱，沙苑蒺藜八钱，败龟板八钱，醋鳖甲八钱，炙甘草六钱。

共拣上品药材，如法炮制，炼蜜为丸如梧桐子大，每早晚服四十粒（共八十粒）。白水送下或淡盐水均可，总以生发为有效或周身汗毛能生更好。

余遇一32岁女子，周身无毛，头发全光，曾于京城、江南等地治疗三年无效，思其未能见到京城名医萧氏之后，故将萧先生之生血汤试用之，半年后始见长毛，以诗记录之。

京城名医龙友萧，擅能养血治虚劳。
参术萸归大熟地，山萸枸杞共阿胶。
抱木茯神女贞子，苁蓉益智杭白菊。
补骨脂与骨碎补，狗脊桑椹同川枣。
天门巴戟沙苑子，龟板鳖甲甘草梢。
如法炮制凭膏方，专治痿症身无毛。

（四）龙家补肾长寿功

龙某某，大校军衔。家传六代补肾长寿功，只守单传，不予外传。龙家几代男士均高寿。

2000年冬月，一位老奶奶前来就诊。她自诉感冒后咳嗽不止，曾两次静脉滴注抗生素，均没有效果。三个月过去了，她的病情越来越重。见其干咳无痰，昼轻夜重，知其为感冒咳嗽缠绵日久，影响肺阴，属肺阴不足，遂投沙参麦冬汤加减，滋阴润肺，止咳化痰，四剂而愈。

一天，一位神采奕奕的老将军来诊所，谈笑风生，声若洪钟。言说老伴感冒咳嗽三个多月不愈，两次住院不效，服我所开四服药痊愈，无以报答，硬是把我请到其家，秘传龙氏家族不予外泄的补肾长寿功。可惜我素有肺痿之疾，练不了此功。在国医大师路老先生的鼓励下，我将其公之于世，以求更多的人健康长寿！

龙家补肾长寿功

此功法得自第六代传人龙跃云秘传，自述龙家几代男士均寿高百岁。

一、预备式

脱光衣服，仰卧于床上。

二、腹式呼吸

两手抱头，调整呼吸，吸气鼓肚子，呼气瘪肚子。

吸气时意想吸入之气自口缓缓吸入丹田；呼气时将气自丹田挤至口中呼出，

直至将气挤尽。

每次练功循环往复一千次。

三、定海神针点穴

中指直点脐中、丹田、中脘三穴，分别顺时针直立直转各一千次。

四、扯蛋

手扯睾丸，左扯五百下，右扯五百下。

五、点会阴穴

左指点转五百下，右指点转五百下。

六、点转足三里、涌泉穴各三百下。

七、收式

意守丹田十分钟。

（五）傅山的人参健脾丸

傅青主（1607—1684），名山，山西太原人。清初名儒兼中医大家。他博学多才，经史之外兼工佛、道、诗、文、书、画，均有很高的造诣。堪称“百科全书式的人生。其学识之博，成就之大，在清初诸儒中，无出其右者”。时人誉其为“学海”。著有《傅青主女科》《霜红龛集》《傅山全集》等。

他的两副堂联，足以看出其术业有专攻及自然大家的闲情逸致。

性定会心自远，身闲乐事偏多。

竹雨松风琴韵，茶烟梧月书声。

傅山先生“医术入神”，人称“医圣”。其书法堪称书家之佼佼者。经山西省中医科学院和山西省晋祠文物保管所整理之墨迹，大多为验方、秘方，点校成书，名为《傅山验方秘方辑》，刘氏亦家传之，内有健脾丸，太原一带盛传，1949年前后至今，风靡大江南北，余用于临床，颇受信赖，故赋诗如下。

傅山人参健脾丸方歌

医圣专工诗书画，医术尤擅土验方。

刘家喜用健脾剂，脾积湿困最相当。

米面锅巴长山药，莲苡麦谷术潞党。

更有草蔻山楂片，除湿益气妙法良。

1968年，余于乡间小学任教，遇一十四岁少年，肚大如鼓，青筋暴露，双臂瘦如柴，手无缚鸡之力，人说是得了痞证。后用傅山先生的人参健脾丸，一月而愈。至今我不能理解的是，米面锅巴长山药，怎么会令患者大泻三天糟食，而后续服一个月为什么又不泻了。数年后，此生肚消肉长，出挑得一表人才。后来他考上军医大学，成了军医行业的排头兵，村人皆呼之为奇迹！

（六）当代名医胡建华的黑归脾与胶艾膏方

胡建华，1924 年生，字丕龄，号“六乐老人”，浙江鄞县（今宁波市鄞州区）人，早年入私立上海中医院学习，师从名医丁济方、程门雪、黄文东等。擅长治疗脾胃病，以及精神、神经系统疾病。其与门人著有《胡建华学术经验撷英》一书。

其书法惊人，且膏方绝世，特录如下。

沈芸菲同志，女，四十八岁，膏方

年届七七，冲任不固，脾虚不能统血，肝虚不能藏血，藏统失司，以致经水淋漓不止，甚则量多似崩，面部虚浮，神疲嗜睡，乃一派气血大虚之象也。幸纳食尚香，胃气未败，脉濡细无力，舌质淡胖、苔薄腻。拟补益元气以止血液之外溢，固摄冲任而纠经水之妄行，以黑归脾丸、胶艾四物加减。

炙黄芪二百克，龙眼肉一百克，川续断一百五十克，潞党参一百五十克，益母草一百五十克，菟丝子（包）一百五十克、云茯苓二百克，广艾炭八十克，仙灵脾一百五十克，焦白术一百五十克，炮姜炭八十克，枸杞子一百五十克，炙甘草一百五十克，生地黄榆一百五十克，红枣一百五十克，当归身二百克，侧柏炭一百五十克，广木香一百克，大白芍二百克，仙鹤草二百克，陈广皮一百克，炒生熟地各一百五十克，桑寄生一百五十克，春砂仁六十克。

此方临床用于治疗崩漏有特效。

桑氏女，36 岁，经水淋漓，质淡清稀，百医无效，用此方，效果惊人。

脾虚失统经淋漓，任冲不固肝功疲。
胶艾四物黑归脾，补益固摄统为一。
川断丝子大枸杞，艾姜柏炭生地榆。
益母仙鹤兼炙枣，砂仁木香仙灵脾。
归脾四物原不变，引血归经效果奇。

（七）成肇仁的芳香辟浊汤

成肇仁，全国知名中医，师从著名伤寒学家李培生教授。他主持研究的芳香辟浊汤，为众多口气、口臭患者提供了留香辟秽、燥湿化浊、清新口腔的方便之选。

芳香辟浊汤（《中国中医药报·名医名方》）：藿香 10g，佩兰 10g，法半夏 10g，厚朴 10g，茯苓 15g，陈皮 10g，薄荷 6g，白芷 10g，荷叶 10g。

功效：芳香辟秽，燥湿化浊。

主治：口气、非口源性口臭证属脾胃湿热者，症见口气、口臭，口干、渴不欲饮或饮不解渴，纳减，脘腹痞胀，大便不调，舌淡红、苔白或淡黄腻，脉濡缓等。

用法：每服中药先用冷水浸泡 30 分钟，其中藿香、薄荷后下，待众药煎至沸后 15 ～ 20 分钟再下，续煎 1 ～ 3 分钟即可关火。每服煎煮两次，取汁混匀，分别于三餐后 30 ～ 60 分钟温服。

方解：口气、口臭是临床常见症状，口气为口臭之轻者。现代医学将口臭分为三类：口源性口臭、非口源性口臭、精神性口臭。在中医学中，口臭又名“腥臭”“臭息”“口中胶臭”“口气秽恶”等。《诸病源候论》曰：“口臭，五脏六腑不调，气上胸膈。然脏腑气臊腐不同，蕴积胸膈之间，而生于热，冲发于口，故令臭也。”

口臭一症，病位主要在脾胃，与其他脏腑亦有关联，病机多为脾胃湿热，浊气上蒸。成师指出，口臭多由脾胃湿热蕴结，气机升降失调，浊气不降所致。

本方由清代温病名家雷少逸之雷氏芳香化浊法加减化裁而成。方中藿香、佩兰、白芷性辛温，味芳香，为芳香辟秽、芳化湿浊之要药，辛能散风，温能燥湿化浊；法半夏、陈皮、茯苓、厚朴辛温苦降，行气化浊，燥湿化痰，通降胃气；连翘、薄荷清宣中焦郁热；荷叶苦甘，功专清暑化湿，升清降浊。全方诸药合用，共奏芳香辟浊、燥湿化浊之功。

芳香辟浊汤方歌

口气口臭羞会人，孑身孤语躲人群。

成师喜传雷师秘，芳香辟浊香气新。

藿香佩兰香白芷，苓朴荷叶并夏陈。

薄荷藿香煎后下，口腔污秽俱不存。

（八）顾中欣榆钱四物汤治疗卵巢早衰

顾中欣，江苏省名中医，全国名老中医药专家传承工作室指导老师，扬州市非物质文化遗产——“顾氏中医内科术”第四代传人。

顾氏榆钱四物汤：制马钱子0.4g，生地榆25g，鹿角霜15g，熟地黄15g，菟丝子10g，巴戟天10g，淫羊藿10g，补骨脂10g，当归10g，枸杞子10g，川牛膝10g，黄柏10g，杜仲10g，甘草5g。

功能：补肝肾，暖胞宫，促排卵。

主治：卵巢早衰、子宫发育不良。

用法用量：水煎服。每次经净后5天开始服用，每日1剂，早晚分服，10天为1疗程。2～3个疗程后可制成丸药，每服10克，每日2次。

子宫发育不良，属中医肾虚不孕范畴。其病机为脏腑、气血、任冲虚损。女子受孕，赖于先天肾气、天癸、任脉、冲脉、精血充盛。《素问·上古天真论》曰：“女子七岁肾气盛，二七天癸至，任脉通，太冲脉盛，月事以时下，故有子。”肾气旺盛，精血充沛，任通冲盛，才能受孕。

马钱子味苦性寒，为通经络、散血热之要药，其所含士的宁，能兴奋中枢神经，对脊髓有高度选择性；生地榆具有影响肾上腺素与去甲肾上腺素分泌之作用，两药相合，可使女性动情期延长，促进排卵。鹿角霜、熟地黄、淫羊藿、菟丝子、巴戟天、补骨脂补肾阳，填真精；当归、枸杞子滋补肝肾，调补冲任；牛膝、黄柏引药入肾，杜仲安胎而使阴精充足，可促进性器官发育和增强性功能，助其受孕；当归、牛膝祛瘀活血并有促排卵的作用；甘草调和诸药，并能降低马钱子之毒性。故本方功能主要是促进性器官活动以提高受孕的机会。

榆钱四物汤方歌

顾氏榆钱四物汤，子宫发育效果良。
马钱地榆淫羊藿，巴戟丝子鹿角霜。
补骨当归杞甘草，牛膝柏仲熟地黄。
补肝暖宫促排卵，卵巢早衰最相当。

（九）焦树德之正颜汤

正颜汤是“中医学泰斗”焦树德老师的经验方，临床用治口眼㖞斜之中络证，效果奇佳。

正颜汤：荆芥 9g，防风 9g，全蝎 6～9g，僵蚕 10g，白附子 6g，蜈蚣 2～3 条，白芷 10g，钩藤 20～30g，葛根 12g，桃仁 10g，红花 10g，甲珠 6g。

功能：散风活络，化痰解痉。

主治：中风病中络证。

风邪中于面部络脉，颜面不正，皮肌麻痹，口眼㖞斜，漱水外漏，唇不能撮，眼闭不合等。此即西医学面神经麻痹。

组方医理：本方以荆芥祛散皮里膜外之风，且兼入血分；防风宣表祛风，兼散头目滞气，共为君药。

全蝎入肝祛风，兼治口眼㖞斜；僵蚕祛风化痰，其气轻浮，善治面、齿、咽喉等上部之风痰结滞；白附子祛风燥痰，引药力上行，善治面部百病，合全蝎、僵蚕为治口眼㖞斜名方牵正散，再配白芷芳香上达，入阳明经散风除热；钩藤祛风舒筋，清心凉肝；蜈蚣祛风止痉，以加强药力，共为臣药。

葛根轻扬升发，入阳明经，解肌开腠，以利风邪外达；红花、桃仁活血散结，以奏“治风先治血，血活风自灭”之效，共为佐药。

甲珠通行经络，引药直达病所，为使药。

诸药相合，共成散风活络、化痰解痉，善治颜面不正、口眼㖞斜之有效方剂。

临证加减：偏头痛可加生石决明 20～30 克（先煎），蔓荆子 10 克，川芎 6～9 克；舌苔黄，口鼻发干，咽部微痛，口渴者，可加生地黄 15 克，玄参 28 克；急躁易怒，胸胁闷痛，脉象弦数者，可加黄芩 10 克，香附 10 克，生白芍 12 克；大便干结，数日一行者，可加全瓜蒌 30 克，酒大黄 3～6 克，枳实 10 克。

【焦氏正颜汤方歌】

焦老秘传正颜汤，散风活络解痉良。
荆芥防风为主药，辅助全蝎三白镶。
蜈蚣双钩葛根配，桃红活血风自降。

甲珠为使达病所，口眼喎斜一扫光。
临证加减细缜密，千变万化哲理藏。

（十）张锡纯“寿胎丸”治疗滑胎圣药

近代医学家张锡纯创“寿胎丸”，治疗滑胎，堪为圣药。

刘家二姐18岁，婚后三年不孕。因其本人从未有过月经，遂寻当地中医刘某诊治。刘某说：“她不是没有月经，而是暗经。”服桃红四物汤三剂，始见月信而有孕。可惜怀孕三月滑胎，接连三次，都没能保住一胎。医生几次易方，皆无效果。

20年后仍未受孕，二姐、姐夫及其家人惊慌万分。此时，我已粗明医理，闻得此事，倍感兴趣。查阅经典方书，见张锡纯“寿胎丸”，深得临床三昧。

“寿胎丸”：菟丝子（炒熟）二两，桑寄生一两，川续断一两，真阿胶二两。

连服六剂。第一年生下大儿子，第二年生下二儿子，第三年生下三儿子。一时间，农村、城里传得沸沸扬扬。

2012年，在辽宁营口鲅鱼圈遇一六年滑四胎之患，投寿胎汤，服三个月而喜有子。

2013年正月，去土耳其打工的营口人王某闻得此讯，遂将同去打工的不孕之同乡患者介绍而来。

宋春，女，38岁，中西医结合治疗，久治不孕无效。

查体：六脉调和，月经正常，未见痛经、带下诸症。投大剂寿胎丸膏方，一年后喜得龙凤胎。

加减寿胎丸膏方：菟丝子300g，续断200g，桑寄生250g，杜仲100g，巴戟天100g，当归100g，熟地黄150g，鹿角霜100g，枸杞子100g，阿胶150g，党参150g，白术100g，大枣50g，黄芪300g，砂仁20g，山药150g。传统工艺收膏，调理脾肾。

近代医学家张锡纯对滑胎之疾的治疗颇有见地。

“菟丝无根，蔓延草木之上，而草木为之不茂，其善吸他物之气，以自养可知。”

“胎在母腹，若果善吸其母之气化，自无下坠之虞。且男女生育，皆赖肾脏作强。菟丝大能补肾，肾旺自能荫胎也。”

“寄生根不着土，寄生树上，又复隆冬正盛，雪地冰天之际，叶翠子红，亦善吸空中气化之物，且其寄生于树上，亦犹胎之寄母腹中，气类相成，大能使胎气强壮，故《本经》载其能安胎。”

“续断亦补肾之药，其节断处，皆有筋骨相连，大有连属维系之意。”

“阿胶系驴皮所熬，驴历时十二月始生，较他物独迟，以其迟，挽流产之速，自当有效。且其胶系阿井之水熬成。阿井为济水之伏流，以之熬胶，最善伏藏血脉，滋阴补肾，故《本经》载其能安胎也。”

刘氏家学则认为，滑胎之疾，多由先天不足，复损于肾气，以致不能荫胎系胎，或脾虚中气亏损，化源匮乏，以致不能摄养胎元。因而，寿胎丸加入养肝滋血、补气益脾之品，制成膏方，肾、肝、脾、气、血同治，以益冲任之本，则大有益哉。

【加减寿胎丸膏方方歌】

张氏寿胎世有名，专医滑胎孕不生。
丝续仁生芪胶并，巴戟补肾仲固冲。
归地杞霜养肝血，参术枣药益脾灵。
肾肝脾气兼同治，膏方生化育苍生。

四、为“肺痿”鸣不平，书写肺痿论

（一）《中医内科学》不应把“肺痿”章节删除

内容提要

1. 临床中肺痿多见，教材中不应删除。

2. 痿病与肺痿有广义与狭义之别，两者不能混淆，亦不可相互替代。肺痿的肺燥津伤，不能用痿病的肺热津伤来解释。

3. 肺气虚冷是肺痿的主要证型，适时通过中医辨证施治，患者大多能够改善临床症状，延缓肺痿的发展进程。

4. “肺痿”多为阴伤。肺气虚冷型肺痿，出现干咳无痰、痰凝如胶之状，提示肺阴大伤。“久病伤阳”之说，临床并不多见。

几版《中医内科学》均将“肺痿”章节删除，这是重大失误。尤其值得关注的是，21 世纪全国高等中医药院校规划教材《中医内科学》也将“肺痿”章节舍弃。此种现象不能不令人质疑：肺痿是不可逆性疾病吗？

临床经历诸多肺痿病患，深感肺痿之疾在临床多见，教材中不应删除。

1. “肺痿”的肺燥津伤，属肺系疾病的慢性转归，不能用“痿病”的肺热津伤来解释

《中医内科学》教材将“肺痿”章节删除后，把肺痿的肺燥津伤归结到“痿病”的肺热津伤，这是分类学的错误。

众所周知，肺痿是多种肺系疾病的慢性转归。清代喻嘉言《医门法律·肺痿肺痈门》说：“肺痿者，肺气萎而不振也”“总由肾中津液不输于肺，肺失所养，转枯转燥”“于是肺火日炽，肺热日深，肺中小管日窒。”其指出肺脏虚损，津液亡失，则肺叶枯萎而不用。

肺痿的肺燥津伤，是肺有燥热，重亡津液。如肺痨久嗽，耗伤阴津；肺痈热毒，熏蒸伤阴；消渴津伤，邪热伤津；误治亡液，消灼肺津。凡此种种，皆可致肺痿肺燥津伤的发生。究其病因，有因免疫性疾病而引发，有因病毒性肺内感染而引发，也有因肺气虚冷久延失治而转化为肺痿。这类病患，大多呈特发性，起病急，病情复杂多变，常常预后不佳。

有王氏女，丈夫出轨，喝农药“除草剂”自杀，在医院抢救时自述“没咽下去”。医院见其神志清醒，未做血氧监测即让其出院。孰料不足一个月，其农药残留引发双肺纤维化，症状逐渐加重，此为特发性肺痿。

耿氏女，37 岁，系统性红斑狼疮侵袭肺脏，致双肺纤维化。咳嗽，发热，倦怠，乏力。此为免疫性疾病引发，属特发性肺燥津伤之肺痿。

北京谷女士，63 岁，素有支气管扩张，肺内反复感染，宣肃不彻，引发肺痿，肺部 CT 检查示双肺纤维化。当属肺燥津伤初期。经服北京某医院中医科主任开出的养阴润燥中药方，病情趋于稳定。2015 年，余嘱其加服灵芝孢子粉、汉防己甲素片，效果良好。

肺痿为“痿”，将其归于“痿病”，大谬。“痿病”系指脏腑内伤、肢体筋脉失养而致的肢体筋脉迟缓，软弱无力，日久不用的一种病症。

两者虽然都在痿的范畴，然痿病泛指皮、骨、筋、肉、脉五体失养不用之痿，而肺痿则单指肺脏慢性虚损，内在纤维变化之痿。痿病的肺热津伤，终归肢体筋脉软弱而不用；肺痿的肺燥津伤，则多为肺叶枯萎，津亡液损而不治。且“痿病无寒”，“湿热不攘”，肺痿则“寒热不止一端”。痿病多起病缓慢，尚有神经系统疾病的存在；肺痿则变化多端，常有特发性出现。

综上所述，痿病与肺痿有广义与狭义之别，两者不能混淆，亦不可相互替代。肺痿的肺燥津伤，不能用痿病的肺热津伤来解释。

2. 肺痿的肺气虚冷，气不化津，外因孤立性侵害之初，是肺痿的大多数

《中医内科学》教材将肺痿删除，其中肺气虚冷之患占肺痿之大多数。在农村，因为烟尘、毒雾、化肥、农药、矿山粉尘等引发肺痿者，比比皆是。此类病患，多数是外界因素孤立性侵害所致。发病初起，唾白如雪，痰薄清冷，此为肺气虚冷期，正是治疗的大好时机。

予自幼继承祖传炼制大黑膏药，工艺要求“火上收膏，地下十五日去火毒”，即烟火升起时掐火。由于缺乏安全防护措施，汞剂烟尘侵害了肺间质，每每炼完膏药，总要干咳几个月。随着时间的推移，常常一遇冷空气就感冒，一感冒就咳嗽，一咳嗽就肺内隐痛，症状逐年加重。60 岁之后咳嗽伴喘息，夜卧不宁。2010 年冬季，出现胸闷、气促，不能正常上班。胸部 CT 扫描示双肺间质纤维化，右肺上叶尖后段胸膜下炎性肉芽肿，左肺上叶后段结节密度影。西医宣告为不可逆性病变。

幸运的是，查遍全国的《中医内科学》教材，唯有南京中医药大学国医大师周仲瑛老师主编的《中医内科学》还保留着“肺痿”章节。我学习周老师治疗肺痿“生津、润燥、补真气、止浊唾”的经验，以“养肺、养气、养血、清金、降火”为治疗大法，自拟“抗纤救肺汤”，重用灵芝孢子粉和汉防己提取物，使肺间质纤维增生变得松散，脂类减少。治疗 7 年，胸部 CT 显示双肺云雾状变淡，症状逐渐缓解。

辽宁抚顺钱女士，中学教师。2014 年因咳嗽伴喘息、活动受限，CT 检查诊为“双肺纤维化”。其病因为粉笔粉尘中之二氧化硅在肺组织中长期沉积，久之，则使肺功能下降，从而导致肺痿的发生。临床诊断亦属肺气虚冷中期，嘱其服用野生铁皮石斛养阴生津，灵芝孢子粉益气活肺，并配以汉防己甲素片，使粉笔末造成的纤维增生变得松散，临床症状好转。

辽宁朝阳李女士，41 岁，长期经营化肥、农药，二十余年后渐发感冒咳嗽，进而喘息加重，经查确诊为“双肺间质纤维化”。其拒绝服用中药，以西药免疫抑制剂合糖皮质激素治疗，失去了最佳治疗时机，现已痰凝如胶，由原来的肺气虚冷，渐而转化为肺燥津伤之末期而回天乏术。

实践证明，肺气虚冷是肺痿之大多数，病久伤阳之说临床并不多见。毒雾、化学品等外因侵害之初，适时通过中药控制炎症的发生，大多能够改善症状，延缓肺痿的发展进程。如果《中医内科学》把肺痿章节删除，这部分患病群体将被推向何方？这难道不是中医学的责任吗？

3. 肺痿有没有遗传？需要《中医内科学》在长期的实践中去认知

肺痿之成因，已知有内因与外因之分。内因者，肺燥津伤，重亡津液，本脏自病所转归；外因者，肺气虚冷，气不化津，外邪侵扰或久延失治而为病。

然而，肺痿的形成尚有诸多不确定因素。临床统计显示，约 65% 的患者病因不明，仅有 35% 的患者与吸入有害粉尘、烟雾，或接触病毒、真菌、农药等有害物质有关。

肺痿有没有遗传性？这是个新的问题。

辽宁朝阳有郭姓兄弟，相继因肺痿急发离世。奇怪的是，他们没有“非典”高热传染性表象，亦没有免疫性疾病的特质，更没有病毒内在感染的征兆及药物、真菌等外界因素侵扰的痕迹，突然发作，急性窒息。有专家说：“肺纤维化突发，无药可治！”

此类肺痿，发人深思。许多肺痿未知的存在，给人留下深刻的思考。全国著名呼吸专家、北京协和医院肺间质纤维化学科带头人朱元珏教授指出：“家族性肺纤维化家系中，……可以发现肺泡炎存在的证据。并且染色体 14 上免疫球蛋白 r 的位点 GMI 与 IPF 发生之间似乎存在着一定的关联。”然而，此种细胞学的定论并未在中医学的八纲辨证与脏腑辨证中得到证实。虽然有些中医呼吸科专家也曾有“肺痿总由禀赋不足”之说，但却缺乏更多的例证。因而，深度研究、探索肺痿的发病机理，势在必行，《中医内科学》将肩负着重大历史使命。肺痿这一重要学科，不仅不能在《中医内科学》中删除，还应在再版《中医内科学》教材时，增添新的内容，融入新的认知，为中医学的发展填补空白！

（二）肺痿论

刘彦普[1]、杨关林[2]

1. 辽宁省朝阳市普济堂中医诊所；2. 指导老师：辽宁中医药大学校长

［摘要］肺痿，肺叶痿弱不用，肺脏津亡液损，慢性虚损性疾患。肺痿的临床表现可有肺燥津伤与肺气虚冷之不同。肺燥津伤，肺系疾病的慢性转归；肺气虚冷，气不化津，外因孤立性损害之初。

对肺痿的治疗：“济胃津以润肺燥，补脾气以养肺体，除肠热以散肺结，滋肾水以纳肺气”（《中医内科学》，周仲瑛主编）。总以“养阴、生津、润燥，补真气，止浊唾”而立法。肺痿咳嗽，调畅三焦；肺痿便秘，宣白承气。

临床中肺痿多见，教材中不应删除。

［关键词］肺痿咳嗽，肺燥津伤，肺气虚冷，纤维化，调畅三焦，宣白承气

肺痿，肺叶痿弱不用，肺脏津亡液损，为慢性虚损性疾患。现代医学认为，肺痿是一类以弥漫性肺泡上皮细胞损伤和成纤维细胞增殖为特征的进行性疾病。中医认为，因病机性质各异，可有肺燥津伤与肺气虚冷之不同。

1. 肺痿的肺燥津伤，属肺系疾病的慢性转归

1.1 病因病机

肺痿是多种肺系疾病的慢性转归。清代喻嘉言《医门法律·肺痿肺痈门》说："肺痿者，肺气萎而不振也""总由肾中津液不输于肺，肺失所养，转枯转燥""于是肺火日炽，肺热日深，肺中小管日窒。"指出肺脏虚损，津液亡失，则肺叶枯萎而不用。

肺痿之肺燥津伤，是肺有燥热，重亡津液。如肺痨久嗽，耗伤阴津；肺痈热毒，熏蒸伤阴；消渴津伤，邪热伤津；误治亡液，消灼肺津。凡此种种，皆可致肺痿肺燥津伤的发生。究其病因，有因免疫性疾病而引发，有因病毒性肺内感染而引发，也有因肺气虚冷久延失治而转化。

耿氏女，37岁，因系统性红斑狼疮侵袭肺脏，致双肺纤维化。咳嗽、发热、倦怠、乏力。此乃免疫性疾病引发，属肺燥津伤之肺痿。

北京谷女士，63岁，素有支气管扩张症，肺内反复感染，宣发肃降功能降低，引发肺痿。肺部CT检查示双肺纤维化，亦当属肺燥津伤之肺痿。

2. 肺痿的肺气虚冷，气不化津，外因孤立性侵害之初，是肺痿的大多数。

肺气虚冷，并非都是久病伤阳而虚冷。在农村，因为烟尘、毒雾、化肥、农药、矿山粉尘等引发肺痿者，比比皆是。此类病患，多数是外界因素孤立性侵害。发病初起，唾白如雪，痰薄清冷，此为肺气虚冷之症。

刘某，祖传中医，自幼炼制大黑膏药，工艺要求"火上收膏，地下十五日去火毒"，即烟火升起时掐火。由于缺乏安全防护措施，汞剂烟尘侵害肺间质。每每炼完膏药，总要干咳几个月。随着时间的推移，60岁之后出现咳嗽伴喘息，夜卧不宁。肺部CT扫描示"双肺间质纤维化。右肺上叶尖后段胸膜下炎性肉芽肿，左肺上叶后结节密度影"。经中医临床专家四诊合参，诊为肺气虚冷型肺痿。

辽宁抚顺钱女士，从事教育工作。2014年出现咳喘乏力、行走困难。CT检

查确诊为“双肺纤维化”。其病因为粉笔尘中之二氧化硅在肺组织中长期沉积，久之，则使肺功能下降，从而导致肺痿的发生。临床诊断亦属肺气虚冷型肺痿。

辽宁朝阳杨女士，41 岁，长期经营化肥、农药生意。二十余年后，渐发感冒咳嗽，进而喘咳加重，经查确诊为“双肺间质纤维化”。拒绝服用中药，以西药免疫抑制剂合糖皮质激素治疗，失去了最佳治疗时机。现已痰凝如胶，由原来的肺气虚冷，渐而转化为肺燥津伤之末期而不治。

实践证明，肺气虚冷是肺痿之主要证型，在其性质没有转化之前，适时通过中药控制炎症的发生，大多能够改善症状，延缓肺痿的发展。

3. 肺痿的治疗

肺痿出现“干咳无痰，痰凝如胶”之状，系典型的肺燥津伤。众所周知，其人素体阴津不足，感受燥邪，致燥伤肺胃。肺津损伤过甚，必进一步燥伤胃津。故秋燥伤人，初则邪犯肺卫，继而燥伤中土，终致肺胃津液损伤。肺津被耗，故咽干；胃液损伤，故口渴；而舌红少苔及脉细数，则系阴津受伤之征；或见身热者，阴虚则内热也；或见干咳少痰者，肺阴损伤，肺失清肃也。

对肺痿的论治，以周仲瑛《中医内科学》治痿总纲——“济胃津以调肺燥，补脾气以养肺体，除肠热以散肺结，滋肾水以纳肺气”为宗旨，学习周老师治疗肺痿“生津、润燥、补真气、止浊唾”的经验，以“养肺、养气、养血、清金、降火、温肺”为治疗大法，自拟“抗纤救肺汤”，临床治疗肺燥津伤之肺痿、肺气虚冷之肺痿患者 128 例，其中有 99 例病患从疾病的漩涡中走出来，获得满意疗效。

抗纤救肺汤（自拟方）：沙参、麦冬、桑叶、熟地黄、天花粉、玉竹、桑白皮、地骨皮、杏仁、川贝、灵芝、防己、海浮石、海蛤粉、益智仁、党参、黄芪、淫羊藿、仙茅、补骨脂、覆盆子、五味子、钟乳石。

方解：本方以润燥、抗纤药物配伍靶向药物治疗肺痿之患，疗效可靠。

3.1 救燥——固护胃气

救燥，以《温病条辨》沙参麦冬汤为主体，清养肺胃，生津润燥。

《赤水玄珠》云：“津液者，血之余，行于脉外，流通一身，如天地之清露。”然而，五液之生成，全当固护胃气。《杂病源流犀烛》说：“唾为肾液，而肾为胃关，故肾家之唾为病，必见于胃也。”抗纤救肺汤中加进大剂养阴清肺、益肾生津之属，使肾津上输而养肺，则津液可生，唾黏可清，痰凝可释也。

方用沙参、麦冬、桑叶为君药。沙参味甘微苦而性寒，有养阴清肺之功。《神农本草经百种录》谓："肺家之药，惟沙参为肺家气分中理血之药，色白体轻，疏通而不燥，润泽而不滞，血阻于肺，非此不能清也。"麦冬亦为甘寒之品，入肺、胃经，可滋养肺胃津液，合沙参则生津液而清燥热之功益彰。然燥为病，终属外邪，故又用桑叶专清燥热，并辛凉宣散以祛之。如此，沙参、麦冬与桑叶相伍，则扶正与祛邪兼顾。玉竹、天花粉为臣。玉竹甘平，养阴润燥，滋而不腻；天花粉清热生津，此两药相配可加强君药养阴生津、清热润燥之功。胃液既耗，运化必受影响，且养阴清热药物亦有滋腻损伤脾胃之弊，故用生白扁豆、山药健脾胃而助运化，兼润肺阴，寓培土生金之义，是为佐。生甘草清热和中，调和诸药，以为使。诸药相配，共奏济胃津以润肺燥之功。

3.2 抗纤——扶正固本

抗纤，以灵芝、汉防己等营养纤维细胞之品，固复营卫，增强机体免疫功能。

灵芝，味甘性平，无毒。主治虚劳，咳嗽，气喘，失眠，消化不良。《神农本草经》言灵芝"主耳聋，利关节，保神，益精神，坚筋骨，好颜色"。

现代医学研究发现，灵芝含多糖、三萜类、肽类、核苷类、甾醇类、生物碱等多种有效成分，对中枢神经系统有抑制作用，可镇静安神，增强心脏收缩力，提高机体抗病能力，尤"能促进气管黏膜上皮的修复作用"（《中药大辞典》）。灵芝孢子粉荟萃了灵芝的精华，富含蛋白质和多种氨基酸，其抗氧化、抗衰老、防止组织纤维化的能力，远超灵芝子实体，与富硒联合应用，可激活人体内谷胱甘肽过氧化酶的活性，对抗虚寒肺痿，补脾气以养肺体，打破了肺间质纤维化不可逆的神话。

刘氏家传尚有"肺痈鱼腥草""肺痿汉防己"之说。

汉防己，大苦辛寒。《本草经疏》言："汉防己性燥而不浮，善走下行，长于除湿，以辛能走散。"《名医别录》云："通腠理，利九窍，止泄者，以除湿之功矣。"《儒门事亲》谓汉防己"治肺痿喘嗽"。

现代医学研究发现，"汉防己甲素，可使肺胶原纤维松散、解降，脂类微管结构消失、解聚，在间隙内出现新的细胞"。

北票林某，曾于煤矿井下工作30年，长期吸入大量游离二氧化硅，引发粉尘硅肺型肺痿，2014 年出现“干咳无痰，痰凝如胶”伴喘息，予抗纤汤加进灵芝孢子粉后，虽然遇冷空气感冒之状减轻了，但是干咳气促却始终解决不了。在中国医科大学呼吸病专家马宗生教授的指导下，于抗纤汤中加进汉防己，剂量加至 30 克，很快有了效果。后来，马教授建议于抗纤汤内加进汉防己甲素片，一日两片，一月后，效果明显，肺部 CT 检查发现肺内增殖的肺纤维组织变得松散，“除肠热以散肺节”之功凸显，临床咳喘症状大大改善。

综上所述，抗纤救肺汤济胃、生津、润肺燥，补脾、益气、止浊唾，治疗肺痿之肺燥津伤、肺气虚冷，优于其他同类药物。

4. 靶向药相佐

4.1 膀胱失约

虚寒肺痿，上虚不能制下，膀胱失约，故小便频数或遗尿，此“久病伤阴，必及于肾”之故。“肺金不固而气化无权，斯膀胱无制而津液不藏也。”中国中医科学院西苑医院王书臣教授指出：“肺纤维化多伤及于肾，临床以仙茅、淫羊藿、补骨脂温肾固本，补肾以纳肺气，肾阳得充，气化有力，则母病得益矣。”

刘氏则喜用益智仁、乌药、桑螵蛸、覆盆子、五味子、分心木之属，主治下元疲惫。水泉不藏者，实属肺气虚冷致膀胱不约。《内经》说：“水泉不藏者，是膀胱不藏也。”肾脏虚寒则不能制水，益肾固摄，兼投缩泉丸，可治虚寒肺痿之尿频数。抗纤汤加进益智仁、乌药、桑螵蛸后，滋肾水以纳肺气，膀胱有约也。

4.2 肝火犯肺

肺痿之肺燥津伤，痰黏如胶、咯痰不爽之状，尚可见于肝火犯肺。喻嘉言认为“燥金所伤，必损肝伐肺。燥邪伤肺，则见诸气膹郁，诸痿喘呕”。因而，咯痰不爽，亦见肝火犯肺之由，“抗纤救肺汤”酌加海浮石、海蛤粉，其效显矣。

海浮石，咸寒，归肾经，清肺化痰，软坚散结。《本草衍义补遗》谓其“清金降火，消积块，化老痰”。《本草备要》：“海浮石，入肺清其上源，通淋软坚，除上焦痰热，消瘿瘤结核。”

海蛤壳，清热化稠痰，软坚散结。《本草汇言》：“文蛤粉，止咳逆，消胸痹，化痰软坚之圣药也。”肺燥津伤之肺痿，痰黏胶结，津少唾浊，肺组织常有条索状与肺结节出现。临床加入海浮石、海蛤粉，可化其黏，散其结也。

此二药既有劫阴之弊，故当审慎用量，以免伤正。

4.3 肺痿咳嗽

肺痿咳嗽，是肺痿的主要症状。因此，对肺痿疾病的治疗，辨治肺痿咳嗽应是主要一环。

肺痿咳嗽，千态万状，有剧烈性咳嗽，有顽固性咳嗽，有呛喷性咳嗽……咳嗽的表达形式，亦各有不同。临床有卧位咳嗽，一上床平卧休息，咳嗽便如约而至；有立位咳嗽，一旦从床上坐起，咳嗽便迅急而来，偶遇冷空气或走路偏急，咳嗽会久久不停。

普济堂经过几十年的临床观察，惊奇地发现，单纯的止咳平喘药对肺痿咳嗽引致谬误颇多。这是一项复杂的辨治过程。

（1）补益肾精是辨治肺痿咳嗽的第一要素

张景岳认为："肾虚即精虚，精虚则气无所附，生化之机息矣。"肾藏精之所，叫作命门，精藏于此，是为阴精之水，气化于此，是为阴精之火。命门居两肾之间而兼具水火，为性命之本。张景岳指出"命门之火谓之元气，命门之水，谓之元精。五液充则形体赖而强壮，五气活则营卫赖以和调，此命门之水火，即十二脏之化源。故心赖之，则君主以明；肺赖之，则治节以行；脾胃赖之，济仓廪之富……"张锡纯说："三焦为少阳之府""其根蒂连于命门。"故，大补肾精是治疗肺痿咳嗽的重中之重。

古今药典，补益肾精之属，唯熟地黄可为首选。《景岳全书·本草正》云："……阴虚而真气散失者，舍熟地何以归源；阴虚而精血俱损，脂膏浅薄者，舍熟地何以厚肠胃。"《本草化义》："（熟地黄）藉酒蒸熟，味苦化甘，性凉变温，专入肝脏补血……兼主温胆……能益心血，更补肾水……安五脏，和血脉，润肌肤，养心神，宁魂魄，滋补真阴，封填骨髓，为圣药也。"

肺痿咳嗽，以熟地黄为君，滋补肾精，配伍山萸肉、枸杞等，补之以味也。《医学衷中参西录》谓山茱萸"大能收敛元气，振作精神"，"收涩之中兼具条畅之性，故又通利九窍，流通血脉"。与熟地黄配伍，兼具通血脉之功，治疗肺痿咳嗽最为适宜。

（2）调补肺脾，通畅三焦膜腠气机，是辨治肺痿咳嗽的关键环节

清代名医黄元御在《四圣心源》中指出："中焦者，气血生化之源头，周流轮旋之关键，阴阳升降之枢纽，谓之土也。"众所周知，脾胃居于中焦，是全身气机升降的枢纽。因此，脾升胃降，肺气的宣发肃降，是靠调节三焦膜腠气机来

实现的。《中医病机治法学》说“三焦膜腠，是人体气、液流行的道路，气化的场所”，是“摄纳、生化、运行、吸收营养和排泄废浊的受盛之器”。因而，少阳三焦枢机不利，则五脏六腑皆受其害。肺痿咳嗽，是肺间质出现了问题，只有疏通三焦气机，即修复人体网络系统，治疗肺痿咳嗽才会有效。刘氏家传有三焦疏利剂（黄芪、柴胡、黄芩、丹参、椒目……），是调节脾胃升降、调畅中焦气机、恢复肺气宣降功能的有效方剂，临床常获良效。

典型病例

李某，患双肺间质纤维化，顽固性肺痿咳嗽久治不愈。2021年春，对其重点观察治疗。刻下：卧位咳嗽，干咳无痰，时有浊痰黏液，脉弦滑无力。辨证属虚寒肺痿，肺阴大伤。投抗纤救肺汤加减而愈。

方药：沙参、麦冬、天花粉、玉竹、桑叶、百合、熟地黄、山茱萸、黄芪、红参、椒目、小茴香。

方中以沙参、麦冬、天花粉、玉竹、桑叶养阴润燥；以熟地黄、山茱萸补益肾精，主纳气；黄芪入肺脾二经，一则主胸中大气，一则培补中土以生肺金，且黄芪与人参相伍，阴阳兼顾。并以三焦疏利剂疏利三焦气机，以椒目、小茴香引经，椒目之滑而温，茴香之香而热，散其虚寒（肺痿之寒），通其窍路，适当佐以威灵仙走窜，化三焦凝滞，以达溺管。或加小剂防己，使纤维化之三焦膜腠变得松散，肺痿之咳嗽翕然而解。

4.4 肺痿便秘

临床上多数肺痿病患者常见便秘相随。普济堂曾治疗126例肺痿患者，其中将近一半的病例或轻或重都有便秘之症。起初，我们并没在意，后来却发现肺痿便秘不是孤立存在的，而是直接影响症状改善的重要证候。

清代名医吴鞠通《温病条辨》载宣白承气汤，此方原本主治温病犯入阳明而有下之不通、喘促、烦躁不宁、痰涎壅滞、脉象右寸实大等症。吴氏认为这种便秘是阳明温病肺气不降所致。临床中，我将此方用于肺痿便秘，收到了很好的效果。

杨某，女，经营一家农副产品商店，接触农药、化肥二十余年，患肺间质纤维化，咳喘、腹胀、便秘交替出现，试用宣白承气汤，便秘好转，肺痿咳嗽也消于无形。如此治疗肺痿便秘多例，皆获良效。

肺，其色应白，与大肠相表里，主宣发肃降。众所周知，人体的腑气赖肺气的肃降而得以畅通，痰热内蕴，肺气不降，则变证丛生。方中生石膏清泻肺热，生大黄泻热通便，杏仁宣肺止咳，瓜蒌皮润肺化痰。诸药同用，可使肺气宣降，腑气畅通，痰热得清，咳喘可止，其治疗肺痿便秘的功效可见一斑。

4.5 肺坏能补，唯有白及

肺痿，因成纤维细胞被破坏，临床表现为反复发作，会有“不可逆性”的痛苦。然而，中医学早有定论：“肺坏能补，唯有白及。”

《医方集解》之独圣散，“治多年咳嗽，肺痿，咯血，红痰”，方仅白及一味，为末，临卧服二钱，糯米汤送服。

汪昂说：“人之五脏，惟肺叶坏烂者，可以复生。治肺损红痰，又能蚀败疽死肌，为去腐生新之圣药，独用白及。”

考虑余患肺痿几十年之久，自拟“抗纤救肺汤”，恐对损伤之肺叶不能完全修复，故每晚睡前吞服白及粉一匙，以糯米汤送服，另加补肺丸一丸。两年后，食欲增，身有力，喘息之状渐轻。

5. 结论

肺痿，是指肺叶痿弱不用。初发时，痰薄清稀，唾白如雪；继而以浊唾黏液为主症，终至干咳无痰，痰凝如胶而不治。为肺脏津液亡失之慢性虚损性疾患。

本病为多种慢性肺系疾病后期发展而成。发病机理主要为热在上焦，肺燥津伤；或肺气虚冷，气不化津，以致津气亏损，肺失濡养，肺叶枯萎。治疗总以补肺生津为原则。虚热证，清热生津，润其枯；虚寒证，温肺益气，摄涎沫。

肺津被耗，则咽干，沙参、麦冬、桑叶主之；胃液损伤，故口渴，天花粉、玉竹、石膏主之；木火刑金，胶痰黏滞不爽，海浮石、蛤粉、青黛主之；肾不纳气，淫羊藿、补骨脂、仙茅主之。

肺痿以调补脾胃为重中之重。脾胃为后天之本、肺金之母，培土有助生金。阴虚者宜补胃津以润燥，使胃津上输以养肺；气虚者宜补脾气，以温养肺体，使脾能转输精气以上承。肾为气之根，司摄纳，补肾可以助肺纳气。

6. 附

6.1 临床中肺痿多见，教材中不应删除

几版《中医内科学》教材均将“肺痿”章节删除，这是重大失误。尤其值得关注的是，由田德禄主编的21世纪全国高等中医药院校规划教材《中医内科学》也将“肺痿”章节舍弃。此种现象不能不令人怀疑。

面对这般情景，我查看了由王永炎、鲁兆麟两位老师主编的中医药学高级丛书《中医内科学》精装本，发现其也将肺痿章节删除了。于是，以“《中医内科学》把肺痿章节删除是重大失误”为题，欲在《中国中医药报》刊文，申述不应删除的理由。然而，当我把文稿拿给中国中医科学院的伊广谦研究员时，他一见标题就火了，说：“不行！删除肺痿章节是全国13个省的中医专家讨论决定的，用这样的标题，是得罪人的。再说，你一个无名的草根医说是‘重大失误’，人家专家会怎样看你呢？”于是，几经修改，最后以“临床中肺痿多见，教材里不应删除”为题，才把文稿交到国家中医药管理局原副局长诸国本先生手里。

2016年8月6日，《中国中医药报》刊登了我的文章。这是“诊疗心悟”栏目，标题是《对肺痿诊疗的感悟》，完全违背了我的意愿。我最终的目的是：在农村，因为烟尘毒雾、化肥、农药、矿山粉尘，引发肺痿者比比皆是，如果《中医内科学》把肺痿章节删除，这部分患病群体将被推向何方？

更为严重的是，《中医内科学》教材将肺痿章节删除后，把肺痿的肺燥津伤归结到“痿病”的肺热津伤，这是分类学上的错误。

肺痿为“痿”，将其归于“痿病”，大谬。“痿病”系指脏腑内伤、肢体筋脉失养，而致肢体筋脉弛缓、软弱无力、日久不用的一种病证。

两者虽然都在痿的范畴，但痿病泛指皮、骨、筋、肉、脉五体失养不用之痿，而肺痿则单指肺脏慢性虚损、内在纤维化变之痿。痿病的肺热津伤，终致肢体筋脉软弱而不用；肺痿的肺燥津伤，则多为肺叶枯萎，津亡液损而不治。且“痿病无寒”，“湿热不攘”；肺痿则“寒热不止一端”。痿病多起病缓慢，尚有神经系统疾病的存在；肺痿则变化多端，常有特发性情况出现。

综上所述，痿病与肺痿有广义与狭义之别，两者不能混淆，亦不可相互替代。肺痿的肺燥津伤不能用痿病的肺热津伤来解释，因为肺痿除了肺燥津伤，还有肺气虚冷，这是痿病不能涵盖的重要一面。

6.2 肺气虚冷，日久肺阴大伤，并非“久病伤阳”

高等医药院校教材《中医内科学·肺痿》：“肺气虚冷，大病久病之后，如内伤久咳、久喘，耗气伤阳。或虚热肺痿，久延阴伤及阳……”

此论大有推敲之必要。

临床实践告诉我们，肺痿的肺气虚冷，多为外界因素所致，并非伤阳而为病。以本人而论，年轻时炼制膏药，汞剂烟尘侵袭了肺间质，初时感冒频发，痰薄清稀，唾白如雪，一派阳虚表象，这时咀嚼生姜、甜甘草即可缓解。十几年后，逐渐出现了“干咳无痰”，进而“痰凝如胶”之状。表面看来，疾病有进行性改变，但却并非“病久伤阳”，而是遵循着“久病伤阴”这一疾病转化规律。众所周知，虚寒肺痿，自身的属性当是阴性无疑。于是，越久越伤阴，“干咳无痰，痰凝如胶”，是典型的肺阴虚损的标志。诚然，个别患者有阳虚表象，岂知那只是表虚而已，绝非疾病本质的改变，阴损及阳之肺痿临床少见。因此，其治疗原则当是以滋阴润肺为主而立法，表虚则是临证加减而兼顾，“久病伤阳”之论，于肺痿之辨，不可混为一谈。

※ 杨关林：教授、博士生导师。原辽宁中医药大学校长，“973”项目首席科学家，中华中医药学会副会长，中国中西医结合学会理事，中华中医药学会老年病分会会长，辽宁省中西医结合学会会长，国家中医药管理局血脉病重点研究室主任，国家中医药管理局三级实验室主任，国家科技部“863”计划学科带头人，享受国务院政府特殊津贴专家。

卷五

医话

一、循医家铭录，守善德学养

专学与广读

“工欲善其事，必先利其器。”先祖有云：“求木之长者，必固其根本；欲流之远者，必浚其泉源。”果能传承家学，当深悟医之经典。搜岐黄之秘，探《金匮》之源。心如止水，静心读书。

刘氏家藏医书七十一部，《黄帝内经素问》《难经集注》《伤寒论》《金匮要略》《诸病源候论》《素问玄机原病式》《神农本草经》《医方类聚》……自幼苦读，成医之基也。

《王旭高医书六种》《良朋汇集》《沈氏尊生书》《薛氏医案》《普济本事方》《瑞竹堂经验方》，方学集解也。

《成方切用》《兰台轨范》《苏沈良方》《审视瑶函》《洞天奥旨》，名家之鉴也。

1990年，余考取“一技之长”证书，在朝阳市双塔区开办中医诊所。此间，我接触诸多国内外名医大家：路志正、李德新、朱良春、诸国本、伊广谦……大医的读书风范，更使我把读书放在重要位置。我坚持四点钟晨起，在凌河景区快步行走三十里。七点钟开始读书，静心读书一小时，至八点早餐。“每餐只食八分饱，一日行走一万步”，这是我的准则。

读书使我增长了学识，在心脑血管疾病的研究中，我有了新的突破。王肯堂《证治准绳》之惊悸恐辨析，李中梓《医宗必读》之心胸痛辨，喻嘉言《医门法律》之大气论，程国彭《医学心悟》之心痛方治，《叶天士诊治大全》之胸痹案绎，郑寿全《医法圆通》之寒热论心痛，陈士铎《辨证录》之扶正为主治怔忡，方隅《医林绳墨》之顺气养血治心悸，林佩琴《类证治裁》之胸痹心痛等，给了我启发与信念。治疗心动悸、脉结代之“普济早搏胶囊”及治疗心肌缺血、心绞痛的“普济心痹丸”和“冠脉活血丸”三个成药的成功研发，就是读书的结晶。

然而，读书并非单指专学，而应是广泛读书。智者有云：“读书是精神远足的过程，是一种高尚的坚守，是治心养性的方法，是智慧的启发，是浩然正气的滋养媒介。”

纵观历史，古今政治家、有识之士，他们都十分重视读书。曾国藩对弟子说：“吾不望代代得富贵，但愿代代有秀才。秀才者，读书之种子，世家之招牌，礼义之旗帜也。”

有人说：“读书绝不仅仅在于‘医愚’或‘补拙’，更在于能够养心，使心无杂念；能够养德，使灵魂通透。读书使人成为有境界、有价值、有温度、有情趣的谦谦君子和文质彬彬的‘雅人’。”

是故，身为医家第六代传人，读书一为医技精湛而专学，一为知心养性、光彩照人而广读也。

（一）尚德篇

善德

德者，善之本也。先人云：“凡为医，必当以德行天下，以术济众民。”诚如孙思邈所言：“安神定志，无欲无求，先发大慈恻隐之心，誓愿普救含灵之苦。”

普济堂扬善积德，世代秉承。2003年，“非典”肆虐之时，诸多医所药房倍价售药，大发疫财。普济堂则半价收银，惠及诸多民众，彰显一念仁慈。一念仁慈之心，能使天地间产生祥和之气。如果“救死恤孤，付诸行动”，祥和之气可环集四周，从而使家庭、子女都受到福荫。

“布外功”，亦是刘氏家传善德之举。“穷人治病，富人掏钱”，普洒甘霖，普济之道也。

余常秉医者仁心，舍药于民。凌源西五官李某，年老体弱，单身贫困，突发脑梗，行动不便，送桑枝中风丸三组，使其恢复，众口皆碑。

“大盈若冲”（《道德经》），世界并无十全十美的事物，“丰于此者，必缺于彼”。要想得到精神上的圆满，最好在物质上常有些缺欠。“花未全开月未圆”，这是智者的境界。

豪门权贵弟子，目无法纪；富家贵族后人，贪图享乐。他们以酒为浆，以妄为常，昼则以醇酒淋其骨髓，夜则以美色输其血气，耳闻淫声，目视邪气，未及半百而衰。余首以利害规其正道，次以草药少许，纠其阴阳之偏，再以善德之神韵，鼓励其为贫困者送去温暖。

宇宙茫茫，大千世界，诸多现象都折射出一种规律：“物极必反”“乐极生悲”。君不见：“人之将亡，回光反照；天之将明，复黑一时；野狼毙前，稀屎救命；灯泡亮极，其光将竭。”谚云：“世无三代富。”富甲之贵，尚有“十年河东，十年河西”之验；兴旺之族，亦有“一辈子勤俭，一辈子懒；一辈子得瑟，一辈子攒”之训。伟人毛泽东曾有精辟总结：“任何事物，发展到一定程度，就会向相反方向发展。”因之，“一粥一饭，当思来处不易；半丝半缕，恒念物力维艰”。“芝兰生于幽谷，不以无人而不芳；君子修道立德，不以穷困而改节”。富时不忘贫，得势不忘志，盛时亦有衰。把握规律，才可无往而不胜。老子曰：“有无相生，难易相成，长短相形，高下相盈，音声相和，前后相随，恒也。是以圣人处无为之事，行不言之教，万物作焉而弗始，生而弗有，为而弗恃，功成而弗居。”此善德之教也。故医者，在临床阴与阳、寒与热、虚与实、表与里纷纭复杂的相互转化过程中，善于驾驭方向，闪、展、腾、挪，为众民之生存，运筹帷幄，决胜千里，方为一代名医！

“名中医”刍论

2017 年 4 月 24 日，第三届国医大师和全国首届名中医经逐级推荐与评审，并经国医大师、全国名中医评审表彰工作领导小组审核，拟授予王世民等 30 人国医大师荣誉称号，丁书文等 100 人全国名中医荣誉称号。这是全国中医界一个振奋人心的消息。

然而，名医在不同的历史时期却反映出不同的标准内涵。唐代著名医药学家孙思邈说：“凡大医治病，必当安神定志，无欲无求，先发大慈恻隐之心，誓愿普救含灵之苦。”不管贫贱富贵、老幼美丑，仇人还是亲人，亲密的还是一般的，愚笨的还是聪明的，一视同仁，“不得起一念芥蒂之心”。

清同光年间名医赵濂（字竹泉）在其《医门补要》一书中，对中医业务提出了标准和要求："医贵乎精，学贵乎博，识贵乎卓，心贵乎虚，业贵乎专，言贵乎显，法贵乎活，方贵乎纯，治贵乎巧，效贵乎捷。知乎此，则医之能事毕矣。"如能具备，方可称良医。

赵濂是一位学识渊博、精于临证、熟悉古法，又善于在治法上变通创新的医学家。"医贵乎精，学贵乎博。"其强调医者要精通医术，必博览群书，博古通今，通晓专长，知常识变，立法求新，方称一代名医。

观今之名医，伪者多矣。偷巧弄辩，偷梁换柱，以假乱真，假佛信以诱信，真敛财以言才，医之耻也。

凡为医，当以德行天下，以术济众民。先人云："德者善之本也，术者德之用也。"本色中医，在利益面前，一定要把遵守法律法规、坚守道德底线放在首位。那些巧舌如簧、骗取百姓钱财之徒，是假名医，迟早会被人们识破，还其本来面目。

"祖传秘方"析

报纸、电台，常有秘方治病的宣传；街头巷尾，常有秘方治病的广告。然而，果有秘方乎？临床实践告诉我们："秘方之秘，在于辨证加减，绝对的秘方是没有的。"

以头痛为例，临床有外感与内伤两种，外感头痛，有风寒、风湿、风热之分；内伤头痛，有肝阳、肾虚、血虚、痰浊、瘀血之不同。因而，对其治疗，法当不一。诚如徐灵胎所言："气体有强弱，质性有阴阳，生长有南北，年龄有长少，筋骨有坚脆，奉养有膏粱藜藿之殊，心境有忧劳和乐之别，更加天时有寒暖之不同，受病有深浅之各异。故医者必细审其种种，而后轻重缓急、大小先后之法因之而定。"是故，四时有别，地域有别，遣方用药，不可拘泥；病程有长短，受病有浅深，施用何法，不可不察。

2014年，有一巅顶痛患者，其头有重压感，伴心烦易怒、眉棱骨痛，以神经性头痛论治，投祖传救脑丹，久治不愈，而后发现其为血虚之肝阳头痛，遂改用祖传驯龙汤，养血治本，潜阳治标，立效。

刘氏家传玉华白丹治疗早泄，众口皆碑。然而，在为好友才某某治疗时，却罕见地没有丝毫效果，余倍觉茫然，疑其并无此疾。2006年，有幸与国医大师路志正先生在北京三芝堂会面，向他请教。路老说："玉华白丹治疗早泄，效果出奇。然则，此方对阴虚火旺之患，当不会有效。"听了路老的指教，我心有所悟。回朝后速为朋友养阴清热，六剂后，再服玉华白丹，立刻见效。自此，我再不敢轻易以"疗效百分之百"自诩。

刘氏家传"神力仙丹"治疗火衰阳痿，世所稀有。然而，在一次外商洽谈会上，却有两个外商服用后效果不佳 。于是，我又求助国医大师路老，他说："贪酒恋欲之人不可用，因其湿热缠绕也。"

《皇汉医学·医家十诫》有云："医有上工，有下工。对病欲愈，执方欲加者，谓之下工；临证察机，使药要和者，谓之上工。夫察机要和者，似迂而反捷，此贤者之所得，愚者之所失也。"

"见病医病，医家大忌。""见痰休治痰，见血休治血。无汗不发汗，有热莫攻热。喘生毋耗气，精遗勿涩泄。明得个中趣，方是医中杰。"(《医宗必读》)"休、不、莫、毋、勿"，五个否定字，一语道破：见症医症，头痛医头，脚痛医脚，并非良医。善于诊察病机，由表及里之医，可为大医。求其证之所以然者，能于纷纭复杂的疾病中决胜于迷茫，可为百姓认可的名中医。

由此得出结论，秘方之秘，在于辨证加减，世间并无绝对的秘方。

医家座右铭

医家座右铭，为"经社八才子"之一的陈存仁所撰。

陈存仁（1908—1990），名承沅，沪上名医。一生勤于著述，著有《中国医药大辞典》《皇汉医学丛书》等，誉满京沪。

"医家座右铭"，贵乎永恒，医之标尺，医则准绳，修明明之德，行上善之举，于千变万化中寻章法，从表里顺逆中觅规矩。秉大医之精诚，愿厚德之载物，记"医家座右铭，警后世以传承"。

医家座右铭

医乃仁术，良医同功，立志当坚，宅心宜厚。

纵有内外妇幼之别，各尽神圣工巧之能，

学无常师，择善而事，卷开有益，博览为佳，

必读昔圣之书，俾免离经而叛道，

参考近人之说，亦使温故而知新，

及其成功，尤贵经验，再加修养，方享令名。

临症非难，难于变化，处方应慎，慎则周详，

认清寒热阴阳，分辨表里虚实，

诊察务求精到，举止切戒轻浮，

毋炫已之长，勿攻人之短，

心欲细而胆欲大，志欲圆而行欲方，

逢危急不可因循，竭智挽回以尽天职，

遇贫贱不可傲慢，量力施助，以减愁怀，

聆病者之呻吟，常如己饥己溺，

操大权于掌握，时凛我杀我生，

三指回春，十全称上，倘能守此，庶几近焉。

注：1945 年，名医陈存仁以骈文体撰写了《医家座右铭》，沪上名医颇为赞许，海派名医谢利恒书法极佳，名望亦重，于是陈氏在《中医药月刊》刊登广告，由谢氏书写《医家座右铭》，上海及各地医生闻风求字共 670 件，谢氏足足书写了五个月之久。

乐天长寿辞

20 世纪 30 年代，陈存仁撰养生铭《乐天长寿辞》，探讨修身养性真诠，强调“健康要道，端在正心”。文辞佳妙，流传颇广。画家张大千先生亲笔书写此辞，流传后世。

乐天长寿辞

心理卫生，近代渐盛，养性修身，早垂古训，人生疾病，外因易防；七情六欲，内贼难当。愤怒烦恼，抑郁悲哀，神明内疚，百病之阶。健康要道，端在正心。

喜怒不萦于胸襟，荣辱不扰乎方寸。纵遇不治之疾，自有回天之功。

毋虑毋忧，即是长生圣药；常开笑口，便是却病良方。

养生只此真诠，长寿无他奥秘。昔时七十已称稀，今后百龄不足奇。

随遇而安，无往不乐，优哉悠哉，同登寿域。

普济堂善德之本

普济堂始建于清康熙年间。遵圣教，扬善积德，多做善事，普济缘于心，医

德必备也。

普济堂常怀仁慈之心，推崇“布外功”，遇穷苦免酬给药，逢富贵弥补不足，此所谓“舍得”之用也。

舍得是大智慧，有学者云：“树舍灿烂夏花，得丰硕秋果；鸣蝉舍弃外壳，得自由高歌；壁虎临危弃尾，得生命保全；溪流舍弃自我，得以汇入江海；凤凰舍弃生命，得涅槃重生。”医者舍弃药酬，得普济光辉！

先祖云：“刘氏后人，以勤求精，以精求效，以效求信，以信养术，以术救人。”发大慈恻隐之心，立志普救含灵之苦，以德行医，普施仁爱，彰显善德之本。

石成金良医良药论

石成金（1659—？），字天基，号惺庵愚人。江苏扬州人。儒、释、道皆通，医理医术俱晓。一生以教书著述为主业，笔耕不辍。著有《养生镜》《长生秘诀》《石成金医书六种》《雨花香》《四书浅说》《金刚经石注》等。

石氏自幼孱弱多病，童年丧父，母亲令其弃儒学医。王肯堂《证治准绳》、薛立斋《薛氏医案》、朱丹溪《丹溪心法》、喻嘉言《医门法律》等，其百读不厌。

石成金认为，为医者当有“大才”，不但要懂得疗人之病，也要懂得疗人之心。要研读经典，博采众长。“医之《灵素》，儒之五经也；医之《伤寒论》，儒之四书也。未有不通四书五经而为儒者。”“医为人之司命，道尊任重，岂可轻忽耶？凡业医者，必受教于明师，探讨乎经传，精研轩岐之奥旨，深究仲景之心法，参各家之妙论，遵法律森严。博习练熟，自可见疾之源，不但不负病人生死之托，亦可以无愧于心矣。”“医之明者能活人，医之庸者亦能害人。”他告诫学医者，切不可将行医视为寻常事，“挟一册医书，记其药性汤头，稍知某药治某病，某病用某方，不论大小病症，即用药试。偶有一效，遂尔自是”。他认为“药不执方，合宜而用，全在医人，变通酌量。世人不患无良药，只患无良医。有良药而无良医，参附不能疗病；无良药而有良医，姜葱亦可极疴”。

临床几十年，予常以石氏之言鞭策自己，以求名副其实。

朱丹溪的观物识化机

朱丹溪著《格致余论》，常常观物识道，知微见著，创立了人与自然相通的“观物时常识化机余论”，历代为人所推崇。

朱氏善于以诗喻物，用以表达灵感。

柬信斋教喻诗

一卧丹溪相见稀，
小园日日掩荆扉。
学农未便妨书读，
观物时常识化机。

帘卷舞风花力懒，
畦径新雨药苗肥。
晚来不惜尘双履，
扫榻殷勤话夕晖。

诗中所言“观物时常识化机”，就是从观察各种事物现象归纳推理出来的格物致知的道理。《素问·五运行大论篇》曰：“候之所始，道之所生。”

人与天地相应，将大自然的气候、物候与人体的病候变化联系起来，取类比象，可总结归纳出中医诊治疾病的理论。《素问·气交变大论篇》称：“善言天者，必应于人；善言古者，必验于今；善言气者，必彰于物；善言应者，同天地之化。”中医理论就是古人仰观天文，俯察地理，中晓人事，远取诸物，近取诸身，并加以研究总结出来的。清代吴鞠通曾云：“医也者，顺天之时，测气之偏，适人之情，体物之理，名也、物也、象也、数也，无所不通，而受之以谦，而后可以言医。”（《温病条辨》）丹溪所言“学农未便妨书读，观物时常识化机”，也是讲的这个道理。他把医学事理视为格物致知的一项内容，其医著《格致余论》，即深论此理。“赏月悟医”“观花识药”“倒凳识湿”“望梅偶得”“舟上闻道”，诸多观物识机的故事，至今影响着名医的成长之路。

“萧龙友先生医范十条”有感

甘肃中医药大学的张绍重将恩师萧龙友先生的《医范十条》刊出，震撼了中华国医。

萧龙友先生医范十条

第一条、造父非良马不善御，羿非调弓矢不善射，医非有验方妙法不能治病。汗、吐、下三者，张长沙所传之遗法也。后世有以此法不能尽病之变者，于是假他道而矫饰，偷他技为附会，崇利名誉，交战方寸，而医道遂一落千丈，圣学不兴，百技陋衰，后学者何处问津耶？虽然学视者先视舆薪，学听者先闻抚钟，汗、吐、下者，即如视者之薪、听者之钟也。医者舍此将安适从哉，此汉学之所以可贵也。

第二条、以学稽古，以才御今，医者之务也，不明乎此，何以见张长沙之所述耶。苟徇俗之所习，囿己之所见，不遵古法，此之谓不学无术。不学则失师，无术则非技，以之治病，岂非盲于心者哉，何能稽古，何能御今，吾见其误人而已矣，奚可哉！

第三条、以今眼观古术，犹登塔楼而望泰岱，其高难跻；以古眼观今术，犹对明镜而察妍媸，其蔽立见。故泥于古不可言医，囿于今更不可言医，必也斟酌损益，以求合乎今人之所宜，而后可以愈病。然非困于学，竭于术，不能至斯境也。彼夸寸长，炫小慧，而扬扬得意者，知所反已。

第四条、帝王不同礼，齐鲁各异政，天变道不变，世异艺必迁，其势然也。古医不可知，即载在典籍者，如和缓之类，亦仅震其名而矣。自后汉张长沙之法与晋王叔和之法行，唐宋元明各医家莫不遵而守之，虽著书立说各有不同，而惟阴阳之理是循则一。至于五行生克之说，皆后起者也，不可泥也。然今之医，舍是无可言，岂非悖古之甚者耶？

第五条、人之生也，七窍相同，九脏无异，然有夷夏之别，南北之殊，山海之奇，寒热之变，虽夏葛冬裘，酒醉肉饱，比比皆是，然所病则千变万化，无一可以同治，药石之施，岂易言哉。此我道之所以易知而不易行，而获古之业其可以已耶？

第六条、今医能如古医耶？今药能胜古药耶？吾之其必不然也。古之人医重师传，阳年采阳药，阴年采阴药，悉皆野产，得天地之气厚、日月星辰之精华多、风雨霜雪之蕴泽厚，故其力专而功大，医用之又有法，故称为特效。今之药多出于种植，生者气力已薄，及制为膏丹丸散，药水药片，其效虽专，其气力更薄，盖不得天地山川阴阳之真气，徒以欺世骇俗而已，医药云乎哉！

第七条、以镜鉴人，不如以人鉴人，盖镜中影只自知无可比，而书中影则使万世之人皆知也。伤寒诸书，仲景之影也，以之作鉴，则治病必有一定之法，如影之不变也，反是则离神而取影，鉴中之影，皆非真影矣。学医者其鉴诸。

第八条、国异政，家殊俗，三代两汉之人之言医者，吾未之见也。医书汗牛充栋，究其可读者，不过二三种。《灵》《素》伪书也，多不可从。王叔和《脉经》以次，亦多伪书也，皆不可信。其不伪可信者，惟《伤寒》《金匮》《本草经》而已。然《伤寒》虽分六经，而多脱简，《金匮》亦非完全之本，特古医之精义皆在，故汉以来皆奉为金科玉律，《本草》尚可以解药性、药味及出产之地，舍此又奚从哉。

第九条、夫医者意也，意生于心，必心正而后意诚，意诚而后能辨证，而后能处方。大学所谓诚其意者，勿自欺也，即学医之要诀也，今之医能不自欺者有几人哉，自不能信而欲信于人，难矣！徒以糊口而已，诚意云乎哉。

第十条、人有观英雄之迹，闻烈士之行，中心慷慨而向慕之者，无他，忠愤之感，千古一气，不可止也。况举古之术以疗今之病，吐下寒热药中窍，则知古贤之不欺，自可与之晤言于一堂，交欢于万里，梦寐之间，如相晤语，岂非神乎技也哉。然而难矣，望古而未之见矣，徒向慕而矣哉，知闻而欲行古之道者，可以反观矣。岂知仲景之书即英雄之迹、烈士之行也哉。

《医范十条》，字值千金。第六条言道：“古之人医重师传，阳年采阳药，阴年采阴药，悉皆野产，得天地之气厚、日月星辰之精华多、风雨霜雪之深厚，故其力专而功大……今之药多出于种植，……盖不得天地山川阴阳之真气……其生者气力已薄，用之其气力更薄。”天壤之别也。

刘氏世代倡导野生中草药之用，先人云：

“野生中草药，生于深山巨壑、大野荒原，风雨霜雪蕴其泽，沃土瘠壤滋其根。寒暑交融，春秋沐浴，得天地山川之真气，得阴阳五行之精华。有蜂蝶之传粉，有虫鸟之博采，自然造物之圣。

努鲁山脉之野紫草，解疫毒斑疹；

九龙山下之黄瓜香（地榆），治水火烫伤；

青龙毒山山麓之狼毒，治疗肺癌转移；

凤凰山内外之白、紫鹃梅（臭老婆条子），提高人体免疫功能，皆可有“四两拨千斤”之妙。

观野生中草药之汪洋大海，取根枝花叶果，修合丸散膏丹汤，其味厚，其力专，其效宏矣。

是故，天工开物，富机化合，国医广备，善莫大焉。铭曰：良医用药，必择良品，上品之剂，必赖良工，良医良药，医之道也。

诸国本的民族医药情怀

诸国本，1935 年 12 月生于江苏无锡。曾任国家中医药管理局副局长、中国民族医药学会会长。著有《西宁中草药》《医门清议》《医道与文采》《医林朝暮》《梦边吟诗稿》等。

无论在乡间，还是在都市；无论在职，还是退居二线，诸老都为祖国的医药事业孜孜以求。他为民族医药呐喊，为草根中医发声，倡导民族医药文化，挖掘濒临失传的民间验方。他说，中国的传统医药由三部分组成：一是中医学，它是中国社会长期以来的主流医学，是中国传统医学的当然代表；其次是民族医学，即少数民族的传统医学；第三是民间医学，即散落于民间的草医草药和一技之长者。

2013 年，他发现刘氏六世中医有许多有价值的东西，即产生了保护的意愿。在《刘氏六世医方》的序言里，他写道："乡村医生、民族医生、医疗方面的一技之长者，仍然是重要的卫生资源，是中国传统医学创新发展的源头活水，是一种不可忽略的力量。"他推荐中国中医科学院伊广谦研究员为整理刘氏家传画龙点睛、"沙中淘金"。岁在甲午，《刘氏六世医方》由中医古籍出版社出版。这是对刘氏家传的集成总结，诸老说："《刘氏六世医方》的出版，是一项抢救性成果，是对社会健康的巨大贡献！"

诸老生于忧患，经历多事之秋，钟情于南国，奋斗于北京，植根于西域，洒汗于高原，心系中医中药的发展，关注中医药文化的传承，八方纪事，十年磨剑，五洲遨游，四海述怀，记录了可歌可泣的难忘诗篇。

诸老在青海高原，身临其境，参加全省植物资源普查，常徒步踏遍雪域，采集独一味、满天星、紫报春等诸多稀有藏药，为民族医药洒下汗水，填补空白。

（一）绿绒蒿

大雨洗净万重山，
千里寻药走高原。

公路蜿蜒飘玉带，
白云缭绕笼纱幔。
身随牦牛迈健步，
心逐苍鹰越险滩。
采得黄花绿绒蒿，
三问曼巴已灯阑。

（1975 年 6 月 21 日）

黄花绿绒蒿，即罂粟科植物五脉绿绒蒿，为常用藏药。

曼巴，藏语，医生之意。

（二）水母雪莲

高山流石生雪莲，
谁扬飞蓬到天边。
菊花头序含紫晕。
野兔身段披灰棉。
大气稀薄心缺氧，
黄羊奔驰蹄生烟。
夕阳西下归程急，
草滩落脚水飞溅。

（1975 年 9 月 2 日，祁连野牛沟）

雪莲属菊科植物，青藏高原常用的、最有代表性的雪莲，学名水母雪莲，藏语称“恰规素巴”，译成汉语为“雪兔子”。它浑身生有白绒绒的纤毛，形似水母，故得名水母雪莲。其实，藏名“雪兔子”非常形象，又符合它的生长环境。

（三）采雪莲

稳坐老马莫加鞭，
水急林深路更险。
雹雨惊雷飞疾矢，
巉岩破云刺青天。
山草未经神农采，
野花只伴牧童眠。
攀身登高极目处，

石流坡中是雪莲。

（1978 年 6 月 23 日，大通）

此诗道出了诸老采莲之艰辛。水急、林深、路险、雹雨、惊雷、巉岩、破云，诸老冲破艰难险阻，为采集医药资源跨越了难以想象的自然天堑。

（四）采药

荆棘撕破衣衫，
又滚浑身泥巴。
采药祁连山上，
草滩、灌丛、悬崖。

淅淅沥沥秋雨，
零零落落秋花。
穿过秋风秋水，
毡房、炊烟、奶茶。

（1978 年 9 月 8 日，祁连县野牛沟）

（五）明知高峰远

明知高峰远，头顶雹雨行。
闪电照空谷，霹雳群山惊。
乌云似铁盖，山风奏鬼声。
忽而雨线稀，忽而急雹冰。
杜鹃傲然立，众草未俯身。
草湿云难重，手举小镐轻。
峰藏迷云雾，岩穴息苍鹰。
登高不达巅，从来心不瞑。
一步高一尺，不怕山无顶。
高处多龙胆，景天石上生。
灿灿金莲花，紫杯聚报春。
乌头月儿圆，葶苈根不深。
红紫桂竹香，蚤缀满天星。
丛丛虎儿草，茵茵草家庭。

不到草身边，怎当采药人。
高原多异草，跋涉忘苦辛。
多行则多见，懒步则不明。
骤然雷霆息，豁然天色晴。
夕阳照远波，麦浪一片金。
青稞黄熟早，土豆尚留青。
油菜鼓将爆，山穿百纳裙。
立足地之巅，极目天之滨。
山河壮且丽，心潮奔欲腾。
移步何迟迟，岁月艰而辛。
人生莫蹉跎，未来必胜今。

（1978年9月，青海大通）

杜鹃、龙胆、景天、金莲花、紫杯报春、乌头、葶苈、红紫桂竹香、蚤缀、虎儿草，均为藏药。

（六）蒲公英

草山初绿风吹沙，
料峭春寒迎早夏。
猛见高原蒲公英，
未消冰雪已开花。

（1979年6月10日，花石峡）

高原之蒲公英，“未消冰雪已开花”，其生长习性，只有亲临高原方可得见。诸老足迹遍布青海，不仅领略了大自然之风光，且赏得奇光异景，吾辈不及也。

（二）学先贤

喻嘉言“燥”气说

喻昌，明末清初医学家，创见颇多，尤以倡“燥”气为病，为后世医家所推崇。

《素问·至真要大论》言:“六气为病，未及燥气为患。”金元时刘河间首创“六气皆从火化”之论;《素问玄机原病式》提出“诸涩枯涸，干劲皴揭，皆属于燥”的论点，补充《内经》所未备。喻氏发挥河间之说，另立“伤燥”一门，倡言“诸气膹郁”“诸痿喘呕”，皆属肺燥，突出了秋燥致病的理论。其指出:《内经》病机十九条，独遗燥气。凡秋伤于燥，后世多误传作秋伤于湿，形成历史性错误。纠正其大意，当作春伤于风，夏伤于暑，长夏伤于湿，秋伤于燥，冬伤于寒，六气配四时之旨，与五运不相乖戾。

喻氏遵“燥胜则干”的经义，具体提出了燥气为患的证型，谓有干于外而皮肤皴揭者，有干于内而精血枯涸者，有干于津液而营卫气衰、内燥而皮著于骨者，随其大经小络所属上下前后，各为病所。其认为燥金所伤，必摧肝伐肺;燥邪伤肺，则见诸气膹郁、诸痿喘呕。

对“燥症”的治疗，喻氏反对滥用破气、消积、攻瘀之品，以致耗阴气，强调“治燥病者，补肾水阴寒之虚，而泻心火阳热之实，除肠中燥热之甚，济胃中津液之衰”。细究其旨，此乃清燥为标，救阴为本，就病位而论，应掌握气血、表里之燥孰重孰轻。叶天士所主“上燥治气，下燥治血”之说，即由此引申而来。喻氏主张“诸燥总以治肺为最”。

遣方用药，喻氏以清降润燥、益血养阴为法。如治皮肤皴揭，筋燥爪干，用滋燥养荣丸;治精血枯涸、虚燥，用大补地黄丸;治脾胃伏火，大便闭涩或干燥，不思饮食，用东垣润肠丸;治幽门不通，噎哽不便，用东垣导滞通幽汤。

喻氏创清燥救肺汤，治疗肺痿，清燥润肺，主治肺燥津伤，当属一绝。

众所周知，肺痿肺燥津伤、气阴两虚、肺失清肃之病机，法当清燥热、养阴液、降肺气而兼补中气。方用桑叶经霜而柔润不凋者，得秋之金气，秉清肃之性，质轻辛凉，可除燥热，故重用为君;石膏辛甘大寒，善清气分热邪又不伤津，与麦冬之甘寒养阴生津配伍，可助桑叶清除温燥，并兼顾损伤之津液，共为臣药。石膏取煅，既能清泄肺之燥热，又可敛降肺气，具有清中寓敛之妙。杏仁、枇杷叶、阿胶、胡麻仁、人参与甘草诸药，均为佐药。杏仁、枇杷叶味苦而善肃降肺气，以止咳平喘，即所谓“肺苦气上逆，急食苦以泄之”。阿胶与胡麻仁皆能益阴润燥，用以加强麦冬之功用。红参与甘草为补中益气之品，喻昌谓人参“生胃之津，养肺之气”，甘草“和胃生金”，二药相合，可补既亏之气，更能培补中土而生肺金，亦即所谓“损其肺者益其气”之意也。众药相济，燥热得清，气阴得复，逆气得降，而肺复行其治节，肺痿可愈矣。

余于临床善用清燥救肺汤治疗肺痿。肺痿之肺燥津伤，干咳无痰，或痰凝如胶，投之，其效显矣。然而，其对肺痿之肺气虚冷型则不宜。肺痿之肺气虚冷型，后期虽亦有干咳无痰，或痰凝如胶之状，清燥救肺汤应易为润燥救肺汤，即将大寒之石膏易为沙参，并加大麦冬剂量，方能救人于危殆矣。

葛可久《十药神书》

葛乾孙，字可久，江苏长洲（今江苏苏州）人，是我国十四世纪前半叶杰出的医学家。葛氏世医出身，自髫稚（幼童）之年随父学医，研习方脉。临证擅针药、推拿，尤以治肺痨一病见长。

肺痨，古医书如《素问·玉机真藏论》《难经》《金匮要略》《肘后方》《仁斋直指方》等，将其称之为“虚劳”“虚损”“骨蒸”“鬼注”等。

至十四世纪中叶，经过长期临证的葛可久，认识到“万病无如痨症之难”，虚心寻师专治肺痨，“得授奇方一册”，有效之方辄记录之，收藏十方，“类成一帙”，名曰《十药神书》，成为我国现存第一部治痨专著。书成不久，葛氏去世。该书长期辗转传抄，渐成赝本。嗣后，清代名医陈修园自叶天士家藏书中“始得原本”，重为订注，附于《伤寒论》《金匮要略》之后（见《十药神书注解》陈修园序）。不久，陈氏谢世，此书未能付梓。后由陈氏学生林寿萱从旧书坊中得此抄本，将其中汤方编成民间通俗歌谣，分别附于各方之后，旋于咸丰七年丁巳镂版印行，成为现通行的版本。

《十药神书》宗宋元诸家学说，间附己意，自成一家。全书首论肺痨病因、病机和症状，次述治疗法则。其中的甲字十灰散、乙字花蕊石散、丙字独参汤、丁字保和汤等，为今时诊治痨病提供了切实可行的门径。

一、肺痨、阴虚火旺而致病

葛氏受朱丹溪“阳常有余，阴常不足”之说的影响，主张肺痨的病理变化由“火乘金位”，同时又强调色欲之“内伤说”。葛氏自序说：“宜乎保养真元，固守根本，则一病不生，四体轻健；若不养真元，不守根本，病即生矣。根本者，气血津液也。”真元者，肾阴、肾阳也。对于肺痨，葛氏究其原委，“因人之壮年，气血完聚，津液完足之际，不能守养”，大多“唯务酒色，岂分饥饱？日夜耽欲，无有休息，以致耗散精液”。葛氏的基本思想是强调酒色劳倦为致痨的根本原因，是阴虚火旺的主要因素。所谓纵欲妄为，损肾耗精，形气渐衰，致成痨瘵。

从肺痨病机分析，葛氏认为系“火乘金位”。这是继承了朱丹溪“肺痨主乎阴虚”（《格致余论》）的观点，其指出：酒色劳倦，肾水亏乏，水不济火，君相火旺，火盛克金太过，形成“火乘金位”。而肺金受灼，金不生水，肾阴亦亏，由此而成恶性循环。

从临床见症看，《十药神书》列“呕血、吐痰、骨蒸、烦热、精竭形羸、颊红面白、口干咽燥、小便白浊、遗精盗汗、饮食难进、气力全无”等十余证候，皆属阴虚火旺。肺痨日久，阴损及阳，肺气耗散，气无所主，以致阴虚精竭，气衰形羸，“重则半年而毙，轻则一载而倾”。

二、肺痨论治，分别轻重缓急

1. 急则治标

对于肺痨呕血的治疗，葛氏主张“先服十灰散，如不住者，须以花蕊石散止之”，认为“血热则行，血冷则凝，见黑则止”。故其立法为“清火为先”，所投药物“烧灰存性”，取其清火、吸摄之功用。葛氏认为，若出血成升成斗者，当用花蕊石散。该方以清凉化瘀为主。肺如橐籥，下无透窍，一旦破络血溢，必然停留于内而致瘀血。瘀血留内，必致血行不循常道而溢于肺外，再度出血，甚至狂吐不休。凡遇此等情况，急投花蕊石散，既能化瘀，又能止血。如此，疏闭畅流，壅滞一开，血归于经，环行不息，不复上壅，则血自止矣。陈修园《十药神书注解》云：“治吐血者，竞推葛可久，而先生首以两方止血，明明劫剂，毫无顾忌，细玩始知先生意之所到，理之精也。”

2. 缓则治本

肺痨之缓，治则固本。一曰：注重滋阴润肺降火，反对大寒大热之药妄投乱进。如保和汤、保真汤和太平丸，虽各有所主，但知母、地黄、天冬三方共有之，麦冬、天花粉、熟地黄相间入内，百合、百部、阿胶润肺之品寸步不离。二曰：益气健脾，培土生金。脾气以升为顺。葛氏保真汤中有红参、黄芪、白术、柴胡、甘草等健脾益气升清之品，以制滋阴药物沉降之性，以悦脾气之升发也。

3. 以食平疴，脾肾同治

葛氏对脾胃虚损、精血亏虚者用白凤膏和补髓丹。方药组成：黑嘴白鸭、猪脊膂、团鱼、乌鸡、明胶等血肉有情之品，掺有大京枣、参苓平胃散、大山药、莲肉、霜柿、陈酒等果菜类。肺痨日久，肌肉消瘦，气衰言微，恐非药物能治，故以此等血肉有情之品，补益脾胃，填补精血，可救人于膏肓。

1968年，曾遇一肺结核空洞女患者，该患者骨瘦如柴，卧床三年，肢不能任身。余以上方加进阿胶，以膏方通治一年，能站起打太极拳，可谓奇迹。

4. 对后世之影响

葛氏治肺痨“火乘金位”的理论影响了后世。汪绮石《理虚元鉴》称“肺有伏逆之火”，“火炎攻肺，而气不得下输，则气多壅塞……肺气一伤，百病蜂起，风则喘，痰则嗽，火则咳，血则咯”。尚有潮热、骨蒸、盗汗、遗精白浊等各种症状，均系肺中伏火所致。汪氏治痨强调以肺、脾、肾三脏为主，因“肺为五脏之天，脾为百骸之母，肾为性命之根，治肺、治肾、治脾，治虚之道毕也”。汪氏治肺痨之理法方药，大多本于葛氏之论也。

龚居中《红炉点雪》指出：“人身生生之根，根于金水两脏。一水既亏，则五火随炽，火炎灼金，伤其化源，则生生之机已息，而痨瘵之主成矣。”龚氏于痨瘵之证治，亦不外清金润肺益水，补益脾肾，以熟地、五味、玄参、山药、枸杞之类滋肾益水，以蛤蚧、阿胶、二冬、百合、天花粉之属润肺，与葛氏《神书》如出一辙。

然而，今人认为，《十药神书》亦有不完美之处，如强调肺痨“火乘金位”之论，偏重于内伤说，忽略了痨虫为害；注重清金、润肺、降火，轻视了杀虫药的应用。如杀虫与滋阴降火同用，肺、脾、肾同时兼顾诊治，当是肺痨治则的一大进步。

程国彭之《医学心悟》

程国彭，字钟龄，号恒阳子，法号普明子，安徽歙县人。他生于康熙年间，是一个佛教徒，著有《医学心悟》《外科十法》，其中《医学心悟》流传甚广，对海内外产生了一定影响。

1. 治学严谨，博采众长

程氏《医学心悟·自序》中写道：“余少多病，每遇疾则缠绵难愈。因而酷爱医学，潜心玩索者有年……”“历经三十载，殊觉此道精微。思贵专一，不容浅尝者问津；学贵沉潜，不容浮躁者涉猎。”此番心得，足见其业精于专。诚如门人吴体仁所云：“吾师钟龄程先生，博极群书，自《灵》《素》《难经》而下，于先贤四大家之旨，无不融会贯通……先生学弥精，心弥下，年末备极攻苦，常彻夜不寐，天未曙，辄剪烛搦管，举平日所心得者，一一笔之于书，间有未缜细者，必绳削之，至于尽善而后已。”

程氏主张“学贵沉潜，不容浮躁”。他教诲其徒：“读是书，而更加博览群言，沉思力索，以造诣于精微之域，则心如明镜，笔发春花，于以拯救苍生，而药无虚发，方必有功。……永杜夭札之伤，咸登仁寿之域。”因而，其能自学成才，在当时医界享有盛名，求治者众，受教者多。

程氏宗《内经》之旨，师仲景之方，而能得其要，执简驭繁，圆机活法，博采各家之长。他说：“仲景立法精粹，学者宜致思焉。”他希望后学者能“渐登仲景之堂而入其室”，并盛赞“仲景用药之微权，而其用心之良苦”。

然而，程氏并不停留在前人的现成理论上，而是有取舍、有创新。《医学心悟·凡例》说：“仲景论伤寒，而温热、温疫之旨有未畅。河间论温热及温疫，而于内伤有未备；东垣详论内伤，发补中、枳术等论，卓识千古，而于阴虚之内伤尚有缺焉。朱丹溪从而广之，发阳常有余、阴常不足之论，以补前贤所未及。……不知四子之书，合之则见其全，分之即见其偏。”这种集先贤之智，而又能纠其偏的高尚学风，古今乏见矣。

2. 学术之独见

程氏论“火”字之虚实，独家之见也。

中医之“火”，自《内经》问世以来，论述颇多，如壮火、少火、天火、人火、君火、相火、龙火、雷火种种。程氏宗丹溪之说，以虚火、实火概括之。他指出：“夫实火者，六淫之邪，饮食之伤，自外而入，势犹贼也。虚火者，七情色欲，营役耗神，自内而发，势犹子也。”接着他以类比之法，提出治火之法：“贼至则驱之，如清散、清凉、攻伐等药，皆可按法取用……不逆则安之，如补气、滋水、理脾等，皆可按法施治。”且能详尽地阐述驱贼火与养子火之四法。

驱贼火有四法：一曰发，风寒壅闭，火邪内郁，宜升阳散火汤之类散发之；二曰清，内热极盛，宜用寒凉，宜黄连解毒汤清之；三曰攻，火气郁结，大便不通，法当攻下，以承气汤类釜底抽薪攻之；四曰制，热气怫郁，清之不去，攻之不可，此本真水有亏，不能制火，所谓寒之不寒，是无水也。当滋其肾，如地黄汤类可用也。

养子火有四法：一曰达。肝经气结，五郁相因，当顺其性而升之，所谓木郁则达之，如逍遥散之类是也。此以一方治木郁而诸郁皆解也。二曰滋。虚火上矣，必滋其水，所谓壮水之主，以镇阳光，如六味地黄汤之类是也。三曰温。劳役神疲，元气受伤，阴火乘其上位。经曰甘温能除大热，如补中益气汤之类是也。四曰引。肾气虚寒，逼其无根失守之火，浮热于上，当以辛温杂于壮水药中，导之下行。所谓导龙入海，引火归元，如八味汤之类是也。

程氏治火之法，贼则宜攻，子则宜养。然则邪盛正虚之时，用攻补兼行之法，或滋水制火之法，往往取效。是知养子之法，可借为驱贼之方。盖养正则邪自除，理之所有；伐正而能保身，理之所无也。

建平刘某某，43岁，感冒后渐发惧光症，经久不愈。初起，不能见阳光，外出必以伞帽遮阴，进而闭门不出，倘遇阳光照射，便觉周身似火，不能自制。后来，白昼之光与灯光皆惧，整日躲在阴暗角落，曾四处就医，均未见效。

2010年，其来所就诊。四诊过后，知其乃肾阴不足之虚火上炎，需用滋法，所谓壮水之主，以镇阳光，用六味地黄汤，数倍使用熟地，十剂乃愈。

老伴田氏，75岁，患无名火烧灼症，久延失治，经久不愈。昼则热透衣巾，倘身旁掠过，似有热浪来袭之感。室内避光，林荫纳凉，路口当风，河边戏水，不解火灼之热。入夜，热透褥被，似有大火烤烧之势。移动卧位，变换睡姿，赤身裸体，席地而卧，尚不解热流涌动。此热之凶，常致失眠、心悸、牙齿松动，然体温测试，从来都在正常值内。

曾以阴虚发热论治，投清骨散加减，以鳖甲滋阴清热，以银柴胡、知母、胡黄连、青蒿、地骨皮、秦艽清退虚热，以玄参、生地黄、制首乌加减，增强育阴清热之功，却不见效验。

曾以甘温除大热法，投补中益气类，无效。

亦曾以壮水之主以镇阳光法，投六味地黄之属，均无效。

2009年，去北京寻国医大师问诊，因没有舌苔参考，以八味汤类，导龙入海、引火归源，仍无效。

近年，读《景岳全书·杂证谟·寒热》:“阴虚之热者，宜壮水以平之；无根之热者，宜以火焙之。”参照《医学心悟·火字解》:“七情色欲，劳役耗神，子火也。子可养而不可害”；养子火四法：“一曰达……所谓木郁则达之，逍遥散类是也。”思老伴之热，实乃木郁不达之象也。

余家乃乡里一等贫困之家，故无读书之机，食无三餐之饱。结婚时，余23

岁，那时虽已踏上教育战线，却因工资不足30元而仍是贫困户。

家庭的贫困，生活的拮据，余在家中的无助，使得老伴身心遭受了极大的伤害。时光已过几十年，件件伤心往事，老伴历历在目，至今不能释怀。早晨诉说，晚上诉说，在家里诉说，在诊所诉说，向朋友诉说，向患者诉说，甚至连事件发生的年、月、日、时都牢记于心。我以为老伴患了脑萎缩，经脑部CT检查，却没有任何异常。于是，我翻阅中医经典，始知老伴长年累月，木郁成积，郁滞心胆，热结膜原，热发肌肤，非达不足以解除肌热。于是开出新的方剂：

柴胡10g，黄芩10g，枳壳15g，陈皮15g，草果10g，厚朴15g，青皮10g，槟榔10g，荷梗10g，甘草6g，葛根30g，防风10g，羌活10g，升麻8g。水煎服，一日一剂。

方中葛根升阳，清肌散火，柴胡疏达膜原，黄芩苦泄膜原之郁热，枳壳、桔梗开上，厚朴、草果疏中，青皮、槟榔达下，众药相合，开达三焦之气机，使膜原伏邪从三焦外达肌腠，并佐以荷梗透之，甘草和之，二十年之伏热去矣，三年后体检如常。

赵晴初与《存存斋医话稿》

赵晴初（1823—1895），字彦晖，晚号存存老人，会稽（今浙江绍兴）人，为清末浙江名医。幼攻举业，20岁为秀才，兼长诗词六法。后因兵乱，家境中落，慈闱衰老，乃绝意进取，遂潜心研究医理而立身杏林。赵氏天分过人，生平手不释卷，四方求医者日益众多，继而名噪南北。时与江苏马培之、乡里何廉臣、桐乡陆定圃同邀会诊，商磋医理。花甲后修持净业，博阐医籍，著有《存存斋医话稿》《药性辨微》等十余种。

《存存斋医话稿》系赵氏40年读书、临证之心得。他说："余自已冠后，喜读医书，有所见闻，随手识之，间附以心得，以备他日之参考。"

观其医稿，赵氏为医有如下特点。

1. 察病投方，务需推详

赵氏认为"医为仁术，乃苍生之救主，故需博极医源，具应变之力外尤当安神定志，发大慈恻隐之心，誓愿普救含灵之苦"。何廉臣在《医话稿》序中谈道，他与赵氏会诊时，见其临诊辨证，反复推详，选药制方，心思周到，往往一味佐药，亦费几许时刻思想而得，一得即全方灵透，历验如神。赵氏严谨的态度，与那些临证不思索、只求富贵之徒相比，实为天壤之别。

诚然，认真察病、谨慎用药，是医者所必具，有因名利而忽之，有因图省而悬方，代有其人。而赵氏针对时弊，深恶痛疾，实为吾辈之榜样也。

2. 融合己见，驳偏修正

《素问·调经论》："五脏之道皆出于经隧，以行血气，血气不和，百病乃变化而生，是故守经隧焉。"赵氏认为"经隧"是营卫所行之道路，医者治病应"遵《内经》守经隧之训，加意于营卫可也"。营卫者，乃生身之大关键，两者皆水谷精气所化，营行脉中，营养周身；卫行脉外，捍卫躯体。守经隧即护营卫，营卫和则气血行，何病之有？赵氏使后人正确理解了经旨，有效地指导了临床。

《素问·痿症论》："治痿独取阳明。"即治疗五痿当独取阳明为主。而赵氏认为，此"痿"字，作阳痿解可也，作外肾解可也。因为阳明胃府，位镇中宫，上合于鼻，下合外肾。赵氏指出："治阳痿当遵《素问》'治痿独取阳明'之旨，弗沾沾于补肾壮阳焉可已。"这一独树一帜的见解，非有融会贯通的理论与扎实的临床实践不可。

肺痿一疾，初起痰如泡沫，唾白如雪，继而干咳无痰，后期痰凝如胶，痰多不利。余少时炼制"丹药"，其汞剂烟尘破坏了肺间质，形成了肺间质纤维化（肺痿）。疾病的转化经历了初时的唾白如雪，中期的干咳无痰，经沙参、麦冬类的治疗，干咳无痰转化为有痰，咯痰不出时，又加泻白散；痰多不利时，两胁胀满，加服中满分消汤而不化。

读赵氏《存存斋医话稿》，余豁然开朗。赵氏提出成痰之因"皆气为之"，治痰当治气。痰为湿，"为津液所化，……其所流行聚止者，皆气为之也"。痰的形成为脏腑的气化功能受阻，以致水湿停聚而成。他归纳了"痰之患内于液不化，液之结由于气不化，气之为痰不一，故痰之为痰亦不一，必本其所因之气，而后可治其所结之痰"的结论，故不可见痰治痰，亦不可单以利湿化痰治之。赵氏这一新的观点，有力地抨击了当时治痰不进行辨证，概以千古除痰圣方"二陈"的弊病，"二陈"因于湿者固宜，无湿则何以当之？

依照赵氏对痰的认识，以通气散加入抗纤救肺汤中疏通气机、养阴救肺，很快凝痰散结，缓解了肺痰末期痰凝如胶之苦。

《柳选四家医案》选读

《柳选四家医案》为柳宝诒先生选评。是书集清代江南名医尤在泾、曹仁伯、王旭高、张大曦所著医案精华，且案语精辟，读后深感治痰之法各异，分述之，共享其验之精。

1. 王旭高治痰从肝论治

余家藏有《王旭高医书六种》，展读知其以治肝见长。以治痰为例，多从肝着手，他认为“肝逆犯胃，聚液成痰，内风掀动，阳气偏张，痰亦从之为患”，“血虚不能涵木，筋脉失养，虚风走络，痰涎凝聚”，“故欲化胃家之痰，必先清泄肝家之风火”。临床每遇呕吐、胸膈不利、脘腹撑胀，甚则眩晕痉厥，选药多用羚羊角、旋覆花、栀子、钩藤、石决明、生地黄等清肝熄风，半夏、竹茹、竹沥、川贝、郁金等和胃化痰之品。

2. 尤在泾亦认为肝风与痰浊关系密切

他说：“脾饮肝风，相合为病。”乃以二陈、姜汁、竹沥除痰饮，丹皮、白芍、羚羊角、蒺藜、首乌、天麻治肝风，两层俱到，机圆活法。又如“头眩脚弱”之证，其病机为“木旺乘土，土气不宜，痰涎郁聚，传走经络”，其“头眩脚弱，有似虚象，实则未可徒补也”。宜熄风化痰，药用“首乌、橘红、茯苓、薏苡仁、木瓜、钩藤、蒺藜、半夏、炙甘草”治之，其效可喜。

尤在泾治痰，善调中下二焦，如胃虚痰浊中阻，多用《金匮》麦门冬汤取效。对痰饮治法，他极倡导外饮治脾、内饮治肾。如治咳喘因肾失摄纳所致者，皆以肾气丸加补骨脂、五味子、沉香等敛摄肾气，并减牛膝、肉桂等“治喘之要药”，因牛膝之滑泄，不利于肾气之固；肉桂之温摄，又不利于痰邪内束，用药颇为切实，为后学开一悟境。

3. 曹仁伯治痰善治基本

曹氏认为：“痰因湿酿，湿自脾生。”临床多用理中汤、六君子汤、二陈汤、六味地黄丸等。

一女子因迁怒“陡然语言謇涩，口角流涎”，且脉息迟弦，小水甚多，肢麻无力。曹氏认为其证为“痰气为标，阳虚为本……治宜扶阳为主，运中化痰佐之”，方选六君子汤加川附、白芍、麦冬、竹沥、蝎尾以益气扶阳，化痰熄风。本病因怒而起，似兼肝阳，而用药不避参附，正合治病必求其本之旨。无怪乎柳宝诒先生按曰："看似寻常，最奇特也，勿以平易忽之。"

对癫痫的辨治，曹氏亦有卓识，如痰火内盛者多以导痰汤加石菖蒲、远志等化痰清热；同时认为"痫证之因，未有不由乎龙雷之火上升为病，故当以滋水柔木为主，以六味丸加龙齿、石决明、半夏、胆星、栀子、川连、川贝之属取胜"。

4. 张大曦通痹化痰，用药轻灵

名医张大曦治疗痰火，以通痹为先。有一痰火内郁之人，张氏摒弃泛泛之论，将病因归咎于肺，谓病机为伏火挟痰，肺气闭窒不通，拟以开结通痹为先。因肺为娇脏，选药宜轻，以旋覆花、玄参、炒竹茹、瓜蒌皮、薤白、紫菀、橘络、安息香、生铁落治之，方中除生铁落外，概取轻药。

一患眩晕之女，"按脉证乃湿郁上犯，挟浊痰腻膈所致"，拟化湿化痰之法，选药亦多为煨草果、炒苏子、旋覆花、佩兰叶、厚朴、藿梗等轻清之品。

余对《柳选四家医案》中王旭高、尤在泾、曹仁伯、张大曦四先生论痰之治痰法各有侧重之说，见之皮毛，归纳探析。四先生学有渊源，议病用药各有独见，一案一论虽然局限偏颇，然则其侧面治痰之法，悉有见地，有助临床。

孙一奎之《赤水玄珠》

孙一奎，字文垣，号东宿，别号生生子，安徽休宁人，是明嘉靖、万历年间的名医。

孙氏自幼聪颖，精研医术，名动三吴。他在医学理论上造诣较高，擅长内科杂病，著有《赤水玄珠》三十卷、《医旨绪余》二卷、《生生子医案》五卷。后人将孙氏三书合刻为《赤水玄珠全集》。

孙氏秉承庭训，善于独立思考。究心于《素问》《灵枢》《难经》，或医门别派，常有独到的见解，反对亦步亦趋。

1. "治痿独取阳明"之论

《素问·痿论》云"治痿独取阳明""阳明为五脏六腑之海，主润宗筋，宗筋主束骨而利机关"，因此"独取阳明"几成千古不刊之论。

此论，孙氏不能苟同，他认为这不过是"治痿之大概"而已，其实"不专于阳明"。他说："五痿者，筋痿即当治肝，脉痿即当益心，骨痿即当滋肾……而且其病或有血虚、气弱、湿热、瘀痰之种种不同，岂可泥于此论，只取阳明而治之？"他指出："各补其荣，而通其俞，调其虚实，和其逆顺……实治痿之纲领也。”

2. 颤振

颤振，人皆谓肝风内动也，平肝治之。然而，平肝之法轻者可以，重者难于建功。对此，孙氏指出：“此病由木气太过而兼化火……木之畏在金，金者土之子，土为木克，何暇生金，……由是木挟火势而寡于胃，反侮所不胜。”（《医旨绪余·颤振》）既然木之有余多由于金之不足，在治疗上理应“补肺金以平肝木”。

由此而知，孙氏其学养功夫之深矣！

3. 命门

命门学说始于《难经》，盛于金元，最后完成于明季。

孙氏生于承先启后之明季，他认为命门即“先天之太极”，实即两肾间的动气，以其禀生于有生之初，故又称作“原气”，为生生不息之机。此“原气”者，“即太极之本体也。名动气者，盖动则生，亦阳之动也，此太极之用所以行也；两肾，静物也，静则化，亦阴之静也，此太极之体所以立也”（《医旨绪余·命门图说》）。由于动静无间，阳变阴合，五行由此而生，脏腑以继而成，为“造化之枢纽，阴阳之根蒂”，故称作“命门”。

孙氏反对左肾右命门之说。“两肾皆所以藏精，命门在两肾之间，即一阳生二阴之间；又命门既为原气，则其非水亦非火。”他的本意是水火都是有形质的，原气为气，则无形质可言；气属阳，故若谓之阳则可，谓之火则不可，谓之相火则尤属妄论。

命门原气是推动和激发诸气流行的原始动力；宗气出于上焦，为诸气宗主；营出中焦，营于内；卫出下焦，卫于外。如此，上中下各有专司，互相配合，互相促进，与原气总为一气，生生不息，无时或止，为生命活动的根本。

4. 君火与相火

对于君火与相火的问题，孙氏认为心为君火，包络、三焦为相火；正火可言君相。若时令之火，自外而至；五志之火，自内而生，此即邪，何得妄称君相？以君火为人火、相火为天火之说更不可通。

5. 三焦

孙氏谓三焦为“原气之使”，充沛于上中下三部，无所不至，在人体气化功能上居于首要地位，他赞同《难经》“有名无形”之说。

6. 脾胃论

孙氏赞同李东垣“脾土一伤，乃生百病”之说。他说“吃紧处只在保护脾胃为主”，“缘脾胃喜温而恶寒”，所以治疗虚损，最忌漫投滋阴降火苦寒之药，损伤脾胃生气。他斥“气无补法”为“俗论”，认为见痰治痰，多用克伐利药，脾气下陷，痰反易生而多；中满腹胀，痞闷壅塞，似难用补，不思外由脾土受伤，转输失职，升降失调，若以虚为实，恣用攻下克削，气愈虚而胀愈甚。他治痰病，常从调理脾胃入手，以杜生痰之源，认为“二陈汤只能治痰之标，而不能治痰之本”。《赤水玄珠》中有许多用温补治病的案例。

孙氏最大的特点是，在学术上不存偏见，对前人之说，择善而从，用其长而去其偏。如治疗杂病，每能师法丹溪，于气血痰郁的辨证论治，颇有心得；但对丹溪以君火为人火、相火为天火之说则屡加非议；对其弃“痹”而言痛风则斥之为“因名迷实，流害已久”；即使对仲景，以其对“泄泻”与“痢疾”混论未析，也提出批评。

孙氏之《赤水玄珠》，可荐一读，其荟萃群说，而后参己意以贯通之，乃为特色。

如眩晕一病，他采录了河间之肝木兼于风火之化；成无己的伤寒汗、吐、下后之虚；严用和之四气七情；张子和之停饮；丹溪之痰火、湿热、气虚、血虚、瘀血；戴元礼之阳虚；刘纯、林仁之阴虚等诸家之论，参其立法制方之各有发明，指出学者不可为成说所缚，如仅执其一，则不能圆治贯通，而诸病皆有寒热虚实，不可不辨也。

怀抱奇与《古今医彻》

怀远，字抱奇，云间（今上海市松江区）人，清嘉庆年间名医，生卒年无考。怀氏少治儒术，壮岁弃去，遂隐于医，博览广集，揣摩经验，历二十余载著成《古今医彻》一书。书之特点，凡“昔贤未发者补之，今人沿谬者正之，取所当疗治多疑难而已效者，据证案末”（顾序），体理灿然，博而有要。故曾多次翻刻，流传较广，并被编入《珍本医书集成》。是书凡四卷，从理论结合经验，由经验佐证理论，反复说明治病之必宜通权达变，不可拘执成见，因而不乏可资借鉴之处。

1. 通权达变

怀氏不仅细玩《内经》《伤寒论》之旨，且博览广集，综各家之长，立持平之论。顾开雍序中言道："夫抱奇氏居中央斯量地气之刚柔，和物化斯相古今之浓薄，既升仲氏之堂，旋入东垣之室，兼而济之，各存其是。"

以中风为例，其论中风既挹诸家之流风，又参自家之主见，而从心肾不交立论，认为"河间谓五志过极，言其因也；东垣谓本气自病，言其本也；丹溪谓湿热生痰，言其标也；而究其根，则在于肾元不足所致"（《古今医彻·卷二·中风论》）。凡心不下交于肾者，用归脾汤养育心神为主，而以八味丸为佐；肾不上交于心，则用地黄饮子补益真阴为主，而以独参汤为佐，加之调停恰当，则轻者可复，重者可延。并指出，稀涎散等方，只可暂用，不可长服。若不求其本，一味率投风药、痰药，是乃舍本求末。

怀氏善于独立思考，对古人经验多别有领悟，师古而不泥于古。

如对伤寒"寒邪直中"之说提出异议，从仲景取方，止曰救里，悟出"此非外中之寒，乃本身无火，命门真原，早已衰绝，即不受寒，而阴惨之象，已居于身中，偶尔触之，而遂至是也"（《古今医彻·卷一·阴证论》）。这一认识对后世临床有一定的指导意义。

怀氏对伤寒汗、下等法多有独到见解，善于通权达变，谓"治伤寒法，不可不汗，不可轻汗，不可大汗，不可再汗，不可误汗。明乎此者，庶入仲景之室，而免文伯之恐也"（《古今医彻·卷一·伤寒论》）。他指出：凡冬月正伤寒，头痛壮热，畏寒拘急，脉紧盛而无汗者，不可不汗，予麻黄汤，前症虽具，或感非时暑寒者，不可大汗，只宜羌活、紫苏、防风、荆芥、葛根、陈皮、川芎、甘草等，量症加减，麻黄汤则非其所宜；前症虽具，或元气虚弱，或向有杂病，及产后、痘后、失血后等，则不可轻汗，若果有冒寒，可以荆芥、防风、紫苏、葛根、甘草、陈皮等，微解其表；若前症虽具，但曾经发表出汗者，则不可再汗；恶寒发热，杂症皆有，即使是一疮一疖，也不可误汗，当审证论治。他主张攻里之法"宜缓不宜速，宜平不宜峻，宜专不宜杂，宜升不宜降，宜润不宜燥"（《古今医彻·卷一·里症论》）。指出邪在上中二焦者，则宜缓不宜速，以免遽下成结胸痞气；风寒饮食所伤者，则宜平不宜峻，唯用辛温苦平之剂，以防莪术、大黄等峻厉重伤胃气；既伤于食，则投药宜专不宜杂，必审何物受伤，何药能治，一物一治，用的为君，而以他药佐之，庶易见功；凡物之理，有升必有降，有降必有升，故攻下也恒当注意上升的一面。他每以葛根鼓舞胃气，柴胡条达胆气，而后加以内下通消之品，则升降得道，而奏功自易，此即宜升不宜降。“大肠主津，小肠主液，肾为胃关，又主五液，其所以能变化传导者赖此耳。”故运用下法还应注意宜润不宜燥，以免辛热燥烈之品竭液伤津。

2. 脾肾为先

怀氏临证，扶正祛邪，重视脾肾。指出“肾受五脏六腑之精而藏之，五脏盛，乃能泻；脾运水谷之精而日生之，以灌于脏腑”（《古今医彻·卷二·虚损论》）。脾肾一亏，根本不固，则枝叶凋零，故凡病皆宜先俾根本坚实。

关格一症，上则格而不入，下则闭而不通，而见呕逆胸满、尿闭腹胀者，多从肾论治。以八味丸导火归元，又能复其真阴，“出万死于一生，济无穷之夭枉”（《古今医彻·卷二·关格》）。

其治血症，则从脾肾立论，指出“有形之血，固于无形之气；无形之气，资于命门之火”。故治失血证，上必顾其脾肺，下必滋其肾元，切忌苦寒以伐之。大便下血，元气下陷，以补中益气汤加槐花、槐角、地榆主之；牙宣出血，一般以六味丸加骨碎补，虚寒者则以八味丸加骨碎补等。

干祖望《古医籍各家证治抉微》序

今日中医，正踯躅于“存、废、兴、衰”十字岔口，何去何从？唯人自召。不过事已石出，仅有“习故纳新”四字为唯一可走光明大道，其谁能否之！盖习故，始可求存避废；纳新，才能有兴无衰。事出两法，情属一宗。唯纳则奏效速而明，习故则求功缓而晦。但孰重孰轻？则纳新远逊于习故。

古训“学而时习之”。盖仅学而不时时习之，非徒学无上进，抑且有遗忘不能，一也。“学如逆水行舟，不进则退”，求进唯有习，二也。不习则髓海空虚，泥丸茅塞，虽有济世之心，奈无拯人之力，三也。新如四海能人，习似一椽广厦，广厦未筑，焉能容纳能人，四也。不学不习，则胸乏点墨，一如萍藻无根，滚雪缺球，五也。身列杏林，治病乎？治证乎？两难分清；西术也，西药也，一触即合，六也。其能不弃中医而蜕化为西医者，未之有也。即使仍用中药，仅仅沦落为用中药的医生耳。此等胸无中医之术，貌存中医之形，真正中医将无遗类矣！

老友江君一平，同业于医，同痴于书。今编斯集，既与人以学而时习之工具，更显示以学而时习之动力。对中医求存求兴、避废避衰之功，不可衡量，乐为之序。

（三）自悟篇

古今长寿药之谜

人之生与死，自然规律，不可违也。历史上，帝王之尊欲求长生，误服金丹致死者不乏其人。

随着炼丹术的发展，人们开始服用炼制过的复方矿物药。三国时期的魏尚书何晏服用炼制的五石散（硫黄、白石英、紫石英、石钟乳、赤石脂），体力转强，轰动整个京城。魏晋南北朝时期，“服石”风靡一时。后来人们发现，过量服用矿物药常可导致癫狂，造成痼疾，乃至中毒死亡。所以，自唐代以后，人们开始将植物药与矿物药同时并用，形成了唐宋时期延年益寿方的新风貌。如唐代《外台秘要》的“茯苓散”、《千金翼方》的“彭祖延年柏子仁丸”，北宋《太平圣惠方》的“老君益寿散”、《太平惠民和剂局方》中的“玉露丸”，等等，就是这方面的代表。

宋以后，益寿延年药方真正转向以植物药为主。如金元时期《丹溪心法》中的还少丹，元代《瑞竹堂经验方》中的“琼玉膏”等。

传统中医学认为，人体之衰老，关键在于正气不足和阴阳失衡。《内经》云：“能知七损八益，则二者（阴阳）可调，不知用此，则早衰之节也。”因此，益寿延年药物多重在补虚，补五脏。然而，不同时期却有侧重。唐宋以前的延年益寿药多是补心肾为主，兼补五脏。金元至明代，则多重于补肾。明清以后则重视脾肾双补。如《串雅外编》中的“长寿粉”“九宫王道糕”，《寿世保元》中的“阳春白雪糕”，《万氏积善堂秘验滋补诸方》中的“参苓造化糕”，等等，不仅重在补脾，而且注重膏方的工艺制作。

纵观历代延年益寿诸方，我们却惊奇地发现，通腑之剂在养生延年中却有经天纬地之功。

走方医秘而不传的“大补糕”风靡于世，其实，它的原料只有山楂与大黄。

清朝，北京大栅栏同仁堂一带，兴盛一时的“通补糕”，也只是有大黄一味原料。

以大黄作为补药，巧妙地将补与通有机地结合起来。“以通为补”，是通过调动人体脏腑功能达到补益的目的。

《中藏经》有云：“其本实者，得宣通之性必延其寿；其本虚者，得补益之精，必长其年。”东汉思想家王充说：“欲得长生，肠中常清；若要不死，肠中无渣。”可惜这种理念在历史长河中未被人们认识。清代杨栗山高屋建瓴，真正认识了这一理念的内涵，他说：“人但知建良将之大勋，而不知有良相之硕德。”先祖刘仁接受了杨之卓见，一改长寿药用参、芪、术、苓、茸之峻补，而以枸杞、银杏之花、叶、根、果为主药，以大黄通腠理，注意工艺制作流程，果然刘氏长寿地仙丹独树一帜。先祖刘仁寿高138岁，刘熹寿高79岁。岳母终年99岁，舅丈终年91岁。余现年八十余，将刘氏长寿地仙丹加进中国中医科学院之灵芝孢子粉，十日服一丸，每月去外地巡诊毫无疲劳之状。

《神农本草经》谓大黄“下瘀血，血闭，寒热，破癥瘕积聚，留饮宿食，荡涤肠胃，推陈致新，通利水谷，调中化食，安和五脏”。

《日华子本草》谓大黄“通宣一切气、调血脉，利关节，泄壅滞、水气，四肢冷热不调，温瘴热痰，利大小便，并敷一切疮疖痈毒”。

临床可见，以大黄入长寿药中，“得通宣之性延其寿，得补益之精长其年”，不传之秘也。临床偶拾，价值万金。

药有个性之专长，方有和群之妙用

2001年，余申报“普济早搏胶囊”国药准字。按照国家药品监督管理局要求，报批方剂的药味数不得超过10味。经化裁后的“普济早搏胶囊”，保留了炙甘草、生地黄、麦冬、麻仁、紫石英、黄芪、红参、泽泻、甘松、琥珀10味药。临床观察却意外地发现简方“普济早搏胶囊”有下痢之虞，许多患者反映不佳，我百思不得其解。

同年8月，带着这个问题，我专程去北京三芝堂请教国医大师路志正。路老参照原方，沉思良久，说：“此方不可将桂枝删除。《长沙药解》言‘桂枝入肝家而行血分，走经络而达荣郁。善解风邪，最调木气，升清阳之陷脱，降浊阴之冲逆’。将其易除，全方气化无权，下痢现矣。”遵路老之嘱，重将桂枝纳入方中，果然下痢之虞去矣。

后日重返北京三芝堂，探寻究竟，路老说："药有个性之专长，方有和群之妙用。临床用药，不可不察。"

接下来路老向我讲述了流传已久的江南杏林轶事：

"名医程门雪开业时，声名大震，曾治疗一个慢性泄泻之人，用常规调理脾肾之法，久而无功。后来病人带着程氏处方求治于沪上名医王仲奇。王诊察甫毕，索阅程氏处方，凝思片刻，在方笺上批了'上方可服，再加蛇含石4钱'语，便离去。病人未及多问，只好照服。孰料这张屡服无效的方子，仅仅加上一味药，只服几剂，竟使多年痼疾痊愈。程氏知道后惊异不已，深慕王氏医术高明。"

经查，蛇含石出自《本草纲目》，功能安神镇惊，止血定痛，似非治利之品。然王氏治泻用之，确为独到经验。

"药有个性之专长，方有和群之妙用。"只有多读名家医案，留心其独特用药经验，以广识见，积之日久，自然羽翼丰满，临证见微，方可得心应手。

刘氏家传"神力仙丹"，治疗早泄阳痿，名传关内外。一日，一商界高层找到我，言其父早泄阳痿之甚，能否医治？我慨然应允。孰料家传"神力仙丹"竟然无效。翻阅读书笔记，见辽宁中医药大学原理论教研室李德新教授有一段话："老年早泄阳痿，多为老年肾水亏虚，气化无力，则水停、津凝、血瘀，久之浊瘀搏结，阻于下焦，由此而引发性功能障碍，非桂枝不可当此大任。"遂投神力仙丹，每日一丸，以桂枝为引药，一日三次，半月有效。

桂枝，破痼冷，温脾胃，补肾散结，通畅窍路，治疗老年阳痿，可引药力直达病所，尽显个性之专长和群之妙用。

于是，我想到"《千金》炙甘草汤"治疗"心动悸、脉结代"，为什么能成为千古临床圣方，就是因为方中的桂枝，于大剂阴药中，能借助其阳性，主动以推之激促之之个性，药力上入于心，催动血行，"结代之脉去，动悸之证止"。

认识癌症，预防癌症

癌症，一个令人谈之色变的名字，一个目前还无法攻克的难题。它是威胁人类健康与生命的头号杀手。

然而，癌症并非绝对的不治之症。世界卫生组织指出："约三分之一癌症是可以预防的；约三分之一癌症通过早发现、早诊断、早治疗是可以治愈的；还有三分之一的癌症通过适当的治疗可以延长生存时间，提高生活质量。”防治癌症最重要的方法就是认识癌症，早期捕捉癌症信号、早期诊断和早期治疗。

一、认识癌细胞

癌症的发生，主要是人体内出现了癌细胞。癌细胞是由人体内正常细胞衍生而来，与正常细胞不同，它能够无限增殖，还能转化和转移，具有超强的生命力，也因此难以被消灭。

癌细胞的形成是一个基因突变的过程。在医学上，可能发生突变的基因被称为原癌基因，它源于一种显性基因，只要有一个等位基因发生突变，就有可能引起细胞癌变。

人体细胞还存在一类特殊基因，叫作抑癌基因，这种基因能够起到抑制细胞增殖的作用。它的缺失或失活，也有可能导致人体产生癌细胞。抑癌基因与原癌基因不同，抑癌基因属于隐性基因，只有当两个等位基因都发生突变失活时，才有可能引起细胞癌变。

医学专家指出，癌症起始于细胞的癌变，癌细胞源于基因突变，而基因突变则由各类致癌因素引起。因而，要预防癌症的发生，战胜癌症，必须首先了解致癌因素。

二、认识致癌因素

很多人认为，每个人体内都含有癌细胞，只不过这些癌细胞没有发展起来。然而，临床研究表明，致癌因素才是导致人类患癌症的重要原因。那么，引发人体产生癌细胞的因素有哪些呢？

1. 化学致癌因素

化学因素是导致人们患上癌症的主要原因，其来源广泛，品类繁多，广泛存在于人们所熟悉的事物里，如食物、生产作业环境、农药以及各类医疗药品。

黄曲霉素可导致肝癌的发生，它是极强的致癌物，常见于人们所喜爱的花生、玉米、大米等食物中。

李家存在原癌基因突变倾向，其家人丁兴旺。其母是从苦日子过来的，勤俭持家，省吃俭用，常常大米酸沤腐黄了也不愿扔掉，炖小白菜变质几天还要端上饭桌，如此年复一年，十八口之家竟有两人原癌基因发生了突变，酿成了悲剧。

2. 物理因素

物理因素是仅次于化学因素的第二大致癌因素，包括创伤、机械性刺激、紫外线、放射线等外部环境对人体的刺激。所以，人们在平常生活中一定要倍加小心，不要让自己受到不必要的刺激和伤害。

齐氏女，常常怀疑自己得了乳腺癌，理由是其母与姐皆因癌症去世，惟恐遗传到自身，因而常去医院做 X 线检查。两年后，他果然自身原癌基因发生突变，癌细胞大量滋生。

3. 生物致癌因素

实验证明，有 30 多种肿瘤是由病毒引起的。如科学家曾在诸多鼻咽癌、肝癌、宫颈癌等患者的血清中，发现了相应的病毒抗体，这说明病毒同某些肿瘤的关系密切。

生活中，有人喜欢腌制和烧焦的食物，岂知这些东西致癌风险极高。

空气中的多环芳烃化合物的污染，也常常危害人体健康，严重者可诱发肺癌、鼻咽癌、食管癌等。这些化学致癌因素不能不防。

此外，还有一种致癌因素，就是生活紧张、情绪低落、长时间精神抑郁，即使没有原癌基因，在一定条件下，也可引起特发性癌基因突变。

三、癌症治疗——强大淋巴细胞

癌症之所以被认为是不治之症，是因为癌细胞表面有一层薄膜，称为“热休克蛋白 -70”，任何手段都不能改变它“紧紧地包围着细胞”的状态。化疗、放疗时，其他细胞被损害了，而癌细胞因为薄膜的保护，只是处于休眠，一旦放、化疗药力一过，它又活跃起来，癌肿照样出现乃至增大，因而癌症被认为是不治之症。

多少年来，诸多国内外抗肿瘤专家形成共识：增强淋巴细胞活性，阻断癌细胞转化途径，使癌细胞处于惰性，才是对抗癌症的有效方案。

众所周知，人类并不能把癌细胞从人体血液中分离出去。只有强大淋巴细胞，使癌细胞不能越过淋巴这道防线，癌症患者才能延长存活时间。因此，中医界的专家、学者从中医药的百花园中，挖掘出增强淋巴细胞功能的药物，为挽救众多癌症患者，开辟了一条康庄大道。

（1）灵芝

灵芝孢子粉，是增强淋巴细胞功能、抗癌的重要药物之一。

灵芝孢子粉，是灵芝实体成熟时从菌盖底部弹射出的担孢子，为灵芝的种子，呈淡褐色或黄褐色，内含油脂，大小为 5 ～ 8 微米，卵形，有双层细胞壁。

灵芝孢子壁，由几丁质和葡聚糖组成，且具有同心圆和层网结构，质地坚韧，耐酸碱，极难被氧化分解。

专家研究发现，自身免疫低下或失调，是肿瘤会发生扩散、转移及较难根治的重要原因之一。灵芝孢子粉是最佳的免疫功能调节剂和激活剂，可显著提高机体的免疫功能，增强患者自身防癌、抗癌能力。灵芝可以通过促进白细胞介素 –2 等内源性抗癌物质的生成，促进单核巨噬细胞的吞噬功能，提升人体的造血功能，尤其是白细胞的指标水平，以及其中某些有效成分对癌细胞的抑制作用，成为抗肿瘤、防癌，以及癌症协同治疗的优选药物。灵芝对人体没有任何毒副作用，这种无毒性的免疫活化剂的优势，恰恰是许多肿瘤化疗药物和其他免疫促进剂所不具备的。

（2）硒

硒是一种较稀有的准金属元素。富硒，是指富含微量元素硒。硒是人体不可或缺的微量元素，是抗击癌细胞的重要元素。

硒的主要生理功能：

①是谷胱甘肽过氧化酶的组成成分，可清除体内的过氧化物，保护细胞和组织免受过氧化物的损害。

②非酶硒化物具有很好的清除体内自由基的功能，可提高机体免疫力，抗衰老。

③可维持心血管系统的正常结构和功能，预防心血管疾病。

④有效提高机体免疫力，具有抗化学致癌作用。

研究表明，硒元素大量存在于黑山药、黑芝麻、黑豆、黑花生、黑米、大蒜等食物中。日常生活中，通过多种方式长期食用，对防癌、抗癌有一定作用。

（3）桦褐孔菌

桦褐孔菌，又称白桦茸，是一种生长于白桦树上的药用真菌，主要生长在北美、芬兰、波兰、俄罗斯，以及中国的黑龙江、吉林等地。近些年来，其广泛应用于临床，治疗高血压，抗衰老，调理脾胃，是增强淋巴细胞、抗击癌细胞的重要药物。

桦褐孔菌的化学成分为多糖、桦褐孔菌素、桦褐孔菌醇、多种氧化三萜类化合物、栓菌酸、多种羊毛甾醇型三萜类化合物、叶酸衍生物、芳香族的香草酸、丁香酸及 r 羟基苯甲酸等。

桦褐孔菌含有大量的具有抗癌、降血压、降血糖、增强免疫作用的植物纤维类多糖体，可以提高免疫细胞的活力，抑制癌细胞扩散和复发，在肠胃内阻止致癌物质等有害物质的吸收，并促进排泄。

服用方法：桦褐孔菌粉冲服，桦褐孔菌提取物装胶囊服用，桦褐孔菌炖鸡食用。

（4）姬松茸

姬松茸，原产于巴西、秘鲁等地，能增强免疫系统功能，降血糖、降血脂，调节血压，改善肝功能，抗过敏等。

①促进造血功能

姬松茸可促进人体骨髓的造血功能。通过改善化疗对骨髓造血功能的抑制，使外周血红蛋白浓度、血小板及白细胞总数趋向正常值，同时对癌细胞具有抑制作用，长期服用可固本安康。对白血病细胞的增殖亦有抑制作用。其所含生理活性多糖可能对儿童白血病有辅助治疗作用。

②抗癌

姬松茸含有丰富的硒和抑癌物质，对增强人体免疫力、补充特定营养有很好的作用。

姬松茸含有六大营养素：蛋白质；维生素，如维生素 B_1、维生素 B_2，烟酸等；矿物质，如硒、钙、铁、镁、钾；脂质，以不饱和脂肪酸为主（具有调节免疫、降血糖的功能）；膳食纤维，以几丁质为主。它可以协助排出体内多余的胆固醇，对于肿瘤患者极其重要。

姬松茸的抗肿瘤成分主要有核酸、外源凝集素、甾醇、脂肪酸和多糖，对多种肿瘤细胞有明显的抑制作用，如白血病、胃癌、肝癌、食管癌、结肠癌、肺癌、骨癌、乳腺癌、子宫癌、前列腺癌、膀胱癌、脑癌等。服用方法：姬松茸炖鸡汤，姬松茸粉冲服。

（5）喜树果

喜树果，为蓝果树科植物喜树的果实，分布于江浙一带。含喜树碱、羟基喜树碱、去氧喜树碱、喜树次碱、桦木酸及喜果苷，具有清热解毒、散结消癥之功效。

①喜树果的醇提取物对动物移植性肿瘤有一定的抑制作用。喜树果中所含喜树碱及其衍生物，具有较强的抗癌活性。

②喜树碱无论在体内还是体外，均有显著抑制成纤维细胞增殖的作用。

其药用方法主要是每日与绿茶一起代茶饮。

增强淋巴细胞活性，阻断癌细胞转移、扩散的通道，使癌细胞处于惰性状态，是抗肿瘤专家一致认可的抗癌途径。

正确认识癌细胞的发展过程，正确认识致癌因素的特点，抓住增强淋巴细胞对抑制癌细胞增殖这一重要环节，利用中草药增强免疫功能、抗击癌细胞发展的优势，预防癌症的发生、发展，真正造福人类社会，是值得全民关注的伟大使命！

浅说家传“长寿药”

刘氏家传“长寿药”，源自清康熙年间，为先祖刘仁所创。

刘家祖居山东蓬莱，宅后山麓有一口水井，井旁长着三株枸杞树，其根扎于井中，盘根错节，纵横交织。年复一年，其花、其叶、其果，自然落入井中，刘家人世代饮用井水，代代健康长寿。

先祖刘仁受其启发，遍查经典，以《良朋汇集》之秘传地仙丹、少阳丹和《保寿堂方》的地仙丹为基础，创制了刘氏长寿地仙丹。先祖刘仁文武兼修，服用此丹，寿高九十岁。

刘氏长寿地仙丹：

天精草（春采枸杞叶一斤，阴干听用）；

长生草（夏采枸杞花一斤，阴干听用）；

枸杞子（秋采枸杞果一斤，阴干听用）；

地骨皮（冬采枸杞根一斤，阴干听用）；

天锁龙牙（苍术一斤，米泔水浸一宿，阴干）；

锦绣龙牙（桑椹子一斤，阴干听用）；

银杏果一斤；

银杏叶一斤；

银杏花一斤；

银杏枝一斤。

方中枸杞为君药。枸杞“补真气，壮丹田，悦颜色，充肌肤，活血润泽，延年耐老”(《圣济总录》)。科学研究表明，枸杞含蛋白质、脂肪、糖、微量元素、胡萝卜素、维生素 B_2，以及钙、磷、铁等多种矿物质和 18 种氨基酸，能增强免疫功能，具有抗肿瘤、降血脂、降血糖的作用，抑制脂肪在肝细胞内沉积、促进肝细胞新生，能降低血中胆固醇，防止动脉粥样硬化的形成，促进衰老细胞向年轻化方向逆转，并可促进造血功能。

《本草汇言》:“俗云枸杞善能治目，非治目也，能壮精益神，神满精足，故治目有效。又言治风，非治风也，能补血生营，血足风灭，故治风有验也。世俗但知补气必用参、芪，补血必用归、地，补阳必用桂、附，补阴必用知、柏，降火必用芩、连，散湿必用苍、朴，祛风必用羌、独、防风，不知枸杞能使气可充，血可补，阳可生，阴可长，火可降，风湿可去，有十全之妙也。”

枸杞，俗称东方神果，久服可延年。《良朋汇集》中的少阳丹即用枸杞。

关于少阳丹有如下记载。

西海亭公，路行见一少女将一翁处分，公怪问。女答曰:“处分家子，何怪？”亭公遂喜，乃知异人，拱揖问女曰:“大仙年多少？愿闻之。”女曰:“要知吾年千岁矣。吾是西王母之妹，这老翁年一百七十岁，是吾七代元孙，吾所服少阳丹，乃太阳老君留传此方。为不信吾教，不服此药，此致面皱头白，所以责之。”亭公曰:“余家住西海，东至扶桑，遍采诸药，寻真访道，未闻此药，今幸遭遇，愿说此方。”少女曰:“此药用四般龙牙，虚名一百三十味，吾宿世服之，皆羽化。田夫俗辈未尝闻也。此药久服登仙及疗诸病，服之延年万岁，病皆痊矣。

少阳丹的故事虽系传说，然其养生之功不可小觑。枸杞花养肺止咳，明目补肾；枸杞叶补肾益精，清热止渴，除烦益志，坚筋耐老。

《本草纲目》:“枸杞之滋益不独子，而根亦不止于退热而已。但根、苗、子之气味稍殊，而主治亦未必无别。盖其苗乃天精，苦甘而凉，上焦心肺客热者宜之。根乃地骨，甘淡而寒，下焦肝肾虚热者宜之。此皆三焦气分之药，所谓热淫于内，泻以甘寒也。至于子则甘平而润，性滋而补，不能退热，止能补肾润肺，生精益气，此乃平补之药，所谓精不足者，补之以味也。分而用之，则各有所主；兼而用之，则一举两得。世人但知黄芩、黄连苦寒以治上焦之火，黄柏、知母苦寒以治下焦阴火，谓之补阴降火，久服致伤元气，而不知枸杞、地骨甘寒平补，使精气充而邪火自退之妙，惜哉！予尝以青蒿佐地骨退热，屡有殊功，人所未喻者。”

枸杞子、叶、花、皮共为一炉，真有长生不老之妙用，圣也。

方中银杏果、银杏叶，谓之臣药，取自《保寿堂》地仙丹。银杏果有仙果之称，功能“敛肺气，定喘嗽，止带浊，缩小便”。《本草再新》谓其“补气养心，益肾滋阴，止咳除烦，生肌长肉，排脓拔毒，消疮疥疽瘤”，且“上敛肺金除咳逆，下行湿浊化痰涎”（《本草便读》）。

银杏叶，“益气敛肺，治胸闷气痛，心悸怔忡。”现代医学证实，其所含的银杏二酚，有抑制组胺释放作用，可使主动脉输出量减少，冠状动脉流量增加。银杏种皮水溶性成分能清除人体自由基，抑制脾脏组织的老年色素形成，并使已形成的色素颗粒变得分散，故而有抗衰老的作用。

枸杞子、花、叶、皮与银杏子、花、叶、根相融，填精益髓、乌须黑发、延年益寿、返老还童。

余岳母 67 岁时患脑梗死，70 岁始服用“长寿丹”，寿高 99 岁。

余舅父患支气管哮喘伴心衰，服用此丹，寿高 91 岁。

余自幼炼制“丹药”，汞剂烟尘侵害了肺间质，至 70 岁已双肺间质纤维化，服用长寿地仙丹，现已步入耄耋之年，喘息之状日轻。

刘氏家传长寿丹，世代传承，众称神奇。显贵传之，百姓颂之。

野生中草药论

刘氏普济堂遵古炮制，几代人推崇药采深山。

野生中草药生长于深山巨壑、大野荒原，置沃土瘠壤而舒徐繁衍。越春秋寒暑，历雨雪风霜，采日月山川之真气，得阴阳五行之精华。蜂蝶为媒，洒陈于百花之蕊；鸟朓化育，籽粒再生于雀便之中。此自然造物，富机化合，天赋平烈缓急之性，功专而力宏。凡国医备之，机妙存焉。先祖云：“良医用药，必择良品；上品之剂，必赖良工。良医良药，医之道也。”

努鲁山脉之野紫草，解毒疫斑疹；

九龙山脉之地榆，治水火烫伤；

青龙毒山山麓之狼毒，主治肺癌转移；

佛爷洞之紫鹃梅（紫臭老婆条子）、凤凰山内外之白鹃梅（白臭老婆条子），可提高人体免疫功能，防癌、抗癌，皆有“四两拨千斤”之妙。

野生中草药之汪洋大海，取根枝花叶果，修合丸散膏丹汤，其味厚，其力专，其效宏大矣。

是故，野生中草药纳天地之灵聚其气，纠阴阳之偏养其精，秉天人之和传其神。

新时期，亟应保护野生药材资源，提倡野生药材的“圃人情怀”，弘扬中药制剂的“匠人”精神，抵制医药市场以次充好的乱象。传承发展，守正创新，十年药材，百年药人，选择野生中草药，善莫大焉！

二、继家传名方组，承君臣三味方

一君二臣三味方论

刘氏家传一君二臣三味方，源于《内经》之旨。《素问·至真要大论》言："君一臣二，制之小也""君一臣二，奇之制也。"

纵观中医方剂学，君臣三味方，多见也。

《伤寒论》所载112首方剂中，有17首为"三味药组";《金匮要略》所载205首方剂中，有34首为"君臣三味方组"。其中麻黄附子细辛汤、小承气汤、厚朴三物汤、甘麦大枣汤、瓜蒌薤白白酒汤、小陷胸汤、四逆汤等，就是经方君臣三味汤的代表。

此外，后世诸多三味名方组，亦于临床大显身手。生脉饮、玉屏风散、缩泉丸、失笑散、丹参饮、三妙丸、增液汤、牵正散等，以其独特的疗效，展示着君臣三味方的临床价值。

君臣三味方，用药精，方证明，用治疑难杂症，彰显经方遣药之义。

如瓜蒌薤白白酒汤，以瓜蒌开胸涤痰为君药，薤白行气通阳为臣药，白酒通阳行痹、轻扬善行以助阳势为佐使药，功能通阳散结，行气祛痰，以治胸痹之痰。君臣佐使，配合缜密也。

先贤云:"药有个性之专长，方有和群之妙用。"刘氏善以独药为君，独辟家传之秘，常以二臣为佐，彰显君臣三味之妙。

然而，刘氏之君臣三味方组以治疗常见病之偏方验方居多，如治疗偏头痛的"二白一川汤"、治疗夜汗的"二桑一麦汤"和治疗阳痿的"一果二子汤"等。

迄今，刘氏家传一君二臣方已历六代，余于临床潜心研究"君臣三味方"，深探研，广应用，尚利民，亦喜传承也！

（一）凌霄花

凌霄花，原名“紫葳”，始载于《神农本草经》。“紫葳，凌霄花也。……依大木，岁久延引至巅。”李时珍称其附木而生，高数丈，故曰凌霄。《本草纲目》载：“凌霄野生，蔓数尺，得木而上，即高数丈，年久者藤大如环，初春生枝，一枝数叶，尖长有齿，深青色。自夏至秋开花，一枝十余朵，大如牵牛花……八月结荚。”

凌霄花为紫葳科植物，生长于亚热带，我国广东、福建南部有产，味辛、酸，性微寒，归肝、心包经，功能活血散瘀、凉血祛风，主治月经不调、经闭癥瘕、产后乳肿、皮肤瘙痒、痤疮、血热风痒、酒皶鼻等。

《神农本草经》：“主妇人产乳余疾，崩中，癥瘕，血闭，寒热羸瘦。”

《医林纂要》：“缓肝风，泻肝热，治肝风颠顶痛。”

《天宝本草》：“行血通经，治跌打损伤，痰火脚气。”

《本草衍义补遗》：“凌霄花，治血中痛之要药也，且补阴捷甚，盖有守而独行。妇人方中多用。”

《本草纲目》：“凌霄花及根，甘酸而寒，茎叶带苦……行血分，能去血中伏火，故主产乳崩漏诸疾，及血热生风之证也。”

《本草逢原》：“凌霄花，癥瘕，血闭，血气刺痛，疠风恶疮多用之，皆取其散恶血之功也。”

《本草求真》：“凡人火伏血中，而见阳结血闭，风痒、崩带、癥瘕，一切由于血瘀血热而成者，所当用此（凌霄花）调治，盖此专主泻热，热去而血自活也。是以肺痈之药，多用此为君。”

刘氏一君二臣三味方

1. 闭经（气滞血瘀型）

凌霄花 30g，月季花 10g，红花 15g。水煎，饭前温酒送下，主治气滞血瘀型闭经。

【方歌】

凌霄六钱为君，月季红花为臣。
气滞血瘀经闭，水煎温酒调匀。

2. 崩漏

凌霄花 15g，当归 10g，红花 5g。水煎，餐前温酒送服，主治血瘀崩漏。

【方歌】

血瘀崩漏血色黑，凌霄一味显神威。

归红为臣助君力，恶血散去正气回。

3. 治瘙痒

凌霄花 5g，白蒺藜 20g，知母 10g，牡丹皮 10g。水煎服，主治荨麻疹、皮肤瘙痒。

【方歌】

凌霄活血祛风痒，血热麻疹最相当，

更有蒺藜丹知母，血中伏热一泻光。

4. 高血压

凌霄花 20g，马齿苋 20g，车前草 20g。水煎代茶饮。

【方歌】

血压升高最难疗，常时代茶饮自消。

凌霄为君清血热，臣药马齿车前草。

5. 酒齇鼻

凌霄花 50g，栀子仁 15g，赤芍 10g。水煎服。

【方歌】

凌霄一两去肺热，酒齇鼻痒可立瘥。

芍药栀仁清肝风，赤芍佐制瘀可活。

6. 肝热巅顶痛

凌霄花 30g，白芍 15g，白芷 10g。水煎服。

【方歌】

肝脏风热巅顶痛，凌霄一两靶向明。

白芍柔肝解痉络，白芷疏风顶痛轻。

刘氏六世世传秘，羚角天麻加减灵。

综上所述，凌霄花辛散行血，能破瘀血，通经脉，散癥瘕，消肿痛，可用于治疗血瘀经闭、月经不调、癥瘕积聚、跌打损伤等；凌霄花性寒，能泻热凉血，祛风止痒，可用于治疗风疹发红、皮肤瘙痒、痤疮、湿癣、风痛等。凌霄花中含有芹菜素，具有镇痛、消炎的作用。

（二）白及

白及，味苦，性微寒，入肝、胃、肺经。功能收敛止血、消肿生肌，治疗内外出血，是一种止血良药。

传说白及原名白根。清末，有一个叫白及的人犯了死罪，有一天他在牢里突发急病。老狱卒忙告县官，县官听后一笑说："再过半个月，白及砍头的时间就到了，现在死了，也省了我们一刀。"老狱卒听后，心里很不是滋味，心想：虽然白及是死刑犯，但还没到死期，有病就得给治疗。于是他瞒着县官，从十里外请来一位郎中，到大牢里给白及治病，并且为白及付了药费。过了七天，白及的病就好了。白及深受感动。

眼看白及的死期已到，白及对老狱卒说："我曾四次犯重罪，屡遭刑讯拷打，幸亏我有秘方，用白根研成细末，加适量水调服，用此来止血恢复身体。"后来白及被砍头处死，其胸部被剖开，肺部见五六处伤痕，都已钙化痊愈，但白根的颜色没有改变。老狱卒牢记此方，转告好友马郎中，后者以此方治好了很多吐血不止的病人，效果出奇。一天，马郎中问老狱卒此药叫什么名字，老狱卒一时记不起来，顺口说了"白及"，自此，白根就有了白及的名称。

白及，补肺、止血、消肿、生肌、敛疮，治肺伤咳血、衄血、金疮出血、痈疽肿毒、溃疡疼痛、汤火灼伤、手足皲裂。

《神农本草经》："主痈肿恶疮败疽、伤阴死肌、胃中邪气、贼风痱缓不收。"

《名医别录》："除白癣疥虫。"

《药性论》："治热结不消，主阴下痿，治面上皯疱，令人肌滑。"

《滇南本草》："治痨伤肺气，补肺虚，止咳嗽，消肺痨咳血，收敛肺气。"

《本草经疏》："白及，苦能泄热，辛能散结，痈疽皆因荣气不从，逆于肉里所生；败疽伤阴死肌，皆热壅血瘀所致，故悉主之也。胃中邪气者，即邪热也；贼风痱缓不收，皆血分有热，湿热伤阴之所生也，入血分以泄热，散结逐腐，则诸症靡不瘳矣。"

《本草汇言》："白及，敛气、渗痰、止血、消痈之药也。此药质极黏腻，性极收涩，味苦气寒，善入肺经，凡肺叶破损，因热壅血瘀而成疾者，以此研末日服，能坚敛肺藏，封填破损，痈肿可消，死肌可去，溃败可托，脓血可洁，有托旧生新之妙用也。”

《中国药植图鉴》:“治硅肺。”

1. 肺出血

白及 30g，枇杷叶 15g，阿胶珠 15g。水煎，温水调服，主治肺出血。

【方歌】

白及粉末为君，蜜杷藕节为臣。
阿胶如珠豆大，共入地汁调匀。
白及枇杷准绳载，噙化专医肺血奔。

2. 胃溃疡出血

白及 10g，乌贼骨 10g，陈棕炭 10g，当归炭 10g。水煎，温水调服，主治胃溃疡出血。

【方歌】

胃病出血最难医，祖传灵药用白及。
外加乌贼棕归炭，温水调服血自弥。

3. 子宫脱垂（此为刘氏家传极妙方）

白及 20g，五倍子 15g，诃子 10g。共为细末，外擦子宫头，立即缩回，再以补中益气汤久服。

【方歌】

白及性敛极黏合，五倍诃子治宫脱。
君臣粉末外擦用，子宫外露尽收缩。

4. 肺痿

白及、阿胶、款冬花、紫菀各等分。水煎服。

【方歌】

肺痿原来肺络伤，干咳无痰渗血浆。
白及一两为君药，臣药阿胶气血偿。
冬花紫菀为佐使，润燥活肺肺气强。
医学启蒙白及散，肺气虚冷最相当。

（三）紫苏叶

紫苏，入脾、肺二经。发表、散寒、理气、和营，治感冒风寒，恶寒发热，咳嗽，气喘，胸腹胀满，胎动不安，并能解鱼蟹毒。

《本草汇言》：“紫苏，散寒气，清肺气，宽中气，安胎气，下结气，化痰气，乃治气之神药也。……苏叶可以散邪而解表……苏梗可以顺气而宽中；……苏子可以降火而清痰，三者所用不同，法当详之。”

《本草纲目》：“紫苏，近世要药也。其味辛，入气分，其色紫，入血分。故同橘皮、砂仁，则行气安胎；同藿香、乌药，则温中止痛；同香附、麻黄，则发汗解肌；同芎䓖、当归，则和血、散血；同木瓜、厚朴，则散湿解暑，治霍乱脚气；同桔梗、枳壳，则利膈宽肠；同杏仁、莱菔子，则消痰、定喘。”

《药品化义》：“紫苏叶，为发生之物。辛温能散，气薄能通，味薄发泄，专解肌发表，疗伤风伤寒，凡属表症，放邪气出路之要药也。”“取其辛香，以治抑郁之气，停滞胸膈，入分心气饮，开心胸郁热神妙。”

《本草乘雅半偈》：“（紫苏）致新推陈之宣剂，轻剂也。故主气下者，可使之宣发，气上者，可使之宣摄。叶则偏于宣散，茎则偏于宣通，子则兼而有之，而性稍缓。”

《长沙药解》：“苏叶辛散之性，善破凝寒而下冲逆，扩胸腹而消胀满，故能治胸中瘀结之证而通经达脉，发散风寒，双解中外之药也。”

《本草正义》：“紫苏，芳香气烈。外开皮毛，泄肺气而通腠理；上则通鼻塞，清头目，为风寒外感灵药；中则开胸膈，醒脾胃，宣化痰饮，解郁结而利气滞”“叶本清扬，则风寒外感用之，疏散肺闭，宣通肌表，泄风化邪，最为敏捷。茎则质坚，虽亦中空，而近根处伟大丰厚，巨者径寸，则开泄理气用之，解结止痛，降逆定喘，开胃醒脾，因与开泄外感之旨不同。而子则滑利直下，降香消痰，止嗽润肺，又是别有意味。此今人选药之密，已与宋金元明不同，又可谓非药物学之进境者。”

刘氏一君二臣三味方

1. 散表寒

紫苏叶、香附、生姜，水煎服。

【方歌】

一君紫苏散表寒，二臣姜附促发汗。

表证气滞加陈皮，瘀滞散去中气宣。

2. 行气安胎

紫苏叶 20g，砂仁 15g，陈皮 10g。

【方歌】

一君安胎用紫苏，二臣陈砂治恶阻。
妊娠胎动行胎气，两剂之中子悬无。

3. 伤风发热

紫苏叶 15g，防风 7.5g，川芎 5g。

【方歌】

一君紫苏散表热，二臣防芎治伤风。
或加生姜陈甘草，一剂汗出止疼痛。
不知医必要苏叶，伤风发热最见功。

（四）紫苏子

紫苏子，味辛，性温，无毒。入肺、大肠经。下气，消痰，润肺，宽肠。治咳逆，痰喘，气滞，便秘。

《日华子本草》："主调中，益五脏，下气，止霍乱、呕吐、反胃，补虚劳，肥健人，利大小便，破癥结，消五膈，止嗽，润心肺，消痰气。"

《本草纲目》："治风，顺气，利膈，宽肠，解鱼蟹毒。"

《本草通玄》："治蛇犬伤。"

《药品化义》："苏子主降，味辛气香主散，降而且散，故专利郁痰。咳逆则气升，喘急则肺胀，以此下气定喘。膈热则痰壅，痰结则闷痛，以此豁痰散结。如气郁不舒，乃风寒客犯肺经，久遏不散，则邪气与真气相持，致饮食不进，痰嗽发热，似弱非弱，以此清气开郁，大为有效。"

《本草述》："每言苏子下气之功胜于叶者。盖叶、茎、子俱能和气，但叶则和而散，茎则和而通，子乃和而降，用其细审之。"

刘氏一君二臣三味方

1. 气喘咳嗽，食痞兼痰

紫苏子、白芥子、萝卜子。上三味，各洗净，微炒，击碎，每剂不过三钱，用生绢小袋盛之，煮作汤饮，代茶啜饮。

【方歌】

三子养亲祛痰方，芥苏莱菔共煎汤。
大便实用加熟蜜，冬寒更可加生姜。
温肺化痰消食滞，韩氏医通效法良。

2. 脚气及风寒湿痹，四肢挛急，脚踵不可践地

紫苏子二两，杵碎，水二升，研取汁，以汁煮粳米做粥，和葱、豉、椒、姜食之。

【方歌】

二两苏子研取汁，以汁煮粳做粥食。
葱豉椒姜为佐使，风寒湿痹去有时。

（五）紫苏梗

紫苏梗，味辛、甘，性微温，无毒。入脾、胃、肺三经。理气，解郁，止痛，安胎。治气郁，食滞，胸膈痞闷，脘腹疼痛，胎气不和。

《本草崇原》："主宽中行气，消饮食，化痰涎。治噎膈反胃，止心腹痛。"

《得配本草》："疏肝，利肺，理气，和血，解郁，止痛，定嗽，安胎。"

刘氏一君二臣三味方

1. 胸中痞满，心腹气滞，不思饮食

紫苏茎（锉）一两，陈橘皮（焙）二两，赤茯苓两半，旋覆花、大腹皮各一两，半夏半两，水煎，姜枣为引。

【方歌】

痞满气滞紫苏梗，陈橘赤苓二臣同，
覆花腹皮半夏使，姜枣为引饮食增，
圣济总录苏橘饮，三味方组最有灵。

2. 水肿

紫苏梗八钱，大蒜根三钱，老姜皮五钱，冬瓜皮五钱，水煎服。

【方歌】

苏梗为君整八钱，臣药蒜根紧相连。
姜皮瓜皮为佐使，利水消肿用水煎。

（六）鸡冠花

鸡冠花，苋科青葙属植物。多生长于乡间道路两旁，茎叶青嫩，开紫红色或白色小花。其性凉，味甘，归肝、肾经，花、茎、叶、子均可入药，具有清热利湿、凉血止血之功。花主治赤白痢疾、痔漏下血、吐血咳血、崩漏带下、遗精等；茎叶主治痔疮、痢疾、吐血、衄血、血崩、荨麻疹等；子可主治肠风便血、赤白痢疾、崩漏带下、淋浊等。

《滇南本草》："止肠风下血，妇人崩中带下，赤痢。"

《玉楸药解》："清风退热，止衄敛营。治吐血、血崩、血淋诸失血证。"

刘氏一君二臣三味方

1. 吐血、咳血

白鸡冠花 30g，侧柏叶 30g，旱莲草 30g。水煎服。

【方歌】

一君重用白鸡冠，二臣柏叶墨旱莲。
三药各需三十克，专治咳血吐血艰。

2. 便血

白鸡冠花 15g，防风 6g，棕榈炭 10g。水煎服，专治便血。

【方歌】

一君只需白鸡冠，二臣防风加榈炭。
三钱一钱二钱量，肠风下血定安然。

3. 月经不调、白带

白鸡冠花 15g，龙眼花 12g，益母草 9g，椿根白皮 9g。

【方歌】

一君专用白鸡冠，二臣益母合龙眼。
瘦肉炖服调经血，椿根白皮白带痊。

4. 荨麻疹

白鸡冠花 10g，向日葵 10g，冰糖 30g。

【方歌】

一君贵在白冠花，二臣向日冰糖加。

开水炖服内外用，另加苍耳轻轻擦。

5. 遗精

鲜白鸡冠花 30g，金丝草 15g，金樱子 15g。水煎服。

【方歌】

一君鸡冠必用鲜，金樱金丝二臣连。
遗精之疾此方秘，无根之水缓缓煎。

（七）龙眼肉（圆肉）

龙眼肉，甘温，入心、脾二经。补益心脾，养血安神。用治思虑过度，劳伤心脾引起的惊悸、怔忡、失眠、健忘，以及脾气虚弱，统摄无权引起的崩漏、便血等症，本品甘温入脾，又能补后天之源而益气养血，且甘温平和，亦可用于气血不足所致倦怠乏力、少气自汗，或年老体弱，久病体虚者。

《药品化义》："圆肉，大补阴血。凡上部失血之后，入归脾汤，同莲肉、芡实以补脾阴，使脾旺统血归经；如神思劳倦，心经血少，以此助生地、麦冬补养心血；又筋骨过劳，肝脏空虚，以此佐熟地、当归，滋肝补血。"

《神农本草经》记载龙眼肉有"主五脏邪气，安志，久服强魂魄，益聪明"等功效。民间尚流传着"龙眼树下长寿叟，何翁一夜发变乌"的传奇故事。

梁代著名医家陶弘景在《名医别录》中指出：龙眼肉久服"轻身不老"。

明代万表所著《万氏济世良方》中记载：龙眼肉不拘多少，浸入上好白酒百日内，经常饮数杯，有温补脾胃、振奋精神的作用。

清代曹廷栋所著《老老恒言》载：龙眼肉 15g，红枣 3 ～ 5 枚，粳米 100g，共煮为粥，具有养心安神、健脾补血之功效。

历代名家所鉴：龙眼肉是"益智延龄"之良药，也是养心安神之美食佳品。

刘氏一君二臣三味方

1. 补益心脾

圆肉 30g，红参 15g，当归 15g，炙酸枣仁 30g。姜枣为引，水煎温服。大补心脾，治疗心悸怔忡、虚劳等。

【方歌】

圆肉为君益心脾，臣药参归炙酸枣仁。

水煎温服安魂魄，专治虚劳心动悸。

2. 养心安神

圆肉 30g，黄芪 30g，炙酸枣仁 30g。水煎，温服。安神养心，治疗心气不足、健忘失眠。

【方歌】

君药圆肉益智养血，臣药芪枣补气安神。

生姜为引疏通经脉，心气平和四两千斤。

3. 心动悸、脉结代

圆肉 30g，桂枝 6g，甘松 15g。水煎温服。专医劳伤脉结代。

【方歌】

圆肉安神养血，桂枝振奋心阳。

甘松补脾定悸，三合缓结代偿。

（八）娑罗子

娑罗子，七叶树科植物七叶树的种子，主产于浙江、江苏、陕西、河南。

《药性考》："娑罗子，一枝七叶九叶，苞如人面，花如牡丹，香白。"

《留青日札》："娑罗树出西番海中……株甚巨，每枝生叶七片。有花穗甚长而黄，如粟花，秋后结实如栗，可食，正所谓七叶树也。"

"娑罗子，甘，温，无毒"（《本草纲目》），"入脾、肺二经"（《本草再新》）。

娑罗子，宽中，理气，杀虫。治胃寒作痛，脘腹胀满，疳积虫痛，疟疾，痢疾。

刘氏一君二臣三味方

1. 疏肝理气

娑罗子 10g，八月札 15g，青皮 15g。水煎。治疗肝胃气滞，胸闷，胃痛腹胀。

【方歌】

一君娑罗理气疏肝，二臣八青消滞除满。

温胃养肝君臣互佐，腹胀胸闷升降相连。

2. 乳胀

娑罗子 10g，香附 30g，郁金 15g，路路通 20g。水煎。主治经前乳胀。

【方歌】

一君娑罗理气疏肝，二臣香郁消胀除烦。

更有路通为佐使，经前乳胀定安然。

3. 和胃止痛

娑罗子 10g，八月札 15g，佛手 15g，使君子 10g。水煎。和胃止痛，用治脘腹胀满。

【方歌】

一君娑罗和胃，二臣八手止痛。

使君杀虫消胀，疳积虫痛最灵。

刘氏家传对娑罗子的认识

1. 疏肝理气

用于肝郁气滞证。多因精神刺激、情志抑郁不畅，导致肝气郁结。在气机郁滞的部位，可出现胀满、疼痛等症。若痰气或气血互结，则会在结滞的局部出现肿块；若气滞于肝，则两胁胀满或疼痛；肝气阻滞，痰气或气血互结于肝之经络，则上可发为瘿瘤、梅核气，中可发为两乳胀痛或结块，下可发为少腹疼痛，或牵引睾丸坠胀，以及女子痛经，甚则闭经等症。疏肝理气为治疗之要则。娑罗子味甘，性温，既能疏肝郁以行滞、条达肝气以解郁，又能甘补阴血以柔肝。多用于各种原因引起的肝郁气滞证，尤对妇人肝气郁滞引起的经前两乳胀痛效佳。

2. 鉴别应用

娑罗子与荔枝核均为辛温之品，同走肝经，具有疏肝理气散寒之功，故可用于肝郁气滞之证。但娑罗子辛散之性优于荔枝核，故可条达肝气，主要用于肝气郁结所致各种证候，尤对妇人肝郁气滞之双乳胀满效佳；荔枝核温经散寒之效佳于娑罗子，故可散厥阴之寒邪，行肝经滞气，常用于肝经寒凝气滞引起的各种证候，尤对肝寒所引起的疝气、睾丸肿痛效佳。二药同中有异。

内服：煎汤，3 ～ 9 克；或烧存性研末。

气虚或阴虚者忌用。

3. 配伍应用

（1）配伍荔枝核，共奏祛寒、行气、止痛之功。可用于肝经有寒，寒凝气滞之双乳胀痛、疝气、睾丸肿痛，妇人少腹气滞血瘀作痛等。

（2）配伍八月札，肝郁可解，气可消，疼痛可止。用于肝郁气滞之胁痛、肝胃气痛及疝气痛等。

（3）配伍郁金，同走肝经，疏肝行气以解郁，活血祛瘀以止痛，用于妇女肝气郁滞所致两乳胀痛、经期腹痛。

（九）仙人掌

仙人掌，行气活血，清热解毒。治心胃气痛，痞块，痢疾，痔血，咳嗽，喉痛，肺痈，乳痈，疔疮，汤火伤，蛇伤。

《贵州民间方药集》："为健胃滋养强壮剂，又可补脾，镇咳，安神。治心胃气痛、蛇伤、浮肿。"

《中国药植图鉴》："外皮捣烂可敷火伤、急性乳腺炎，并治足胝。煎水服，可治痢疾。"

《湖南药物志》："消肿止痛，行气活血，祛湿退热，生肌。"

《闽东本草》："能去瘀，解肠毒，健胃，止痛，滋补，舒筋活络，疗伤止血。治肠风痔漏下血，肺痈，胃痛，跌打损伤。"

刘氏一君二臣三味方

1. 带状疱疹

鲜仙人掌 100g，青黛 10g，冰片 5g。

将青黛与冰片共研细末，仙人掌洗净刮刺，与上述药末共捣成膏。患部常规消毒，有水疱者挑破，待疱液自然流尽后，敷膏一薄层，外用纱布固定，每日 1 次，一般 30 分钟可止痛。

【方歌】

一君鲜仙掌，二臣冰黛随。
疱疹挑破后，敷膏蛇串摧。

2. 单纯性肥胖症

鲜仙人掌一块，鸡蛋一个，蜂蜜 30mL。

取新鲜仙人掌马掌大一块，去除刺及皮，捣碎后加一个鸡蛋，搅匀，将 30mL 蜂蜜放入锅中加温，再与上述混合物拌炒食用，每周三次以上，能起到降脂、减肥的作用。

【方歌】

一君鲜仙掌，二臣蛋蜜浆。
三物捣一处，炒食降脂肪。

（十）益母草

益母草，活血，祛瘀，调经，消水。《本草蒙筌》:“去死胎，安生胎，行瘀血，生新血。”《本草衍义》:“治产前产后诸疾，行血养血。”《本草纲目》:“活血，破血，调经，解毒。治胎漏产难，胞衣不下，血晕，血风，血痛，崩中漏下，尿血，泻血，跌打内损，大便、小便不通。”

《本草汇言》:“益母草，行血养血，行血而不伤新血，养血而不滞瘀血，诚为血家之圣药也。妇人临产之时，气有不顺，而迫血妄行，或逆于上，或崩于下，或横生不顺，或子死腹中，或胞衣不落，或恶露攻心，血胀血晕，或沥浆难生，蹊涩不下，或呕逆恶心，烦乱眩晕，是皆临产危急之症，唯益母草统能治之……习俗以益母草有益于妇人，专一血分，故屡用之，然性善行走，能行血通经，消瘀逐滞甚捷，观其治疗肿痈疽，眼目血障，则行血活血可知矣。产后诸疾，因血滞气脉不和者，用之相宜，若执益母之名，施于胎前之证，血虚形怯，营阴不足者，肝虚血少，瞳人散大者，血脱血崩，阳竭阴走者，概而与之，未尝不取咎也。”

刘氏一君二臣三味方

1. 痛经

益母草 30g，延胡索 15g，鸡蛋 2 个。加适量水同煮，鸡蛋熟后去壳再煮片刻，去药渣，吃蛋喝汤。经前两天服，每日 1 剂，连服 7 天。

【方歌】

六钱益母治痛经，三钱元胡伴君行。
两个鸡蛋同锅煮，吃蛋喝汤消寒凝。
经前两日连七日，瘀血之痛化无踪。

2. 闭经

益母草 50g，乌豆 50g，红糖 20g。炖服，连服一周，白酒为引。

【方歌】

一君益母治闭经，二臣相济靠乌红。

砂锅炖服连七日，白酒为引显奇功。

综上所述，益母草可广泛用于妇科疾病，且效果显著。刘氏桑枝中风后遗丸，大量使用茺蔚子，就是基于益母草的生物碱功能和拮抗剂之功效。

（十一）甘松

甘松，理气止痛，醒脾健胃。治胃痛，胸腹胀满，头痛，癔病。王好古云："理元气，去气郁。"《开宝本草》："主恶气，卒心腹痛满。"《现代实用中药》："适用于头痛、腹痛及精神忧郁等证。"

《本草汇言》云："甘松，醒脾畅胃之药也。《开宝方》主心腹卒痛，散满下气，皆取温香行散之意。其气芳香，入脾胃药中，大有扶脾顺气、开胃消食之功。入八珍散、三合粉中，治老人脾虚不食，久泻虚脱，温而不热，香而不燥，甘而不滞，至和至美，脾之阳分用药也，与山柰合用更善。"

《本草正义》："甘松，近东瀛医家谓此药善通经络，专治转筋，为霍乱转筋必需之药。……治真寒霍乱、转筋入腹危急重症，极有捷效，知此物温运，活络通经，无出其右。"

刘氏一君二臣三味方

1. 神经性胃痛

甘松 30g，香附 20g，沉香 10g。水煎炖服。

【方歌】

甘松为君治胃痛，二臣香附沉香同。

三药炖服畅胃气，扶脾开胃可通经。

2. 脚湿气

甘松 30g，荷叶心 20g，藁本 10g。煎汤洗之。

【方歌】

脚气足癣热毒风，筋脉失养伤血营。

甘松一两拔毒气，荷叶藁本湿邪清。

煎汤外洗通营卫，普济方中甘松灵。

（十二）石菖蒲

石菖蒲性微温，味辛，入心、肝、脾经，具有开窍、豁痰、理气、活血、散风、化湿和胃的功效，用于治疗癫痫，痰厥，热毒神昏，健忘，气闭耳聋，心胸烦闷，胃痛，腹痛，风寒湿痹，痈疽肿毒，跌打损伤等。对于湿阻中焦所致的脘腹痞满胀痛，配合砂仁、厚朴、黄连等效果也佳。

《本草逢原》："菖蒲，心气不足者宜之。《神农本草经》言补五脏者，心为君主，五脏系焉。首言治风寒湿痹，是取其辛温开发脾气之力。治咳逆上气者，痰湿壅滞之喘咳，故宜搜涤，若肺胃虚燥之喘咳，非菖蒲可治也。其开心孔、通九窍、明耳目、出声音，总取辛温利窍之力。"

《重庆堂随笔》："石菖蒲，舒心气、畅心神、怡心情、益气志，妙药也。清解药用之，赖以祛痰秽之浊而卫宫城；滋养药用之，借以宣心紧之结而通神明。"

南宋著名诗人陆游曾作诗描述石菖蒲的养生功效："古涧生菖蒲，根瘦节蹙密。仙人教我服，刀匕蠲百疾。阳狂华阴市，颜朱发如漆。岁久功当成，寿与天地毕。"民间有服食石菖蒲可耳聪目明、延年益智之说。石菖蒲为历代医家所推崇。《神农本草经》将其列为上品，谓石菖蒲能"开心孔，补五脏，通九窍，明耳目，久服轻身……延年"。然而，《本经逢原》亦指出："凡阳亢阴虚者禁用。以其性温，善鼓心包之火，与远志之助相火不殊，观《本经》之止小便利，其助阳之功可知。"

刘氏一君二臣三味方

1. 健忘

石菖蒲 30g，茯苓 60g，远志 20g。共为细末，每次口服 1 克，每日服 3 次，白开水送服。

【方歌】

菖蒲通心利九窍，以其为君健心脑。

茯苓远志为二臣，气清神定遗忘消。

2. 耳鸣耳聋

石菖蒲 60g（用米泔水浸泡一宿，焙，打碎，水煎取汁备用），猪肾一对（去筋膜，细切），葱白三段拍扁，粳米 90g。共入砂锅，加石菖蒲汁及适量清水炖煮成粥，空腹食用。阴虚阳亢者慎用。

【方歌】

泔浸菖蒲法最灵，猪肾一对助威风。
葱白三对为使药，糯米为粥治聋鸣。

（十三）葛根

葛根，升阳解肌，透疹止泻，除烦止渴。《名医别录》："疗伤寒中风头痛，解肌，发表，出汗，开腠理，疗金疮，止痛，胁风痛。"《日华子本草》："活胸膈热，心烦闷热狂，止血痢，通小肠，排脓破血，敷蛇虫啮。"李杲："干葛，其气轻浮，鼓舞胃气上行，生津液，又解肌热，治脾胃虚弱泄泻圣药也。"

《本草汇言》："葛根，清风寒，净表邪，解肌热，止烦渴，泻胃火之药也。尝观发表散邪之药，其品亦多。如麻黄拔太阳营分之风寒，桂枝解太阳卫分之风，防风、紫苏散太阳在表之风寒，藁本、羌活散太阳在表之寒湿，均称发散药也。而葛根之发散，亦入太阳，亦散风寒，又不同矣。非若麻、桂、苏、防，辛香温燥，发散而又有损中气之误也；非若藁本、羌活，发散而又有耗营血之虞也。《神农经》谓起阴气，除消渴，身大热，明属三阳表热无寒之邪，能散之清之之意也。如伤风伤寒，温病热病，寒邪已去，标阳已炽，邪热伏于肌腠之间，非表非里，又非半表半里，口燥烦渴，仍头痛发热者，必用葛根之甘寒，清肌退热可也。否则舍葛根而用辛温（如麻、桂、苏、防之类），不惟疏表过盛，而元气虚，必致多汗亡阳矣。然而葛根之性专在解肌，解肌而热自退，渴自止，汗自收。而本草诸书又言能发汗者，非发三阳寒邪在表之汗也，又非发风温在经之汗也，实乃发三阳寒郁不解，郁极成热之汗也。又如太阳汗出不彻、阳气怫郁，其人面色缘缘正赤，躁烦不知痛之所在，短气，更发汗以愈，宜葛根汤治之，郁解热除，汗出而邪自退，此所以本草诸书言发汗者此也。"

《药品化义》："葛根，根主上升，甘主散表，若多用二三钱，能理肌肉之邪，开发腠理而出汗，属足阳明胃经药，治伤寒发热，鼻干口燥，目痛不眠，疟疾热重……且脾主肌肉，又主四肢，如阳气郁遏于脾胃之中，状非表症，饮食如常，但肌表及四肢发热如火，以此同升麻、柴胡、防风、羌活，升阳散火，清肌退热，薛立斋常用剂也。"

《本草逢原》："葛根轻浮，生用则升阳生津，熟用则鼓舞胃气，故治胃虚作渴，七味白术散用之。又清暑益气汤兼黄柏用者，以暑伤阳明，额颅必胀，非此不能开发也。”

刘氏一君二臣三味方

1. 高血压项强痛

葛根 30g，车前子 30g，菊花 30g。

【方歌】

君药葛根治项强，二臣车前菊花襄。
解肌散火升降利，血之压力可正常。

2. 冠心病心绞痛

葛根 30g，川芎 10g，红花 3g。代茶饮。

【方歌】

胸膈烦闷葛为君，芎花活血倚二臣。
君臣相佐通痹阻，绞痛之疾自调匀。

（十四）葛花

葛花，性微寒，味甘、微苦，入足阳明胃经。解酒行脾。治酒伤发热烦渴，不思饮食，吐逆吐酸，吐血，肠风下血。

《滇南本草》:“治头晕，憎寒，壮热，解酒醒脾，酒痢，饮食不思，胸膈饱满，发呃，呕吐酸痰，酒毒伤胃，吐血，呕血，消热。”

《本草纲目》:“治肠风下血。”

《医林纂要》:“清肺。”

《本草逢原》:“葛花，能解酒毒，葛花醒酒汤用之，必兼人参。但无酒毒者不可服，服之损人天元，以大开肌肉，而发泄伤津也。”

刘氏一君二臣三味方

1. 饮酒积热，毒伤脾胃，呕血吐血，发热烦渴，小便赤少

葛花一两，黄连一钱，滑石（水飞）一两，粉草五钱。为细末，水和为丸，每服一钱，滚水送下。

【方歌】

饮酒积热伤脾胃，烦渴吐血小便累。
葛花为君清毒热，黄连滑石二臣汇。
水合为丸滚水下，葛花解醒滇南配。

2. 解酒

葛花 50g，葛根 20g，砂仁 15g，白茶 10g。代茶饮。

【方歌】

代茶解酒用葛花，臣药砂仁共白茶。
带饮进入宾礼座，卓然自立他趴下。

（十五）艾叶

艾叶，理气血，逐寒湿，温经止血，安胎。《名医别录》："主灸百病……利阴气，生肌肉，辟风寒，使人有子。"《药性论》："止崩血，安胎止腹痛，止赤白痢及五脏痔泻血。"《日华子本草》："止霍乱转筋，治心痛，鼻洪，并带下。"《履巉岩本草》："治咽喉闭痛热壅，饮食有妨者，捣汁灌漱。"王好古："治带脉为病，腹胀满，腰溶溶若坐水中。"《本草再新》："调经开郁，理气行血。治产后惊风，小儿脐疮。"《本草纲目》："温中，逐冷，除湿""艾叶生则微苦太辛，熟则微辛太苦，生温熟苦热，纯阳也。可以取太阳真火，可以回垂绝元阳。服之则走三阴而逐一切寒湿，转肃杀之杀为融和；灸之则透诸经而治百种病邪，起沉疴之人为康泰，其功亦大矣。苏恭言其生寒，苏颂言其有毒。一则见其能止诸血，一则见其热气上冲，遂谓其性寒、有毒，误矣。盖不知血随气而行，气行则血散，热因久服致上冲之故尔。夫药以治病，中病则止。若素有虚寒痼冷，妇人湿郁滞漏之人，以艾和归、附治其病，夫何不可，而乃妄意求嗣，服艾不辍，助以辛热，药性久偏，致使火燥，是谁之咎欤？于艾何尤！艾附丸治心腹、少腹诸痛，调女人诸病，颇有深功。胶艾汤治虚痢及妊娠产后下血，尤著奇效。老人丹田气弱，脐腹畏冷者，以熟艾入布袋兜其脐腹，妙不可言。"《本草汇言》："艾叶，暖血温经，行气开郁之药也。开关窍，醒一切沉痼伏匿内闭诸疾""温中除湿，调经脉，壮子宫，故妇人方中多加用之。"《本草正》："艾叶，能通十二经，而尤为肝脾肾之药，善于温中、逐冷、除湿，行血中之气，气中之滞，凡妇人血气寒滞者，最宜用之。或生用捣汁，或熟用煎汤，或灸百病，或炒热敷熨可通经络，或袋盛包裹可温脐膝，表里生熟，具有所宜。”

刘氏一君二臣三味方

1. 结肠炎、膀胱炎、急性尿道感染

艾叶二钱，辣蓼二钱，车前一两三钱。水煎服，每天一剂，早晚各服一次。

【方歌】

车前一君一两三，艾蓼二臣各二钱。

温化湿毒利水气，结肠泌系毒可痊。

2. 功能性子宫出血，产后出血

艾叶炭一两，蒲黄五钱，蒲公英五钱。水煎服，每日一剂，煎服两次。

【方歌】

艾炭一两为君，蒲黄公英为臣。

温通清热理血，子宫出血调匀。

3. 盗汗不止

熟艾二钱，白茯神三钱，乌梅三个。水一盅，煎八分，临卧温服

【方歌】

盗汗熟艾必为君，臣药乌梅白茯神。

温补温服遵医嘱，白水一盅煎八分。

4. 滑胎（习惯性流产）

生艾三钱，鸡蛋一枚，白水三杯。艾叶荷包鸡蛋，主治习惯性流产。

【方歌】

任脉薄弱子早夭，刘氏家传有绝招。

生艾一两为主药，一枚鸡卵同荷包。

每日晨起一只蛋，连服一月胎自牢。

（十六）延胡索（元胡）

延胡索，活血，散瘀，理气，止痛。治心腹腰膝诸痛，月经不调，癥瘕，崩中，产后血晕，恶露不尽，跌打损伤。

《日华子本草》：“除风、治气、暖腰膝，破癥瘕，扑损瘀血，落胎，暴腰痛。”

《医学启源》:“治脾胃气结滞不散，主虚劳冷泻，心腹痛，下气消食。”

《本草纲目》:“活血，利气，止痛，通小便”“能行血中气滞，气中血滞，故专治一身上下诸痛，用之中的，妙不可言。”

《本草经疏》:“延胡索，温则能和畅，和畅则气行；辛则能润而走散，走散则血活。血活气行，故能主破血及产后诸病因血所为者。妇人月经之所以不调者，无他，气血不和，因而凝滞，则不能以时至，而多后期之证也。腹中结块，产后血晕，暴血冲上，因损下血等证，皆须气血和而后愈，故悉主之也。”

《本草汇言》:“玄胡索，凡用之行血，酒制则行；用之止血，醋制则止；用之破血，非生用不可；用之调血，非炒用不神。随病制宜，应用无穷者也。”

《本草求真》:“延胡索，不论是气是血，积而不散者，服此力能通达，以其性温，则于气血能行能畅，味辛则于气血能润能散，所以理一身上下诸痛，往往独行功多。然此既无益气之情，复少养营之义，徒仗辛温攻凝逐滞，虚人当兼补药同用，否则徒损无益。”

《本草正义》:“延胡索，虽为破滞行血之品，然性情尚属和缓，不甚猛烈，古人必以酒为导行，助其运行，其本性之不同于峻厉，亦可想见。而又兼能行气，不专于破瘀见长，故能治内外上下气血不宣之病，通滞散结，主一切肝胃胸腹诸痛，盖攻破通导中之冲和品也。”

刘氏一君二臣三味方

1. 治热厥心痛，时发时止，久不愈。

延胡索、金铃子肉各等份，为末，温酒送服。

【方歌】

热厥心痛时发狂，元胡金铃等份尝。

温酒为引齐送下，身热足寒圣惠方。

2. 治咳喘

醋制延胡索七成，枯矾三成。共研细末，每服一钱，一日三次。主治痰喘咳嗽不停。

【方歌】

老年咳喘药不灵，醋制玄胡准七成。

三成枯矾同备用，陈年喘疾服之宁。

3. 室女气血相搏，腹中刺痛，痛入心尖，经行涩少，经事不调

醋煮延胡索（去皮）一两，酒浸当归（去茎）一两，橘红二两。上为细末，酒煮米糊为丸如梧桐子大，每服七十丸，空心艾汤送下。(《济生方·三神丸》)

【方歌】

室女气血相搏，腹中刺痛折磨。
醋胡酒归橘红，水丸七十立瘥。
济生三神妙药，代代传承颂歌。

4. 治疝气危急

盐炒延胡索、生全蝎各等份，每服半钱，盐酒送服。(《仁斋直指方》)

【方歌】

疝气急症步难行，盐炒元胡不可轻。
全蝎生用盐酒送，只须半钱立见功。
仁斋直指方法妙，五疝急发此方宗。

（十七）红藤

红藤，又称大血藤。败毒消痈，活血通络，祛风杀虫。治急、慢性阑尾炎，风湿痹痛，赤痢，血淋，月经不调，疳积，虫痛，跌打损伤。

《简易草药》:“治筋骨疼痛，追风，健腰膝，壮阳事。”

《陕西中草药》:“抗菌消炎，消肿散结，理气活血，祛风杀虫，治阑尾炎，月经不调，崩漏，小儿疳积，蛔虫、蛲虫症。”

刘氏一君二臣三味方

1. 肠痈

红藤 100g，紫花地丁 50g，大黄 5g。酒煎服，治疗阑尾炎，立效。

【方歌】

红藤二两好酒煎，服下一碗在午前。
紫花地丁一两许，午后服下小半碗。
大黄一两排肠毒，阑尾肠痈自安然。

2. 风湿腰腿痛

红藤 20g，牛膝 15g，长春七 10g。水煎服，每日一剂。

【方歌】

君药红藤五六钱，臣药牛膝春七添。
追风通经壮腰膝，专医风湿腰椎盘。

3. 血虚经闭

红藤五钱，益母草三钱，叶下红四钱，香附二钱。水煎适量，红糖调服。

【方歌】

血虚经闭用红藤，臣药益母叶下红。
香附养血兼益气，血气荣和经血宁。

4. 钩虫

大血藤三钱，凤丫蕨三钱，喇叭花三钱。水煎服。

【方歌】

钩虫之疾不可怕，首用红藤喇叭花。
利尿杀虫兼补血，最好还须配凤丫。

5. 血崩

红藤五钱，仙鹤草五钱，白茅根五钱。水煎服。

【方歌】

刘氏祖传治血崩，白茅仙鹤大红藤。
红藤为君止血淋，仙鹤伍白调血冲。

6. 风湿性关节炎

大血藤 50g，透骨香 50g，香樟根 50g。水煎，分两次服，一日一剂。连服数日，可见关节红肿消退，疼痛减轻。

【方歌】

风湿关节红肿胀，反复不愈苦难当。
刘氏留下神奇剂，红藤樟根透骨香。

7. 灼伤

大血藤一斤，金樱子一斤。水煎取汁 500 毫升，对已发生感染的创面进行湿敷，能促使创面清洁，加速愈合。

【方歌】

刘氏祖传治灼伤，红藤金樱熬脂浆。
湿巾外敷清创面，感染愈合看临床。

（十八）竹叶

竹叶，清热除烦，生津利尿。治热病烦渴，小儿惊痫，咳逆吐衄，小便短赤，口糜舌疮。

《日华子本草》："消痰，治热狂烦闷，中风失音不语，壮热，头痛头风，并怀妊人头眩倒地，止惊悸，瘟疫迷闷，小儿惊痫天吊。"

张元素："凉心经，益元气，除热，缓脾。"

《本草纲目》："煎浓汁，漱齿中出血，洗脱肛不收。"

《重庆堂随笔》："息肝胆之风，外清温暑之热，故有安神止痉之功。"

《本草再新》："凉心健脾，治吐血、鼻血，聪耳明目。"

《本草经疏》："阳明客热，则胸中生痰，痰热壅滞，则咳逆上气。竹叶辛寒能解阳明之热结，则痰自消，气自下，而咳逆上矣。仲景治伤寒发热大渴，有竹叶石膏汤，无非假其辛寒散阳明之热邪也。"

《本草求真》："竹叶……凉心健脾，清痰止渴，为治上焦风邪烦热，咳逆喘促，呕哕吐血，一切中风惊痫等症，无非因其轻能解上，辛能散郁，甘能缓脾，凉能入心，寒能疗热故耳。然大要总属清利之品，合以石膏同治，则解除胃热，而不致烦渴不止。"

刘氏一君二臣三味方

1. 口内糜烂

淡竹叶二钱，木通一钱，生地黄六钱，炒车前子三钱，甘草八钱。水煎服。

【方歌】

心火移热到小肠，口内糜烂痛难当。
祖上留下导赤散，加入车前效果良。

2. 痄腮，赤焮疼痛

竹叶一斤烧灰，鸡子白和匀，日涂三四次。

【方歌】

痄腮赤焮疼痛，病毒传染红肿，
竹叶一斤烧灰，调合三枚蛋清。

（《太平圣惠方》）

竹叶的功效，重在清心凉肺，正如《药品化义》所云："竹叶清香透心，微苦凉热，气味俱清。经曰：治温以清，专清心气……气清入肺，是以清气分之热，非竹叶不能。"

竹叶青茶还具有清热、消炎、利尿、通络的功效。竹叶青茶内含皂苷、糖类及维生素 A、维生素 C，有清热、消炎、利尿通便之功。

（十九）白屈菜

白屈菜，味苦、辛，性微温，有毒。镇痛，止咳，利尿，解毒。主治胃肠疼痛，黄疸，水肿，疥癣疮肿，蛇虫咬伤。

《中国药用植物志》："治胃肠疼痛及溃疡。外用为疥癣药及消肿药，以生汁涂布之。"

《山西中药志》："下心火，退烧解热，消炎杀菌，镇痛镇静。"

《四川中药志》："治肝硬化，皮肤结核，脚气病，胆囊病及水肿黄疸。"

《陕西中药志》："治毒蛇咬伤，止疼消肿。"

《北方常用中草药》："有镇痛、止咳、杀菌、利尿、解疮毒之功。治急慢性胃炎，胃溃疡，腹痛，泻痢，咳嗽，肝硬化腹水。"

刘氏一君二臣三味方

1. 气管炎

白屈菜 10 斤，先以水提法，制成 1∶0.25 浸膏，再与众药（紫菀、冬花、陈皮、半夏、枳壳、桔梗、杏仁、罂粟、冬虫夏草、羚羊角丝）合之，治疗积年气管炎、肺气肿哮喘，享有盛名。

【方歌】

白屈菜膏为君，五组对药为臣。
陈皮半夏燥湿，桔梗枳壳稳心。
杏仁米壳止咳，紫菀冬花调匀。
羚羊清泻肝肺，劳嗽痰喘回春。

2. 胃炎溃疡

白屈菜 50g，煅瓦楞子 30g，乌贼骨 20g。水煎服，或为末服。

【方歌】

君药屈菜镇痛镇静，臣药制酸乌贼瓦楞。

汤剂散剂兼并应用，专医胃炎溃疡疼痛。

3. 黄疸型肝炎合并腹水

白屈菜 50g，蒲公英 50g，茵陈 30g，商陆 10g。水煎服。

【方歌】

黄疸肝炎伴腹水，屈菜为君显神威。

清热解毒蒲公英，利胆除湿茵陈配。

商陆为使代茶饮，缓缓通利疸黄退。

（二十）葶苈子

葶苈子，味辛、苦，性寒，无毒。入肺、膀胱经。下气行水。治肺壅喘急，痰饮咳嗽，水肿胀满。

《神农本草经》："主癥瘕积聚结气，饮食寒热，破坚逐邪，通利水道。"

《名医别录》："下膀胱水，伏留热气，皮间邪水上出，面目浮肿，身暴中风热痱痒，利小腹。"

《药性论》："利小便，肺气上喘息急，止嗽。"

《开宝本草》："疗肺壅上气咳嗽，定喘促，除胸中痰饮。"

《本草经百种录》："葶苈滑润而香，专泻肺气，肺如水源，故能泻肺即能泻水。凡积聚寒热从水气来者，此药主之""大黄之泻从中焦始，葶苈之泻从上焦始，故《伤寒论》中承气汤用大黄，而陷胸汤用葶苈也。"

刘氏一君二臣三味方

1. 咳嗽

葶苈子 50g，知母 50g，贝母 50g。三物同捣筛，以枣肉半两、砂糖一两半，同入药中为丸，大如弹丸，每服以新绵裹一丸含之，徐徐咽津，甚者不过三丸。（《箧中方》含膏丸）

【方歌】

箧中含膏止咳匀，葶苈为君二母臣。

三物捣筛枣泥备，绵裹口含徐咽津。

此方相传二百载，止嗽平喘千古寻。

2. 肺胀（炸肺）

葶苈子二斤，炒黄熟，每日两匙。

［病例］

刘某，13 岁。放学回家，遇风夹雨，跑回家时，烦渴身热，喝冷水后，身热气促、咳嗽、哮喘，张口抬肩，不能平卧，乡里人称“炸了肺”。请来当地知名中医米老先生，他不慌不忙，笑着说：“去道旁采来葶苈子二斤，炒熟，每日两匙，喝完就好了。”家人如法去做。果然，葶苈子只用一半，就不咳嗽不喘了。为此，我亲去米老先生处，讨教葶苈子为什么能治“炸肺”？老先生说：“什么炸肺？这就是肺胀。冒雨后身体产生热量，体内器官都处于高热中，饮用凉水使喉咙、气管急剧收缩，故而肺气满胀，不能敛降，胸中满闷，气急，咳嗽。用葶苈子主要是泻肺气。”

听了米老先生的话，我速查关于肺胀的资料。始知，肺胀是多种慢性肺系疾患反复发作、迁延不愈，导致肺气胀满、不能敛降的一种病症。临床表现为胸部膨满，憋闷如塞，喘息上气，咳嗽痰多，烦躁，心悸，面色晦暗，发绀，脘腹胀满，肢体浮肿等。

肺胀的发生，一为内伤久咳、支饮、喘哮、肺痨等肺系慢性疾患，迁延失治，痰浊潴留，壅阻肺气，气之出纳失常，滞于肺间，日久导致气虚，成为发病的基础；二为六淫外邪乘袭，诱使本病发作。那个冒雨男孩，即为六淫外邪所乘之例。病因单纯，故葶苈子一味奏效。

（二十一）茄根

茄根，性寒，味甘、苦。治久痢便血、脚气、齿痛、冻疮。

《滇南本草》：“行肝气，洗皮肤瘙痒之风、游走引风，祛妇人下阴湿痒、阴浊疮”“根、叶，蒸热治瘫痪。”

《本草纲目》：“散血消肿，治血淋，下血，血痢，阴挺，齿䘌，口蕈。”

《分类草药性》：“治风湿筋骨瘫痪，洗痔疮。”

《岭南采药录》：“有收敛性，治赤白下痢。”

《日用本草》：“烧灰敷冻疮溃烂处。”

刘氏一君二臣三味方

1. 久痢不止

茄根（烧灰）、石榴皮各等份，为末，以砂糖水服之。

【方歌】

茄根烧灰君位居，臣药等份石榴皮。
砂糖为水兼服用，久痢不止最相宜。

2. 牙齿龋痛

鲜茄根（捣汁），陈茄根（烧灰），露蜂房（煎汤）。

【方歌】

茄根捣汁频涂，陈根烧灰外敷。
蜂房煎水漱口，牙齿龋痛立除。

3. 女阴挺出

茄根（烧存性），油（调纸上），卷筒（入内）。

【方歌】

茄根烧存性，油调纸上行。
卷筒安入内，专治女阴挺。

4. 口中生蕈

茄母（烧灰），飞盐（等份），米醋（调）。

【方歌】

茄母烧灰，等份盐飞。
米醋调稀，擦口蕈没。

5. 慢性风湿关节炎

茄子根 90g，白酒 500g，浸泡 7 天后取服，每服药酒 15mL，每日 2 次。

【方歌】

紫色茄根稞带全，一斤白酒泡七天。
一日一盅喝两次，专治风湿关节炎。

6. 痔肿肛垂

茄根 60g，苦参 15g，煎水熏洗，温罨上托。

【方歌】

茄根六十克，苦参三钱多。
煎水热熏洗，温罨往上托。

［注］罨：音 yǎn，热敷之意。

（二十二）分心木

分心木，为胡桃科植物胡桃果核内的木质隔膜。木质隔膜呈薄片状，多弯曲，破碎而不整齐，表面为淡棕色至棕褐色，或棕黑色，略有光泽。质脆，易折断，气微，味微苦。以块大、质薄、色黄为佳。

分心木，固肾涩精，治遗精滑泄，淋病，尿血，遗溺，崩中，带下，泻痢。

《本草再新》："味苦涩，性平，无毒。入脾、肾二经""健脾固肾。"

《天津中草药》："固涩收敛。治遗精，尿频，带下。"

《中药学》："固肾涩精。治遗精滑泄，淋痛，尿血，遗溺，崩中，带下，泻痢。"

刘氏一君二臣三味方

1. 老年夜尿频多

人到老年，夜尿频多，临床多见。有一夜三四次者，亦有一夜七八次之多者，由此影响睡眠而出现心悸、气短、乏力之状，下元不固也。众所周知，昼为阳，夜为阴，夜间多溺，实为肾气不足之为病也。对此，刘氏家传分心散可收良效。

分心散：分心木、桑螵蛸、覆盆子、五味子、炙酸枣仁、龙骨、牡蛎。

本方重用分心木。分心木系核桃仁中之隔膜也，功能固肾添精，主治遗精滑泄、遗溺。以之为君，取其益肾涩溺之功。臣药以桑螵蛸、覆盆子，治疗夜尿频多，可谓神奇。

【方歌】

夜尿频多睡不香，恶性循环心神伤。
分心一味为君药，桑蛸覆盆二臣帮。
固涩收敛兼遗溺，重要时刻骨枣尝。

2. 肾虚遗精

分心木二钱，芡实四钱，牡蛎八钱。水煎服。

【方歌】

收敛固涩牡蛎为君，益肾固精芡实分心。
肾虚遗精君臣三味，刘氏家传肾科藏珍。

3. 肾炎

分心木 500g，方海 15g，黄酒 2500g，浸泡 10 分钟后煮沸去渣，日服 3 次，每次 10mL。

【方歌】

祖传分心治肾炎，浮肿尿血身不堪。
分心方海相伍配，黄酒煮沸日服三。
此方流传几百载，口碑赞誉代代传。

（二十三）桑叶

桑叶，味苦、甘，性寒。入肝、肺二经。《本草经解》："入足太阳膀胱经、手少阴心经、足太阴脾经。"

桑叶功能祛风清热、凉血明目，治风湿发热，头痛，目赤，口渴，肺热咳嗽，风痹，瘾疹，下肢象皮肿。

《神农本草经》："除寒热，出汗。"

《日华子本草》："利五脏，通关节，下气，除风痛，出汗，并扑损瘀血……蛇虫蜈蚣咬。"

《本草纲目》："经霜桑叶，除寒湿盗汗，末服。"

《得配本草》："桑叶，甘寒，入手足阳明经。清西方之燥，泻东方之实。去风热，利关节，疏肝，止汗。"

《本草经疏》："桑叶，甘所以益血，寒所以凉血，甘寒相合，故下气血益阴，是以能主阴虚寒热及因内热出汗。其性兼燥，故又能除脚气水肿，利大小肠，除风。经霜则兼清肃，故又能明目而止渴。发者血之余也。益血故又能生发，凉血故又能止吐血。"

桑叶，有止汗之功。《本草备要》记载："……严州有僧，每就枕，汗出遍身，比旦，衣被皆透，二十年不能疗。监寺教采带霜桑叶，焙干为末，空心米饮下二钱，数日而愈。”

历代医家有诸多经验之谈，金元四大家之一的朱丹溪常用桑叶治盗汗，他在《丹溪心法》中记载：“经霜桑叶研末，米饮服，止盗汗。”明末清初名医傅青主，长于以桑叶止汗，以桑叶为主药的止汗神丹、遏汗丸、止汗定神丹，名噪大江南北，收录于《傅青主秘方验方》，为世人传承。国医大师路志正常以桑叶15～30克治疗自汗、盗汗。阳明热证之头汗，热郁于内，不得四散，循经上越，秦伯未先生则以桑叶解热，其汗自止。刘氏家传，常以桑叶伍桑白皮，治疗肺热头汗，使肺得清肃，其汗自止。

桑叶止汗之奇，诸多西医名家疑之。现代名医魏龙骧先生亦不敢苟同，为验其究竟，独取桑叶一味，不杂他药，投诸临床试之，不料皆获良效，自此确信不疑，深有感触地说：“桑叶有止夜汗之功，确信不疑矣。”并寄语：“世之独重经方轻中草药者，亦可以余为鉴矣。”

刘氏一君二臣三味方

1. 健忘

四月盛桑叶半斤，十月神仙叶半斤，阴干捣末为丸，代茶饮服，常年不断。

《本草图经》：“桑叶可常服，以四月桑盛时采叶。又十月霜后，三分、二分已落时，一分在者名神仙叶，即采取与前叶同阴干，捣末，丸、散服，或煎以代茶饮，令人聪明。”

刘氏家传以霜神仙叶为君，以盛桑叶为臣，同阴干捣末为散，令人聪明，世代传承。

【方歌】

刘氏世传聪明散，霜后神仙叶斛半。
另有四月盛桑叶，同时阴干捣为丸。
年年岁岁代茶饮，神明聪慧耄耋年。

2. 金创诸损

铁扇子一斤，血竭一两，藤黄半两。

《百草镜》：“大雪压过，雪晴采下，线穿悬户，阴干，其色多青黑色，风吹作铁器声，故名铁扇子。”刘氏世代与少林、青城为友，在青城老友的指引下，常以铁扇子治疗金创诸痛，乃为典藏传奇。

【方歌】

铁扇为君愈金创，二臣血竭并藤黄。

刀伤剑伤红伤痹，内外兼用皆乐康。

3. 头汗

霜桑叶 50g，桑白皮 10g，青桑椹 10g。水煎温服，主治因肺热引起的睡头汗（掐脖子汗）。

【方歌】

桑叶桑皮青桑椹，桑叶为君皮椹臣。

掐脖子汗为肺热，合煎一剂可逢春。

4. 眼目昏花

嫩桑叶（去蒂、洗净、晒干，为末）一斤，黑胡麻子（淘净）四两，白蜜一斤。将胡麻擂碎，熬浓汁，和白蜜一斤，熬至滴水成珠，入桑叶为丸，如梧桐子大。每服三钱，空腹盐汤送下，临卧时温酒送下。主治肝阴不足，眼目昏花，肌肤甲错，麻痹不仁等。

【方歌】

嫩桑为君治昏花，黑麻四两徐徐加。

白蜜一斤熬珠用，共为桐丸盐汤下。

5. 头目眩晕

桑叶三钱，菊花三钱，枸杞三钱，决明子二钱。水煎代茶饮。

【方歌】

桑叶为君治眩晕，菊花枸杞决明寻。

专治头晕目眩症，合剂水煎代茶饮。

6. 清热止汗散

浮小麦 50g，霜桑叶 30g，地骨皮 20g。

清热止汗散，自汗、盗汗皆宜。气虚自汗合玉屏风散，阴虚盗汗合二至汤加知、柏。产后大汗不止，则加入麻黄根、炮附子，以温阳增卫气，固表敛阴。

【方歌】

祖上留下止汗散，自汗盗汗皆能痊。

麦君桑臣地骨佐，阴阳兼顾不废偏。

遍身夜汗，以桑叶一味，汗止，气阴两虚之状也；夜间盗汗，缘于阴虚热扰，阴不能敛汗，则应以益阴汤加桑叶（生地黄、山茱萸、牡丹皮、白芍、麦冬、山药、泽泻、地骨皮、莲子、灯心草、五味子、桑叶）养阴清热，其汗自止；倘内热重或五志之火易动者，当以益阴汤合当归六黄汤（当归、黄芪、生地黄、熟地黄、黄芩、黄连、黄柏）应用，其汗可止。

（二十四）桑枝

桑枝，味微苦，性平，归肝经。功能祛风湿，利关节。主治风湿痹痛，中风不遂，水肿脚气等。

《本草图经》："主遍体风痒干燥、水气、脚气、风气，四肢拘挛。"

《本草纲目》："利关节，除风湿痹痛。"

《本草撮要》："桑枝，专攻风湿拘挛，得桂枝治肩臂痹痛，得槐枝、柳枝、桃枝洗遍身痒。"

《中药学》："痰火壅滞，而致中风口眼㖞斜、语言謇涩，半身不遂者，可用本品祛风通络，除湿化痰。"

《玉楸药解》："治中风㖞斜，咳嗽。"

《本草再新》："壮肺气，燥湿，滋肾水，通经，止咳除烦，消肿止痛。"

《现代实用中药》："嫩枝及叶熬膏服，治高血压，手足麻木。"

刘氏一君二臣三味方

1. 紫癜风

桑叶十斤（锉），桑枝八斤（锉），益母草三斤（锉）。上药以水五斗，慢火煎至五升，滤去渣，熬为膏。夜卧时，温酒调服。（《圣惠方》桑枝煎）

【方歌】

桑枝桑叶益母草，水提还需慢火熬。
冰蜜收膏调备用，夜卧酒服紫癜消。

2. 高血压

桑枝、桑叶、茺蔚子各五钱，加水1000毫升，煎至600毫升，睡前洗脚40分钟，洗完睡觉。其效如神。

【方歌】

刘氏留下保健方，枝君叶茺二臣襄。

煎水浴足不间断，血压平稳体健康。

3. A、B、C 方组君臣联合治疗脑出血

A 组春桑枝膏为君，熬成 1∶1.25 清膏，先与水提取物 B 组（郁金、双钩藤、白蒺藜、杜仲、檀香、沉香、毛冬青、柳枝）合，再与乙醇提取物 C 组（蕲蛇、胆南星、地龙、天竺黄、血竭、羚羊角、水蛭）合，最后与细料药（冰片、麝香、牛黄、犀角）等研细合匀，炼蜜为水蜜丸如梧桐子大，治疗中风痰厥，颅内压增高，有脑出血倾向，取其窜走透达之功，恢复脑细胞之活力。全方以豁痰开窍、熄风定惊之牛黄，与芳香走窜、透达十二经、善通诸窍之麝香、春桑枝膏为君，与 B 组、C 组众药相合，通诸窍之不利，开经络之壅遏，主治脑出血，当为神奇。

【方歌】

A 组细料为君，B 组 C 组为臣。
平肝清热化痰，醒脑通络祛淫。
尚有伏药相配，中风脑痹回春。

4. 白癜风

桑膏一斤，补骨脂半斤，凌霄花三两，何首乌二两。合炼为膏，每晚临睡前服一匙，常年服。白色变淡。

【方歌】

白膏君药春桑枝，凌霄首乌补骨脂。
更有密陀外搽剂，白色变淡常年吃。

桑枝生津利水，祛湿通络，且能祛风养血，亦能凉血养血、祛风通络。用治消渴，长于风湿热痹，四肢关节痛，遍体风痒，皮肤干燥。

刘氏以治疗中风痰厥见长，普济桑枝丸治疗中风后遗症，名传四方。

（二十五）桑根

桑根，味苦，性寒，入肝经。主治惊痫，筋骨痛，高血压，目赤，鹅口疮。

《日华子本草》："研汁，治小儿天吊，惊痫客忤，敷鹅口疮。"

《南京民间药草》："治筋骨痛，高血压。"

《福建药物志》："清热泻火。治赤眼，牙痛，肾盂肾炎，癫痫。"

《岭南采药录》："去骨节风痰。"

《中药学》:“清热定惊，祛风通络。用于惊痫，目赤，牙痛，筋骨疼痛。”

刘氏一君二臣三味方

1. 风湿骨痛、跌打损伤、高血压

桑树根 60g，水煎服。

【方歌】

桑根通络止痛佳，一切风疾并跌打。
水煎浓汁食后用，通痹祛风降血压。

2. 房事头痛

桑根皮 6g，姜 10g，肉桂 6g，大枣 5 枚。黄酒煎服。

【方歌】

男女房事见头痛，君药桑根可降冲。
干姜桂心平相火，引火归元头痛平。

3. 养生

桑根白皮 9g，粳米 60g，白糖 15g。加水熬粥。

【方歌】

祖上留下养生粥，桑根之皮不可丢。
粳米白糖二臣伍，细水长流寿中求。

4. 肺热咳嗽

桑根皮 10g，地骨皮 10g，炙甘草 6g，粳米 10g。水煎，啜服。

【方歌】

肺热咳嗽气喘急，君药桑根骨二皮。
清热止嗽降肝火，尤加臣药草粳米。

5. 恶露不绝

桑根屑五指撮，益母草 30g，醇酒为引。水煎服。(《肘后方》)

【方歌】

恶露不止桑根屑，益母醇酒不可缺。
煎汁顿服一二次，古法今用堪称绝。

6. 脱发

桑根白皮四钱，陈醋二两，白水二斤，烧开后洗头，三天洗一次，一个月为一疗程。

【方歌】

桑根之皮生发优，百年传承众口留。

陈醋白酒煎水洗，血虚脱发火蕴头。

（二十六）桑耳

桑耳，味甘寒，无毒，入肝、脾二经。主治肠风、痔血，衄血，崩漏，带下，妇人心腹痛。

《神农本草经》:“黑者主女子漏下赤白汁，血病，癥瘕积聚，阴痛，阴阳寒热，无子。”

《名医别录》:“疗月水不调，其黄熟陈白者止久泄，益气不饥，其金色者治癖饮，积聚腹痛，金创。”

《本草逢原》:“桑耳，善祛五脏中风热，不但主漏下血痛，并可以治寒热积聚，积聚去，不难成孕。”

《神农本草经》:“专取黑者达肾，赤者走肝，补中寓泻，泻中寓补之机，俱见言外矣。其黄熟陈白者，止久泄，益气。金色者，治癖饮积聚，及肠风泻血，衄血，五痔下血，血痹虚劳，咽喉痹痛，一切血症咸宜用之。”

刘氏一君二臣三味方

1. 留饮宿食

桑耳二两，巴豆一两（去皮），五升米下蒸过，合枣泥为膏，捣丸，麻子大，每服一二粒，宿食积聚，神效。

【方歌】

留饮宿食肚大青筋，桑耳二两化滞为君。

巴豆一两臣药通腹，蒸米枣丸积聚除根。

2. 血崩

桑耳（煅存性，研细），香附（童便炒黑，研细），泼醋汤。每服桑耳灰二分，香附末三分，泼醋空心调服，主治血崩血晕。(《本草经疏》)

【方歌】

血崩之疾病势危，桑耳为君烧成灰。

臣药香附童便炒，泼醋调服大血没。

3. 子宫肌瘤

桑耳 15g，怀山药 15g，水蛭 6g。共研末，炼蜜为丸，如梧桐子大。每次一丸，温开水送服，每日两次，十天为一疗程。

【方歌】

子宫肌瘤瘀阻胞，君药桑耳血癖消。

水蛭破瘀兼散结，理脾扶正怀山药。

4. 涩中遗尿

桑耳、龙骨各三份，矾石、阿胶（炙）各二份。上为散，空腹，米汤下，一日三服。(《圣济总录》)

【方歌】

下元疲惫寒湿凝，遗尿且涩苦病容。

桑耳为君止遗涩，龙骨矾石涩遗通。

阿胶培元补血气，水道通利涩滞行。

（二十七）桑黄

桑黄，味甘辛，无毒。主治血崩，血淋，脱肛泻血，带下，经闭。

《药性论》:“治女子崩中带下，月闭血凝，产后血凝，男子痃癖，兼疗伏血，下赤血。”

刘氏一君二臣三味方

1. 血淋，脐腹及阴茎涩痛

岗谷树根皮一两半，桑黄一两三（微炙）。上药，捣粗罗为散。每服三钱，以水一中盏，煎至六分，去滓，不计时温服。

［病例］

有罗氏男孩，18 岁时，正遇白露时节，晨起，与人行房后，冷气袭身而成“回马毒”，睾丸、小腹、阴茎抽痛，急以桑黄二两、岗谷树根皮一两为末，煎煮 20 分钟，一次饮下，汗出淋漓，卧睡 2 小时而愈。

【方歌】

男子痃癖茎腹痛，桑黄一味效果宏。

更有菝葜臣为伴，一口温下见奇功。

2. 脱肛泻血不止

香附一两（焙），桑黄一两（微炒）。上药，捣罗为末，炼蜜为丸，如梧桐子大。每于食前，以粥饮下二十丸。

【方歌】

脱肛下血病非凡，桑黄香附君臣伴。

炼蜜为丸桐子大，以粥医服保平安。

3. 瘰疬溃烂

桑黄菇五钱，水红豆一两，百草霜三钱，青苔二钱，片脑一分，为末，鸡子白调敷。并以车前、艾叶、桑皮煎汤洗之。(《纂要奇方》)

【方歌】

瘰疬溃烂属漏痨，分泌清水口不消。

红豆一两桑黄半，蛋清调敷白布包。

青苔片脑百草霜，车艾桑皮煎水熬。

清创再添抗痨剂，祛腐生肌第一招。

（二十八）桑白皮

桑白皮，气寒，味苦、酸，入肺、脾二经。泻肺平喘，行水消肿。治肺热喘咳，吐血，水肿，脚气，小便不利。

《神农本草经》:“主伤中，五劳六极羸瘦，崩中，脉绝，补虚益气。”

《药性论》:“治肺气喘满，水气浮肿，主伤绝，利水道，消水气，虚劳客热，头痛，内补不足。”

李杲:“桑白皮，甘以固元气之不足而补虚，辛以泻肺气之有余而止嗽。”

《本草纲目》:“桑白皮，长于利小水，乃实者泻其事也，故肺中有水气及肺火有余者宜之。《十剂》云：燥可去湿，桑白皮、赤小豆之属是矣。宋医钱乙治肺气热盛，咳嗽而后喘，面肿身热，泻白散。……桑白皮、地骨皮皆能泻火从小便去，甘草泻火而缓中，粳米清肺而养血，此乃泻肺诸方之准绳也。元医罗天益言其泻肺中伏火而补正气，泻邪所以补正也。若肺虚而小便利者，不宜用之。”

《药品化义》:“桑皮，散热，主治喘满咳嗽，热痰唾血，皆由实邪郁遏，肺窍不得通畅，借此渗之散之，以利肺气，诸证自愈。故云：泻肺之有余，非桑皮不可。以此治皮里膜外、水气浮肿及肌肤邪热，浮风燥痒，悉能去之。同甘菊、扁豆通鼻塞热壅，合沙参、黄芪止肠红下血皆效。”

刘氏一君二臣三味方

1. 小便不利，面目浮肿

桑白皮四钱，冬瓜仁五钱，葶苈子三钱。煎汤服。

【方歌】

肺中伏火水有余，桑白为君水还去。
肺热面肿咳嗽喘，冬仁为臣而肿利。
水闭身肿心气弱，葶苈泻肺补正气。

2. 肺热喘咳、吐血

桑白皮 10g，枇杷叶 10g，淡竹叶 5g。水煎服。

【方歌】

肺热咳嗽吐血，枇杷清肺化痰。
桑皮泻热利尿，竹叶解渴除烦。
君臣三味合用，止血安咳定喘。

3. 水饮停，胀满喘急

桑根白皮二钱，麻黄一钱半，桂枝一钱，杏仁三粒。水煎顿服。(《本草汇言》)

【方歌】

水饮停肺喘满急，君药重用桑根皮。
麻桂杏仁为臣药，胸膜蓄水了不得。

4. 糖尿病

桑白皮四钱，枸杞子五钱，山萸肉三钱。水煎服。

【方歌】

桑皮壳素降血糖，臣药枸杞力能帮。
山萸为佐滋肝肾，三药合一糖必降。

5. 美容，生发

桑白皮 30g，侧柏叶 30g，透骨草 20g，霜桑叶 10g。煎水洗头，用脱脂棉蘸之，每日2次。

【方歌】

美容生发有绝招，桑皮柏叶透骨草。
君臣三味煎水洗，或加归红霜桑梢。
尤对斑秃效更好，不出十日即生毛。

（二十九）桑寄生

桑寄生，味苦，性微温，入肝、肾二经。补肝肾，强筋骨，除风湿，通经络，益血，安胎。主治腰膝酸痛，筋骨痿弱，偏枯，脚气，风寒湿痹，胎漏血崩，产后乳汁不下。

《神农本草经》："主腰痛，小儿背强、痈肿，安胎，充肌肤，坚发、齿，长眉毛。"

《名医别录》："主金疮，去痹，女子崩中，内伤不足，产后余疾，下乳汁。"

《滇南本草》："生槐树者，主大肠下血、肠风带血、痔漏。生桑树者，治筋骨疼痛，走筋络，风寒湿痹。生花椒树者，治脾胃寒冷，呕吐恶心翻胃；又用治梅疮毒，妇人下元虚寒或崩漏。"

《生草药性备要》："清热，滋补，追风。"

《本草再新》："补气温中，治阴虚，壮阳道，利关节，通经水，补血和血，安胎定痛。"

《药材学》："治动脉硬化性高血压。"

《辽宁经济植物志》："治郁血性肾炎，月经困难，咯血，瘰疬，心脏诸病及早期肺病。"

《湖南药物志》："治肝风昏眩，四肢麻木，酸痛，内伤咳嗽，小儿抽搐。"

《广西药用植物名录》："除风湿，消肿，清热，祛痰，顺气，止咳。治痢疾，疮疥，咯血，子宫脱垂。"

《本草经疏》："桑寄生，其味苦甘，其气平和，不寒不热，固应无毒。详其主治，一本于桑，抽其精英，故功用比桑尤胜。腰痛及小儿背强，皆血不足之候。痈肿多由于营气热。肌肤不充，由于血虚。齿者，骨之余也，发者，血之余也，益血则发华，肾气足则齿坚而发眉长。血盛则胎自安。女子崩中及内伤不足，皆血虚内热之故。产后余疾，皆由血分，乳汁不下，亦由血虚。金疮则金伤于血。上来种种痰病，莫不悉由血虚有热所发，此药性能益血，故并主之也。兼能祛湿，故亦疗痹。”

《本草求真》：“桑寄生，号为补肾补血要剂。缘肾主骨，发生血，苦入肾，肾得补则筋骨有力，不致痿痹而酸痛矣。甘补血，血得补则发受其灌荫而不枯脱落矣。故凡内而腰痛、筋骨笃疾、胎堕，外而金疮、肌肤风湿，何一不借此以为主治乎？”

刘氏一君二臣三味方

1. 妊娠胎动不安，心腹刺痛

桑寄生两半，艾叶半两（微炒），阿胶一两（捣碎，炒令黄燥）。上药，以水一大盏半，煎至一盏，去滓。食前分温三服。（《太平圣惠方》）

【方歌】

血虚胎动心腹痛，君药首选桑寄生。
艾叶温经胶补血，血盛自然胎动平。

2. 毒痢、脓血

桑寄生二两，防风二钱半，川芎二钱半，炙甘草三钱，为末，每服二钱，水一盏，煎八分。（《杨氏护命方》）

【方歌】

毒痢脓血与肿痛，君药最好椒寄生。
清热解毒消肿痛，臣药甘草川防风。

3. 风寒湿痹腰腿痛

独活 15g，桑寄生 30g，牛膝 30g，杜仲炭 30g，熟地黄 30g，四物加参苓。（《千金方》）

【方歌】

独活寄生羌艽风，细辛肉桂膝杜仲。
四物参苓兼炙草，风湿痹痛此方宗。

此方祛风湿，止痹痛，益肝肾，补气血，独活寄生之妙用也。

（三十）柳叶

柳叶，味苦，性寒，无毒。入心、脾二经。清热，透疹，利尿，解毒。主治痧疹透发不畅，白浊，疔疮疖肿，乳腺炎，甲状腺肿，丹毒，烫伤，牙痛。

《名医别录》："疗心腹内血，止痛。"

《日华子本草》："治天行热病，疔疮，传尸骨蒸劳热，汤火疮毒入腹热闷，并下水气。煎膏续筋骨，长肉止痛；牙痛煎含。"

《本草纲目》："疗白浊，解丹毒。"

《本草再新》："柳头平肝，发（散）热，能托能升，败毒，发斑，治小儿痧痘等症。"

《中药学》："清热、解毒、利尿、平肝、止痛、透疹。"

刘氏一君二臣三味方

1. 小便白浊

清明柳叶煎汤代茶饮，以愈为度。(《濒湖集简方》)

【方歌】

小便白浊最烦人，清明柳叶代茶饮。
以愈为度不间断，解毒平肝畅心神。

2. 乳腺炎

柳树叶切碎煮烂，过滤，除去残渣，浓缩至糖浆状，备用外敷。

【方歌】

疖肿乳腺炎，柳叶切煮烂。
浓缩糖浆状，外敷肿毒痊。

（三十一）柳花

柳花，味甘、苦、淡，性平。祛风，利湿，止血，散瘀。主治风水，黄疸，咳血，吐血，便血，血淋，妇女经闭，齿痛。

《神农本草经》："主风水、黄疸、面热黑。"

《滇南本草图说》："治吐血、咯血、咳血、唾血、下血、血淋，一切血症。"

《本草精要》："主齿痛。"

刘氏一君二臣三味方

1. 室女发热经停

柳花五七钱，紫草一两三钱，升麻九钱，归身七钱半，为末，每服七钱，葡萄煎汤调下。(《赤水玄珠》)

【方歌】

室女停经热焮焮，柳花为君五七钱。
尚须紫草一两三，升麻归身七钱半。

2. 走马牙疳

柳花烧存性，以麝香少许外搽。(《小儿卫生总微论方》)

【方歌】

柳花烧存性，麝香少许搽。
卫生总微论，专治走马牙。

附：柳花茶

柳花茶是一种河柳树上开的“花”，产于新疆乌苏四棵树河谷下游的古尔图镇。柳花茶是天赐珍品，当白柳树开花的时候，人们便采来那青绿可爱、细叠如菊的柳花泡茶。新疆的柳花茶，胜过西湖的龙井。因为花期极短，所以它们格外珍贵。其功用是解暑败火。花瓣像小柳叶，层层叠叠，看上去像一朵娇艳的野菊花。饮柳花茶，微苦而回甘，继而又有微苦袭来，伴以不绝的异香，回味悠长。

（三十二）柳枝

柳枝，味苦、辛，性寒，无毒。入足阳明、厥阴经。祛风、利尿、止痛，消肿。主治风湿痹痛，淋病，白浊，小便不通，传染性肝炎，风肿，疔疮，丹毒，龋齿，龈肿。

《本草拾遗》:“寒热，煮柳枝浴。”

《滇南本草图说》:“主治血凝气滞，风寒外来，小儿痘症，有乌头陷顶，浆升不起者，煎服或浴之。”

《本草纲目》:“煎服，治黄疸，白浊；酒煮，熨诸痛肿，祛风，止痛消肿。”

《得配本草》:“祛风热，除湿痹。”

刘氏一君二臣三味方

1. 小便淋浊不清

柳枝一握，甘草三钱，煎汤饮之。(《济急方》)

【方歌】

小便淋浊，柳枝一握。
三钱甘草，煎汤饮啜。
尿浊分清，后代传说。

2. 牙齿风龋

柳枝（锉）一升，大豆一升，合炒，豆泡尽，于瓷器盛之，清酒三升渍之，经三日，含之频吐。(《古今录验方》)

【方歌】

牙齿风龋痛难熬，柳枝大豆同锅炒。
瓷器盛之清酒泡，三日漱口龋病消。

3. 齿肿，连耳脑肿疼

垂柳枝、槐白皮、白杨皮各一握。上药细锉，每日半两，以水一大盏，煎至七分，入盐一钱，搅令匀，热含冷吐。(《太平圣惠方·柳枝汤》)

【方歌】

齿断肿疾耳脑疼，垂柳为君最相应。
槐白白杨二臣配，热含冷吐法最灵。

（三十三）柳絮

柳絮，性凉。入肝、大肠经。止血，除湿，溃痈。主治吐血，湿痹，四肢挛急，膝痛，痈疽脓成胀痛不溃，创伤出血。

《神农本草经》:“主溃痈，逐脓血。”

《药性论》:“主止血，治湿痹四肢挛急，膝痛。”

《名医别录》:“主痂疥，恶疮，金疮”“子汁疗渴。”

陶弘景:“贴灸疮。”

刘氏一君二臣三味方

1. 金枪出血不止

柳絮封之。(《千金方》)

【方歌】

金疮出血柳絮封，君药一味创伤平。

2. 一切恶毒，脓血胀痛不溃

柳絮敷之。(《外科撮要》)

【方歌】

恶毒脓血胀痛不溃，柳絮敷之邪气立摧。

脓泄毒减养正复元，伤家疮家经验宝贵。

附：柳絮的诗文化

柳絮，古今文人墨客有许多名句流传久远。

南朝梁·庾肩吾《春日》:“桃红柳絮白，照日复随风。”

唐代杜甫《绝句漫兴》之五:“颠狂柳絮随风去，轻薄桃花逐水流。”

北宋苏轼《和孔密州五绝·东栏梨花》:“梨花淡白柳深青，柳絮飞时花满城。”

北宋晏殊《寓意》诗:“梨花院落溶溶月，柳絮池塘淡淡风。”

薛涛《柳絮》:“二月杨花轻复微，春风摇荡惹人衣。他家本是无情物，一任南飞又北飞。”

“夕阳返照桃花坞，柳絮飞来片片红”，这是古时有关柳絮的名句。其实，这本来是罗贯中的一首诗：

玉带桥边袅袅风，
牧童横笛过桥东。
夕阳返照桃花坞，
柳絮飞来片片红。

然而，这两句诗却包含着极富情趣和意趣的两则传说。

1. 清代“扬州八怪”金农之作

清代“扬州八怪”之一的金农，有一次应邀到朋友家做客。席间，东道主微醺而兴起，信口吟道：“柳絮飞来片片红。”话音刚落，四座哗然，柳絮岂有红色之理？主人一时语塞，面红耳赤。此时金农霍然站起，应声说道：“此乃古人吟咏廿四桥之佳句，一点不错！”紧接着他脱口而出一首诗：

廿四桥边廿四风，
凭栏犹自忆江东。
夕阳返照桃花坞，
柳絮飞来片片红。

此非古诗，实乃金农巧补妙转，令诗理绝处逢生，又增添了新意，终于为主人解了窘。众宾客听罢，佩服得五体投地。

2. 清代“扬州八怪”郑板桥之作

王姓长工忽然接到主人的辞退消息，思家中有八旬老母，无法奉养。想到县令郑板桥急困救危，善解贫民之苦，急去县衙进见。进堂后他双膝跪地，言说遭主人辞退无力养母之难。郑板桥急忙扶起他，询问需怎样做。长工说：“少时您老曾教我识过字，请您老去其家做客，承认此段关系，我就不会被辞了。”郑板桥听罢，欣然前往。席间，主人对长工说：“既然你跟郑老有这样一层关系，何不将你们之间最难忘的时刻以诗吟出，以助酒兴？”长工不假思索，脱口而出：“我们之间最美妙的时刻是‘柳絮飞来片片红’。”众皆愕然，思柳絮飞来一片白，怎么会片片红呢？长工一时语塞，郑板桥哈哈大笑，说：“那是小姐在桃花坞廿四桥赏桃花的情景：

廿四桥头恋春风，
佳人斜倚画楼中。
夕阳返照桃花坞，
柳絮飞来片片红。”

郑板桥为长工解了围，主人也打消了辞退长工的念头。

（三十四）柳白皮

柳白皮，味苦性寒。祛风除湿，消肿止痛。治风湿骨痛，风肿瘙痒，黄疸，淋浊，乳痈，牙痛，汤火烫伤。

《唐本草》：“枝皮主痰热淋疾，可为浴汤，洗风肿瘙痒；酒煮含，主齿痛。”

《本草纲目》：“煎服，治黄疸白浊；酒煮，熨诸痛肿，去风，止痛消肿。”

刘氏一君二臣三味方

1. 汤火所灼

未成疮，柳皮切细，猪膏煎以涂之。疮已成，柳皮烧之，以粉涂之。

【方歌】

汤火灼烧苦难当，柳皮膏涂未成疮。
伤久疮成则另用，柳皮烧涂法最良。

2. 中耳炎

柳树皮（烧存性）二钱，枯矾、冰片各一钱。研末吹耳。

【方歌】

刘氏专治中耳炎，柳皮存性整二钱。
二臣枯矾共冰片，研末吹耳不过三。

（三十五）莲花

莲花，味苦、甘，性温，入心、肝二经。具有养心安神、收涩止血、祛湿消风、清热解毒的作用。

《日华子本草》："镇心，益气驻颜。"

《日用本草》："涩精气。"

《滇南本草》："治妇人血逆昏迷。"

《本草再新》："清心凉血，解热毒，治惊痫，消湿祛风，治疮疥。"

《河北药材》："揉搓贴肿毒，促脓肿之吸收。"

刘氏一君二臣三味方

1. 坠跌积血心胃，呕血不止

干荷花一两，三七五钱，白酒适量饮服。（《医方摘要》）

【方歌】

坠损呕血跌积瘀，荷花干末研三七。
君臣两辅化瘀血，引为酒服方寸匕。

2. 天疮湿疮

荷花瓣贴之。（《简便单方》）

【方歌】

荷花之瓣贴湿疮，凉血解毒效果良。
倘有天疮湿疮类，荷花鲜瓣最相当。

（三十六）莲子

莲子，味甘性平，入心、脾、肾经。养心，益肾，补脾，涩肠。治夜寐多梦，遗精，淋浊，久痢，虚泻，崩漏带下。并能止呕、开胃，常用治噤口痢。

《神农本草经》："主补中，养神，益气力。"

孟诜："主五脏不足，伤中气绝，利益十二经脉血气。"

《本草纲目》："交心肾，厚肠胃，固精气，强筋骨，补虚损，利耳目，除阴湿，止脾泻久痢，赤白浊，妇人带下崩中诸血病。"

《本草备要》："清心除烦，开胃进食，专治噤口痢，淋浊诸证。"

《随息居饮食谱》："镇逆止呕，固下焦，愈二便不禁。"

《本草纲目》："莲子味甘，气温而性涩，禀清芳之气，得稼穑之味，乃脾之果也。土为元气之母，母气既和，津液相成，神乃自生，久视耐老，此其权舆也。昔人治心肾不交，劳伤白浊，有清心莲子饮；补心肾，益精血，有瑞莲丸，皆得此理。"

《玉楸药解》："莲子甘平，甚益脾胃，而固涩之性，最宜滑泄之家，遗精便溏，极有良效。"

《王氏医案》："莲子，最补胃气而镇虚逆，若反胃由于胃虚，而气冲不纳者，但日以干莲子细嚼而咽之，胜于它药多矣。凡胃气薄弱者，常服玉芝丸，能令人肥健。至痢证噤口，热邪伤其胃中清和之气，故以黄连苦泄其邪，即仗莲子甘镇其胃。"

《刘氏家传》："以莲子治疗心悸失眠，男子遗精、滑精，妇女月经不调、白带过多及脾胃虚弱之泻泄等症。"

刘氏一君二臣三味方

1. 噤口痢

鲜莲肉一两七分，黄连五钱，人参五钱，水煎浓，细细与呷。（《本草经疏》）

【方歌】

饮食不入噤口痢，鲜莲为君一两七。

黄连人参各五钱，君臣三味止痢奇。

2. 小便白浊，梦遗滑精

莲肉、益智仁、龙骨（五色者）各等份。上为细末。每服二钱，空心清米饮调下。(《奇效良方》)

【方歌】

君药莲肉治遗精，益智龙骨二臣行。

三药合研清米饮，白浊遗精服之灵。

3. 病后胃热，水谷不消

莲肉、粳米（炒）四两，茯苓二两，共为末，砂糖调合，每用一匙，白酒送下。(《士材三书》莲肉糕）

【方歌】

病后胃弱谷不消，莲肉粳米四两炒。

二两茯苓同为末，胃气得降百病抛。

4. 产后胃寒咳逆，呕吐，腹胀

石莲肉两半，白茯苓一两，丁香五钱，为末，姜汤米饮调下，每服二钱，日三服。(《妇人良方》石莲散）

【方歌】

产后胃寒咳吐胀，两半石莲熬汁浆。

姜汤米饮日三次，臣药白苓公丁香。

（三十七）莲须

莲须，味甘、涩，性平，入心、肾经。功能清心、益肾，涩精，止血。治梦遗滑泄，吐、衄、崩、带、泻痢。

《本草蒙筌》:“益肾，涩精，固髓。”

《本草纲目》:“清心通肾，固精气，乌须发，悦颜色，益血，止血崩、吐血。”

《本草通玄》:“治男子肾泄，女子崩带。”

《本草再新》:“清心肺之虚热，解暑除烦，生津止渴。”

《神农本草经逢原》:“莲须，清心通肾，以其味涩，故为秘涩精气之要药。”

刘氏一君二臣三味方

1. 精滑不禁

沙苑蒺藜（炒）、芡实（蒸）、莲须各二两，龙骨（酥炙）、牡蛎（盐水煮一日一夜，煅粉）各一两。莲子粉糊为丸，盐汤下。（《医方集解》）

【方歌】

精滑不禁肾气亏，莲须二两安魂魄。
君药还须沙芡配，龙牡一两臣药推。
莲须粉丸盐汤下，欲心一动精不摧。

有陈氏男，17 岁，误犯手淫，三年后滑精不止，耳闻淫声，目见美色，精随念去。形体消瘦，双手无缚鸡之力。多方医治，八方觅药，均不见效。2001 年，余开具八味固精汤未见效，遂专制此固精丸合玉华白丹，用药一月，滑泄全无。2010 年，新婚，后生有一子。

2. 久近痔漏

莲须二两半，黑牵牛（头末）一两半，当归五钱，为末，空心酒服。（《孙天仁集效方》）

【方歌】

远近痔疮漏，莲须二两求。
臣药当归伍，更有黑牵牛。
空心酒服下，肛漏徐徐丢。

3. 上消口渴，饮水不休

白莲须一钱，粉干葛一钱，白茯苓一钱，大生地黄一钱，真雅连五分，天花粉五分，官拣参五分，北五味五分，净知母五分，炙甘草五分，淡竹叶五分，灯芯十茎，水煎热服。（《幼幼集成》）

【方歌】

上消消渴饮不尽，白莲白苓葛地寻。
臣药连参北五味，知母炙草天花粉。
灯芯还须淡竹叶，口传心授莲花饮。
君臣三味虽不见，毕竟六世久传珍。

（三十八）莲房

莲房，味苦、涩，性温，入足厥阴血分。功能消瘀、止血、祛湿。治血崩，月经过多，胎漏下血，瘀血，腹痛，产后胞衣不下，血痢，血淋，痔疮脱肛，皮肤湿疮。

《本草拾遗》："主血胀腹痛，产后胞衣不下，酒煮服之。食野菌毒，水煮服之。"

《本草纲目》："止血崩、下血、溺血。"

《握灵本草》："烧灰止崩带、胎漏、血淋等症。"

《岭南采药录》："疗乳头开裂。"

《江苏植药志》："治脱肛。"

《本草纲目》："莲房，消瘀散血，与荷叶同功，亦急则治标之意也。"

《本经逢原》："莲房，功专止血，故血崩、下血、溺血，皆烧灰用之，虽能止截，不似棕灰之兜涩也。"

刘氏一君二臣三味方

1. 血崩

棕皮（烧灰）一两三钱，莲房（烧存性）二两，香附子（炒）三两，为末，米饮调下三四钱，食前服。（《儒门事亲》）

【方歌】

血崩之疾最危险，棕皮烧灰一两三。
莲房存性二两整，香附子炒三两研。
米饮调服钱三四，君臣同服在食前。

2. 小便血淋

莲房（烧存性）、麝香、米饮。每服二钱半，日二次，米饮调下。（《经验方》）

【方歌】

莲房烧存性，麝香少引经。
米饮二钱半，小便血淋轻。

3. 胞衣不下

莲房一个，甜酒煎服。(《岭南采药录》)

【方歌】

刘家有奇方，专治胞衣僵（不下）。
莲房甜酒煎，一剂服之康。

4. 痔疮

干莲房、荆芥各一两，枳壳、薄荷、朴硝各五钱，共为粗末。水三碗，煎二碗，半热熏洗。(《疡科选粹》)

【方歌】

祖传莲房枳壳汤，君药房荆一两方，
臣药五钱枳薄硝，煎水熏洗疗痔疮。

（三十九）莲子心

莲子心，味苦性寒，无毒，入心、肺、肾三经。功能清心、去热、止血、涩精。治心烦，口渴，吐血，遗精，肿痛。

《医林纂要》:“泻心，坚肾。”

《本草再新》:“清心火，平肝火，泻脾火，降肺火。清暑除烦，生津止渴，治目红肿。”

《温病条辨》:“莲心，由心走肾，能使心火下通于肾，又回环上升，能使肾水上渐于心。”

《随息居饮食谱》:“敛液止汗，清热养神，止血固精。”

刘氏一君二臣三味方

1. 太阴温病，发汗过多，神昏谵语

元参心三钱，莲子心五分，竹叶卷心二钱，连翘心二钱，犀角尖二钱（磨冲），连心麦冬三钱。水煎服。(《温病条辨·清宫汤》)

【方歌】

太阴温病发汗多，神昏谵语神志漠。
水煎五心兼冬麦，清心养阴防阴脱。

2. 劳心吐血

莲子心、糯米。为细末，酒调服。(《百一选方》)

【方歌】

劳心吐血最难医，莲子清心加糯米。
共为细末酒调服，劳心得安血自居。

3. 遗精

莲子心一撮，为末，入辰砂一分，每服一钱，白汤下，日二次。(《医林纂要》)

【方歌】

遗精本是相火歙，肝肾之火叛精离。
一撮莲心入辰剂，心平自然相火居。

(四十) 猫爪草

猫爪草，味甘、辛，性温。入肝、肺经。主治瘰疬、肺结核、疟疾。

《中药材手册》:“治项上瘰疬结核。”

《河南中草药手册》:“消肿，截疟。治瘰疬，肺结核。”

刘氏一君二臣三味方

1. 瘰疬

猫爪草30斤，夏枯草20斤。水煮，过滤取汁，浓缩成膏，贴患处。

【方歌】

项上瘰疬苦难当，创口不愈清水淌。
猫爪为君臣夏草，煎汁成膏贴之昌。

2. 颈淋巴结核

猫爪草150g，加水500mL，文火煎半小时，临睡前以黄酒三两为引同服。每日一剂。

【方歌】

淋巴结核病难愈，猫爪煎水最堪奇。
临睡黄酒为引下，疗程三日为一期。
体弱还要八珍配，溃疡益气养荣需。

三服一歇三十日，清除病灶非须臾。

（四十一）蜜蜡

蜜蜡，味甘，性微温，入脾、胃、大肠经。解毒，生肌，定痛。治急心下痛，下痢脓血，久泻不止，胎动下血，疮痈内攻，久溃不敛，水火烫伤。

《本草经集注》："此蜜蜡尔，生于蜜中，故谓蜜蜡。蜂皆先以此为蜜跖，煎蜜亦得之。初时极香软，人更煮炼。或加少醋、酒，便黄赤，以作烛色为好。今药家皆用白蜡，但取削之，于夏月曝百日许，自然白；卒用之，亦可烊纳水中十余过，亦白。"

《神农本草经》："主下痢脓血，补中，续绝伤，金疮，益气。"

《名医别录》："疗久泄澼后重见白脓，补绝伤，利小儿。"

《本草通玄》："贴疮生肌止痛。"

《本草纲目》："蜜之气味俱厚，故养脾。蜡之气味俱薄，故养胃。厚者味甘而性缓质柔，故润脏腑。薄者味淡而性涩质坚，故止泄痢。张仲景治痢有调气饮，《千金方》治痢有胶蜡汤，其效甚捷，盖有见于此兴欤。"

《本草求真》："凡荡除下焦之药，以此（蜡）裹丸，亦免伤上焦之意。"

刘氏一君二臣三味方

1. 赤白痢，少腹痛不可忍，后重而青，手足俱变者

黄蜡三钱，阿胶三钱。同熔化，入黄连末五钱，搅匀，分三次热服。（《金匮要略》）

【方歌】

赤白毒痢人痛煞，蜡胶各三同熔化。
五钱黄连末搅入，三次热服菌痢瘥。
此是金匮调气饮，一君二臣世人夸。

2. 臁疮、金疮、汤火疮

黄蜡一两，香油二两，黄丹半两。同化开，顿冷，瓶收，摊贴。（《王仲勉经验方》）

【方歌】

臁疮金疮烧烫伤，疼痛日久心发慌。

黄蜡一两为君药，香油黄丹二臣帮。

三药同熔收备用，用时摊贴效绵长。

3. 汤火伤疮，焮赤疼痛，毒腐成脓，以此拔热毒，止疼痛，敛疮口

麻油四两，当归一两，煎焦去滓，入黄蜡一两，熔化放冷，摊帛贴之。（《医林纂要》）

【方歌】

焮赤疼痛汤火伤，毒腐成脓败成疮。

黄蜡一两居君位，麻油当归二臣镶。

煎焦去滓入蜂蜡，摊帛一剂贴之康。

4. 肺痿膈热，咳嗽气急，胸中烦满，咽干口苦，肢体倦疼

黄蜡八两（用浆水煮，去滓），蛤粉四两（研末）。上件，每两作十五丸，用蛤粉为衣养药，每服一丸，胡桃瓤半个，细嚼，温水下，临卧闭口不语。（《普济方》）

【方歌】

先人留下立效丸，主治肺痿膈热喘。

八两黄蜡为主药，蛤粉四两乳磨研。

胡桃瓤儿同嚼咽，咳嗽气急立安然。

（四十二）皂角刺

皂刺，味辛、咸，性温。搜风，拔毒，消肿，排脓。治痈肿，疮毒，疠风，癣疥，胎衣不下。

《本草图经》："米醋熬嫩刺针作浓煎，以敷疮癣。"

杨士瀛："能引诸药上行，治上焦病。"

《本草衍义补遗》："治痈疽已溃，能引至溃处。"

《本草纲目》："治痈肿，妒乳，风疠恶疮，胞衣不下，杀虫。"

《本草崇原》："去风化痰，败毒，攻毒。定小儿惊风发搐，攻痘疹起发，化毒成浆。"

《四川中药志》："通乳。"

《药材学》："治扁桃体炎。"

《医学入门》："皂刺，凡痈疽未破者，能开窍；已破者，能引药达疮所，乃诸恶疮癣及疠风要药也。”

《本草汇言》:“皂荚刺，拔毒祛风。凡痈疽未成者，能引之以消散，将破者，能引之以出头，已溃者，能引之以行脓。于疡毒药中为第一要剂。又泄血中风热风毒，故厉风药中，亦推此药为开导前锋也。”

《本草逢原》:“皂刺治痘疹气滞，不能起顶灌脓者，功效最捷，而气虚者慎勿误用，恐透表过锐，反生虚泡也。若血滞不能起顶灌脓，又需鲮鲤，当非皂刺所宜。”

刘氏一君二臣三味方

1. 妇人乳痈

皂刺（烧存性）一两，蚌粉一钱。和研，每服一钱，温酒下。(《仁斋直指方》)

【方歌】

妇人乳痈肿痛，皂刺半生存性。
臣药蚌粉合研，温酒送下立宁。
皂刺托里为君，仁斋直指传承。

2. 无头疮

皂刺（阴干烧灰），为末，白酒调为丸，葵花子为引。每服三钱，嚼葵花子送下。(《儒门事亲》)

【方歌】

无头之疮疼痛强，皂刺烧灰酒调尝。
葵子为引三五个，不出三日见阴阳。
（有头为阳，溃头为阴）

3. 痔疮，肛边痒痛不止

皂刺二两（烧令烟尽），臭樗皮一两（微炙），防风（去芦）一两，赤芍一两，枳壳一两（炒微黄）。上药为末，酽醋一斤，熬一半成膏，次下余药，为丸，如豆大，每于睡前，煎防风汤送下二十丸。(《太平圣惠方》)

【方歌】

痔疮肛痒难忍，皂刺二两为君。
臣药樗防二味，酽醋熬膏一斤。

食前风汤送下，圣惠方法如神。

4. 大风疠疮，体废肢损，形残貌变者

皂刺飞尖一斤（微炒，为极细末），赤练蛇一条（切碎，酒煮，去骨取肉焙），胡麻三两，一并俱炒燥，研为细末，与皂刺末合，一总水磨为丸，如绿豆大，晒干，入瓷瓶内，早晚各三钱，白酒送下。(《本草汇言》)

【方歌】

疠疮废体形貌残，皂刺飞尖一斤半。
臣药赤蛇胡麻共，皂末一并水泛丸。
早晚三钱白汤下，本草汇言送新颜。

5. 化脓性骨髓炎

黄芪400g，甲珠10g，皂角刺15g。一日二次服。

【方歌】

追脓散医毒成脓，八两黄芪正气充。
甲珠皂刺为臣佐，托里之剂法最灵。

注：化脓性骨髓炎，骨胀，身热，疼痛，急症也。刘氏家传对此急症，常以托里之法托之。元代齐德之《外科精义》云："脓未成，使脓早成；脓已溃，使新肉早生。气血虚者，以托补之；阴阳不和，以托调之""凡为疡医，不可一日无托里之药。"刘氏家传之透脓散，则以皂刺飞针为主要原料，故而，皂刺乃疡医不可缺少之剂也。诚如《本草汇言》所述："皂刺，拔毒祛风。凡疮疽未成者，能引之以消散；将破者，能引之以出头；已溃者，能引之以行脓。"化脓性骨髓炎，重症疑难杂症也，以皂刺为主的透脓散，当属临床不可多得之剂也。

（四十三）蓖麻叶

蓖麻叶，有毒。治脚气，阴囊肿痛，咳嗽痰喘，鹅掌风，疮疖。

《唐本草》："主脚气风肿不仁，捣蒸敷之""油涂叶炙热熨囟上，止衄尤验也。"

《本草纲目》："治痰喘咳嗽。"

《广东中药》："煎水外洗，治盗汗。"

《陆川本草》："治恶疮。"

刘氏一君二臣三味方

1. 咳嗽痰涎

蓖麻子叶三钱，飞过白矾二钱，猪肉四两，薄批，荷叶裹，文武火煨熟，细嚼，白汤送下，后用干食压之。(《儒门事亲》九仙散)

【方歌】

痰涎咳嗽水气多，君药蓖叶化湿浊。
白矾二钱为臣药，另有猪肉荷叶裹。
文武火煨细嚼咽，白汤送下止痰咳。

2. 年深日远，咳嗽痰喘，夜卧不安

霜蓖叶一两，霜桑叶一两，蜜米壳一两。上药为末，炼蜜为丸，如弹子大，每服一丸，白汤送下，日进一服。(《普济方》无忧丸)

【方歌】

年深痰浊日久远，夜卧不宁渐咳喘。
经霜蓖叶霜桑叶，蜜炙米壳共为丸。
咳痰缠绵夜不寐，止咳定喘不过三(服)。

(四十四)蓖麻子

蓖麻子，味甘、辛，性平，有毒。入脾、大肠、肺经。消肿拔毒，泻下通滞。主治痈疽肿毒，瘰疬，喉痹，疥癞癣疮，水肿腹满，大便燥结。

《日华子本草》:"治水胀腹满，细研水服；疮痍疥癞，亦可研敷。"

《本草衍义补遗》:"能出有形质之滞物，故取胎产、胞衣、剩骨、脓血者用之。"

《本草纲目》:"主偏风不遂，失音口噤，头风耳聋，舌胀，喉痹，齁喘，脚气毒肿，丹瘤，汤火伤，针刺入肉，女人胞衣不下，子肠挺出，开通关节经络，能止诸痛，消肿追脓拔毒。"

《本草经疏》:"蓖麻，其力长于收吸，故能拔病气出外，其性善收，故能追脓取毒；能出有形之滞物，又能通利关窍，故主水症。"

《医林纂要》:"蓖麻子，能泻肺气之下行，能决至高之水而下之，通关窍，正经络，调上下。"

刘氏一君二臣三味方

1. 痈疽初起

去皮蓖麻子一份，松香四份。将蓖麻子捣碎，加入松香粉充分搅拌，用开水搅为糊状，置冷水中冷却成膏备用。用时，将白膏药按疮面大小摊于纸上贴患处。

【方歌】

痈疽初起疼痛，蓖松一比四成。
捣碎开水搅糊，冷水成膏备用。
用时白膏摊纸，贴疮消肿止痛。

2. 汤火伤

蓖麻子、蛤粉各等份。研膏，汤损用油调涂，火疮用水调涂。(《养生必用方》)

【方歌】

生活不慎汤火伤，蓖麻蛤粉各等量。
研膏汤损油调涂，火疮水调涂之良。
此法祖传已百载，养生必用方传详。

3. 犬咬伤

蓖麻子五十粒（去壳），甜井水适量。井水研膏。先以盐水洗咬处，次以蓖麻膏贴之。(《袖珍方》)

【方歌】

家传犬咬方，蓖麻五十粒。
井水研成膏，白膏贴患地。
临床疗效好，袖珍方法奇。

4. 风气头痛不可忍

蓖麻仁、乳香各等份。捣饼，贴敷左右太阳穴。(《本草纲目》)

【方歌】

风气头痛不可忍，君药首选蓖麻仁。
乳香为臣等份量，捣研贴穴左右分。
此是民间常规法，传自《纲目》李时珍。

5. 催生并死胎不下

蓖麻子三个，巴豆四个。研细，入麝香少许，贴脐心上。(《卫生家宝方》)

【方歌】

胎死腹中苦难言，山民无法去医院。
蓖麻子三巴豆四，麝香少许同磨研。
贴于脐心死胎下，卫生家宝永流传。

6. 子宫脱垂

蓖麻仁、枯矾各等份，为末，安纸上托入，并以蓖麻仁十四枚，研膏涂顶心，立效。(《摘玄方》)

【方歌】

子宫脱垂愁煞人，中气不足气血贫。
蓖麻枯矾等分量，安纸托入进宫门。
尚有蓖麻二十四，研膏涂向顶门心。
临床使用千百例，摘元方法最喜人。

（四十五）蓖麻油

蓖麻油，治大便燥结，疮疥，烧伤。

《唐本草》:"主风虚寒热，身体疮痒浮肿。"

《本草蒙筌》:"敷疥癞疮痍。"

刘氏一君二臣三味方

1. 半身不遂，失音不语

蓖麻子脂一升，酒一斗，铜器盛，脂着酒中，一日，煮之令熟，服之。

【方歌】

半身不遂语失音，蓖脂一升可为君。
白酒一斗为臣药，盛入铜钵煮合匀。
待日熟后徐入口，疏风解语赖千金。

2. 烧伤

3%～5%漂白粉上清液、蓖麻油各等量，混匀成乳状液。涂于患处，隔日换药。(《全展选锦·外科》)

【方歌】

蓖麻子油医烧伤，漂白粉液混乳状。
隔日一涂涂患处，皮肤损处养新浆。

3. 膝关节滑囊炎（鹤膝风）

蓖麻油适量，外伤硬吊散。以麻油调外科硬吊散，敷于膝关节滑囊处，外用纱布包扎好，三日后揭开，膝关节上下皮肤呈黑、蓝、紫、绿色，浮肿消退，滑囊复原，疼痛消失。

【方歌】

外伤膝骨滑囊炎，蓖油调合硬吊散。
外敷滑囊膝眼处，纱布绷紧不留闲。
三日之后揭开面，肤变颜色膝肿痊。
麻油敷肿传百代，而今疗法已拓展。
倘有寒热诸般痛，相同方法效自然。

（四十六）蓖麻根

蓖麻根，味淡，微温。镇静解痉，祛风散瘀。用治破伤风，癫痫，风湿疼痛，跌打瘀痛，瘰疬。

《民间常用草药汇编》："治脱肛，散瘰疬，外敷疮毒。"

《广东省医药科技资料选编》："有镇静解痉作用。"

《福建中草药》："化结下气。"

刘氏一君二臣三味方

1. 破伤风

红骨蓖麻根四两至半斤，蝉蜕五钱至一两，九里香一两至二两。加水1000毫升，煮至200毫升，分三次口服，每天一剂。儿童剂量酌减。

【方歌】

红骨蓖根破伤风，以其为君熄风宁。
蝉蜕一两为臣药，更有九里香气增。
水提二百毫升量，每日一剂服之灵。

2. 瘰疬

白茎蓖麻根一两，冰糖一两，豆腐一块。开水炖服，渣捣烂敷患处。

【方歌】

瘰疬之疾性不良，白茎蓖麻根可降。
豆腐一块开水炖，臣药之中加冰糖。
内服炖汁嫌不够，还需渣捣敷之康。

3. 风湿骨痛，跌打瘀痛

蓖麻干根四钱，牛大力三钱，黑老虎三钱。三药水煎服。

【方歌】

风湿跌打瘀痛，蓖根一两君用。
牛大老虎为臣，水煎祛风痛定。

（四十七）徐长卿

徐长卿，味辛，性温，无毒。镇痛，止咳，利水消肿，活血解毒。用治胃痛，牙痛，风湿疼痛，经期腹痛，慢性气管炎，腹水，水肿，痢疾，肠炎，跌打损伤，湿疹，荨麻疹，毒蛇咬伤。

《神农本草经》："主蛊毒，疫疾，邪恶气，温疟""主注易亡走，啼哭，悲伤，恍惚。"

《简易草药》："治跌打损伤，筋骨疼痛。"

《岭南采药录》："治小儿腹胀，青筋出现。又治癫狗咬伤。"

广州部队《常用中草药手册》："祛风止痛，解毒消肿，温经通络。治毒蛇咬伤，风湿骨痛，心胃气痛，跌打肿痛，带状疱疹，肝硬化腹水，月经不调，痛经。"

《贵州民间方药集》："通经活血，治红崩、白带。"

刘氏一君二臣三味方

1. 恶疰心痛，闷绝欲死

鬼督邮一两（末），安息香一两（酒浸，细研，去滓，慢火煎成膏）。上药，以安息香煎合丸如梧桐子大。不计时候，以醋汤下十丸。（《太平圣惠方》）

【方歌】

恶疰心痛闷欲绝，督邮一两不可缺。
安息酒浸为臣药，膏丸醋送莫手捏。
每服十丸立见效，圣惠方中法奇越。

2. 风湿痛

徐长卿根八钱至一两，猪精肉四两，老酒二两。酌加水煎成半碗，饭前服，日二次。(《福建民间草药》)

【方歌】

风湿痹痛痛难忍，长卿一两需要根。
猪肉四两酒二两，水煎半碗服之匀。
临床此法惊四座，疼痛立减赖君臣。

3. 经期腹痛

对叶莲根三钱，月月红二钱，川芎一钱。切细泡酒四两，内服。(《贵阳民间草药》)

【方歌】

对叶莲根治痛经，二臣川芎月月红。
切细泡酒四两整，内服经痛无影踪。

4. 带状疱疹、接触性皮炎、顽固性荨麻疹、牛皮癣

徐长卿煎水需四两，水煎内服，水洗患处。(《中草药土方土法》)

【方歌】

皮疹皮炎皮奇痒，长卿煎水需四两。
内服外洗双兼用，一切皮疾一扫光。

5. 痢疾、肠炎

痢止草一至二钱，水煎服，每天一剂。

【方歌】

世间唯有痢止草，痢疾肠炎跑不了。
每日一剂连日用，菌痢毒痢一并扫。

6. 跌打肿痛、接骨

鲜徐长卿适量，捣烂敷患处。(《中草药土方土法》)

【方歌】

跌打肿痛骨折断，长卿需要采新鲜。

捣烂敷于损患处，肿消骨续十几天。

（四十八）牛大力

牛大力，别名倒吊金钟、山莲藕。味甘性平，入肺、肾二经。补虚润肺，强筋活络，用于腰肌劳损、风湿性关节炎；治肺热，肺虚咳嗽，肺结核，慢性支气管炎，慢性肝炎，遗精，白带。

刘氏一君二臣三味方

1. 气管炎

鲜牛大力三两，五指毛桃一两，无花果三枚。水煎服。

【方歌】

气管炎症痰喘咳，大力为君三两多。

年深日久痰不利，臣药毛桃无花果。

2. 风寒湿痹腰腿痛

牛大力三两，牡蛎三两，牛膝三两，黑老虎二两。水煎服

【方歌】

风寒湿痹腰腿拘，大力三两壮腰膝。

臣药牡蛎黑老虎，强筋活络举肾虚。

3. 腰肌劳损

牛大力根 30g，千斤拔 20g，威灵仙 20g。水煎服。

【方歌】

腰肌劳损腰无力，大力之根君药居。

臣药灵仙千斤拔，水煎强骨壮腰膝。

4. 慢性肝炎

牛大力根 30g，土黄连 15g，灵芝 15g。水煎服。

【方歌】

慢性肝炎色萎黄，大力之根君药良。

臣药土连灵芝伍，清热解毒肝自昌。

5. 病后体虚

牛大力 60g，千斤拔 30g，土人参 15g。水煎服。

【方歌】

病后体虚身无力，大力为君补脾气。
千斤为臣土参配，气血双补力有余。

6. 肺热咳嗽

牛大力一两，红丝线五钱，红菱根五钱。水煎服。

【方歌】

肺热咳嗽痰黄黏，咯痰不爽口发咸。
大力一两为君药，二臣菱根加红线。
痰清气爽湿浊去，止咳宁嗽目不眩。

（四十九）黑老虎

黑老虎，别名冷饭团、过山龙藤、钻骨风、万丈红、绯红南五味子等。花色美丽，果形奇特，雌雄异株，被誉为“天下第一奇果”。其味辛、微苦，性温。行气止痛，散瘀通络，治产后瘀血腹痛、疝气痛等。

《中国植物志》：“根，能行气活血，消肿止痛，治胃病，风湿骨痛，跌打瘀痛，并为妇科常用药。”

瑶药：“风湿骨痛，痛经，胃脘痛，跌打损伤，肝硬化腹水。”

壮药：“根藤用于胃、十二指肠溃疡，慢性胃炎，急性胃肠炎，风湿关节炎，跌打肿痛，痛经，产后瘀血腹痛。”

苗药：“根、藤治风湿关节炎、跌打肿痛、刀伤、胃痛、慢性胃炎、急性肠炎、胃溃疡、疝气。”

侗药：“治久病无力，头痛眼花”“藤、根行气止痛，散瘀消肿，祛风除湿。用于胃脘痛胀，风湿关节痛，痛经。果实，用于肺虚久咳，阳痿，带下病。”

刘氏一君二臣三味方

1. 阳痿

黑老虎果 20g，覆盆子 10g，枸杞子 10g。水煎，顿服。

【方歌】

性交障碍心受伤，靓男丽女隔堵墙。
以此离婚生遗憾，强在一起又不爽。
刘氏家传强阳药，老虎果子君药香。
五子为臣相配伍，男阳坚坚女亢亢。

2. 风湿骨痛

黑老虎 10g，牛大力 15g，补骨脂 15g。水煎服。

【方歌】

风湿骨痛间盘脱，老虎为君一两多。
大力补骨为臣辅，祛风壮肾莫蹉跎。
内服浴足两兼用，口碑处处赞华佗。

黑老虎为少数民族常用药。种子中含南五味子木脂素，大有壮阳之功。根茎中含有南五味子木脂宁、木脂素等，有祛风除湿、强筋健骨之功，广泛用于临床治疗风寒湿痹，有特效。

（五十）白芍

白芍，味苦、酸，甘，性微寒。归肝、脾经。养血调经，平肝止痛，敛阴止汗。用于肝血亏虚，月经不调，痛经，崩漏及胎产诸疾。凡阴虚阳亢，血虚风动，血虚肝旺，拘挛疼痛、自汗盗汗等症，皆可重用。

《景岳全书·本草正》:“芍药，白者味甘补性多，赤者味苦泻性多。……补血热之虚，泻肝火之实，固腠理，止热泻，……退虚热，缓三消诸证，于因热而致者为宜。……止血虚之腹痛，敛血虚之发热。白者安胎热不宁，赤者能通经破血。此物乃补药中之稍寒者，非若极苦大寒之比。若产后血热而阴气散失者，正当用之，不必疑也。”

刘氏一君二臣三味方

1. 三叉神经痛（五白一牛藤方）

白芍 30g，白蒺藜 10g，白僵蚕 10g，白附子 10g，白芷 10g。主治肝阴亏虚、肝阳上亢型三叉神经痛，立效。

【方歌】

白芍柔肝和阴，臣药方组熄风。
白芷通窍，牛膝下行。
五白一牛藤，专医三叉神经痛。
家传六代，无不验应。
独门绝技，德者传承。

2. 肌肉痉挛综合征

杭白芍 60g，炙甘草 15g。

加减：上肢肌痛，加桂枝、伸筋草；下肢肌痛，加续断、牛膝；肩背颈项肌痛，加葛根、川芎；胸胁肌痛，加柴胡、桔梗；腹部肌痛，加佛手、白术。

【方歌】

肌肉挛痛最难疗，刘氏君药重白芍。
臣药当须细辨证，精密全在部位找。
下肢肌痛用膝断，上肢桂枝伸筋草。
颈肩项背葛川芎，胸胁柴胡桔梗炒。
腹部肌挛服白术，各部调和炙甘草。
此是六世奇方组，大动脉炎加犀角。

3. 风火牙痛

白芍 50g，蒲公英 30g，甘草 3g，细辛 1g。水煎，顿服。

【方歌】

风火牙痛要命，疼痛龈肿不宁。
君药白芍一两，臣药量半公英。
甘草细辛佐使，镇痛清热解痉。

（五十一）赤芍

赤芍，味酸、苦，性凉。入肝、脾经。行瘀，止痛，凉血，消肿。治瘀滞经闭，疝瘕积聚，腹痛，胁痛，衄血，血痢，肠风下血，目赤肿痛。亦广泛用于热入营血，斑疹吐衄，经闭癥瘕，跌打损伤，肝郁胁痛，血痢腹痛。

《药品化义》："赤芍，味苦能泻，带酸入肝，专泻肝火。"

盖肝藏血，用此清热凉血，入洞然汤，治暴赤眼；入犀角汤，止吐衄血；入神仙活命饮，攻诸毒热壅，以消散毒气；入六一顺气汤，泻大肠闭结，使血脉顺下。以其能主降，善行血滞，女人之经，消瘀通乳。以其性禀寒，能解热烦，祛内停之湿，利水通便。较白芍味苦重，但能泻而无补。”

《本草逢原》：“赤芍药性专下气，故止痛不减当归。……端不出《本经》除血痹、破坚积、止痛、利小便之旨。其主寒热疝瘕者，善行血中之滞也，故有瘀血留著作痛者宜之，非若白者酸寒收敛也。其治血痹利小便之功，赤白皆得应用，要在配合之神，乃著奇绩耳。”

《本草求真》：“赤芍与白芍主治略同，但白则有敛阴益营之力，赤则有散邪行血之意，白则能于土中泻木，赤则能于血中活滞。故腹痛坚积，血瘕疝痹，经闭目赤，因于积热而成者，用此则能凉血逐瘀。”

刘氏一君二臣三味方

1. 心绞痛

赤芍 20g，川芎 10g，荜茇 10g，延胡索 10g。水煎，顿服。

【方歌】

一君赤芍行血滞，二臣荜胡养心肌。
血中气药川芎使，心脉瘀阻赤芍宜。

2. 三叉神经痛（寒性）

赤芍 50g，川芎 50g，荜茇 50g，白芷 50g，川椒 50g。水煎顿服。

主治寒性三叉神经痛、血管性头痛、心绞痛、末梢神经炎。

【方歌】

三叉神经痛缠绵，一君赤芍溶痹栓。
二臣芎芷基吡嗪，使药全赖胡椒硷。
倘若功效不显著，川芎剂量倍增添。
此是刘家世传秘，血管头痛也安然。
偏寒可加细川乌，临证加减量不传。

余于临床擅长使用赤芍治疗疑难重症，疗效显著。

1. 治疗心血管疾病，以赤芍为君，组成冠脉活血汤，治疗冠心病、心绞痛，常常救人于危急之中。

2. 治疗急性脑血栓形成，将 180mL 赤芍 801（赤芍成分之一没食子酸的衍生物没食子酸丙酯）加入5%葡萄糖250mL中静脉滴注，每日1次，15日为1疗程，效果优于其他药物。

3. 赤芍没膏方，治疗肺间质纤维化，明显改善肺功能，以延缓循环系统的衰退。

（五十二）胡颓子叶

胡颓子叶，味酸，性平，无毒。归肺经。用治咳嗽气喘，咳血，痈疽，外伤出血。

《中藏经》："治喘嗽上气。"

《本草纲目》："肺虚短气。""胡颓叶治喘咳方，出《中藏经》，甚者有效。云有人患喘三十年，服之顿服。甚者服药后，胸上生小瘾疹作痒，则瘥也。虚甚加人参等分，名清肺散。大抵皆取其酸涩，收敛肺耗散之功耳。"

刘氏一君二臣三味方

1. 肺大泡

胡颓子叶（晒干，文火炒至微黄，备用）。

臣药二陈加三子养亲方组。

用法：每次用臣药方组汤送服胡颓子叶粉一钱，早晚各一次，连服15天。必要时可连服数周。《中药大辞典》记载："古人用此法治疗哮喘，部分病人发作次数明显减少，尤其对虚寒型病人疗效较好。"

【方歌】

颓叶药用价值高，为君专能医喘哮。
配伍七味名方组，善治喘咳肺大泡。
刘氏家传呼吸秘，古今临床赞绝招。

2. 慢性支气管炎

胡颓子叶（干）15g，鬼针草10g，枇杷叶10g。水煎顿服，每日两次，15天为一疗程。

【方歌】

先人留下咳喘方，颓叶为君倍量尝。
臣药鬼针枇杷叶，水煎还需加蜜糖。

世传六世不外泄，气管炎症最相当。

3. 肺结核咯血

鲜胡颓子叶八钱，冰糖五钱。开水冲服，饭后服，一日两次。

【方歌】

结核咯血实难痊，急救之法最简单。
五钱冰糖开水炖，八钱胡颓需用鲜。
饭后服用血立止，闽东妙法在民间。

（五十三）芡实

芡实，味甘、涩，性平，无毒。入心、肾、脾、胃经。固肾涩精，补脾止泻。治遗精，淋浊，带下，小便不禁，大便泄泻。

《神农本草经》："主湿痹腰脊膝痛，补中除暴疾，益精气，强志，令耳目聪明。"

《本草新编》："芡实，佐使者也，其功全在补肾去湿。补肾之药，大多润肾者居多，润泽者则未免少湿也。芡实补中去湿，性又不燥，故能去邪水而补真水，与诸补阴药同用，尤能助之以添精，不虑多投水增湿也。芡实不特益精，且能涩精补肾。与山药并用，各为末，日日米饭调服。"

《本草求真》："芡实如何补脾，以其味甘之故；芡实如何固肾，以其味涩之故。惟其味甘补脾，故能利湿，而泄泻腹痛可治；惟其味涩固肾，故能闭气，而使遗带小便不禁皆愈。功与山药相似，然山药之阴，本有过于芡实，而芡实之涩，更有甚于山药；且山药兼补肺阴，而芡实则止于脾肾而不及于肺也。"

刘氏一君二臣三味方

1. 梦遗漏精

鸡头肉末、莲花蕊末、龙骨（别研）、乌梅肉（焙干取末）各一两。上药煮山药糊为丸，如鸡头大，每服一粒，温酒、盐汤饮下，空心服。

【方歌】

芡实为君量八钱，莲蕊龙骨乌梅添。
山药为臣煎药液，共和为丸盐汤咽。
空心每服一丸量，杨氏家藏玉锁丹。

刘氏引来男士剂，梦遗漏精能保痊。

2. 老幼脾肾虚热及久痢

芡实200g，山药200g，茯苓200g，白术200g，莲肉200g，薏苡仁200g，白扁豆100g，红参50g。炒干为末，白汤调服。

【方歌】

脾肾虚热兼久痢，大便不实黏便壁。
苓术莲苡扁参豆，芡实为君补脾气。
补脾之中祛湿热，益肾之时强神志。

3. 尿浊

芡实粉150g，白茯苓粉100g。黄蜡和蜜为丸，梧桐子大，每服百丸，盐汤送下。

【方歌】

摘元方中分清丸，专治尿浊淋缠绵。
芡实为君清浊淋，七日之中浊清元。

（五十四）鬼针草

鬼针草，性温，味苦，无毒 。归肝、肺、大肠经。清热，解毒，散瘀，利水消肿。治疟疾，腹泻，痢疾，肝炎，急性肾炎，胃痛，噎膈，肠痈，咽喉肿痛，跌打损伤，蛇虫咬伤。

《本草拾遗》："主蛇及蜘蛛咬，杵碎敷之，亦杵绞汁服。"

《本草纲目》："涂蝎虿伤。"

《中国药植图鉴》："煎服，治痢疾，咽喉肿痛，噎膈反胃，贲门痉挛及食道扩张等症。有解毒、止泻、解热功效。近用治盲肠炎。"

《泉州本草》："消瘀，镇痛，敛金疮。治心腹结痛，产后瘀血，月经不通，金疮出血，肠出血，出血性下痢，尿血。"

《闽东本草》："治肠痈，淋浊，疟疾，黄疸，小便不利，跌打损伤。"

刘氏一君二臣三味方

1. 治高血压（降低胆固醇，抑制脑血栓形成）

鬼针草50g，煎水常服，或代茶饮。

【方歌】

山间第一宝，唯有鬼针草。
常服代茶饮，专治血压高。
抑制脑血栓，降脂不可少。

2. 治虚劳乏力

鲜鬼针草 50g，紫金牛 15g，龙芽草 10g，六月雪 10g，红枣 7 枚。水煎服。

【方歌】

脏腑虚损久成劳，气血阴阳皆虚弱。
世传重用鲜鬼针，金牛龙芽六月枣。
五脏六腑水煎补，免疫增强百病消。
此法当须代茶饮，虚劳乏力一起抛。

3. 治腰痛

鲜鬼针草 250g。水煎取汁，加红枣、红糖、黄酒适量，炖煮，分 2 天服完。

【方歌】

腰痛之疾最熬人，刘氏喜用鲜鬼针。
医药还需食品配，红枣红糖黄酒炖。

连续服药半个月，风湿（腰痛）、肾虚（腰痛）均缓解。

（五十五）鬼箭羽

鬼箭羽，味苦、酸、涩，性寒，入足厥阴肝经。破血，通经，杀虫。治经闭，癥瘕，产后瘀滞腹痛，虫积腹痛。

《药性论》："破陈血，落胎。主中恶腰腹痛。"

《日华子本草》："通月经，破癥结，止血崩、带下，杀腹脏虫，及产后肚痛。"

《本草逢原》："鬼箭，专散恶血，故《神农本草经》有崩中下血之治。《名医别录》治中恶、腹痛，去白虫，消皮肤风毒肿，及腹满汗出之治。今人治贼风历节诸痹，妇人产后血晕，血结聚于胸中，或偏于胁肋少腹者，四物倍归，加鬼箭羽、红花、玄胡索煎服。以其性专破血，力能堕胎。"

《本草纲目》："鬼箭，生山石间，小株成丛，春长嫩条，条上四面有羽如箭羽，视之若三羽尔。青叶状如野茶，对生，味酸涩。三、四月开碎花，黄绿色，结实大如冬青子。”

刘氏一君二臣三味方

1. 降血糖

鬼箭羽 30g，葛根 10g，肉桂 5g。水煎顿服。

方解一：消渴——气阴两虚——血行瘀滞

先祖有云：“大凡消渴之疾久，必气阴两虚而使血液留滞。”

2018 年 4 月，同我一起散步的好友刘某某，十几天没有音信。月余，询其家人，始知其因心梗植入支架。其女说：“一日晨起呼吸困难，速去市中心医院施行冠脉造影术，见多处斑块形成，造成管腔狭窄，急需手术方可挽救其生命。时北京阜外医院的专家在侧，专家为难地说斑块在冠状动脉的拐弯处，无法实施手术。”无奈，其女急与省人民医院的学友联系，七天后，在省人民医院实施两次支架置入手术，二十余天治愈出院。

我很疑惑，其血压通常都在 120/80mmHg 之间，怎么冠状动脉突然有斑块形成？为了解开谜团，我与医院专家交流，手术专家说：“此患平素血糖高，因血糖在心血管里未完成分解，而形成急性斑块，造成管腔狭窄而致心梗。”此事给我和许多临床专家敲响了警钟。

方解二：降糖逐瘀之药首选鬼箭羽。

《本草逢原》言：“血结聚于胸中，或偏于胁肋少腹者，鬼箭羽、红花煎服，以其性专破血……”

临床所见，鬼箭羽味苦性寒，有破瘀行血、活络通经的功效。现代药理研究表明，鬼箭羽含有卫矛强心苷，可以直接作用于心肌细胞，扩张冠状动脉和周围血管，起活血化瘀作用，用于治疗冠心病、心肌炎等心脏疾病，对心肌损伤有辅助治疗作用。此外，鬼箭羽中含有草酸乙酰钠成分，具有降血糖，促进胰腺 β 细胞增生、α 细胞萎缩，加强胰岛素分泌的作用。中药专家说：“其与葛根同用，生津止渴，祛瘀生新，刺激胰岛细胞，调节代谢，加速胰岛素分泌，从而降低血糖，是不可多得的降糖对药。”

方解三：三消之本源于肾，巧用肉桂。

三消之本源于肾，肾为水火之脏、阴阳之宅，阴得阳助则生化无穷，阳得阴生则源泉不竭。故本方在众多滋阴药（山药、天花粉）中，加入少量辛润的肉桂，符合《内经》“少火生气”之旨，意不在补火，而在微微生火，即生肾气也。张景岳云：“善补阳者，必于阴中求阳。”且肉桂本身兼具降血糖之功。

鬼箭羽、葛根、肉桂三药相合，君臣佐使，相得益彰，是最优的降糖药组。

2020年，笔者因为疫情的影响，血糖高至10mmol/L，出现许多兼症。以“鬼箭羽、葛根、肉桂”为主，加进“生黄芪、生地黄、红参、山药、天花粉”等，补气养阴，生津清热，祛瘀通络，血糖维持在7mmol/L以下，自觉身轻气爽，焕发勃勃生机。

（五十六）乌梅

乌梅，味酸、涩，性平。归肝、脾、肺、大肠经。敛肺止咳，涩肠止泻，安蛔止痛，生津止渴。

本品临床应用于“肺虚久咳”“久痢、久泻”“蛔厥腹痛”“崩漏、便血、尿血”，为古今名医所推崇。

《本草经疏》：“梅实，即今之乌梅也，最酸。……《经》曰：热伤气。邪客于胸中，则气上逆而烦满，心为之不安。乌梅味酸，能敛浮热，能吸气归元，故主下气，除热烦满，及安心也。下痢者，大肠虚脱也；好唾口干者，虚火上炎，津液不足也；酸能敛虚火，化津液，固肠脱，所以主之也。其主肢体痛，偏枯不仁者，盖因湿气浸于经络，则筋脉弛纵，或疼痛不仁；肝主筋，酸入肝而养筋，肝得所养，则骨正筋柔，机关通利而前证除矣。”

《本草求真》：“乌梅，酸涩而温，似有类于木瓜，但此入肺则收，入肠则涩，入筋与骨则软，入虫则伏，入于死肌、恶肉、恶痣则除，刺入肉中则拔，故于久泻久痢，气逆烦满，反胃骨蒸，无不因其收涩之性，而使下脱上逆皆治。且于痈毒可敷，中风牙关紧闭可开，蛔虫上攻眩仆可治，口渴可止，宁不为酸涩收敛之一验乎。不似木瓜功专疏泄脾胃筋骨湿热，收敛脾肺耗散之元，而于他症则不及也。但肝散恶收，久服酸亦伐生气，且于诸症初起切忌。”

刘氏一君二臣三味方

1. 抗过敏——过敏煎

乌梅15g，银柴胡10g，防风10g，五味子10g，甘草6g。

过敏煎五味药虽平淡，却组方严谨、立方巧思。中医认为，过敏性疾病其病机为湿热毒邪内蕴，损伤血络，治宜疏风清热、凉血和络，乃为抗过敏之准绳。

方中银柴胡性凉，清热凉血；防风性温，祛风胜湿；乌梅味酸性平，收敛生津；五味子味酸性温，敛肺生津，滋肾涩精；甘草调和诸药。五药组合，有收有散，有补有泻，有升有降，其中乌梅可为君药，因为乌梅之酸收敛生津，可使阴阳并调。

【方歌】

世传名方过敏煎，疏风凉血清湿恋。
银胡清热风胜湿，收敛生津乌五酸。
风寒敏疹桂麻芥，风热菊花薄银蝉。
过敏哮喘四子杏，热毒连翘地公蓝。
鼻炎白芷辛苍葛，紫癜三草藕荆炭。
辨证施治灵活用，抗敏全凭乌梅酸。

2. 消“息”丸

刘氏家传消“息”丸六世。常以此丸治疗直肠息肉、声带息肉、阴道息肉、食道息肉，声名远播，世代传承。

乌梅 1500g（酒醋浸泡一宿，以浸透乌梅为度，去核，焙焦存性），僵蚕 500g（米拌炒黄为度），人指甲 15g（皂水洗净，晒干，滑石粉炒黄鼓起为度，筛去滑石粉，放凉，碾粉用）。

上药共为细末，炼蜜为丸，每丸 9 克，每日三次，每次一丸，开水送服。

【方歌】

刘氏家传消息丸，乌梅为君焙焦炭。
臣药僵蚕炒黄度，人甲滑石炒后碾。
炼蜜为丸日三次，各类息肉一消痊。

3. 咽喉肿痛

乌梅 50g，金银花 100g，雄黄 20g。共为细末，炼蜜为丸，每丸一钱，一次一丸，含化，徐徐咽下，日三次。适用于各类咽喉肿痛，有清热消肿止痛之功。

【方歌】

乌梅为君止痛汤，臣药双花并雄黄。
炼蜜为丸日三次，徐徐咽下治喉疮。

一君二臣三味方结束语

刘氏家传一君二臣三味方百余，今撷取五十六种公诸于世，内中多有秘传袖宝、砂中黄金，倘从中悟出机关，觅出新意，则能纵横医海，良方运巧；运筹杏林，专方发挥。实乃传统医学之幸、刘氏家传之幸也。

附：六十年从医之路

我生于辽宁省凌源市。自幼承继六世家学，得祖传“丹”“方”真谛。炮制循古，修合循今，法度严谨，注重穴位用药。擅长运用“三合法”治疗心脑血管疾病。

回顾六十年从医之路，少年苦读，中年立业。1985 年考入北京光明中医学院，系统学习了中医学基础理论。集传统医学之精粹，继承发展，大胆创新，历经风雨，春华秋实。发明专利，载入国家知识产权典册；医院制剂，享誉于人民群众……

从医六十年，我把六世家传之秘，连同亲自验证确有实效的验方萃汇集成书，取名《刘氏六世医方》，2016 年秋由中医古籍出版社出版发行，这是对中华民族的无私奉献；书写《肺痿论》，向社会宣示：“临床中肺痿多见，教材里不应删除”，这是对中医药事业的巨大贡献。

一、传承家学，少年苦读，开启从医路

刘氏祖传，每代只传一人，传男不传女，“择聪明敏捷者传之，怠惰嬉戏者弃之”（刘氏家传传规）。按照传规要求，受传之人，必在十六岁之前，先通读背诵“四小经典”，即《汤头歌诀》《医学三字经》《药性赋》和《脉诀》。继而，于十七岁之后再读《内经》《难经》《伤寒杂病论》《神农本草经》“四大经典”。直到二十岁，方可在药神面前焚香祷诵传规，把祖传“丹术”连同《普济百集方》《普济三合法》传给传承之人。

然而，家门不幸，1950 年，家中飞来横祸，三年中，奶奶、父亲相继过世。母亲三十六岁，哥哥只有十八岁，弟弟、妹妹年龄更小，这样的生活怎能维持？

1957 年春，村里办起民办小学，我有幸被选为小学民办教师。在学校，我

积极工作，1959年通过考试成为公办教师。自此，我连续八年出席市、县先进工作者表彰大会，成为全县教育系统学习的榜样。

做教师的时候，我悉心攻读中医“四大经典”。可是“四大经典”比较深奥，有些字不认识，更不懂什么意思，只好向申柏祥校长请求，参加初师函授、中师函授，最后参加朝阳高师函授。到了19岁，我已熟记“四小经典”，能通读“四大经典”。

我对传统医学的追求占去大半精力。遇到学生或家长生病，常自己花钱为他们医治，经常手到病除。一个姓杜的学生，冒雨得了肺胀症，张口抬肩，夜里不能睡，痛苦难言。父母不忍看女儿受罪，四处求医问药，却无济于事。我得知后，决定采用祖传的炼丹术为孩子治疗。那时我的工资只有27.5元，我只好想办法借了150元钱，买来了炼药用的原料，可是丹药没能炼成。两天后，有人来说那个学生病情加重，还要求我炼丹药。

口服的炉制丹药，古人称为“伏药”。它的工序、工艺及火候、药材质量、制药时间等，都极难掌握。失败后，我反复翻看秘方。突然，在秘方扉页左下角发现了这样一句话：伏药是长时间低温制备的一种炉制之药。我如大梦初醒。按照这一方法“烧制”，终于炼成了丹药中九丸。生命垂危的山里娃吃了我炼的丹药，奇迹发生了，她不仅脱离了危险，而且几天后就痊愈了，重新回到了学校。消息从农家院传出，“神丹刘”的雅号也随着《朝阳日报》走进了千家万户。

二、讨取炼丹术，拜师叙友情

我家“丹术”，代代单传。父亲那代，弃医从数，专攻周易八卦、风水相面之类，以堪舆为业，而使丹术荒废。到了我这一代，又因早年丧父，对丹术、丹药一无所知，尽管用心钻研，却仍悟不出其中奥秘。如“龟龄集”类药是怎样炼制的、降丹应怎样“结胎”等，一时使我陷入谜团。

1984年，闻听凌源刘杖子有位张老先生，幼年在河北恶僧庙，深得僧人降丹三昧，遂骑自行车行八十余里，星夜赶往刘杖子。时已夜深，只好宿于政府招待所。

次日清晨，起身速去张家，哪知吃了闭门羹。张家是书香门第，讲究以文会友。倘有生人来访，先与其子张乔会面，文关得过，才可与张老会面。无奈，我挨到傍晚。

晚间，张厂长（张乔）邀我前往其师家会客。临行前在他家坐等，突然，其夫人扔给我两个大笔记本，见里面尽是些古典诗句，我也无心去读。这时，张夫人进屋笑着说："怎么不看？这是老张自己的作品。""啊？"我很惊讶，"是他自己写的吗？""是的，"夫人漫不经心地回答，"他是五十年代东北唯一考上清华的学子，只因家贫，无法入学。"这时，我才赶忙翻阅，见佳句连篇，古韵古风，风雅不俗，但却有几分疑惑。晚餐时前往其师家，有其师，有其弟，有其友，尽是些乡间文人。席间，为试其文才，我提议说："张厂长，就此场景，你何不吟诗一首，以助酒兴？"张厂长慨然应允，不假思索，一首格律诗似行云流水，一气呵成，足见其功底之深。

两天来，张老爷几个热情地接待了我。古人有"知性者同居"一说，果然不假。我们一见如故，什么南朝北国、古今中外、四书五经，我都能插上几句，直到天明时分，彼此还没有睡意。这时，我又讲起了三十几岁时"巧撰婚联索秘方"一事，博得爷几个赞美连连。

那是我在家乡行医不久的事。邻乡中医张某中年丧妻，后又续弦娶一同行。乡里同事商定，逢佳期书一婚联，以示地方文化之品位。内容限定：其一，婚联隐含男女双方同为中医大夫，且均为二婚；其二，其父为乡中文化巨擘，联文荤些无妨，切不可言辞低俗，惹老人不悦而在喜庆之日将对联撕下。

时已两月余，眼看佳期将至，可婚联却无人能撰，正欲作罢，巧遇我会友至此，听人言及此事，蓦地记起好友何承金讲述其爷爷的一则逸事。

何爷爷满腹经纶，知史达文。曾于私塾教授有志科举的后生四人。清光绪三十年（1904），何老成竹在胸，于7月4日率弟子四人进京会试，果然四子俱中。这是科举史上罕见的一件大事。江南才子众多，纷纷接踵而至拜见何老夫子。一时间，何老馆驿前人声鼎沸，众人相继前来贺喜。三个月过去了，何老先生硬是走不出京师馆驿。如此轰动，震动京城，震撼考生，也震惊了光绪帝，遂颁"鼎子"一具，尽显恩遇之德。

但后来，同来的四人中唯"张老四"未被录取，原因是其卷面上有皇上的名号出现，犯了圣讳，故在不录之列。

回乡后，"张老四"深慕何师才德，便将恩师接至自家养老。时何家是书香门第，医书、国学、文史、列传众多，汗牛充栋，小毛驴足足驮了四天。其中唯医学类乃何家几代人的经验手稿，备受张家青睐，子孙争相苦读。甲辰年过后，有一治疗风湿痹痛的奇效良方显现。多少年来，无论城市、乡村，凡经张家开出的痹症药方，皆盛传何家药方之奇，百姓众口皆碑。

面对此方，我意在必得，遂开动脑筋撰一婚联："旧有一根（拿）圆肉，新添两片陈皮。"此联不仅对仗工整，且巧妙地交代了男女性别、职业和婚姻。联文荤而幽默，"陈皮"双关指代而不俗。全联一眼就知是两个中医"梅开二度"。尤以"生地""熟地"作为横批，读来妙趣横生，耐人寻味。"生地"指其为新婚，"熟地"意在都已结过婚，更进一步阐明新郎新娘同为二婚的中医大夫。

佳日清晨，新郎之父早起察看庭前院外，面对婚联端详良久，笑着对子孙说："这联是谁撰的？"答曰："邻乡中医刘彦普撰的。""把他请来，我要当面重赏！"听到"请"字，我心中暗喜，遂将索要张家独有的治疗风湿腰腿痛的药方一事言明，主人毫无保留地将秘方赠予我，我大喜过望。此事距今已六十余年，却仍旧在乡间传为佳话。

秘方到了我手中，经过临床加减变化，组成了治疗腰椎间盘突出、骨质增生的新方剂，取名骨痹蘑菇丸，增加了普济堂的典藏。

我在张家逗留了三天，张老爷子硬是不让我走。交谈中，我发现张老患有"抽风病"，有时躺在地上，一抽就是十几分钟，过劲儿了才能站起。经了解，原来是"文化大革命"中红卫兵把他家秘而不传的医书拿去烧了，还把牛黄、犀角、麝香等名贵中药没收了，他气火攻心，患了痫症。于是，我为其诊脉、开方，将其病治好，事后又向县委副书记马成骏申请，为其平反，赔偿其损失。他大为感动，将炼丹一绝和盘托出。自此，我们建立了牢不可破的友谊。张老说："愿我们的友谊同松柏长青而茂，与日月久明而辉。"

注："骨痹蘑菇丸"由牛膝、地龙、羌活、秦艽、香附、炙甘草、当归、川芎、黄芪、苍术、五灵脂、桃仁、红花、没药、榛蘑、银耳组成。

三、"三合法"初露锋芒救危难

我家祖传炼制"丹药"，合中草药，采用"服、熥、贴"三合法治疗疾病，堪称塞外一绝。先人云："熥贴之药，切近皮肤，彻于肉理，透达经脉，溶于渗液"，与内服药相合，"调升降，理阴阳，安五脏，挫五郁之气而滋化源，取其内外一贯之妙也"。

祖传内下"甲字提毒药捻"，外贴"刘氏疽疮膏"，口服"平补托里散"，治疗附骨疽；内下“乙字提毒药捻”，外贴“刘氏毒镖膏”，内服“抗痨金丹”，治疗骨痨，颇见效果，可以说方圆百里，家喻户晓。

（一）三合法治疗骨痨

1982 年，19 岁女子柳某某，得了骨痨，百治无效，痛苦呻吟，不能行走，求我诊治。见其病情严重，嘱其去县医院拍片诊断。X 光片显示：“左髋关节大面积鼠咬状结核菌腐蚀，病理性粉碎性骨折”。属难医之症。正值走投无路时，其舅毅然决然地把病人抬至我家，我收留了她。内下炼制的“乙字提毒药捻”，外贴“刘氏毒镖膏”，口服“抗痨金丹”，三个月后痊愈。后远嫁唐山刘现庄，生有一子一女。

“乙字提毒药捻”：白血竭、京红粉、麝香、琥珀、轻粉、冰片、朱砂。

“刘氏毒镖膏”：乳香、没药、血竭、甘草、芙蓉叶、三七、五倍子、章丹、朱砂、麝香、西红花、小燕、香油、咸鸭蛋。

“抗痨金丹”：柏子仁、桑白皮、玄明粉、寒水石、板蓝根、浮小麦、女贞子、红地肤子、滑石、蚕砂、荆芥穗、茯神、甘松、紫草、路路通、地骨皮、青黛、蜈蚣、柴胡、全蝎、党参、金沸草。

（二）三合法治疗骨髓炎

患者杨某，原是一个精明强干的小伙子。1983 年正月初一上山打柴，泥石流下，大半身被压在石土里，右腿粉碎性骨折。治疗一年后，发展成慢性骨髓炎。他敲开过许多大医院的门，得到的都是同样的回答：截肢。他与家人无法接受。

一日，其妻李某某来公社求救，党委书记曹文友把病人介绍给我，我闻讯赶到杨家。第一眼看到杨的腿时，禁不住倒吸了一口凉气：肿胀的右腿，脓水流淌，伤口溃烂，窦道形成；再看从医院带回不久的病历：化脓性骨髓炎，热毒内蕴。

这天，我骑自行车回到二十里开外的家，连夜查阅了十多份有关资料。仔细斟酌秘方，定出“扫除外围、平补托里、拔毒封口”的治疗方案，然后升炉制药……

第二天，我把制好的两剂“平补托里散”送到杨家，两剂药吃完，立见疗效，过去一直血肉模糊的伤口，竟然自动打开了。接着，我抓住战机，又送来了根据祖传秘方制成的外用药“甲字提毒药捻”和“紫色疽疮膏”。几天过后，脓血大出，里边的五块细小死骨也被拔了出来，同时还发现一块较大的、已经变黑的死胫骨。这块变质的死骨，正是祸根所在。我立即建议其到附近的向东医院进行手术，取出这块死骨，及时除掉祸根。

仅仅一个多月的时间，就取得了这样好的疗效，不能不令人高兴。

正当杨家人沉浸在成功前的喜悦之时，意想不到的两桩祸事又降临在这个本来就不幸的家庭：一是杨的儿子小松松得了急性肝炎，二是其爱人得了破伤风，母子俩双双住进医院。

真是“屋漏偏逢连夜雨”，由于过度劳累，杨某的伤口已严重恶化。重新溃烂的创口告诉我，前功尽弃，一切都要从头开始。我没有责备病人，而是用亲人般的温暖来抚慰那颗受伤的心。杨某某无人照料，我就每天往返二十多里给他送药、上药。有一次，我去朝阳参加全区文化系统表彰会，下火车办的第一件事，就是给杨某送急需的药品。

时间在流逝，患者的病情在好转。那年元宵节，瘫倒在炕上两年之久的他，终于能站起来走路了，那颗几近僵死的心，也随着春天的到来复苏了。

那年，杨某办起了雏鸡孵化场、平菇种植场，家庭收入不仅还清了药债，还有剩余。《朝阳日报》为其做了长篇报道。看着杨某某一家过上了富日子，我心里乐滋滋的。

平补托里散：生黄芪、茯苓、甲珠、归尾、赤芍、皂角刺、白术、川芎、白芷、桔梗、甘草。

紫色疽疮膏：轻粉、红粉、琥珀、乳香、血竭、冰片、煅珍珠粉、蜂蜡、香油。

（三）三合法治疗脱疽

凌源市钢管厂工人李某某患血栓闭塞性脉管炎，曾去沈阳某医院注射蛇毒制剂，无效，病势越来越重，每日疼痛难忍，抱足呻吟过夜。

一天，我刚下班回家，见座位上坐着一位满脸泪痕的人。他一见我就双膝跪倒，喊着：“快救救我！快救救我！”我赶忙将其扶起，说：“快起来，到底咋回事，讲给我听。”他满眼噙着泪花说：“1986 年，我患上了脉管炎，刚过去两个月，病就有了变化，一天比一天疼起来，疼得我不能睡觉。”说着，把包着的右足打开。我一见，吓了一跳，见其脚趾变黑，脓水淋漓，脚面肿胀，肤红灼热。查趺阳脉和腘动脉消失，股动脉减弱，五趾间溃疡面为4cm×1cm，第三趾黑死。中国医科大学附属医院诊为血栓闭塞性脉管炎三期，合并感染。中医辨证属火毒湿热内盛、气血凝滞，而致血栓闭阻经络。遂施用“三合法”清热解毒，化瘀活血，益气通脉。口服和营拓脉饮、脉管炎二号散，外敷坏疽膏，静脉逆流注射毛冬青、穿心莲混合液。

患者的创口暴露，痛无休止。祖传坏疽膏加上固体普鲁卡因，可以去腐生新，亦可以止痛安神。可这种药需用新鲜胎盘血调药才行。于是，我亲自去医院妇产科找人，让其一个月内不间断为我提供新鲜胎盘血。这是治疗坏疽的关键一环。然而，李某某治病之时，恰逢盛夏，赤日炎炎，胎盘血接来后需马上调药，迟一会儿就有变化，我每天不顾脏血染手，及时调药，准时敷药，虽是辛苦劳累，却从未间断。

一个月过去了，溃疡面长出新鲜肉芽。续服益气通阳散加减，创口渐渐愈合。

和营拓脉饮：当归、泽兰、金银花、玄参、钩藤、生地黄、水蛭、毛冬青、蟾酥、黄芪、罂粟壳、薏苡仁、鸡血藤、甘草、丹参、牛膝。

坏疽膏：冰片、樟脑、普鲁卡因、新胎盘血。

四、挂牌行医，问世镇堂二宝

我最早是在老家凌源给人看病，靠祖传秘方和一尊不知多少年的老丹炉，用采自大自然的花花草草、枝根籽叶，配制丸散膏丹，济世救人，让许多乡亲带着希望奔向我家。

然而，这毕竟是无证行医，为了使我的行医合法化，经朝阳市政府刘相荣、陈淑珍、屈玉辰市长的协调，于1993年10月21日，允许我参加全省“一技之长”考试，获得了民间“一技之长”证书。1994年4月16日，经朝阳市卫生局批准，在双塔区南大街开办了中医诊所。

诊所开业那天，市委副书记刘福成、副市长李忠武亲临庆典，揭牌并致辞，肯定了普济堂诊治疑难重症的成绩，鼓舞了在场的人。其间，全市七大新闻媒体到访普济堂，凌源市委、市政府派来代表，老家佛爷洞乡党委书记、乡长，以及众多朋友，约500人齐聚普济堂，场面宏大，振奋人心。

1994年7月，一个阳光明媚的夏日上午。我正给一位患者切脉，忽有一位身材魁梧、鹤发童颜、精神矍铄的老人，立在我的眼前。我把这位老人当成了患者，点头示意他坐到沙发上排队就诊。不料，那位老人竟大声向我发问："你是普济堂堂主吗？"我回答："是。"他说："普济堂是什么意思？"我说："扬善积德，多做善事，普济是心愿，也是医德必备的。"那老人称赞说："好！"但转而又问："你有镇堂法宝吗？"我说："我不明白什么是镇堂法宝。"他说："同仁堂有'同仁丹'，达仁堂有'达仁丹'，你普济堂有什么呢？"老人的问话很蹊跷，当我回过神来，正想回答，那老人却已走出普济堂。这时，我不敢怠慢，快步赶出普济堂，四下张望，迟一会儿的工夫，老人却不见踪影，我十分惋惜没留住老人当面请教一二。

之后的许多天，我在"普济堂"招牌下久久地徘徊。我深深地感到，那老人的话里面有玄机：要做一个好医生，光有一个合法行医的执照不行，光有一个堂皇的招牌也不行。最要紧的是，医术上要有一手"绝活儿"，店堂要有几件"镇堂之宝"。于是，我开始向自己的毅力和智慧挑战。

早些年，我就用祖传秘方"普济心血丹"治疗冠心病心血不足症，来复诊的患者常常自述"心悸好了""没有偷停了"等等。难道"心血丹"能治心脏早搏吗？

我联想到心脑血管疾病已成为"人类第一杀手"的现实，决心从研制治疗心脏早搏的中草药开始，开发普济堂的第一件"镇堂之宝"。

首先从本市的几家知名医院做起，后到辽宁中医药大学，又到中国中医科学院遍访名医大家，探讨"普济心血丹"处方用药的精妙之处和不足，经过近千例患者的临床观察和国家级药理检验基地的药效学分析、毒理试验以及质量标准测定，终于形成了一个完整的治疗心脏早搏的新方剂——"普济早搏胶囊"。

说来奇怪，镇堂一宝还没问世，市卫生局便三令五申，要我摘掉普济堂的牌子，说是不正规。其实普济堂是从清朝延续下来的。紧要关头，从日本回朝阳市探亲的朋友赵景明来家做客，临返日本，他对我说："明天我走了，没什么可给你的，有一本祖传六代的秘方明天给你拿来吧！"我欣喜若狂。第二天来辞行时，他刚一踏进门，我就问："秘方拿来了吗？"他说："拿来了，昨晚老妹子翻出来一看，我俩都傻眼了。"我说："为什么？""秘方的名字叫'普济丹'。"赵景明神秘地对我说。说着把秘方交给了我。我一看，不禁一怔，原来这个"普济丹”就是我家祖传的“普济心血丹”，只是多了“观音”二字，全称为“观音普济丹”。

这两件事过后，我信心百倍，在市委、市政府的干预下，普济堂的招牌也不摘了，并且很快通过了“普济早搏胶囊”的专家评审，镇堂第一宝问世了。

此后，我仍旧在祖传秘方中寻找选题，在现实患者的需求中定项目，历经七八个寒暑，研制成功了“普济心痹丸”，专治心肌缺血、心绞痛。再次经过实验鉴定，进入临床对照观察一年后，普济堂“第二宝”问世了。从此，普济堂门庭若市，患者们信任我的医德人品，更信任那两件“镇堂之宝”。

患者刘某某，十年前与十七名工友施工打涵洞，突然想吸烟，跳出涵洞卷好烟，刚要点火，突然一声巨响，浓烟四起，涵洞塌方了。虽然只有他一人幸免于难，但突如其来的变故、工友们血肉模糊的惨状刺激了他。自此，他心慌意乱，昼夜难眠，心脏跳跳停停，无力干活。八年间去了许多地方求医问药，可病情依旧。迷茫中，亲友引他到了我的普济堂。经过认真诊断，我告诉患者和家属：病为心悸，是因惊恐所致，称作心虚胆怯。果然，一个月过后，普济堂的“安神定志丹”与“普济丹”产生了奇效，刘某某不仅健康如初，也有精神头上班了。

观音普济丹：炙甘草、甘松、苦参、琥珀、桂枝、生地黄、红参、五味子、火麻仁、紫石英、黄芪。

普济心痹丸：沉香、降香、檀香、苏合香、冰片、荜茇、五灵脂、红花、砂仁、木香、桂枝、郁金。

五、传承与吸收，《刘氏六世医方》问世

刘氏家传近六代，虽无本族医著问世，却有刘氏手本传珍。先祖刘仁生于清康熙二十六年（1687），卒于乾隆四十二年（1777）。他一生喜医尚武，游走于山林旷野，踏遍名山大川，活跃于乡间边塞，行医于百姓农家。嵩山习武，华山学医，寿高九十岁。《刘氏家藏方》《刘氏秘笈》，倾注着先祖的心血。先人云：“求木之长者，必固其根本；欲流之远者，必浚其泉源。”熟读历代名医经典，才是立医之道。

汉代伟大医学家张仲景，以六经论伤寒，以脏腑论杂病，著《伤寒杂病论》，注重辨证论治，方中蕴法，讲究配伍严密，药变方殊，对刘氏家学起着举足轻重

的作用。

《金匮要略》中的黄芪桂枝五物汤，治疗营卫气血俱虚、阳气不足、阴血涩滞，复感风寒，引起血痹身麻，疗效颇佳。然而，刘家却用此方治疗反复发作性头痛、流涕、鼻塞之鼻鼽。若鼻痒加地龙、僵蚕以祛风宣络，若流涕加五味子、乌梅以抗敏止涕，若寒重加附子、细辛温肺散寒，若鼻塞加砂仁、苍术祛湿通窍，若阳气不足加入玉屏风散。刘氏使用黄芪桂枝五物汤加味治疗过敏性鼻炎已历六代，百医百验，经久不衰。

宋代官修《太平惠民和剂局方》，开创了据证检方的先河。按方用药，不必求医，不必修治，寻购现成丸药，即可医治疼痛，为民打开了方便之门。“官府守之以为法，医门传之以为业，病者恃之以立命，世人习之以成俗。”刘氏制药技术就是从这里开始的。

先祖刘熹，生于乾隆五十五年（1790），卒于道光三十年（1850），自幼受父亲治学影响，一生苦读诗书，乐善好施，曾为少林寺炼药工，深得少林炉制秘传。清嘉庆十五年（1810），在刘家集开设普济堂卫生馆，精通丸、散、膏、丹修治，为民治病，深受百姓爱戴。

太爷刘宾，生于道光二十八年（1848），卒于民国十年（1921），曾为秀才，举止儒雅，治学严谨，他最欣赏金代医学家成无己。成氏所著《注解伤寒论》，开创了以经释论的先河。

众所周知，《伤寒论》详于辨证论治与处方用药，然对何以制方用药则无论述。成无己用《内经》四气五味理论，阐明方剂君、臣、佐、使之结构，“通明名号之由，彰显药性之主，十剂轻重之攸分，七情制用之斯见”。刘氏引承前贤之所用，扩展时人之所需，加深了对方学的理解。

方学之发展，到了明代更趋严谨，吴昆《医方考·序》云：“考其方药，考其见证，考其名义，考其事迹，考其变通，考其得失，考其所以然之故，非徒苟然志方而已。”其全面运用方论的方法分析方剂，使方剂学日臻完善。张介宾“古方八阵”“新方八阵”的设立，突出了治法对方剂的统帅，进而使刘氏家学对方剂学的认识更进一层。太爷把祖上传承下来的临床实有效验的方剂编辑成书，取名《普济百集方》，虽未出版，却留给后人代代手传。

刘氏家学受历代医家学术思想的影响，独树一帜。在传承的道路上，余注意从刘氏家学手稿中汲取医学营养，把其中有价值的一面连同从外部吸收的医学精华记录成文，2016年，《刘氏六世医方》（第1版）在中医古籍出版社出版发行，这是对刘氏家学的集成总结。

（一）长寿地仙丹

刘家祖居山东蓬莱，房后的山脚有一口水井，井旁长着三株枸杞树，其根扎于井中，盘根错节。每年，其花、其叶、其果实自然落入井中。刘家人世代饮用井水，代代健康。而后，明末清初，连年荒旱，战事频频，枸杞树也被毁掉。无奈，举家迁至辽西佛爷洞。到了这里，先人首先在冰沟药园栽培大枸杞，天天食用。后来，在保寿堂地仙丹的启发下，他将枸杞之花、枝、根、叶，与银杏之叶、枝、果修合秘制成丹，拟名为普济地仙丹，滋补肝肾，益精养血，保健养生，世代相传。

本人服用此丹，现年84岁，每晨起行走30里，并无一点疲劳之感。

（二）八宝夺命丹

世传八宝夺命丹，治疗疔毒恶疮，堪称一绝。

1989年，朋友张少义患蛇眼疔。夫妻二人连夜自朝阳来到凌源我家。见其右拇指尖旁侧有一小钉盖状黑痕，自内渗溢黑水如注。疼痛与瘛疭、抽搐相间，病势严重。知非八宝夺命丹不能起沉疴，苦于当时手头未有此丹，重新炼制，已失其时。若坐等一天，后果不堪设想。正为难时，蓦地想起曾于半年前，为救治万元店一后生，炼制八宝夺命丹，未用完他就痊愈了。抱着一线希望，急驱车去患者家，渴望剩药能解其燃眉之急。事有凑巧，那八宝夺命丹果然未曾用完。拿回后急敷于疮口，不到一个时辰，水流停止，疼痛稍减，三日后痊愈。

朋友患疔，来势凶险，用此药只三日便痊愈，如此干净利落，令人不可思议，诸多人为此事街谈巷议，更有好事者亲来造访，一时名声大噪，传为神奇。

时有凌源市中医院院长张东升，从事外科疡医多年。惊闻此讯，他急去我家，接我去义县，为其舅丈人治疗骶髋骨癌。虽然八宝夺命丹在临床上对癌症的转机无能为力，然则，其止痛之功，却令张院长啧啧称奇。于是，他甜言蜜语，恳求我将此方传于外氏，余再三斟酌，辗转数月，才将八宝夺命丹无私传予张东升。因刘氏家传严格，倘予外泄必有记载，遂令其书写传文，以正其名。

承方具文

观夫西医外科之渐兴，皮肤则设有专诊。对痈疽疮疡，大都视为疙瘩小道，薄此不为。其有后继乏人之象。岂知夫疮疡者，标其外因其内，常见千态万状，瞬息变化离奇，毫厘之误，人命系焉。故此道之盛衰，岂可等闲视哉？

目睹医界中医疡科之现状，忧心疡医藏秘之少传，痛心疾首，欲挽无舟。兴叹之余，研读疡科专著，筛选疡医诸方，颇为千方易得、一效难求之事惆怅万分。予每每识重症而束手，遇沉疴而止步，悲患者之枉夭，恨自陋之难为，不禁潸然泪下。

幸遇刘氏彦普君，法承家授，新创有自，总遇疑难重症，救危游刃有余，实称我方疡医之泰斗；且重义轻财，待人笃厚，贤达之士多愿与之交。

刘君体我之苦衷，欲行提携之义举。应我之恳辞，愿授一方予我，名之曰“八宝夺命丹”。今时潮致富之迷人，定争之势重，能破自专之私，肯传家珍于外氏，舍刘君其谁哉？

情悦兮，将承刘君之教；感叹兮，仰敬刘君之诚。惶恐兮，怕承教之难精。韩氏《师说》中云：“师者，所以传道授业解惑也。”我既受诲于彦普君，今后名虽兄弟，实情师生。

感激之际，立此石文，谨呈刘君，以志我心。

并顿首上达，以谢刘氏之远祖。

我虽资质憨愚，定竭精诚之志，奋力为之，当不辱刘君之切望。

张东升

一九九二年五月二十三日

“夺命丹”修制之秘被张氏掌握，如虎添翼，其很快成为立足辽西疡医之首的疡科名医，我很欣慰。

八宝夺命丹：七星蜘蛛、冰片、雄黄、硼砂、麝香。

六、刘氏家学的发展应用

刘氏祖传“方”与“法”，集传统医学之精粹，留给后人以思考及实用价值。然而，秘“方”虽秘，却不可以一味生搬硬套；妙“法”虽妙，却应该洞察青红皂白。徐灵胎说：“气体有强弱，质性有阴阳，生长有南北，筋骨有坚脆，肢体有劳逸，年龄有长少，奉养有膏粱藜藿之殊，心境有忧劳和乐之别，更加天时有寒暖之不同，受病有深浅之各异……故医者必细审其人之种种不同，而后轻重缓急。”这就明白地告诉医者，四时有别，地域有别，遣方用药岂可拘泥；病程有长短，体质有强弱，施用何法，不可不察。孙思邈说：“读方三年天下无病可治，治病三年天下无方可用。”这就更加一针见血地指出：基础坚实，才能居高临下；实践密切，才可左右逢源。引申开来：没有理论作指导，祖传“方”与“法”，有如无本之木；脱离临床实践，祖传“方”与“法”，犹如空中楼阁。只有深刻领悟医圣之论，广博医源，精勤不倦，善识阴阳变化之顺逆，善别五行生克之盈亏，审时度势，灵活多变，方可使刘氏祖传“方”与“法”，在广阔的杏林医海中闪烁着夺目的光芒。

（一）药有个性之专长，方有和群之妙用

2001年，我申报“普济早搏胶囊”国药准字。按照国家药监局的要求，报批方剂不得超过10味药。经化裁后的“普济早搏胶囊”，保留了“炙甘草、生地黄、麦冬、火麻仁、紫石英、黄芪、红参、泽泻、苦参、琥珀”10味药。临床观察，意外地发现简方“普济早搏胶囊”有下利之虞，许多患者反应不佳，我百思不得其解。

同年8月，带着这个问题，我专程去北京三芝堂向国医大师路志正请教。路老参照原方，沉思良久，说：“此方不可将桂枝删除，《长沙药解》言：‘桂枝入肝家而行血分，走经络而达荣郁。善解风邪，最调木气，升清阳之陷脱，降浊阴之冲逆。’将其易除，全方气化无权，下利现矣。”遵路老之嘱，重将桂枝纳入方中，果然下利之虞去矣。

后日重访北京三芝堂，探询究竟，路老说：“药有个性之专长，方有和群之妙用。临床用药，不可不察。”

接下来路老向我讲述了流传已久的江南杏林轶事。

“名医程门雪开业时，声名大噪。曾治疗一个慢性泄泻之人。用常规调理脾肾之法，久而无功。后来病人带着程氏处方求治于沪上名医王仲奇，王诊察甫毕，索阅程氏处方，凝思片刻，在方笺上批了‘上方可服，再加蛇含石四钱’语，便离去，病人未及多问，只好照服。孰料这张屡服无效的方子，仅仅加上一味药，只服几剂，竟使多年痼疾痊愈。程氏知道后惊异不已，深佩王氏医术高明。”

经查，蛇含石出自《本草纲目》，功能安神镇惊、止血定痛，似非治痢之品。然王氏治泻用之，确为独到经验。

“药有个性之专长，方有和群之妙用。”只有多读名家医案，留心其独特用药经验，以广识见，积之日久，自然羽翼丰满，临床见微，方可得心应手。

细审临床桂枝之用，尚有诸多独到之处。

1. 老年阳痿，“前列腺”系之桂枝

刘氏家传“神力仙丹”，治疗早泄阳痿，名传关内外。一日，一商界高管找到我，言其父早泄阳痿之甚，能否医治？我慨然应允。孰料家传“神力仙丹”竟然无效。翻阅读书笔记，见辽宁中医药大学理论教研室李德新教授有一段话：“老年早泄阳痿，多为老年肾水亏虚，气化无力，则水停、津凝、血瘀，久之浊瘀搏结，阻于下焦，由此而引发性功能障碍，非桂枝不可当此大任。”

遂投神力仙丹，每日一丸，以桂枝为引药，一日三次服，半月有效。

桂枝，破痼冷，温脾胃，补肾散结，通畅窍路，治疗老年阳痿，可引药力直达病所，尽显个性之专长和群之妙用。

2. 治疗“心动悸，脉结代”，《千金》炙甘草汤中之桂枝

清代名医喻嘉言说：“《千金》炙甘草汤，为治邪少虚多，脉结代之圣方。”其中炙甘草“通经脉，利血气”，为方中主药。医圣张仲景对炙甘草的用量偏大，以此来确立其主要位置。临床证明，大剂量胜过小剂量。

岳美中指出：“此方以胶、麦、麻、地、草、枣补益营血；以参、枣、桂、酒补益胃气，使阳行阴中，脉得以复。唯用阴药则大其量，而阳药用量反不及其半。阴药非重量，则仓猝间无能生血补血，但阴本主静，无力自动，必须借助阳药，主动者以推之激促之，才能上入于心，催动血行，使结代之脉去，动悸之症止。”而其中“桂枝通阳化气，宣通脉气”的个性之功不言而喻。

3. 祖传“肩臂汤”治疗肩周臂痛之桂枝

刘氏家传“肩臂汤”，治疗颈肩臂痛，疗效出奇。

方中以川乌、草乌为君，祛风湿，散风邪，温经止痛。然而，川乌、草乌之药性下行，故以升麻提气，以舟楫之品桔梗提升药力，再以桂枝引经横行手臂，肩臂之疾无不迎刃而解。

4. 黄芪桂枝五物汤治疗“鼻衄”之桂枝

《金匮要略》中黄芪桂枝五物汤，治疗营卫气血俱虚，阳气不足，阴血涩滞，复感风寒，引起血痹身麻，疗效颇佳。

刘氏却用此方治疗反复发作性头痛、流涕、鼻塞之鼻鼽，百医百验。

鼻痒加地龙、僵蚕以祛风宣络；流涕加五味子、乌梅抗敏止涕；寒重加附子、细辛温肺散寒；鼻塞加砂仁、苍术祛湿通窍；阳气不足加玉屏风散。

凡过敏性鼻炎，以此法施治，可收良效。

北票市某医院方某某患过敏性鼻炎30多年。发作时，涕流如注，每于手术室进行手术，必有一专职护士擦鼻涕，带来许多不便。2015年，方某某连服黄芪桂枝五物汤30剂，至今未复发。

然则，临床所见，大凡复感风寒引发过敏性鼻鼽诸症，唯桂枝引诸药入经，可使鼻鼽诸症减轻，堪称桂枝临床之绝妙之处。

5. 治疗水寒上逆型奔豚的桂枝加桂汤中之桂枝

奔豚，临床以自觉气从少腹上冲胸咽为主要症状的疾病。《难经·五十六难》云："肾之积，名曰奔豚。"其气像小猪一样横冲直撞。临床大体有肝肾气逆与水寒上逆两种类型。《金匮要略》以桂枝加桂汤治疗水寒上逆之奔豚，以二两桂枝温阳行水，温通心阳，平冲降逆，常获殊功。

综上所述，桂枝发汗解表，温阳利水，温经通络，治疗阳虚气化不利、风寒湿痹诸症之长，不可千篇一律。

（二）附骨疽治疗的创新应用

附骨疽的中医治疗，古人以"消、托、补"而立法。初期，用黄连解毒汤合五神散清热化湿，行瘀通络；中期，则加入皂角刺、甲珠和营托毒，化瘀清热；溃破后，注重调补气血，化湿清热。而刘氏治疗附骨疽，则别开生面。

1. 托里为主

刘氏受宋代陈自明、明代陈实功的学术影响，注重疡科"消、托、补"，强调托里为主之妙用。

先人云："凡为疡医，不可一日无托里之药。"托里之法："脓未成，使脓早成；脓已溃，使新肉早生。阴阳不和，托里调之；气血虚者，托里补之。"

刘氏对疽疮初期的治疗，内服消毒饮，化瘀托毒；外贴千锤膏，祛湿消肿。

疽疮中期，创口以刘氏毒镖膏围之，口服普济托里散，托毒酝脓，待疮面有波动感，以"三品一条枪"穿膜排脓，外贴疽疮膏，托里煨脓，三法合一，和营以托里，托里以拔毒，拔毒以抑邪，抑邪以内消。《外科精义》说大凡疮疡初起，用内消不效，经久不除，气血渐衰，毒不出，口不合，肿不赤，当以托里为主。这种以托为主的治疡理念，经刘氏几代人的探索与研究，形成了完整的“刘氏托里纲要”，沿用至今，久传不衰。

2. 治疽三合法

附骨疽后期，疮面脓水淋漓，久不收口。刘氏内下“甲字提毒药捻”，化腐提毒；外贴刘氏疽疮膏，煨脓长肉；口服平补托里散，扶正祛邪。三法合一，服药养正气，蚀药去腐朽，贴药生肌肉，阴疽可立除。

众所周知，附骨疽腐口不收，多因朽骨为害，这种坏死之骨，非腐蚀之药不能清出。刘氏内下、外贴之药，为炉制之品，其性阳刚，窜筋透骨，死骨触之即化，随脓水流出，疽疮立愈。

先人云：“下贴之药，切近皮肤，彻于肉理，透达经脉，溶于渗液，拔毒以外出，抑邪以内消，与托里内服药相合，调升降，理阴阳，安五脏，挫五郁之气而资化源，取其内外一贯之妙也。”

刘氏三合法历经风雨沧桑，已经形成了独特的治疽经验，为世人所瞩目。

然而，到了我这一代，觉祖传治疽法尚有不足之处。如患者杨某某，左胫骨粉碎性骨折后，发为附骨疽，脓水淋漓年余，窦口不收。施用刘氏三合法却无济于事。经查，其死骨偏大，后经手术将死骨取出，再以提毒药捻清创疮口，疽疮膏外贴，平补托里散内服，十日而愈。由此可知，刘氏治疽三合法与现代医学相结合，将更加完美与宝贵。

（三）白氏百药膏的临床应用

有白氏者，20 世纪 50 年代中国医科大学知名专家，精于中西外科，身怀绝技，在国内外享有盛名。适逢“文化大革命”，他被打成反动学术权威，由专人看管，令其劳动改造。

1966 年 7 月，白老被下放至辽西凌源，时任县委宣传部部长的王沐林有幸与其接触，得知白老有世传白氏百药膏，治疗一切痈疽疮疡，百治百验。

凌北一老农，髋部患大疮，脓水淋漓，血肉模糊。来诊时，见其步履蹒跚，面色憔悴。正好白老身带百药膏，立刻贴上。十天后，被人们称作不治之症的皮肤大疮竟然好去大半。白老告知：“一月后痊愈。”此事恰巧被“红卫兵”发现，立即要开批斗会，说白老是“牛鬼蛇神”，迷惑群众。可老百姓不买红卫兵的账，上百号男男女女把白老围在中间，水泄不通，不让红卫兵接近。果然，一个月后老农病情大有好转，四十天后疮面痊愈。百姓赞不绝口。

王部长与其相交甚密，得白氏百药膏不传之秘，于1998年面授予我。

2000年，黑龙江陈某某来诊，见其双下肢漆黑如墨，血水淋漓，腐臭难闻，不能走路。某医院诊为小腿深部静脉炎并发小腿溃疡、右下肢闭塞性脉管炎并发感染。我施用赵炳南之隔血散温阳通络，破沉痼之凝滞，外贴白氏百药膏，化腐生肌，一个月而愈。

白氏百药膏：章丹、乳香、没药、虎骨、鹿茸、人发、血竭、猪下颚骨油、嫩柳枝、香油、黄表纸屑灰。

隔血散：藏红花、苏木、赤芍、木通、伸筋草、透骨草、土鳖虫、蜈蚣、鸡血藤、僵蚕、京三棱。

（四）家传“神力仙丹”的分型修制

神力仙丹（《刘氏家藏方》），源自奇门秘方。据《刘氏家藏方》记载，民国时期，娼妓盛行，大多近权贵而鄙庶人。挖煤者远离家室，或只身度日，或思欲无穷，欲逛烟花者不乏其人。因其肤黑资微，常被娼妓戏耍。久被捉弄，煤黑则广集对策，有机敏者购得“金枪”，一试即效。娼妓再不敢怠慢，皆惧“煤黑”之厉。

此“金枪”，就是关外刘家的神力仙丹。

神力仙丹，非左道旁门，亦非故弄玄虚，堪称传统医学之瑰宝。

1. 神力仙丹，以三肾气血有情之品，合大队生精壮元阳之天然草药，壮阳益精，补肾益气，主治阳痿、早泄，大有奇功。

2. 神力仙丹，以引药分型修制，堪称一绝。

（1）以斑蝥为引，刺激海绵体充血，俗称“金枪不倒”。

斑蝥，《本草纲目》云：“专于下窍，直至精溺之处。”《中药学》说：“斑蝥为壮阳剂，可刺激尿道黏膜反射引起阴茎勃起。”故而，此丹可令人勃起迅速。

（2）以硫黄为引药，补真火之不足，可治命门火衰。

《中药学》云：“硫黄乃纯阳之品，入于肝肾，能大补命门真火而助元阳。”《本草蒙筌》言：“石硫黄……体系至阳之精，能化五金奇物，壮兴阳道。”《本草纲目》："硫黄秉纯阳之精，赋大热之性，能补命门真火之不足。"《本草求真》："命门火衰，服附桂不能补者，须服硫黄以补之……为补虚助阳圣药。"

人到老年，命门火熄，神力仙丹以少许硫黄加入，振兴阳道，其痿自愈。

（3）神力仙丹，巧妙使用道地药材长春草，配伍地龙，取其性走窜、通行经络、通天彻地、用心专一的特点，注重阴中求阳，佐制阳药升火之过极。

某矿业业主，矿业兴隆，身家过亿，其与七女轮流交合，白天以烈酒输其气血，夜则以两性淋其骨髓，未及半百，精枯神竭，春秋乃去。来普济堂时步履艰难，主诉性事衰。初以"还少膏方"扶正固本，坚筋骨，利关节，补肾强心，再以神力仙丹续服一月，性事如常，春秋再现。

栾某，83岁。主诉70岁时得了一场大病，高热41℃，连续十日不降，后以犀角水20克饮服才恢复正常。渐而出现阳痿，十余年来逐年加重，起先举而不坚，坚而不久，近年无勃起之状。去北京做各项检查，皆无结果。思此症属命门火衰，以神力仙丹加硫黄渐而痊愈。其后夫妻生活幸福美满。

"神力仙丹"：牛肾、驴肾、狗肾、红参、酒当归、杜仲、肉桂、鹿茸（焙）、海马（焙）、阿胶、牡丹皮、黄芪、熟地黄、茯苓、焦白术、山萸肉、淫羊藿（拌炒）、补骨脂（酒）、枸杞子、菟丝子、巴戟天、肉苁蓉、覆盆子、胡芦巴、麦冬、锁阳（罐蒸）、仙茅（罐蒸）、川续断、牛膝、玄参、甘草、附子、女贞子、红花、斑蝥（去头足）、硫黄。

（五）红伤药纸

红伤药纸是刘氏家传伤科至珍。

红伤药纸始见于清康熙年间先祖刘仁的《刘氏家藏方》。那时，以榆树胶作为基质。至道光年间，先祖刘熹将少林红伤药的净丝瓜叶加进此方中，治疗刀伤的效果明显强于原方。

民国二十八年，先祖刘宾又将得自青城派的刀伤药加进方中。自此，红伤药纸除了止血、止痛外，尚能祛除疤痕，大大提高了药纸的实用价值。并将基质改为水胶，临床效果优于榆树胶。

到了我这一代，红伤药纸的制作又有如下改变。

1. 藤黄的制作，因为瓷缸、铜锅的失传，改用豆腐溶制法。

2. 净丝瓜叶于暑天采晒，保存时常有霉变，故易为三棵针，效果更佳。

3. 青城派之刀伤药，别名除痕散，是在黄瓜中制作，净石灰置于黄瓜中，需令黄瓜无腐烂。

4. 基质水胶易以橡胶制成软膏，效果更妙。

1976年，辽宁凌源刘某某结扎术后，伤处一年不收口，血水浸衣，全家四口人吃在政府、住在政府。党委书记找到我说："这个人让政府很头疼，不算误工费，已花去三千多元，县政府派去的医疗队也治不好，每天都扬言上告，你能不能通过中药替政府解围？"我思索一天后，决意用红伤药粉试一试。没想到药粉敷上三天血水就不流了，七天后刀口长上，肤伤无痕。患者临走时双膝跪倒，说："我们不是讹政府，创口不封，我们心里也没底儿。这下好了，感谢你们！"这件事后，人们街谈巷议红伤药纸的作用，香港的罗贤槐约我去香港，合作开发红伤药纸。

1992年，国际医药博览会在南京召开。台湾洛神美容中心万寿永教授将药纸引进台湾做美容消痤用，在三所学校试用后，发来电文如下："吾将贵创红伤药纸，于三所学校分试之，开放性软组织损伤贴敷圣药，立即止血，立即止痛，三日后，红纸自然脱落，肤伤无痕，诚良方秘制也。"

"红伤药纸"：雄黄、藤黄、硫黄、乳香、没药、冰片、龙骨、白血竭、三七、三棵针、净丝瓜叶。

（六）五骨金丹

刘氏家传接骨续筋之法，源自少林、青城武门。

先祖刘仁，嵩山习武，华山学医，一生喜医尚武，寿高90岁。晚年云游时，与少林、青城住持相交甚厚，是彼时的座上宾。因之，刘氏家传接骨理伤之秘，有少林里东丸，亦有青城仙传接骨秘，更有世所稀传的黑龙散、活血丹、黄末药、乌丸子等骨伤绝世之秘。

然而，我却钟情于散落于民间的"五骨金丹"。

五骨金丹以五骨血肉灵动之品，与地龙、土鳖虫、全蝎三虫络品相伍，配以三籽、三木，取其天然生物之活性，巧用自然铜、礞石、硼砂、丹石炉制之妙，更有药物炉制提取清膏之纯，强筋壮骨、续骨荣筋、通络镇痛，大有超出同类药物之功。故我一生喜用之。

1998年，冯某，59岁，车祸致四肢折伤，粉碎性骨折11处，服用五骨金丹，接骨有声，28天即可慢步行走。

五骨金丹为异人所传，不仅能医骨伤骨折，亦可医骨病骨折。

柳某某，患髋骨骨结核，病理性骨折三处，疼痛难忍，不能行走，内下“乙字提毒药捻”，外贴“刘氏毒镖膏”，口服“抗痨丸”合“五骨金丹”，三月而愈。

道光年间，先祖刘宾又自民间得来五骨金丹，其药性与康熙年间的五骨金丹大致相同。不同的是，其除接骨续筋外，尚可医老年阳事不举。

朋友李某，车祸致第4、5腰椎压缩性骨折，不能行走。两种五骨金丹联用，一月而愈。朋友告诉我，他十多年的阳痿，随着骨病的痊愈，也已消于无形，令人感叹！

2001年，朋友杨某患“双侧股骨头无菌坏死”，百般治疗仍无效验。曾每月花两万多自贵州购来换骨胶囊，三个月过去，他越来越不能走路。目睹此光景，从试试看的角度，让其试服五骨金丹，没想到却收到了意外之效，能走路了。自此，为30名股骨头无菌坏死患者试服两种五骨金丹。20余年过去，一共收治了股骨头无菌坏死病患近百人，效果喜人。

（七）血风散治破伤风

破伤风，古称“血风痹”“金疮得风”。风邪入里传肝，筋脉失于濡养，四肢抽搐，牙关紧闭，进而循环衰竭而不治。据称，先祖刘宾有一绝——治“金疮得风”之法，江湖人称“血风王”，可惜《普济百集方》中未见记载。

1951年，恩师（地方名医张泽民）告诉我说：“我有一绝——治‘金疮得风’之法，来自你们刘氏家传，传给你吧。”

1961年，姐姐上山打柴，扎破掌心，三天后全身抽搐，被送至凌源县医院抢救。余闻讯带“血风散”急去医院。见其肢体僵硬，精神恍惚，速将血风散灌下，半小时后，一身透汗，保得性命，因药力不足，后以西医创口处理、血清对症治疗而愈。

“血风散”之秘，在于重用猪牙皂。《长沙药解》云：“皂荚辛烈开冲，通关透窍，搜罗痰涎，洗涤瘀浊，化其粘联。胶热之性，失其根据，攀附之援，脏腑莫容，自然外去，……开口噤，通喉痹，吐老痰，消恶疮……皆其通关行滞之效也。”

破伤风，九窍闭塞，痰涎壅滞，以皂荚利九窍，疏导肠胃壅滞，洗垢腻，豁痰涎，散风邪，暴病气实者殊效也。更有天麻、全蝎、蜈蚣疏风通络之品，攻毒散结而定痉，黄酒、白芷引经，可引汗于旋踵，起沉疴于须臾。

1956年，有一王姓农民，自杏树上跳下，荆条茬扎破脚心，一天后，周身打战，牙关紧闭，身热昏厥。医院用大剂量抗生素治疗无效。危在旦夕之际，请来老师张泽民，他二话没说，令人撬开牙关，急投血风散，半小时后，病人大汗淋漓，翻身喊叫，至深夜能要水喝。老师说："好了，没事了。"这时，我实在按捺不住，偷问老师："这是什么药？"老师说："这就是你不敢用的血风散。此药不可轻投，皂荚服用过量容易引起呕吐、腹泻，可危及生命。这例病是实证，'死马当活马医'，我才大胆使用。"此后，我查阅了《中药学》中皂荚的使用范围及禁忌：研末每服不得超过1.5g，煎服不超5g。而此方之量，竟然高达50g。先祖云："不传之秘，往往逆于寻常，出人意料而出奇制胜。"余于临床从未超过10g之量，因而总有不完善的疗效出现。姐姐患此疾，服完血风散后，又以血清疗法治疗一周，就是皂荚用量不够。

"血风散"：一个蜈蚣二两牙，三钱白芷共天麻，五个蝎子同为末，黄酒引汗血风煞。

七、成果与贡献

六十年从医之路，历尽沧桑，苦乐交织。

曾因老字号与新医规不符而受限，亦曾因半路行医遭质疑而受阻；曾因阅历短浅，申报药号误入歧途而债台高筑，亦曾因社会经验不足轻信谎言，遭熟人欺骗，招致科研成果旁落他人；曾因项目转让被困北京双井桥，亦曾因某人违背中央43号文件，险些失去考取执业医师资格。几十年来，疏渠道，排障碍，成效斐然。

（一）《刘氏六世医方》再版

为真正成为百姓放心的刘氏传人，挂牌行医之后，余博览群书，研读名著，深得医圣名家理法三昧。《内经》《难经》《金匮要略》《伤寒论》《丹溪心法》……为刘氏家学的传承奠定了理论基础。

《证治准绳》之惊悸恐辨析，《医宗必读》之心胸痛辨，《医门法律》之大气论，《医学心悟》之心痛方治，《诊治大全》之胸痹案绎，《医法圆通》之寒热论心痛，《辨证录》之扶正为主治怔忡，《医林绳墨》之顺气养血治心悸。陈士铎之《辨证奇闻》，张景岳之"新八阵法"，王清任之血府逐瘀治脉阻，张锡纯之"二陈”伍“静心”治疗夜间憋醒危重症……诸多精辟典论，为我在心血管领域的临床研究，开辟了广阔的发展空间。受经典名家之启，余于临床注重经方传承、局方发挥、良方运巧、成方切用、名方扩展、验方化通，使刘氏家学逐渐走向成熟。余也成了被老百姓认可的中医心血管专家，并写下数十万字的读书笔记，发表医学论文二十余篇。《老年心悸治验》，刊于《中医杂志》增刊;《加减桑枝丸治疗创伤后截瘫》《普济中风丸治疗中风108例》，分别载于《疑难杂症治验》与《临床医学》专著中。

学术交流中，我拜见了德高望重的吕炳奎、国医大师路志正，结识了李德新、诸国本等名医大家。在他们的指导下，我花费毕生精力，挖掘、整理祖传之《普济百集方》。

2016年，《刘氏六世医方》在中医古籍出版社出版发行，旨在用现代医学理论去认识传统医学，解读秘方之秘，诠释秘法之妙。

六十余年临床实践，我坚持走医学科研发展之路。从实验室到临床，从药效学分析到临床对比观察，从毒理试验到质量标准测定，在制剂的道路上越走越宽广。“普济早搏胶囊”“普济心痹丸”“红伤药纸”“五骨金丹”分别申报并获批了国家发明专利。其中，“普济早搏胶囊”“普济心痹丸”被批准为医院制剂科研项目，在民众中广为使用，深受民众推崇而饮誉一方。

恩师张玉书有感于普济堂之精神与作为，书《普济堂记》，这是对普济堂的完美总结，现悬于普济堂正中。

普济堂记

凤山脚下，凌水之滨，三燕故都，刘氏普济堂居焉。其第六代传人刘公彦普，秉承家学，推陈出新。以勤求精，以精求信，以信服人。集古今岐黄之大成，夺南北药石之奇功，精研数种制剂，多获专利。如“普济早搏胶囊”，专治心动悸、脉结代；“普济心痹丸”，擅医心肌缺血、心绞痛。用之者，沉疴渐愈；闻之者，登门造访。刘公遂为医患推重而驰誉四方。

刘公不惟医术高超，且医德敦厚，凡求之者，无不尽心竭力。每遇疑难重症，审慎备焉。倘有清寒资微，常慨然相助，受益之人不胜感戴而传颂焉。刘公则淡然处之，矢志不渝。为医如是，弥足难能可贵！

复可道者，刘公曾于中学执教廿载，底蕴深厚，兴趣广泛。故诗人、作家、艺术家，多愿与之交。登其堂，佳联豁目；入其室，琴韵清心，此可知其所与焉。

道无止境，术有专攻；救治百病，普济众生，允为平生所求。此所望于刘公者也。

有感于斯，故为之记。

张玉书

丙戌之春

（二）书写“肺痿论”，为“肺痿”正名

数版《中医内科学》教材均将“肺痿”章节删除，这是重大失误。尤其值得关注的是，由田德禄主编的21世纪全国高等中医药院校教材《中医内科学》也将“肺痿”章节舍弃。此种现象不能不令人质疑。

面对这般情景，我查看了由王永炎、鲁兆麟两位老师主编的中医药学高级丛书《中医内科学》精装本，发现也将肺痿章节删除。于是，以《〈中医内科学〉把肺痿章节删除是重大失误》为题，欲在《中国中医药报》刊文，申述不应删除之理由。然而，当我把文稿拿给中国中医科学院伊广谦研究员时，他一见标题就火了，说：“不行！删除肺痿章节是全国13个省的中医专家讨论决定的，用这样的标题，是惹人的。再说，你一个无名的草根医说‘重大失误’，人家专家会怎样看你呢？”于是，几经修改，最后以《临床中肺痿多见，教材里不应删除》为题，才把文稿交到国家中医药管理局原副局长诸国本先生手里。

2016年8月6日，《中国中医药报》“诊疗心悟”栏目刊登了我的文章，标题是《对肺痿诊疗的感悟》，完全违背了我的意愿。我最终的目的是：在农村，因为烟尘毒雾、化肥、农药、矿山粉尘，引发肺痿（肺间质纤维化）者比比皆是，如果《中医内科学》把肺痿章节删除，这部分患病群体将被推向何方？

于是，在我的著作中，撰写《肺痿论》，阐明如下几个问题。

1. “肺痿”的肺燥津伤，属肺系疾病的慢性转归，不能用“痿病”的肺热津伤来解释。

《中医内科学》教材将“肺痿”章节删除后，把肺痿的肺燥津伤归结到“痿病”的肺热津伤，这是分类学的错误。

肺痿的肺燥津伤，是肺有燥热，重亡津液所致。如肺痨久嗽，耗伤阴津；肺痈热毒，熏蒸伤阴；消渴津伤，邪热伤津；误治亡液，消灼肺津。凡此种种，皆可致肺痿、肺燥津伤的发生。究其病因，有因免疫性疾病而引发者，有因病毒性

肺内感染而引发者，也有因肺气虚冷久延失治而转化者。这类病患，大多呈特发性，起病急，复杂多变，常常预后不良。

肺痿为“痿”，将其归于“痿病”，大谬。“痿病”系指脏腑内伤、肢体筋脉失养而致肢体筋脉弛缓、软弱无力、日久不用的一种病症。

两者虽然都在痿的范畴，但痿病泛指皮、骨、筋、肉、脉五体失养不用之痿；而肺痿则单指肺脏慢性虚损，内在纤维变化之痿。痿病的肺热津伤，终归肢体筋脉软弱而不用；肺痿的肺燥津伤，则多为肺叶枯萎，津亡液损而不治。且“痿病无寒”，“湿热不攘”；肺痿则“寒热不止一端”。痿病多起病缓慢，尚有神经系统疾病的存在；肺痿则变化多端，常有特发性出现。

综上所述，痿病与肺痿有广义与狭义之别，两者不能混淆，亦不可相互替代。肺痿的肺燥津伤，不能用痿病的肺热津伤来解释。因为肺痿除了肺燥津伤，还有肺气虚冷，这是痿病不能涵盖的重要一面。

2. 肺气虚冷，日久肺阴大伤，并非“久病伤阳”

高等医药院校教材《中医内科学·肺痿》：“肺气虚冷，大病久病之后，如内伤久咳、久喘，耗气伤阳。或虚热肺痿，久延阴伤及阳……”

此论大有推敲之必要。

临床实践告诉我们，肺气虚冷，多为外界因素所致，并非伤阳而为病。以本人为例，年轻时炼制膏药，汞剂烟尘侵袭了肺间质，初时，感冒频发，痰薄清稀，唾白如雪，一派阳虚表现，这时咀嚼生姜、甜甘草即可缓解。十几年后，逐渐出现了“干咳无痰”，进而“痰凝如胶”之状。表面看来，疾病有进行性改变，但却并非“病久伤阳”，而是遵循着“久病伤阴”这一疾病转化规律。众所周知，虚寒肺痿自身的属性当是阴性无疑。于是，病越久越伤阴，“干咳无痰，痰凝如胶”是典型的肺阴虚损之征。诚然，个别患者有阴损及阳的表现，岂知那只是少数或仅是表虚而已，绝非疾病本质的改变。因此，其治疗原则当以滋阴润肺为主症而立法，表虚则是临证加减而兼顾，“久病伤阳”之论，于肺痿之辨，不可同日而语。

截至目前，普济堂一共收治肺痿病患 168 人，其中虚寒肺痿 99 人，占大多数，经过治疗，病情稳定。诊断标准与治疗标准暂定为：临床“干咳无痰”变为有痰，“痰凝如胶”之胶痰黏液变得松散，即是病势转好的象征。许多肺气虚冷之患者看到了希望，纷纷前来求治，这是一种信任。

八、打造文化普济堂

辽西朝阳，自古就是塞外名城，文化底蕴深厚。普济堂坐落在朝阳凤凰山下、大凌河边。多少年来，普济堂不仅以诚信待人，还以文化品位感染人。走进普济堂，楹联悦目，书画盈墙。这里不仅能闻到淡淡的中药香，还能感觉到浓浓的儒雅文化意蕴氤氲在空间里，让人心灵慰贴，心气平和。

余出身丹医世家、书香门第，不仅是许多患者的挚友，而且还与诗人、作家、楹联家、书画家共为“知音”，常“以文会友”“以联作戏”“以对励志”。

（一）普济堂楹联的诞生

一日，朋友赵辅政找到我，说：“普济堂声名显赫，该撰一楹联悬挂之，有什么样的要求？”

赵辅政，辽西楹联大家也。其诗联风格属李白之“豪放派”，其格调以追寻写真为主，相间叙事抒情而自立门户。若见过他创作的《凤凰山山门楹联》①和《朝阳颂楹联》②，就会发现，他的楹联常从出人意料的角度，以动制静，以静联动，动静结合，常拟事物于人格化，喻人物于动感中，声情并茂，情景交融，扣人心弦，出神入化。他的到来，我求之不得。遂告知征联的要求：一要嵌进中药名，以示普济堂是中医世家；二要嵌进“普济”二字，知其扬善积德，多做善事。

过了几天，某市长与爱好楹联的朋友，连同师专中文系教研组组长王佩林，一行七人同来普济堂，为普济堂撰选优秀楹联。

王佩林说：“秉菩萨之心出入命门一把银针净扫人间病苦，呈扁鹊之术纵横医海几封丹药根除世上沉疴”“这是我亲身经历的感想。”

某市长说：“慈心济世甘松年健广佛手，仁善悬壶细辛益智众人参。”

爱好楹联的朋友说：“术德为仁，桃仁，杏仁，君子仁，仁德普世；心善则仙，天仙，凤仙，威灵仙，仙术济人。”他很自得地接着说：“就用这副吧，内嵌六味中药，全联表达了普济堂术德与仁善的情怀。”众皆异口同声。

这时，我从容地把赵辅政送来的楹联自抽屉中拿出：“遵菩萨圣教，立远志，壮熊胆，怀莲子心，以德行医，普施仁爱；用华佗奇方，出佛手，使仙茅，呈陆路通，凭术救人，济解困危。”读罢，联惊四座，众皆愕然。王佩林说：“妙联也，既嵌进六味中药，又有‘普济’二字，读来栩栩如生。”

某市长说：“此联没有干巴巴地堆砌中药名，而是巧妙地运用动词，使内容活灵活现。你看，‘遵’菩萨圣教，‘立’远志，‘壮’熊胆，‘怀’莲子心，这‘遵’‘立’‘壮’‘怀’四个动词，生动而深刻地表达了普济堂以德行医的宏伟壮志和普施仁爱的佛家怜悯之心。”

爱好楹联的朋友说：“更经典的是下联，其中‘用’‘出’‘使’‘呈’四个动词，以比喻与拟人的艺术手法，形象地讴歌了普济堂精湛传神的医术，情牵六路、济困救危的高尚情怀，温暖八方。”

整个长联独具匠心，细致入微地展现了普济堂的济人之心与达仁之术。

由龙城赵辅政撰写的普济堂楹联——“遵菩萨圣教，立远志，壮熊胆，怀莲子心，以德行医，普施仁爱；用华佗奇方，出佛手，使仙茅，呈陆路通，凭术救人，济解困危”，于1994年3月18日，凛然屹立于普济堂前，令来往文人墨客，驻足赏怀，流连忘返。随着岁月的流逝，迎着灿烂的阳光，彰显着普济堂精神，闪烁着时代的光芒！

注：①赵辅政·《辽西朝阳凤凰山楹联》

凤凰山，峦峰叠翠，独显擎天宝塔，引无数香客参拜十方相光舍利；

卧佛岭，古木盘枝，更见遍地寺庙，招有名僧师传承三世弥陀圣经。

②赵辅政·《辽西朝阳颂联》

三燕故都，临三省交界，接三层凤岭佛教圣地，记五千年华夏文明，溯源红山遗址；

九座宝塔，镇九州咽喉，护九曲凌河化石名城，藏八万里环球花鸟，起始朝阳故乡。

（二）刘氏《中药四季歌》

《中药四季歌》，原为刘氏先祖所创。慎终追远，字里行间，饱含着刘氏先祖百年的中医中药创业史。

春　春风和煦满常山，芍药天麻和牡丹；

　　远志去寻使君子，当归何必问香兰。

夏　端阳五月半夏天，菖蒲制酒乐半年；

　　庭前娇女红娘子，笑与槟榔共采莲。

秋　秋菊花开遍地黄，一场雨露一茴香；

　　牧童去取国公酒，醉到天南星大光。

冬　冬来无处可防风，白芷糊窗一层层；

　　待到雪消阳起时，门外户悬白头翁。

2007年，我整理祖传秘方时，发现《药名四季歌》，细读之，觉得存在疏漏。

一、平仄不伦。这样一首诗，如果按律诗的平仄韵律要求，岂不更加美妙？！可《药名四季歌》恰恰忽略了这一点。如“远志去寻使君子”改为“远志去寻君子使”则平仄无瑕，还表达了让小君子做使者去寻酿酒技术的本意。

二、病句较多。如“春风和煦满常山”一句，春风可以满常山，和煦是形容词，不可以满常山。如果以“春风和煦”作主谓词组，则不是诗的格韵，且缺少一味药名。故改为“春来芍药满常山”。又如“端阳半夏五月天”，“半夏”“五月天”重复，故改为“端午葳蕤半夏天”。

三、表达的意境不符合实际。如“菖蒲制酒乐半年”没有意义，今改为“菖蒲制酒健千年”，则表达了制酒的目的是健身，况且“千年健”又是一味药名。“门外户悬白头翁”亦缺乏实际概念，如改为“待到雪梅阳起时，车前闲倚白头翁”，则表达了太阳出来后，老人们在车前闲倚话桑麻的幸福情景。

四、每句诗应含两味中药名。如“冬来无处可防风，白芷糊窗一层层”，不仅诗意模糊，药名也少。今改为“隆冬知母定防风，白芷糊窗照夜明”，不仅增加了药名，也反映了刘家子子孙孙对老人的孝敬之举。

经过律诗名家赵宇、张玉书先生的点拨、修正，新的《中药四季歌》跃然纸上：

春　春来芍药满常山，更有樱花及牡丹；

　　远志去寻君子使，当归何必问香兰？

夏　端午葳蕤半夏天，菖蒲制酒健千年；

　　天仙娇女红娘子，笑与槟榔共采莲。

秋　秋菊花开遍地黄，一场雨露一茴香；

　　木通去取国公酒，醉到天南星里光。

冬　隆冬知母定防风，白芷糊窗照夜明；

　　待到雪梅阳起时，车前闲倚白头翁。

嗣后，我又请书法名家把《中药四季歌》书写于普济堂内，供人欣赏。凡来普济堂就诊的各界人士，无不对此感到赏心悦目。

（三）守正创新，继承发展

刘氏医学自清康熙五十七年（1718年）至今，已历六代，家传医学经典名著《医宗金鉴》《薛氏医案》《寿世保元》《沈氏尊生书》《良朋汇集》等七十余部。其中唯清乾隆三十八年（1773年）医学家沈金鳌所著《沈氏尊生书》对我影响颇深。一是其书包含《脉象统类》《诸病主脉诗》《杂病源流犀烛》《伤寒论纲目》等纲精目萃，溯源《金匮》；二是沈氏的治学理念与刘氏家传极其相似。其于每病症有源流一篇，然后详述病症，“究其原委，悉其症形，考其方法”，因病用方，并附导引治法。该书广辑名家医论，博采前贤之长，结合沈氏经验，论述完备。

面对如此严谨的治学法度，于《刘氏六世医方》中，加进“自悟篇”，今截取其中两篇以示医学之博大，须守正创新，继承发展，而非亦步亦趋。

1. 古今长寿药之谜

人之生与死，自然规律，不可违也。历史上，帝王之尊欲求长生，误服金丹致死者不乏其人。

随着炼丹术的发展，人们开始服用炼制过的复方矿物药。三国时期的魏尚书何晏服用炼制的五石散（硫黄、白石英、紫石英、石钟乳、赤石脂），体力转强，轰动了整个洛阳。魏晋南北朝时期，“服石”之风靡一时。后来人们发现，过量服用矿物药，常可导致癫狂，造成痼疾，乃至中毒死亡。所以，自唐代以后，人们开始将植物药与矿物药并用，形成了唐宋时期延年益寿方的新风貌。如唐代《外台秘要》的“茯苓散”、《千金翼方》的“彭祖延年柏子仁丸”、宋代《太平圣惠方》的“老君益寿散”、《太平惠民和剂局方》中的“玉露丸”等，就是这方面的代表。

宋以后，益寿延年药方真正转向以植物药为主，如金元时期《丹溪心法》中的“还少丹”、元代《瑞竹堂经验方》中的“琼玉膏”等。

传统中医学认为，人体之衰老，关键在于正气不足和阴阳失衡。《内经》有云：“能知七损八益，则二者（阴阳）可调，不知用此，则早衰之节也。”因此，益寿延年药物多重在补虚、补五脏。然而，不同时期却有所侧重。唐宋以前的延年益寿药多以补心肾为主，兼补五脏。金元至明代，则多重于补肾。明清时期，则重视脾肾双补。如《串雅外编》中的“长寿粉”“九宫王道糕”，《寿世保元》

中的“阳春白雪糕”，《万氏积善堂秘验滋补诸方》中的“参苓造化糕”等，不仅重在补脾，且注重膏方的工艺制作。

纵观历代延年益寿诸方，惊奇地发现，通腑之剂在养生延年方面却有经天纬地之功。

走方医秘而不传的“大补糕”风靡于世，其实，它的原料只有山楂与大黄。

清朝，北京大栅栏同仁堂一带，兴盛一时的“通补糕”，也只有大黄一味原料。

以大黄作为补药，巧妙地将补与通有机地结合起来。“以通为补”，是通过调动人体脏腑功能达到补益的目的。

《中藏经》有云：“其本实者，得宣通之性，必延其寿。其本虚者，得补益之精，必长其年。”东汉思想家王充说：“欲得长生，肠中常清；若要不死，肠中无滓。”可惜这种理念在历史长河中未被普遍认识。清代杨栗山高屋建瓴，真正认识了这一理念的内涵，他说：“人但知建良将之大勋，而不知有良相之硕德。”先祖刘仁接受了杨之卓见，一改长寿药用参、芪、术、苓、茸之峻补，而以枸杞、银杏之花、叶、根、果为主药，以大黄通腠理，注意工艺制作流程，果然刘氏长寿地仙丹，别具一格。先祖刘仁寿高138岁，刘熹寿高79岁。余之岳母终年99岁。余已年逾八十，于刘氏长寿地仙丹中加进灵芝孢子粉，十日服一丸，每月去外地巡诊，毫无疲劳之状。

《神农本草经》云大黄“下瘀血，血闭，寒热，破癥瘕积聚，留饮宿食，荡涤肠胃，推陈致新，通利水谷，调中化石、安和五脏”。

《日华子本草》云大黄“通宣一切气，调血脉，利关节，泄壅滞、水气，四肢冷热不调，温瘴热痰，利大小便，并敷一切疮疖痈毒”。

临床可见，以大黄入长寿药中，“得通宣之性延其寿，得补益之精长其年”，不传之秘也。临床偶拾，价值万金。

2. 野生中草药论

刘氏普济堂遵古炮制，几代人推崇药采深山。

野生中草药生长于深山巨壑、大野荒原。置沃土瘠壤而舒徐繁衍，越春秋寒暑，历雨雪风霜，采日月山川之真气，得阴阳五行之精华。蜂蝶为媒，洒陈于百花之蕊；鸟肫化育，籽粒再生于雀便之中。此自然造物，富机化合，天赋平烈缓急之性，功专而力宏。凡国医备之，机妙存焉。先祖云：“良医用药，必择良品；

上品之剂，必赖良工。良医良药，医之道也。”

努鲁山脉之野紫草，解毒疫斑疹；九龙山脉之黄瓜香黄瓜臭（地榆），治水火烫伤；青龙毒山山麓之狼毒，主治肺癌转移；佛爷洞之紫鹃梅（紫臭老婆条子）、凤凰山内外之白鹃梅（白臭老婆条子），提高人体免疫功能，防癌、抗癌，皆有“四两拨千斤”之妙。

野生中草药之汪洋大海，取根枝花叶果，修合丸散膏丹汤。其味厚，其力专，其效宏矣。

是故，野生中草药纳天地之灵聚其气，纠阴阳之偏养其精，秉天人之合传其神。

新时期，亟须保护野生药材资源，提倡野生药源的“圃人情怀”，弘扬中药制剂的“匠人”精神，抵制医药市场以次充好的乱象。传承发展，守正创新，十年药材，百年药人，选择野生中草药，善莫大焉！

我创建“普济堂文化”有着深远的思考。

首先，从心理学的角度来说，我把诊所打造成一个文化环境，可使患者有一个平和的心态配合治疗，促进医患之间的和谐与默契；二是以文化元素熏陶家人及其他医护人员，提高服务质量，与前来就诊的患者建立亲切友善的联系，体现祖国传统医学最可宝贵的人文关怀精神；三是以文化为载体，把前六代先祖和普济堂的医学创新成果记录下来，让子孙后代发扬光大，不断地为丰富祖国医药学宝库积累经验。

冲破重重阻力，2008 年，我考取执业医师资格，普济堂中医诊所重新挂牌于三燕故都——辽西朝阳。诚信普济堂，文化普济堂，扬善诚信，普济存真，光耀了祖传医药之门。原辽宁省人大常委会副主任孙铁先生以诗赞曰：

廿载育人卌载医，岐黄祛病汝堪奇。

秘笈祖法今光大，普济众生德善积！

作家张玉书《又得集·赠刘彦普》诗曰：

曾因执教惊初遇，孰料悬壶道亦深。

功在山城传大誉，名登京国入高林。

潜研自合中西璧，实践能开天地心。

但把玄珠臻化境，人间何处不知音。

六十年从医之路，拜名家为师，交杏林益友，有国医指点，请专家解疑。

2021年，《刘氏六世医方》增补了医案、医话篇，交由中医古籍出版社再版，彰显了刘氏六世家传的宝贵与珍藏。

普济堂声名远播，被百姓誉为放心的诚信诊所。余跻身全国名医行列，聚首人民大会堂，驰誉杏林。

传承与吸收，丰富了刘氏家传之典；继承与发展，开拓了刘氏家传之路。

喜看刘氏家传，在传统医学百花园中绽放光彩，在现代医学宝库中熠熠生辉！

附：普济早搏胶囊研究分析

一、总论

目前，西医临床上使用的几类抗心律失常药物均存在不足，如在治疗心律失常时，往往又诱发新的心律失常。

新中国成立以来，我国曾大量筛选抗心律失常中药，先后发现数百种中药单体和复合物有抗心律失常作用，如苦参碱、小檗碱、小檗胺、粉防己碱、黄杨碱、青蒿素、心律齐、心泰平等，但这些单体成分抗心律失常疗效有限，主要原因是在心律失常发生发展中起主导作用的通道，称为抗心律失常药物作用的最佳靶点。换言之，一个理想的抗心律失常药物应对最佳靶点有作用，且至少对两种或两种以上的离子通道有作用。由此可见，要想研制安全高效的抗心律失常中药，就应寻求联合用药或作用于不同靶点的配伍应用的途径。

普济早搏胶囊为一传统的复方中药，主要成分为甘松、紫石英、苦参、红花等。本品经过现代工艺精制而成，配方获国家发明专利。本品益气通阳，定悸复脉，活血化瘀，主治阳气不能宣通脉气而致心脉瘀阻，适用于室性早搏、房性早搏、室性心动过速、心房颤动等心律失常患者。

二、项目技术可行性分析

1. 项目技术创新性论述

本项目系刘氏祖传心内科至珍。药效学实验与大量临床试验证实，本品具有鲜明的科学性，通过组间对照研究，证据可靠，设计合理，且采用现代高科技提纯工艺；具有突出的先进性（创新性），经检索，国内未有与本课题组甘草、红花、甘松、紫石英等相同制剂治疗各类早搏方面的临床研究文献报道。临床使用安全，著名心内科专家谢惠芳评价说:“该项目填补了国内同类研究的空白。”本品具有较强的实用性。早搏是临床常见多发病，发病群体广泛，服用西药常常反复发作。本品服用安全、经济、高效，远期疗效好，患者易于接受。

本项目已获得国家发明专利。

2. 主要工艺流程

（1）部分药品以 70% 乙醇回流提取 2 次，第 1 次 2 小时，第 2 次 1 小时，乙醇量分别为 4 倍、3 倍量。滤过，减压浓缩至相对密度（60℃）为 1.2 ～ 1.3 的浸膏。

（2）部分药品加水煮三次，第 1 次 2 小时，第 2 次 1 小时，分别为六倍，四倍量，滤过。减压浓缩至相对密度（60℃）为 1.2 ～ 1.3 的浸膏，再将浸膏醇沉后，减压浓缩至相对密度（60℃）为 1.2 ～ 1.3 浸膏。

（3）部分药品直接粉碎，过 100 目筛。

（4）上述药粉混合，过筛 6 遍，装 1 号胶囊，250mg/ 粒。

3. 项目产品的主要技术性能指标与国内外同类产品先进技术指标比较

目前国内治疗心律失常的中药很少。经试验证实，本品对氯仿致小鼠心律失常有保护作用；对氯仿 – 肾上腺素诱发家兔心律失常及氯化钡诱发大鼠心律失常有保护作用，且药效优于山东步长恩奇制药有限公司生产的稳心颗粒。临床研究证实，该产品可以治疗各种原因引起的早搏，疗效安全、稳定，优于西药。

心脏早搏，属中医学心悸、怔忡范畴。对其治疗，今人大多采用古方炙甘草汤、朱砂安神丸、安神定志丸等加减化裁。由于缺乏对病证方药的规范化、标准化以及病证实质的系统性研究，又受到药物修合、煎煮等环节的影响，疗效不尽如人意。而目前所使用抗心律失常的西药，被公认有一定的毒副作用。基于上述原因，根据刘氏祖传秘方“普济心血丹”加减化裁，经过高科技工艺处理，制成“普济早搏胶囊”，用于治疗各类早搏，安全、持久、经济、高效。为该领域科研技术的发展提供了一种可靠的学术依据。

国内外学者对“早搏”的研究已久。不仅有精辟论述，且不断提出新的临床治则。今人对早搏的治疗研究亦各有千秋。湖北医科大学（今武汉大学医学部）心内科专家吴美华研究证明:“无论有无冠心病，凡有室性早搏者，心源性死亡或猝死的可能性就高。”这一发现，将为该领域的学术研究与辨证施治提出新的课题，即及时纠正室性早搏，对提高人们的身心健康，有着十分重要的意义。国外学者早在20世纪60年代末至70年代初，就已将盐酸胺碘酮用于临床治疗早搏，并取得了较好的疗效。但是该药物胃肠道副作用较大，一般慎用。我们的研究成果，有别于同类研究之处，在于我们把生心血作为治疗早搏的大法。“人之所主者心，心之所养者血”，“血富则心君自安”（《杂病广要》）。500例临床对比观察，普济早搏胶囊通阳复脉、活血宁神之功效显著，用于治疗室性和房性等各类早搏，效果优于其他同类药物。

三、项目产品市场调查和需求预测

1. 本项目产品的主要用途

本品主要用于益气通阳，定悸复脉，活血化瘀。主治气阴两虚兼心脉瘀阻所致的心悸不宁，气短乏力，头晕心悸，胸闷胸痛，适用于各类心律失常、室性早搏、房性早搏、室性心动过速、心房颤动等。

2. 目前主要使用领域的需求量及未来市场预测

生活水平的日益提高，以及亚健康人群的同步增长，使心血管药物的重要性不断凸显，在众多新品中，抗心律失常药物吸引了商家和学者的注意。这一大类药物成熟较晚，也备受关注，目前应用的药品中，β 受体阻滞剂、钠通道阻滞剂和钙通道阻滞剂在医院中占据较大比重，钾通道阻滞剂是近年开发的药品，已逐渐成为临床中的一支生力军。特别是中药在心律失常的治疗中已逐渐显出强大优势。

（1）心律失常流行病学特征

近年来，随着心血管疾病发病率的快速上升，心律失常发生率相应增多，约占心血管疾病的20%。心律失常的种类很多，以心律不齐发生的频率分类，大致可分为快速心律、慢性心律及不规则期前收缩三大类。

心律不齐的直接致命影响较少，但常伴有心血管栓塞或卒中后致残的危险，受其影响，非瓣膜房颤患者卒中的发生率是普通人的5倍，而二尖瓣狭窄的房颤患者发生卒中的概率是普通人的17倍。房颤在普通人群中仅占0.57%，而在心脏病患者和老年人中的发生率高出许多，其发生率约占4%，在临床上已受到高度重视。

心房纤维性颤动（房颤）属于恶性心律失常之一，是持续时间最长的心律不齐，危及了许多人的生命。在心脏手术中，房颤发生率为32%，多数患者虽能耐受，但心动过速和心房收缩不正常，导致患者低血压和充血性心力衰竭，使卒中风险系数增高。随着年龄的增长，心房组织结构逐渐变化，心房扩大、心肌萎缩、传导组织减少及纤维化的影响，导致了手术中心房传导延长和心律失常阈值降低，使术后房颤的概率增高。

迄今为止，人类对于房颤、室颤这一难题尚未较好地攻克，统计表明，在发达国家约有720万心脏病患者患有心律失常症，在美国患病人群中约占30%；每年原发性房颤住院者为21.5万人次，继发性房颤住院者已超过140万人次。

我国心血管病的发病率具有一定的特点，总体上是南低北高，而且已有年轻化和不断增长的趋势，冠心病介入治疗和心脏搭桥手术的年龄已向前推进了5～10岁，非药物疗法中除颤、起搏、消融、手术的迅速发展，对心律失常的治疗虽然具有一定作用，但是药物疗法仍是防治快速心律失常的重要手段，具有简捷方便、顺应患者心理的特点，能较好地改善与房颤相关的并发症，关键是降低心肌梗死猝死率。

（2）心律失常总体市场分析

抗心律失常药的特点是：药物研究进展较快，临床药品门类较多，市场上具有卓越疗效的新品甚少。该类药物通常采用Vaughan Willims分类方法，按其电生理作用不同，分为钠通道阻滞剂、β 受体阻滞剂、钾通道阻滞剂、钙通道阻滞剂四大类，临床应用的药物已近40个品种。

奎尼丁自1918年开始用于临床，是广谱抗心律失常药物，已被视作这一类药物中的标准制剂，应用较早的还有普鲁卡因胺、利多卡因等，但由于副作用的影响，目前用量渐少。进入20世纪80年代后，普罗帕酮、氟卡尼、恩卡尼相继应用，该类药物可直接作用于细胞膜而发挥作用，是具有较强活性的钠通道阻滞剂。

20世纪最后几年，抗心律失常药物中新添了几个品种，其中，抗恶性室性心律失常药物吡美诺1995年在日本上市，相隔4年后，日本三井株式会社开发的尼非卡兰获准上市，被誉为治疗室性心律失常唯一取得进展的药物。新型第Ⅲ类钾通道阻滞剂“伊布利特”“多非利特”“司美利特”是近年开发的产品，为兼有一定Ⅰ类活性的第Ⅲ类抗心律失常药物，是我国有待进一步推广的重要品种。

纵观世界心血管药物市场，2000年全球最畅销的500种处方药中，抗心律失常药物销售额约28亿美元，同比增长了13.5%，有效且安全的主要品种约占1/2。其中，心房心律不齐药物占78%，心室心律不齐药物约占20%。能够治疗心律失常且副作用小的候选药物，已成为具有竞争力的品种。

从我国抗心律失常药物结构看，应用成熟的药品与国外差距较小，治疗室上性、室性心动过速用药中普罗帕酮、索他洛尔和胺碘酮均具有较高的普及率，控制房颤和房扑心室率的药物维拉帕米、地尔硫䓬也占据了一定的市场份额，新型第III类钾通道阻滞剂已受到业内的普遍关注。

目前临床上用于抗心律失常的注射剂约10个，如胺碘酮、索他洛尔、普萘洛尔、普罗帕酮、利多卡因、美西律、普鲁卡因胺、维拉帕米、地尔硫卓以及门冬氨酸钾镁等，在不同患者中也占据着一定的市场份额。但由于目前临床上使用的几类抗心律失常药物均存在共同的不足，如在治疗心律失常时，往往又诱发心律失常，发生率高达10%，同时还诱发传导阻滞和药源性心衰，且对某些顽固性心律失常无效，因此中药在抗心律失常方面的作用显得愈发重要。但目前市场上具有抗心律失常作用的中药很少，有一定品牌的只有山东步长制药有限公司生产的稳心颗粒。预计未来5～10年间，高龄人口的药物销售将以每年4%的速度增长，而安全有效抗心律失常药物的市场仍然有很大的发展空间。

（3）普济早搏胶囊的市场分析

近年来，脑力劳动者已成为社会的中坚力量，心血管病的发生率和患病总数不断上升。据不完全统计，我国心律不齐患者约占0.9%，测算在1200万例左右。2003年我国16城市样本医院心血管用药统计为25亿元，而全国市场将达190亿元左右，其中抗心律失常药物的市场约在8亿～10亿左右，主要由片剂、胶囊、注射剂和输液构成。若20%的心律不齐患者服用普济早搏胶囊，每个人服用两周，按每粒0.50元计算，每年可销售普济早搏胶囊131,400万元，利润按30%计算，可达39420万。

最近，中华医学会心血管病学分会副主任委员、同济大学医学院院长胡大一教授指出，心脑血管疾病是威胁全球人民健康与生命的头号杀手。我国在中风的发生率居高不下的同时，心肌梗死的发生率迅速上升。继二十世纪六七十年代因中风高发病率引发的心脑血管疾病高峰后，我国即将面临心脑血管疾病的第二次浪潮。与此同时，心律失常的发病率也将迅猛上升。因此，以中药的复方联合抗心律失常，是心血管疾病诊疗领域的重大突破，是众患之所求、医药市场之所需。而普济早搏胶囊恰好满足了这一需求。普济早搏胶囊，以“毒副作用小”“远期疗效好”的独有特点，必将为中医药走向世界开启前沿之门。故此，前景美好，且成本较低，一旦投放市场，将有巨大的利润空间。

然而，由于中药分类存在问题，目前市场上对中药没有强有力的统计数据支持，各种数据过于零散，我们只能从另一个角度来评估这个市场。从总体上看，在国内心脑血管疾病用药中，中药从 2001 年以后已经略微超过了西药，销售额合计略占优势，理由如下：分析几个主要的中药品种回款额（以企业实际到账金额，非销售额，按 2003 年统计）：复方丹参滴丸 8.8 亿元，步长脑心通 5.6 亿元，以岭通心络 4.5 亿元，地奥心血康 2.2 亿元，速效救心丸 1.2 亿元，同时加上灯盏花系列产品、丹参系列（除滴丸）产品，结合零售市场的情况进行估算的话，整个中药在心血管上的市场份额已经超过了 50 亿元，而西药的份额却不足 50 亿元，因此，在这个领域，中药有巨大的市场份额。目前中医抗心律失常药物只有步长稳心颗粒，而普济早搏胶囊的诞生将为该领域治疗学的发展注入新的生机！

结 语

凝结着中华千年智慧，体现着刘氏家学的六世仁心，饱含着刘彦普大半生心血的《刘氏六世医方》，2014 年刚问世，便引起了同仁的注意、专家的好评和读者的热捧，乃至一书难求。

受此鼓舞，趁热打铁，白发青灯，六易寒暑，纂成医方的姊妹篇《医案·医话》，言前书所未言，别开生面。今将两者合为一书，相得益彰。书名一仍其旧。

刘氏一君二臣三味方，向不外传，今公之于世，历呈千秋，造福大众。

壬寅·仲秋　刘彦普

代后记

人生天地，其道何居？希圣希贤，接往古，开来学，此一道也；卜筮星相，各臻绝诣，指示迷途，亦一道也。刘君彦普，幼袭家学，悬丹壶，负青囊，驰杏林，济人众，内中虽多有风霜颠簸之艰辛，但见诸多病患每于手中摆脱顽疾犹获新生，亦则苦中泛乐，其乐也无穷。惜光阴荏苒，转瞬年逾古稀，于是乎学作大德大贤无欲无我之望愈甚，若能秉泛爱亲仁之用心，践广传博承之大义，一改先祖传内不传外、传男不传女之遗训，集祖传医学之经典，罄平生所学之精粹，编纂成书，永传后世，惠及更多国人民众，善莫大焉！据此想，乃编撰，苦历数载，至二〇一四年《刘氏六世医方》面世。又六载，《医案·医话》亦编竣，恰逢《六世医方》修订再版，二者一并付梓，方案合璧，是为姊妹。

编撰中，承蒙诸国本、伊广谦、王中原、张玉书、赵国辅诸君悉心诲教，芟夷斧正，彦普一并敬致谢忱！

执医之余，闲暇无多，仓促间连撰两书，其舛讹、存疑之处难免，敬请专家、师尊、同仁及读者朋友赐教、惠正。

蒙刘君抬爱，代为作此书后记。奈愚下学浅笔拙，恐文不会意，记不成篇，有负重托矣！

温晓明

二〇二〇年九月